う蝕学
―チェアサイドの予防と回復のプログラム―

執筆者一覧（五十音順）

◆編集・執筆

田上順次 （たがみじゅんじ）	東京医科歯科大学大学院医歯学総合研究科口腔機能再構築学系専攻摂食機能保存学講座う蝕制御学分野 教授
花田信弘 （はなだのぶひろ）	国立保健医療科学院口腔保健部 部長
桃井保子 （ももいやすこ）	鶴見大学歯学部第一歯科保存学教室 教授

◆執筆

阿部 實 （あべみのる）	鶴見大学歯学部歯科補綴学第一講座 准教授
飯島洋一 （いいじまよういち）	長崎大学大学院医歯薬学総合研究科社会医療科学講座口腔保健学 准教授
今里 聡 （いまざとさとし）	大阪大学大学院歯学研究科分子病態口腔科学専攻口腔分子感染制御学講座歯科保存学教室 准教授
池見宅司 （いけみたくじ）	日本大学松戸歯学部う蝕抑制審美治療学講座 教授
井上 孝 （いのうえたかし）	東京歯科大学臨床検査学教室 教授
稲葉大輔 （いなばだいすけ）	岩手医科大学歯学部予防歯科学講座 准教授
今井 奨 （いまいすすむ）	先端医療振興財団・先端医療センター 客員研究員
大森郁朗 （おおもりいくお）	鶴見大学名誉教授
大森かをる （おおもりかをる）	鶴見大学歯学部第一歯科保存学教室 助教
尾崎和美 （おざきかずみ）	徳島大学歯学部口腔保健学科口腔保健支援学講座 教授
柿木保明 （かきのきやすあき）	九州歯科大学生体機能科学専攻生体機能制御学講座摂食機能リハビリテーション学分野 教授
川崎弘二 （かわさきこうじ）	大阪歯科大学口腔衛生学講座
川口陽子 （かわぐちようこ）	東京医科歯科大学大学院医歯学総合研究科環境社会医歯学系専攻国際健康開発学講座健康推進歯学分野 教授
神原正樹 （かんばらまさき）	大阪歯科大学口腔衛生学講座 教授
北迫勇一 （きたさこゆういち）	東京医科歯科大学大学院医歯学総合研究科口腔機能再構築学系専攻摂食機能保存学講座う蝕制御学分野
北村雅保 （きたむらまさやす）	長崎大学大学院医歯薬学総合研究科口腔保健管理学分野 助教
久保至誠 （くぼしせい）	長崎大学医学部・歯学部附属病院臨床教育・研修センター 准教授
香西克之 （こうざいかつゆき）	広島大学大学院医歯薬学総合研究科展開医科学専攻顎口腔頸部医科学講座小児歯科学 教授
斎藤一郎 （さいとういちろう）	鶴見大学歯学部口腔病理学講座 教授
品田佳世子 （しなだかよこ）	東京医科歯科大学大学院医歯学総合研究科環境社会医歯学系専攻国際健康開発学講座健康推進歯学分野
菅 武雄 （すがたけお）	鶴見大学歯学部高齢者歯科学講座
高木裕三 （たかぎゆうぞう）	東京医科歯科大学大学院医歯学総合研究科口腔機能再構築学系専攻口腔機能発育学講座小児歯科学分野 教授
髙橋信博 （たかはしのぶひろ）	東北大学大学院歯学研究科口腔生物学講座口腔生化学分野 教授
武内博朗 （たけうちひろあき）	国立保健医療科学院口腔保健部 客員研究員
竹原直道 （たけはらただみち）	九州歯科大学健康促進科学専攻健康増進学講座保健医療フロンティア科学分野 教授
玉置 洋 （たまきよう）	鶴見大学歯学部予防歯科学講座 助教
柘植紳平 （つげしんぺい）	岐阜県開業
鶴本明久 （つるもとあきひさ）	鶴見大学歯学部予防歯科学講座 教授
中川洋一 （なかがわよういち）	鶴見大学歯学部口腔外科学第二講座 講師
中嶋省志 （なかしましょうじ）	ライオン株式会社オーラルケア研究所
西川原総生 （にしかわらふさお）	国立保健医療科学院口腔保健部 協力研究員
野村義明 （のむらよしあき）	国立保健医療科学院口腔保健部・口腔保健技術室長
林 善彦 （はやしよしひこ）	長崎大学大学院医歯薬学総合研究科医療科学専攻展開医療科学講座齲蝕学 教授
松久保隆 （まつくぼたかし）	東京歯科大学衛生学講座 主任教授
宮﨑秀夫 （みやざきひでお）	新潟大学大学院医歯学総合研究科口腔生命科学専攻口腔健康科学講座予防歯科学分野 教授
宮新美智世 （みやしんみちよ）	東京医科歯科大学大学院医歯学総合研究科口腔機能再構築学系専攻口腔機能発育学講座小児歯科学分野 助教
葭原明弘 （よしはらあきひろ）	新潟大学大学院医歯学総合研究科口腔生命科学専攻口腔健康科学講座予防歯科学分野 准教授

序　文

　う蝕学（cariology: カリオロジー）は、う蝕とその発生要因について多くの専門分野を横断して学ぶ学問領域であり、う蝕学を学ぶ目的は、う蝕という疾患の予防や治療において臨床的な成果を上げることにある。人々が、いつまでも歯を失うことなく、健康で美しい歯を保持していくためには、歯の萌出前から始まる生涯を通じての口腔健康管理が必要である。いつまでも自分の歯でと願う人々を、専門的知識をもとに支援するために学ぶのがう蝕学である。

　う蝕については、多くの関心が、どの材料でいかに修復するかに向いていたが、1980年代になってう蝕の原因や病態に科学の目が向けられ始めた。そして現在、一般の人々の間にも、う蝕が細菌感染であり可逆的な現象であることなどの理解が広まり意識改革が始まっている。人々が、これから私たちに求めるものは、"削って、詰めて"ではなく"う蝕にしない、う窩にしない"ための確かな知識と技術である。このような中にあって、私たちが必要と感じたのは、う蝕学が教える知識をどう実践するか、たとえば、う蝕が可逆的な現象であることや人の一生を通じてそのリスクが変化すること、生活習慣病とも考えられることなどの知識を、チェアサイドでどう活かすかに言及した教科書兼ハンドブックである。この本のサブタイトルを「チェアサイドの予防と回復のプログラム」とした理由もここにある。

　本書は、生まれてから死ぬまでの一生の中でう蝕とその予防を概観するために、ライフステージごとの構成とした。各ステージは、厚生労働省が健康日本21（21世紀における国民健康づくり運動）で示す年齢層に基づき、幼年期（育つ）、学齢期（学ぶ）、青年期（巣立つ）、壮・中年期（働く・熟す）、高年期（稔る）、これに歯の萌出前（養育者に対して）と、社会的ニーズが高い要介護者を加えた。歯の萌出前は、養育者（母親であることが多い）から子どもへ菌の伝播を防ぐことが目標となり、ここが人の生涯を通しての う蝕予防の出発点となる。幼年期は、健全な乳歯列を完成させることが目標となり、これが健全な永久歯列へつながる。学齢期では、混合歯列期にある歯を守り、健全な永久歯列を完成させる。青年期では、健全な永久歯列を維持するために良い生活習慣を身につけさせること。一人一人が口腔管理に主体的に取り組む姿勢を植え付けるのがポイントである。壮・中年期では、う蝕の様相が変化し根面う蝕への対処が求められる。ここでは、健全な永久歯列によって人々の働き盛りが支えられ、これが健康ではつらつとした高年期への導入となることを学ぶ。高年期では、う蝕により歯を失い咬合が崩壊していくことが問題となる。この時期の健全な咀嚼は、若い頃と同じQOLを維持することに貢献する。要介護者においては、口腔を健康に保つことは、障害を持つがゆえに重要であり、人が尊厳に満ちた人生を送ることに欠かせないことを理解する。本書では、読者がこれらのことを体系的に学べるよう、臨床編は実践的であるように本の前半に配され、これが中ほどの臨床を支える知識と技術編に支えられている。この臨床を支える知識と技術編は、後半に配した基礎編によって支えられ、ここで科学的根拠が示される、といった重層的な組み立てを試みている。

　今、国は、糖尿病、循環器病、がんなどと並んで、歯の健康が生活の質を確保するための重要な要素であることを認識している。歯科保健の分野では、生涯にわたり健全な咀嚼能力を維持し、健やかで楽しい生活を過ごそうという8020運動が展開されている。このような中で、本書が、国民の口腔の健康増進にかかわる人々を少しでも支援できれば、編者にとって望外の喜びである。

平成20年2月

編者一同

第Ⅰ部　総論　　7

第1章　う蝕のライフサイクルと予防　花田信弘 ……8
1．ライフサイクルとう蝕 ……8
1）はじめに ……8
2）年代別に見た歯の健康 ……8
3）8020とシナリオづくり ……11
4）世界のガイドラインは何を推薦しているか ……12
5）個々の人々に対応したガイドラインを目指して ……13

2．一次予防と二次予防 ……13
1）健康日本21における「歯の健康」 ……13
2）う蝕の予防と治療の三段階 ……13
3）高リスクアプローチと集団アプローチ ……15
4）患者を対象とした保健教育の指針 ……15

第2章　う蝕治療におけるミニマルインターベンション（MI）　田上順次 ……16
1．歯の寿命と喪失予防 ……16
1）歯の寿命 ……16
2）う蝕治療のFDIガイドライン ……17

2．う蝕への対応と修復歯の管理 ……17
1）初期う蝕への対応 ……17
2）歯質保存的う蝕治療 ……18
3）修復歯の管理 ……19

第Ⅰ部　文献 ……20

第Ⅱ部　臨床編　　21

第1章　歯の萌出前　飯島洋一、北村雅保 ……22
1．リスク評価と予防 ……22
1）う蝕細菌の伝播（transmission）と定着（colonization） ……22
2）妊娠中からのケア ……23

2．診査、診断、治療方針 ……25
1）妊産婦の口腔診査、診断 ……25
2）予防プログラムあるいはMIアプローチ中心の治療方針 ……26

第2章　幼年期（1〜5歳）　香西克之 ……28
1．リスク評価と予防 ……28
1）各種リスク評価法 ……28
2）リスク除去の診療室技術 ……31
3）プロフェッショナルケア ……34
4）ホームケア（特に歯間清掃の重要性について） ……34

2．診査、診断、治療方針 ……37
1）1歳までのポイント ……38
2）1〜2歳のポイント ……38
3）3〜4歳のポイント ……40
4）4〜5歳のポイント ……40

5）集団検診における探針の使用の是非について（WHOの指針） ……42

3．処置 ……42
1）再石灰化（回復） ……42
2）修復とシーラント ……43

4．メインテナンス ……44
1）高リスク患者における修復（う蝕治療）後のメインテナンス ……44
2）定期健診 ……45

第3章　学齢期（6〜15歳） ……46
1．リスク評価と予防　川口陽子、品田佳世子 ……46
1）各種リスク評価法 ……46
2）リスク除去の診療室技術 ……48
3）プロフェッショナルケア ……48
4）セルフケア ……49

2．診査、診断、治療方針 ……51
3．処置 ……51
1）再石灰化（回復） ……51
2）修復 ……52

4．メインテナンス ……52
1）学齢期のメインテナンスの特徴 ……52
2）定期健診 ……53

5．学齢期の6番を守る　柘植紳平 ……54
1）学校歯科医と地域の臨床家（かかりつけ歯科医）との連携 ……54
2）6番の長期観察 ……57

第4章　青年期（16〜24歳）　久保至誠 ……59
1．リスク評価と予防 ……59
1）各種リスク評価法 ……59
2）リスク除去の診療室技術 ……61
3）プロフェッショナルケア ……61
4）セルフケア ……61

2．診査、診断、治療方針 ……62
1）診査および診断 ……62
2）治療方針 ……63

3．処置 ……65
1）再石灰化 ……65
2）修復 ……65

4．メインテナンス ……65
1）高リスク患者を中心とした術後管理 ……65
2）定期健診 ……66

5．症例 ……66
症例1　自己管理能力確立プロセスとメインテナンス継続の難しさ ……66
症例2　自己管理能力育成の難しさと次のライフステージへの橋渡し ……67
症例3　青年期後期に確立された自己管理能力によるう蝕進行抑制 ……68

第5章　壮・中年期（25～64歳）
桃井保子、今里　聡、尾崎和美 69
- 1．壮年期・中年期のリスク評価 69
  - 1）壮年期・中年期のう蝕の特徴 69
  - 2）歯肉退縮・歯根露出 71
  - 3）根面のセメント質 71
  - 4）根面のう蝕感受性 71
  - 5）根面のう蝕の広がり 71
  - 6）根面のう蝕の臨床的特徴 71
- 2．予防と再石灰化（回復）のプログラム 72
  - 1）プロフェッショナルケア（リスク除去の診療室技術） 72
  - 2）セルフケア 73
- 3．診査、診断、治療方針 74
  - 1）根面う蝕の臨床的分類 74
  - 2）根面う蝕の診査 75
- 4．対処 75
- 5．修復治療 76
  - 1）感染歯質の除去 76
  - 2）修復材料の選択 77
- 6．メインテナンス 78

第6章　高年期（65歳～）　阿部　實 80
- 1．リスク評価と予防 80
  - 1）高齢者の病態の認識と説明 80
- 2．診査、診断、治療方針 81
  - 1）医療面接と主訴への対応 81
  - 2）口腔内診察と咬合の確保 81
  - 3）原因療法へ、指導のポイント 82
- 3．処置 82
  - 1）プラークコントロールとデンチャープラークコントロール 82
- 4．メインテナンス 84
  - 1）咬合の保全 84
  - 2）歯と口腔のケア 84
  - 3）義歯の調整とメインテナンス 85

第7章　要介護者　菅　武雄 87
- 1．要介護者とは 87
- 2．要介護者と歯科治療 88
  - 1）ある症例から 88
  - 2）治療とケアの中断 88
  - 3）介入の考え方 88
  - 4）診療方針の立案：患者の持つ「条件」の加味 89
  - 5）歯科訪問診療 89
  - 6）歯科訪問診療の適応 90
- 3．要介護者とう蝕リスク 90
  - 1）自然リスク 91
  - 2）人為的リスク 91
  - 3）環境リスク 91
- 4．要介護者のう蝕の診断と治療 92
  - 1）基本原則 92
  - 2）診療環境の構築 92
  - 3）う蝕の診査 92
  - 4）う蝕の診断（処置方針） 93
  - 5）材料の選択 93
  - 6）治療（根面う蝕） 93
  - 7）サポーティブ・ケア 94
- 5．要介護者と口腔ケア 96
  - 1）口腔ケアの3領域 96
  - 2）アセスメント 96
  - 3）プランニング 97

第II部　文献 98

第III部　臨床を支える知識と技術編　101

第1章　う蝕のリスク評価 102
- 1．う蝕のリスク要因と評価法　鶴本明久 102
  - 1）う蝕のリスク要因 102
  - 2）う蝕リスクの評価法 103
- 2．チェアサイドにおける唾液検査の位置づけとその活用　西川原総生、玉置　洋、野村義明、花田信弘 105
  - 1）唾液検査の導入 106
  - 2）唾液検査の種類と特徴 106
  - 3）検査結果の判断 107
  - 4）適切な検査時期 109
  - 5）各種リスク評価結果に基づく予防プログラム 109
- 3．生活習慣調査　鶴本明久 111
  - 1）保健行動モデル 112
  - 2）保健行動におけるう蝕要因 112
- 4．口腔内状態からのリスク評価 113
  - 1）プラークスコアとう蝕発生のリスク（鶴本明久） 113
  - 2）乳歯う蝕と永久歯う蝕との関連（野村義明） 113
  - 3）歯の健康度指標（野村義明） 114

第2章　初期う蝕診断の新技術 116
- 1．QLF初期う蝕検出・診断システム　川崎弘二、神原正樹 116
  - 1）初期う蝕検出・診断の意義 116
  - 2）QLF法の原理 116
  - 3）QLF法による診査 117
  - 4）QLF法により評価を行った症例 118
  - 5）QLF法による研究 118
  - 6）臨床における光学的診査の必要性 119
- 2．レーザーを用いたう蝕診断　田上順次 119

　　　　1）レーザーによるう蝕診断装置 DIAGNOdent......119
　　　　2）可視光線によるう蝕診断......120
第3章　う蝕の予防法（セルフケア）......121
　1．ブラッシング　松久保 隆......121
　　　　1）歯ブラシ、電動ブラシ......121
　　　　2）プラーク染色液の利用......123
　　　　3）その他の清掃法......124
　2．フッ化物洗口......125
　　　　1）フッ化物洗口とは......125
　3．食品によるう蝕予防　今井 奨......126
　　　　1）ガムの効用と問題点......126
　　　　2）シュガーレスガム......126
　　　　3）機能性ガム......127
　4．歯磨剤　中嶋省志......129
　　　　1）歯磨剤の組成......129
　　　　2）歯磨剤の薬事的分類と訴求機能......130
　　　　3）フッ化物配合歯磨剤の国際基準......130
　　　　4）フッ化物配合歯磨剤の有効性......131
第4章　う蝕の予防法（プロフェッショナルケア）......133
　1．PMTC　池見宅司......133
　　　　1）PMTC とは......133
　　　　2）3DS とは......133
　　　　3）PMTC のステップと器材......134
　2．口腔細菌の制御技術―う蝕予防における Dental Drug Delivery System（3DS）の役割―
　　　武内博朗......136
　　　　1）う蝕の治療からリスク低減治療へ......136
　　　　2）Dental Drug Delivery System（3DS）の細菌学的機序......137
　　　　3）3DS の臨床フローチャート......138
　　　　4）3DS の臨床成績......143
　　　　5）予防歯科の運用における 3DS が担うステージと意義......143
　　　　6）3DS の担うステージ......144
　3．シーラント......145
　　　　1）レジンによるシーラント填塞法（大森郁朗）......145
　　　　2）幼若永久歯のコンビネーション修復法......147
　　　　3）レジンコート材による隣接面う蝕の予防......148
　　　　4）グラスアイオノマーセメントによるシーラント填塞（宮新美智世、高木裕三）......150
第5章　再石灰化療法　飯島洋一......151
　1．歯質の再石灰化とその機序......151
　　　　1）化学反応論......151
　　　　2）結晶論......152
　　　　3）平衡関係論......152
　2．初期エナメル質病変の再石灰化......153
　　　　1）う窩を形成していない病変......153

　　　　2）う窩を形成している病変......153
　　　　3）再石灰化ミネラルの耐酸性と保護......153
　3．再石灰化処置の臨床的アプローチ......154
　　　　1）化学的介入としての再石灰化処置......154
第6章　ドライマウスへの対応　柿木保明......157
　1．ドライマウス患者に見られるう蝕への対応......157
　　　　1）口腔乾燥と関連するう蝕......157
　　　　2）予防を重視した治療......158
第Ⅲ部　文献......160

第Ⅳ部　基礎編　165

第1章　歯と唾液......166
　1．永久歯の構造と組成　井上 孝......166
　　　　1）歯の発生と形成異常......166
　　　　2）エナメル質......167
　　　　3）セメント質......168
　　　　4）象牙質・歯髄複合体（dentin/pulp complex）の理解......168
　　　　5）歯の痛み......170
　2．唾液の基礎　中川洋一......171
　　　　1）唾液の分泌機構......171
　　　　2）唾液の役割......171
　3．ドライマウスの疫学と原因　斎藤一郎......173
　　　　1）求められる新たな診療分野......173
　　　　2）ドライマウスのサポート体制......174
　　　　3）ドライマウス専門外来からの知見......174
　　　　4）ドライマウスの主な原因......175
　　　　5）ドライマウスの成立機序......176
　4．ドライマウスの診断と治療　中川洋一......178
　　　　1）診断法......178
　　　　2）治療法......181
第2章　永久歯う蝕の病態と診断　林 善彦......185
　1．う蝕の原因......185
　　　　1）口腔細菌......185
　　　　2）プラーク......185
　　　　3）生活習慣......186
　2．う蝕の病態......187
　　　　1）エナメル質う蝕......187
　　　　2）根面う蝕......188
　　　　3）修復物辺縁のう蝕......189
　3．基本的なう蝕の診査法......189
　　　　1）主観的な診査......189
　　　　2）客観的な診査......190
第3章　う蝕とフッ化物　飯島洋一......192
　1．歯のフッ素症とその原因解明......192
　2．フッ化物応用の安全性......193

1）急性毒性 193
　　　2）慢性毒性 194
　3．う蝕予防のメカニズム 195
　　　1）フッ化物応用法の場面とフッ化物濃度の特徴 ... 195
　　　2）フッ化物のう蝕予防機序 196
　4．専門的応用法 197
　　　1）フッ化物歯面塗布法 197
　　　2）応用法（手法、作用時間）の特徴 198
　　　3）う蝕予防効果の特徴 198
　　　4）安全性を配慮した使用量 198
　　　5）劇薬・普通薬・医薬部外品と
　　　　　フッ化ナトリウム 198
　5．自己応用法 199
　　　1）フッ化物配合歯磨剤やフッ化物洗口法 199
　　　2）上手な応用法（時期） 199
　　　3）う蝕予防効果の特徴 199
　　　4）安全性を配慮した使用量 199
　　　5）フッ化物配合歯磨剤の使い方 200
　6．公衆衛生的応用法 200
　　　1）水道水フッ化物濃度調整法やフッ化物洗口法 ... 200
　　　2）応用法の特徴 201
　　　3）う蝕予防効果の特徴 201
　　　4）安全性を配慮した使用量 202

第4章　乳歯う蝕の特徴と病態　大森郁朗 203
　1．乳歯う蝕の特徴 203
　　　1）小児のう蝕と社会環境 203
　　　2）乳歯う蝕の病態 204
　2．永久歯との違い 204
　　　1）乳歯の生物学的意義 204
　　　2）乳歯歯冠の組織・形態学的特徴と
　　　　　乳歯の保健医療 204
　　　3）歯質の化学組成 205

第5章　う蝕とミュータンスレンサ球菌　髙橋信博 207
　1．ミュータンスレンサ球菌の自然史 207
　　　1）*Streptococcus mutans* からミュータンスレンサ
　　　　　球菌へ－血清学的分類と遺伝子学的分類－ 207
　　　1）ミュータンスレンサ球菌の分離・同定 207
　2．ミュータンスレンサ球菌のう蝕病原性 208
　　　1）歯表面付着能 208
　　　2）酸産生能 209
　　　3）耐酸性能 210
　3．生態学的視点から見た、う蝕とミュータンスレンサ
　　　球菌 210
　　　1）プラークエコシステムのダイナミクス 210
　　　2）プラークエコシステムの中での
　　　　　ミュータンスレンサ球菌 211

第6章　う蝕と食品 213
　1．う蝕と食べ物　稲葉大輔 213
　　　1）う蝕になりやすい食べ物 213
　　　2）う蝕になりにくい食べ物 213
　　　3）う蝕に関する食品の効果に関するエビデンス ... 214
　　　4）う蝕予防に有効な食品 215
　2．う蝕と飲み物　北迫勇一 215

第7章　う蝕と代用甘味料　今井　奨 217
　1．スクロースはなぜう蝕をつくるのか 217
　2．代用甘味料とは 218
　3．代用甘味料の性質 218
　　　1）オリゴ糖の性質 219
　　　2）各種糖アルコールの性質 219
　　　3）キシリトールの性質 220
　4．代用甘味料によるう蝕予防は可能か 221
　5．代用甘味料を含む機能性食品と表示 222
　　　1）シュガーレス食品 222
　　　2）特定保健用食品（トクホ） 222
　　　3）トゥースフレンドリー協会認定食品 224

第8章　う蝕の疫学データ　葭原明弘、宮﨑秀夫 225
　1．発症要因 225
　2．う蝕の状況 225
　　　1）日本人の状況について 225
　　　2）諸外国での状況について 227
　3．根面う蝕の状況 228
　4．う蝕と全身との関連 229
　　　1）う蝕と遺伝について 229
　　　2）その他う蝕と全身との関係について 229

第9章　う蝕の歴史　竹原直道 231
　1．農耕がう蝕をもたらした 231
　　　1）デンプンはう蝕細菌の主要な基質 231
　　　2）農耕の始まりはう蝕の始まり 231
　2．弥生人骨に見るう蝕および歯槽骨吸収の状態 232
　　　1）弥生人骨のう蝕調査の概要 232
　　　2）弥生人のう蝕と現代人のう蝕の違い 232
　　　3）弥生人のう蝕歯面数 232
　　　4）弥生人骨に見られるう蝕の初発部位 233
　　　5）弥生人骨における歯槽骨の吸収状態 233
　3．弥生人と現代人のう蝕の違い 234
　　　1）弥生人のう蝕とデンプン 234
　　　2）現代人のう蝕と砂糖 235
　4．弥生人の歯周病の原因はなにか 236

第Ⅳ部　文献 237

附録　唾液検査キット一覧　大森かをる、桃井保子 241

索引 249

第Ⅰ部

総論

第1章 う蝕のライフサイクルと予防

1．ライフサイクルとう蝕

1）はじめに

う蝕は口腔細菌が分泌する有機酸がプラーク中に蓄積することにより、歯の表面のカルシウムおよびリン酸が溶出（脱灰）する一方、唾液中のカルシウムおよびリン酸による脱灰部位の再石灰化が、プラークの存在により妨げられることから生じる疾患である。そのリスクは、歯のエナメル質が未成熟な萌出直後の歯ほど高いので、乳歯では歯が生え始める時期、永久歯では第一大臼歯の萌出時（5～6歳）から第二大臼歯の萌出時（12歳）が、最もう蝕になりやすい時期である。Loescheは、無菌状態で萌出する上下左右の第一大臼歯咬合面小窩裂溝にミュータンスレンサ球菌（mutans streptococci: MS菌）を定着させないことが、永久歯う蝕の予防のポイントであることを明らかにした[1]。

歯が萌出した後のエナメル質は、唾液中に存在する過飽和のカルシウムとリン酸の働きで石灰化を続け、いわゆる「エナメル質の萌出後の成熟」という現象が生じる。そのため、後述のライフサイクルの上で「壮年期」にう蝕感受性がいったんは低下すると考えられている。しかし、「学齢期」「青年期」にう蝕になると「壮年期」以降でも修復物の二次う蝕のリスクが存在するので生涯にわたってう蝕に対する注意が必要である。また、「中年期」「高年期」以降は歯周病による根面露出が始まり、それに伴う根面う蝕のリスクが増大する。実験室データによれば、エナメル質の臨界pH（エナメル質が脱灰するpH）はpH5.5とされているが（ステファンカーブ、図1）、歯根面のセメント質、象牙質の臨界pHはエナメル質よりもはるかに中性側に傾いていて脱灰しやすい（第Ⅲ部第5章156ページ）。また、高齢になるとうつ病、高血圧症などの全身的な疾患により定期的に服用する薬剤が増加し、その副作用で唾液分泌が低下するためにう蝕のリスクが再び高くなる。近年は糖尿病に伴う根面う蝕のリスクの増大も報告されている[3]。このようなライフサイクルに伴う、う蝕のリスクの増減を知り、対象者の年齢ごとに適切な対策を講じることが大切である。

2）年代別に見た歯の健康

健康日本21における「歯の健康」のための取り組みを述べるには、歯の健康を年代別に考えなければならない。

ヒトの成長発育の程度を評価する方法には、一般に暦年齢（chronological age）が用いられるが、臨床的には生理的年齢（physiological age）として、骨年齢（bone

---

●エナメル質の溶解について

エナメル質溶解の程度を決定するのは、主に溶液のpHと溶液中に含まれるカルシウム（C）とリン（P）、それにフッ化物（F）濃度である。歯質が溶解しようとしても、溶液中にすでにCaやPが過飽和にある場合、溶出は停止する。また、脱灰する環境（pH＜5.5）であってもフッ化物が存在し濃度が高くなるに従って、溶出は減少する。エナメル質溶解の程度はCa/P/Fの各濃度とpHの相互作用に左右される。

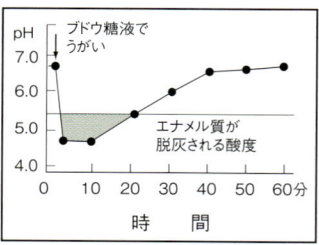

図1　10％ブドウ糖液で洗口した場合の歯面プラークのpH（文献2より引用改変）

age）や歯年齢（歯齢、dental age）が用いられる。暦年齢は、出生時点からの単純な時間的経過である。ヒトの成長の段階を表現する場合は、暦年齢よりも歯齢などの生理的年齢を用いた方が、適切な判断をすることができる。このため歯科では、暦年齢の代わりに、歯齢、例えばヘルマンの咬合発育段階を利用する[4]。

小児の咬合発育段階について、ヘルマンはその標準的な咬合状態を大きくⅠ～Ⅴまでの5段階に分け、さらにそれぞれをA（attained）とC（commenced）の2段階に分類し、その発育段階を示した。第Ⅲ期のみB（between A and C）段階が設定されている（表1）。

表1　ヘルマンの咬合発育段階（歯齢）

乳歯萌出前期	（ⅠA）
乳歯咬合完成前期	（ⅠC）
乳歯咬合完成期	（ⅡA）
第一大臼歯・前歯萌出期	（ⅡC）
第一大臼歯・前歯萌出完了期	（ⅢA）
側方歯群交換期	（ⅢB）
第二大臼歯萌出期	（ⅢC）
第二大臼歯萌出完了期	（ⅣA）
第三大臼歯萌出期	（ⅣC）
第三大臼歯萌出完了期	（ⅤA）

AとはAttained（完成）された段階、CとはCommenced（開始）した段階　BとはBetween A and C（AとCの中間）段階の意味である。

（1）乳歯の萌出脱落時期と永久歯の萌出時期

乳児期に乳歯が萌出（ⅠA、ⅠC）し、乳歯の歯根が完成（ⅡA）して3～5年もすると、後継永久歯の歯胚が発育し、それに伴って乳歯の歯根吸収が始まる。

乳歯の萌出は生後6か月前後の下顎中切歯に始まり、上顎第二乳臼歯が萌出する2歳6か月頃終了する。萌出順序は上顎、下顎共にA-B-D-C-Eである（Aは中切歯、Bは側切歯、Dは第一乳臼歯、Cは犬歯、Eは第二乳臼歯）。

歯根の吸収が進むと乳歯は動揺するようになり、やがて自然に脱落する。乳歯の脱落は第一大臼歯・前歯萌出期（ⅡC）の5歳頃に始まり、第一大臼歯・前歯萌出完了期（ⅢA）を経て11歳前後ですべての乳歯が永久歯との交換を終える（ⅢB）。

学齢期に起きる乳歯から永久歯への交換の順序は、前歯から始まり、側方歯に移行する。上顎においては4－3－5が多く、ついで3－4－5の順である。下顎では3－4－5の順で交換される（3は犬歯、4は第一小臼歯、5は第二小臼歯）。その後、6歳前後に萌出した第一大臼歯の遠心の位置に第二大臼歯（12歳臼歯）が12歳前後に萌出（ⅢC）し、第二大臼歯萌出完了期（ⅣA）を迎え学齢期に永久歯列が完成する。続いて第三大臼歯萌出期（ⅣC）を迎える。第三大臼歯萌出完了期（ⅤA）の前後で青年期になる。

（2）ライフサイクル（人生の6段階）

一生自分の歯を維持することが共通の目標に設定されている今日の日本では、う蝕のリスクは人生の段階ごとに形を変えながら生涯にわたって存在していく。ライフサイクルごとに変化するう蝕のリスクを評価するために、人生の6段階に対する綜合的な理解を深めることから始めたい。

厚生労働省が策定した21世紀の国民健康づくり運動（健康日本21）の報告書[5]では、人の生涯を、「幼年期」「学齢期」、「青年期」「壮年期」「中年期」「高年期」の6段階に大別して運動を推進している。それぞれのライフステージを端的に現す短い動詞をつけ、「幼年期」（育つ）、「学齢期」（学ぶ）、「青年期」（巣立つ）、「壮年期」（働く）、「中年期」（熟す）、「高年期」（稔る）時代という表現をしている（図2）。

歯科の専門家は、人生の6段階のそれぞれに見合った保健指導を個別に行い、生涯を通した歯の疾患と健康のシナリオをあらかじめ住民や患者に呈示できなくてはならない。

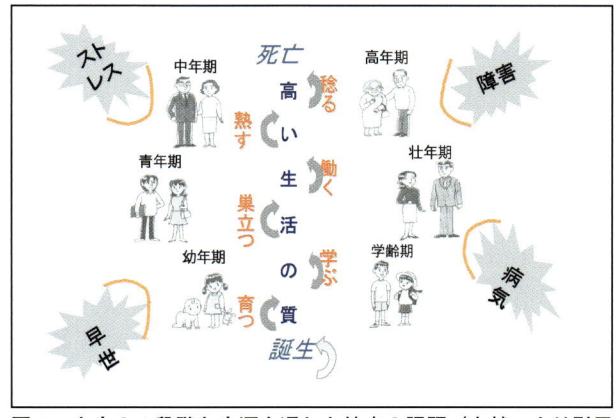

図2　人生の6段階と生涯を通した健康の課題（文献5より引用転載）

第I部　総論

（3）人生の6段階におけるう蝕予防

a. 幼年期

幼年期は免疫力の未発達により様々な感染症に罹患しやすい時期である。ミュータンスレンサ球菌の感染についても同様で、この時期から持続感染する症例が多い。ミュータンスレンサ球菌は、歯が萌出した後、唾液を介して主に養育者からその子どもに伝播し、定着・感染する。その感染時期は平均して2歳2か月前後（26か月前後）で、ほぼ乳臼歯の萌出時期と一致している[6]。

⇒ 第II部第2章28ページ

ミュータンスレンサ球菌の早期感染がう蝕のリスクを増大させることが知られている[7]。この菌の感染防止方法は、砂糖の摂取制限と養育者による幼年者の歯の仕上げ磨きである[8]。砂糖の頻回の摂取によってミュータンスレンサ球菌の感染力が著しく増加するため、養育者と幼年者の双方が砂糖摂取を控える必要がある。さらにミュータンスレンサ球菌の伝播から定着、感染まで進行するには数日かかると考えられることから、この菌の感染防止には毎日の養育者による仕上げ磨きなどのブラッシングの励行が有効である。幼児期は心理的に自立を開始する時期なので、ブラッシング習慣をこの時期につけさせ、同時に生涯にわたる健康観を形成させる大切な時期である。幼児期における自己健康観の形成に対する影響力は、家庭すなわち両親からの影響が最も大きい。両親の教育を通して、食やことばを担う歯を大切に思い、う蝕を予防する技術を習得し、しっかりとした健康観を形成しておくことが必要である。

b. 学齢期

一般の疾病は、死亡、障害共に、あまり増加はせず、比較的罹患も少ない時期といえるが、歯科ではこの時期に永久歯が次々に萌出するので、永久歯にミュータンスレンサ球菌が感染し、う蝕を急増させる原因になる。この時期のう蝕予防は、第一大臼歯をいかにして守るかにかかっているが、平滑面、隣接面のう蝕予防にはフッ化物の応用が有効であり、小窩裂溝のう蝕予防にはシーラント処置が有効である。

⇒ 第II部第3章46ページ
⇒ 第II部第3章54ページ
⇒ 第III部第4章145ページ

学齢期は、ブラッシングなどの生活習慣が固まる時期として重要である。ブラッシング指導、砂糖制限、フッ化物の応用、シーラント処置などの働きかけは、学校と家庭の双方を通したものが重要であるが、多くの問題はかかりつけ歯科医院を持つことによって解決できる。

c. 青年期

疾病の発生状況を見ると外来では呼吸器感染症、入院では事故や骨折が目立っている。この時期の健康観は病気の有無ではなく、むしろ美容やファッションという視点で健康を捉らえている。そこで口臭をモチベーションとする口腔衛生指導が有効だと考えられる。異性間で伝播する様々な感染症を防ぐため、病原細菌の唾液感染を始め体液性感染の防衛策について教育する必要がある。

⇒ 第II部第4章59ページ

学生生活や単身生活で、生活習慣に問題がある場合も多く、壮年期以降の危険な生活習慣の出発点でもある。口腔保健に関する健康支援は、学校や職場を通じたものに重点を置き、さらにメディアや企業を通じて働きかける必要がある。

d. 壮年期

壮年期は、家庭を持ち、子育ての時期である。ミュータンスレンサ球菌は養育者から子どもに唾液感染しているので、感染防止の知識を伝えることが必要な時期である。身体機能は充実しているが、この時期から歯周病が増加してくる。

⇒ 第II部第5章69ページ
⇒ 第II部第1章22ページ
⇒ 第II部第2章28ページ

自分の子どもの成長や疾患を通して家族全員の歯の健康問題を考えることができ

る。セルフケアでは、デンタルフロスだけでなく歯間ブラシの使用が可能になる時期である。プロフェッショナルケアとしてPMTC、歯石除去の処置を定期的に受けることが大切である。

➡ 第Ⅲ部第3章124ページ
➡ 第Ⅲ部第4章133ページ

e. 中年期

中年期は高年期への準備期であり、生活習慣の制御ができなければ生活習慣病のリスクが高まり、身体機能が徐々に低下していく。高年期における障害や生活の質を視野に入れて、自らの健康を設計することが重要である。

➡ 第Ⅱ部第5章69ページ

補綴物や歯根面露出による細菌叢が変化する時期であり、セルフケアではブラッシングとは別に歯間ブラシを使用する必要がある。また、必ずかかりつけ歯科医院を持ちプロフェッショナルケアを受けなければならない。PMTCの他、薬剤を用いる3DS（Dental Drug Delivery System）などの処置も必要に応じて追加することが好ましい。

➡ 第Ⅲ部第4章136ページ

f. 高年期

人生の完成期で人生を楽しみ、収穫を得る時期である。一方、口腔の老化が進み、歯を失い発語や咀嚼に問題が生じる時期でもある。この時期は、多少の病気や障害を抱えていても、生活の質を維持し、豊かに暮らすことができるよう自ら試みることが重要である。そのためには、口腔保健を重視して、食べる、しゃべる能力を維持し、社会との交流を図り、何らかの社会的役割を持つことが大切である。

➡ 第Ⅱ部第6章80ページ

この時期は様々な薬剤の服用により唾液分泌が低下する時期であり、唾液の抗菌作用で抑えられていた日和見菌が口腔で増殖しがちである。そこで、セルフケアとして様々な洗口剤の使用が必要になると考えられる。また、プロフェッショナルケアも重要でかかりつけ歯科医院における様々な歯科治療と定期健診が欠かせない。

3) 8020とシナリオづくり

歯の喪失を防止し、8020運動が提唱する80歳まで20歯の歯を維持して、高年期になっても発語や咀嚼能力を保持していくためには、幼年期の乳歯のう蝕予防から始まる生涯を通じた歯の健康管理が必要である。その要点を表3にまとめた。

幼年期や学齢期における家庭での生活習慣の確立、青年期での歯周病の予防知識や歯間部清掃の技術の習得、壮年期、中年期での具体的な行動変容が必要である。歯の健康管理に関するシナリオは突然修正が必要になることもある。例えば、高年期の脳卒中に罹患した場合である。脳卒中後には3DSなど高度なう蝕予防サービス

表3　ライフステージ別対応の要点

	幼年期	学齢期	青年期	壮年期	中年期	高年期
感染症としての特徴	ミュータンスレンサ球菌が乳歯へ感染する時期	乳歯から永久歯へミュータンスレンサ球菌が感染する時期	歯周病菌が唾液を介して異性間感染する時期	両親の唾液から子どもへミュータンスレンサ球菌が感染する時期	補綴物や歯根面露出による細菌叢が変化する時期	様々な薬剤の服用により唾液分泌が低下する時期
セルフケア	砂糖制限（ミュータンスレンサ球菌の感染力の低下）	ブラッシング（フッ化物含有歯磨剤）	フロッシング	フロスまたは歯間ブラシの使用	歯間ブラシの使用	様々な洗口剤の使用
プロフェッショナルケア	フッ化物塗布	・フッ化物塗布 ・第一大臼歯シーラント処置（高リスク者）	PMTC	PMTC、歯石除去	3DS	歯科治療と定期健診

第1部　総論

　の確保が必要と考えられる。
　　また、リプロダクティブヘルス（reproductive health）、女性の健康は子どもの歯の健康とも直接関係しており、母親になった時点で歯の健康のシナリオは変更されるべきである。また、親子に共通するシナリオも必要である。親の世代のミュータンスレンサ球菌と子どものう蝕の密接な関連を示す論文が示されているからである[9]。
　　生涯を通した「歯の健康づくり」は、それぞれの人々のシナリオづくりともいえる。歯科保健医療専門家は、患者本人の価値、生き方、健康観に基づいた歯の疾病対策と健康づくりのシナリオをつくることが重要であり、以下に示すう蝕予防に関するガイドラインを参考にしながら、定期健診における双方向のコミュニケーションにより患者の歯の疾患と健康に関するシナリオを少しずつ修正することが大切である。

4）世界のガイドラインは何を推薦しているか

　う蝕予防に関するガイドラインは数多く存在するが、年齢に応じて細かく設定したガイドラインを、新たなデータに基づいて改変しながら長期間維持することは容易ではない。下記のガイドラインはインターネット上で公開され容易にアクセスできるシステムで、比較的信頼性も高い。

National Guideline Clearinghouse（NGC）：米国

　National Guideline Clearinghouseは、AMA（American Medical Association）などと協力関係にあるガイドラインの情報センターで、米国外のものも含め1000以上のガイドライン情報が収録されている。ガイドラインの採択基準は、システマティックなガイドライン開発をしたか、医学専門団体の支援による作成か、適切な文献検索の結果、エビデンスとして採用した文献を明示しているか、英語で書かれ最新5年以内であるか、などとなっている。
　キーワード検索："Search"ボックスでキーワード検索ができ、"dental caries"と入力すると多くのガイドラインが提示され、ガイドラインの具体的な内容を読むことができる。さらに"Detailed Search"では、患者向け・歯科医師向けなどの設定ができる。

PubMedでガイドラインを探す：米国

　医学文献データベースPubMedで、疾患などのキーワードで検索した結果を論文のタイプで絞り込むことにより、雑誌に掲載されたガイドラインを探すことができる。例えば検索ボックスに"dental caries"と入力して、Limitsボタンをクリックする。Type of Articleのプルダウンメニューから Practice Guideline を選び、goボタンをクリックする。するとう蝕についてのガイドラインが検索できる。

NICE（The National Institute of health and Clinical Excellence）：英国

　NICEは、適切な医療を実現する目的で1999年に設立された英国国立機関である。NICEのウェブサイトから検索ボックスに"dental caries"と入力するとガイドラインが現れて内容を読むことができる。

SIGN（The Scottish Intercollegiate Guidelines Network）：英国

　SIGNは、スコットランドにおけるガイドライン作成のための大学共同プロジェクトで、トップページのGuidelinesでガイドラインのフルテキストを見ることができる。検索も可能である。現在はNICEと共同でガイドライン作成を行っている。

●リプロダクティブヘルス
　リプロダクティブヘルス（性や生殖に関する健康）は、1970年代にWHOが保健ニーズを把握するために用い始めた概念で、「国家による強制的な人口コントロール政策」に対抗する「生殖の自己決定」を求めた女性の権利擁護運動を基盤に持つ。具体的には、「男女を対象とする家族計画」、「思春期保健」、「望まない妊娠」、「人工妊娠中絶」、「妊産婦死亡」、「HIV/エイズを含む性感染症」、「不妊」、「ジェンダーに基づく暴力」など多岐にわたる。

●NGC
http://www.guideline.gov/
（2008年1月15日取得）

●PubMed
http://www.ncbi.nlm.nih.gov/sites/entrez
（2008年1月15日取得）

●NICE
http://www.nice.org.uk/
（2008年1月15日取得）

●SIGN
http://www.sign.ac.uk/
（2008年1月15日取得）

5）個々の人々に対応したガイドラインを目指して

ガイドラインは古くから存在しているが、現在求められているガイドラインは、「エビデンスに基づいたガイドライン」である。数十人から数万人単位の人間を対象に、特定の薬を使用した人と使用しない人で比較し、薬効を確認するなどの臨床試験（ランダム化比較試験など）の結果などから得られるエビデンスを評価し、その結果に基づいてどのような治療をすべきか、あるいはすべきでないかを勧告する。これまでのガイドラインの多くが著名な専門家の経験に基づいて作成されていたのに比べ、エビデンスに基づいたガイドラインは、信頼性が高いと一般には考えられている。しかし、数十人から数万人単位の人間を対象とするデータの収集が容易ではないため、製薬会社からデータ収集資金を得られない伝承に基づく簡便な方法は評価されないという欠点もある。さらに、予防や診療ガイドラインを活用する際に注意すべきことは、ガイドラインは集団を対象にした標準的な指針であり、個々の地域や人々の特性を考慮していないので、すべての地域（人々）にガイドラインを適用し、画一的な予防活動や診療をすべきではないということである。

個々の人々に適した「歯の健康づくり」の「シナリオ」を示すことが歯科保健医療専門家の使命であろう。

2．一次予防と二次予防

1）健康日本21における「歯の健康」

第三次国民健康づくり運動「健康日本21」[5]では、歯の健康など九つの重点領域を設定している。中間評価報告書[10]によると歯の健康においては、多くの項目が目標値に近づいており、このまま推移すれば、目標年度には全国平均で目標値に到達できると予測される（表4）。しかし、地域により達成状況に差が見られるので、それぞれの地域の特性に応じた目標値の見直しや新たな目標の設定等が望まれる。

（1）健康日本21「歯の健康」の目標値とその達成状況

歯の健康に関する健康日本21の目標値（2010年達成）と中間評価（2007年）で示された達成状況を表4に示す。

2）う蝕の予防と治療の三段階

健康日本21の総論[5]によると、疾病の自然史に基づいて病気を予防する方法には、三つの段階がある。

病気の原因をもとから絶つ一次予防（第一段階）には、以下の予防法がある[5]。個人の生活スタイルの改善を通した健康増進（health promotion）、環境における危険因子の削減を目指す健康保護（health protection）、病気の発生の予防を目指す疾病予防（disease prevention）の三種である。地域歯科保健活動で行われている予防はこの段階である。

二次予防（第二段階）は疾病またはリスクの早期発見、早期治療である[5]。二次予防で発見するものは疾病（case finding）とリスク（risk finding）に分けられる。前者では多数の対象者の中から少数の異常者を発見するため、スクリーニングの効率と精度管理が重要であり、後者では、発見した対象のリスクを低減していかなけ

●保健教育にマーケティング手法を

患者を対象とした保健教育を行う上で、マーケティング手法を社会政策に応用したソーシャルマーケティングの手法が必要であるといわれている[5]。例えば、マスメディアによるう蝕予防の情報提供、製薬会社によるう蝕予防医薬品の開発と提供、歯科医師、歯科衛生士によるう蝕予防サービスの提供など、それぞれの特徴を組み合わせることが必要である。

●生活習慣が変わるためには

個人の生活習慣の改善という観点から見ると、生活習慣が変わるためには「知識の受容」「態度の変容」「行動の変容」という三段階を経るといわれている[5]。「知識の受容」のために有効なのはう蝕予防の情報提供をするテレビ、新聞など「マスメディア」を通じた広報活動である。「態度の変容」のために有効な手法は学校における歯科保健教育など「小集団による働きかけ」である。「行動の変容」のためには歯科医院における「一対一のサービス」の効果が高いと考えられる。

ればならないため、追跡管理システムが重要である。歯科診療室における予防はこの段階である。なお、歯科診療室では従来の case finding（う蝕と歯周病を発見する手法）を改めて、risk finding（検査値の異常を発見する手法）に切り替えることが大切である。検査値の異常を発見した場合は個別指導によるプラークコントロール、PMTC によるプラーク除去、薬剤を用いた 3DS などの技術を活用して正常値に戻す医療を患者に提供すべきである。

➡ 第Ⅲ部第 4 章 133 ページ
➡ 第Ⅲ部第 4 章 136 ページ

病気を予防する方法の三次予防（第三段階）はリハビリテーションで、社会的不利の予防である。歯科補綴はこの段階に含まれる。

表 4　健康日本 21 の「歯の健康」の目標とその達成状況（文献 10 より引用改変）

	目標項目（指標の目安）	対象	ベースライン値	中間実績値	目標値
幼児期のう蝕予防					
6.1	う歯のない幼児の増加（う歯のない幼児の割合＜3 歳＞）	全国平均	59.50%	68.70%	80%以上
6.2	フッ化物歯面塗布を受けたことのある幼児の増加（受けたことのある幼児の割合＜3 歳＞）	全国平均	39.60%	37.8%*	50%以上
6.3	間食として甘味食品・飲料を頻回飲食する習慣のある幼児の減少（習慣のある幼児の割合＜1 歳 6 か月児＞）	全国平均	29.90%	22.6%*（参考値）	15%以下
学齢期のう蝕予防					
6.4	一人平均う歯数の減少（1 人平均う歯数＜12 歳＞）	全国平均	2.9 歯	1.9 歯	1 歯以下
6.5	フッ化物配合歯磨剤の使用の増加（使用している人の割合）	全国平均	45.6%（参考値）	52.50%	90%以上
6.6	個別的な歯口清掃指導を受ける人の増加（過去 1 年間に受けたことのある人の割合）	全国平均	12.8%（参考値）	16.50%	30%以上
成人期の歯周病予防					
6.7	進行した歯周炎の減少（有する人の割合）	40 歳	32.0%（参考値）	26.60%	22%以下
		50 歳	46.9%（参考値）	42.20%	33%以下
6.8	歯間部清掃用器具の使用の増加（使用する人の割合）	40 歳（35～44 歳）	19.30%	39.00%	50%以上
		50 歳（45～54 歳）	17.80%	40.80%	50%以上
6.9	喫煙が及ぼす健康影響についての十分な知識の普及	歯周病	27.3%	35.9%	100%
6.10	禁煙支援プログラムの普及	全国	32.9%	39.7%	100%
歯の喪失防止					
6.11	80 歳で 20 歯以上、60 歳で 24 歯以上の自分の歯を有する人の増加（自分の歯を有する人の割合）	80 歳（75～84 歳）	11.50%	25.00%	20%以上
		60 歳（55～64 歳）	44.10%	60.20%	50%以上
6.12	定期的な歯石除去や歯面清掃を受ける人の増加（過去 1 年間に受けた人の割合）	60 歳（55～64 歳）	15.9%（参考値）	43.20%	30%以上
6.13	定期的な歯科検診の受診者の増加（過去 1 年間に受けた人の割合）	60 歳（55～64 歳）	16.40%	35.70%	30%以上

* 策定時のベースライン値を把握した調査と中間実績値を把握した調査とが異なっている数値

3）高リスクアプローチと集団アプローチ

健康障害を起こす危険因子を持つ集団のうち、より高い危険度を有する者に対して、その危険を削減することによって疾病を予防する方法を高リスクアプローチ（high risk approach）と呼び、集団全体で危険因子を下げる方法を集団アプローチ（population approach）と呼ぶ（図3）。う蝕の場合、唾液中のミュータンスレンサ球菌レベルが高いグループを見つけ出し、通常のプラークコントロールに加えて、強力な治療、例えば3DSによって、唾液中のミュータンスレンサ球菌レベルを低下させることができる。しかし、将来、う蝕、二次う蝕、根面う蝕に罹る実際の人数は、現在唾液中のミュータンスレンサ球菌レベルの高い高リスク者の人数よりも圧倒的に多い。従って個々の高リスク者の人々へ3DSを行うよりも集団全体の砂糖制限教育指導

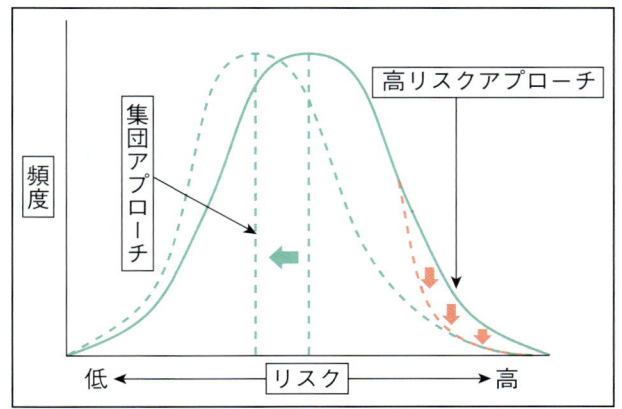

図3　高リスクアプローチと集団アプローチ（文献5より引用改変）

により唾液中ミュータンスレンサ球菌レベルを下げ、フッ化物の使用を宣伝した方が防げるう蝕の数は大きいと考えられる。高リスクアプローチは方法論も明確で対象も明確にしやすいが、影響の量は限られている。一方、集団全体の予防効果からすれば、集団アプローチが必要である。しかし、一般に集団アプローチは社会全体への働きかけを必要とし、効果を定量化できないことが多い。

う蝕予防のためには、先に述べた一次予防と二次予防、診療室における高リスクアプローチと地域社会における集団アプローチのすべてが必要であり、様々な予防方法を組み合わせることによって健康日本21の目標値をクリアしなければならない。

4）患者を対象とした保健教育の指針

（1）リスク因子の制御

う蝕は感染症と生活習慣病の要素を併せ持つ多因子性疾患であり、慢性持続性感染症である。一般に慢性疾患は急性疾患とは異なり、一つの因子を制御するだけでは発症予防は不十分で、日々の食生活を含む生活習慣の改善が必要である。公衆衛生学の集団アプローチでは、しばしば予防方法を単純化して実施するが、そのような方法は人生の一時期の疾病予防につながっても生涯にわたる予防にはつながらないことが多い。患者を対象とした保健教育では様々なリスク因子を丹念に制御する視点で指導する必要がある。

（2）Keyesの輪

Keyes（カイス）は宿主、細菌、食事の因子を図4に示す三つの輪で表現し、三つの輪が重なる領域でう蝕が発症するという解説を行った[11]。これはKeyesの輪あるいはKeyesの三つの輪といわれ、今でも頻繁に引用されている[12]。

その他にもNewbrunは時間の役割を重視してカイスの三つの輪に時間の因子を追加し、免疫機能を重視し、Roitt & Lehnerは抗体の因子をカイスの三つの輪に追加した[12]。またTanzerは唾液の役割を重視してカイスの三つの輪のそれぞれの輪に唾液の因子を付加している[12]。

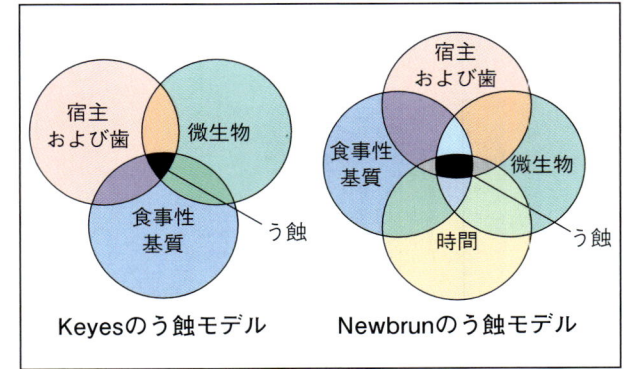

図4　Keyesの輪

（花田信弘）

第2章 う蝕治療におけるミニマルインターベンション（MI）

1．歯の寿命と喪失予防

1）歯の寿命

8020運動など口腔衛生プログラムの普及により、口腔衛生に対する社会的な認識は向上し、高齢者における残存歯数は増加傾向にある（図1）[1]。歯を喪失する原因は歯周病とう蝕とがほとんどであるが、わが国では歯周病による抜歯の方が多くを占める傾向にある（図2）[2]。しかしながら歯周病単独の理由よりも、歯根面のう蝕や修復物の歯肉側辺縁の二次う蝕などがプラーク付着因子となり、歯周病に関連している症例も多い。

病巣の除去や歯の切削を伴う修復処置が必要な場合でも、可及的に歯質保存的な方法が推奨される。その前提は接着性材料の活用であり、これにより健全歯質の保存が可能となる。健全歯質の切削による歯髄への影響としては、歯髄充血、象牙芽細胞層の乱れなどの可逆的な炎症などが指摘されているが、臨床的には術後の知覚過敏として日常的に経験される。多くは可逆的な変化であり、短期間で消失するが、歯髄壊死につながることも少なくない。全部被覆冠の修復が行われた歯の経年的な変化を調査した報告では、13.3％で歯髄壊死、あるいは根管治療がなされており、対照群の無処置歯の0.5％とは明らかな違いが見られている[3]。臨床的にはこうした術後の知覚過敏、あるいは歯髄壊死による根管治療が必要になることを未然に防ぐために、修復処置の前処置として抜髄が行われることもある。しかしながら歯髄を失うことは、歯の早期の喪失につながる危険があるので、積極的に推奨すべき方法ではない。

➡ 第Ⅰ部第1章11ページ

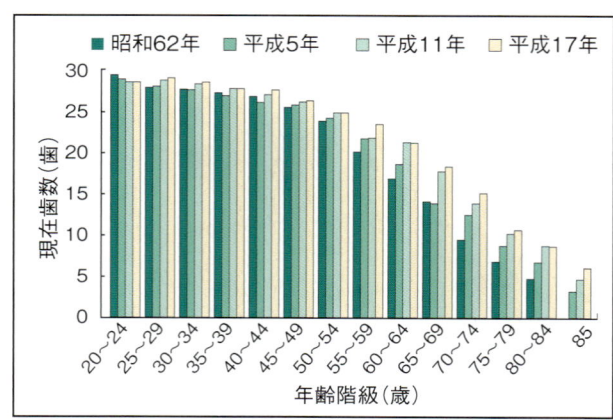

図1　一人平均現在歯数（厚生労働省医政局歯科保健課、2007年）

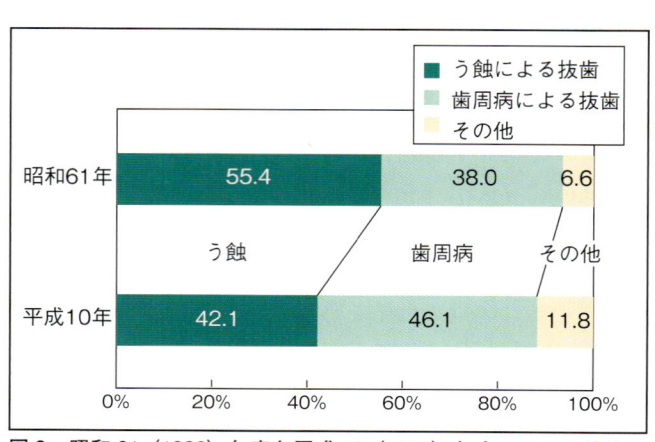

図2　昭和61（1986）年度と平成10（1998）年度における抜歯の理由（文献2より引用改変）

歯周病とう蝕の予防や進行抑制のプログラムが普及しつつある現在では、歯の喪失予防には、より非侵襲的な修復治療法の適用が重要となる。Axcelssonら[4]は、257名の患者に対して、歯周病のメインテナンスを30年間行なってきた中で、抜歯したのはわずかに173歯であったと報告している。その内訳は、62%（108歯）が築造用ポストによる修復に関連した歯の歯折が原因であり、根吸収と根尖病巣によるものが約20%を占め、う蝕と歯周病両方を合わせた抜歯原因は、わずかに12%程度であった。このことから、歯髄を保護して有髄歯の状態で歯を維持させること、無髄歯となってもできるだけ歯根歯折を防止するような修復法を適用することの重要性が示唆される。

2）う蝕治療のFDIガイドライン

修復処置よりも再石灰化療法やう蝕の進行抑制療法、また歯質保存的な修復法に代表される、ミニマルインターベンション（Minimal Intervention: MI、必要最小限の侵襲）の概念に基づくう蝕への対応[5]が、歯髄保護に有効で歯の喪失予防につながることは明らかである。FDIの修復治療に関する委員会で提唱されたこの概念は、以下の内容からなる。

① 初期のう蝕に対しては修復よりも再石灰化療法を行う。
② 修復に際しては歯の切削量を少なくする。
③ 口腔内の細菌を少なくする。
④ 二次う蝕に対しては修復物を除去して修復するよりも補修を行う。
⑤ 術後の予防管理を行う。

すなわち、削って詰めるという治療よりも、再石灰化と予防管理を優先させ、修復の際には歯質保存的な接着修復を優先するというものである。

2．う蝕への対応と修復歯の管理

1）初期う蝕への対応

修復よりもう蝕の進行抑制を優先する例としては、第一大臼歯の小窩裂溝の初期う蝕に対する考え方の変化がある。かつて早期発見・早期治療が推奨されたが、修復物の寿命は短く、二次う蝕の発生により再修復が必要となり、窩洞が大きくなり、抜髄、そしてやがては抜歯へというサイクルに入ることが懸念され、むしろ初期う蝕は修復しなくても進行抑制が十分可能な状態であると認識されるようになった。学校歯科保健でCO（シーオー、questionable caries under observation、要観察歯）という診断が活用され、すぐに修復処置を行うことよりも進行抑制、経過観察が行われているのは、ミニマルインターベンションの概念に合致した現実的な対応である。ただし、学校歯科保健のもとで管理されている間は、いつでも必要に応じて介入可能であるが、ライフステージの進行により環境が変化し、病巣が急性化し歯髄にまで病変が進行してしまうことも起こりうる。個々の患者ごとに、受験体制に入ることや、進学、就職などにより一人暮らしを開始するといった、それぞれの状況を考慮した対応が必要である。

➡ 第Ⅱ部第2章37ページ

初期う蝕の再石灰化や回復を促進するための手段としては、フッ化物の応用が一般的であるが、近年オゾン発生装置を使って、う蝕病巣部にオゾンガスを作用させて、病巣の無菌化を図る方法も開発され（図3）、臨床的な有効性が報告されている[6]。

➡ 第Ⅲ部第5章151ページ

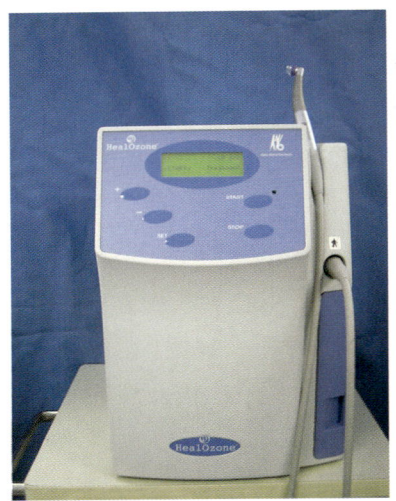

図3a オゾン発生装置（HealOzone、KaVo. Dental GmbH社）

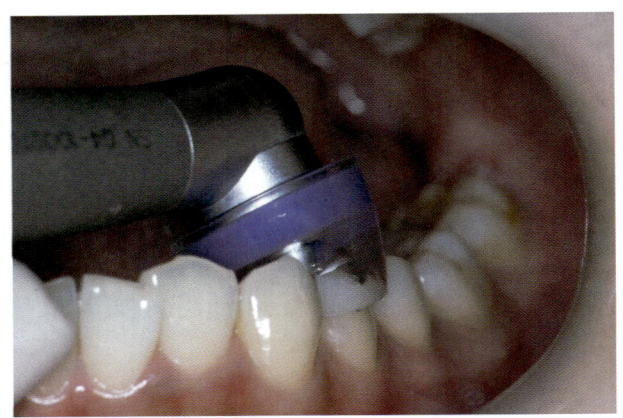

図3b HealOzoneの操作。ハンドピースのチップを歯面に密着させ、オゾンを作用させる。

2）歯質保存的う蝕治療

　う蝕病巣をどこまで除去すべきかについては臨床的に様々な考え方がある。健全な歯質まで切削して修復すると歯髄壊死につながる危険があるのはすでに述べたとおりである。象牙質う蝕の細菌が侵入し軟化が進行しており、有機質が不可逆的に変性を生じた部分、すなわちう蝕象牙質外層を除去し、軟化は見られるものの細菌侵入はほとんどなく、再石灰化が期待される内層を保存して修復する方法は、う蝕検知液の開発により可能となった[7]。この方法による接着性レジン修復が、従来の健全歯質にまで窩洞を拡大して修復物の保持を求めるメタルインレーと比較して、ほぼ同程度の生存率を示すことが久保らのレジン修復の長期臨床経過観察により明らかにされている[8]。

　現在では除去すべきう蝕病巣の診断に際して、レーザーを用いた診断装置が活用されることもあるが、この妥当性については今後の長期的な評価が必要である。

➡ 第Ⅲ部第2章119ページ

　さらに歯質保存的な方法として、細菌の侵入が疑われる病巣を残したまま暫間的に修復を行い、う蝕の進行抑制と修復象牙質の形成を促進した後、最終的な修復を行う暫間的間接覆髄法がある。う蝕病巣をすべて除去してしまうと歯髄処置が必要になるような症例では特に有効であり、IPC（Indirect Pulp Capping）法と呼ばれる[9]。

　このIPC法を基本に、さらに抗菌薬を併用した方法が3Mix法といわれるものである[10]。使用される薬剤は偏性嫌気性菌に有効なメトロニダゾールと、通性嫌気性菌に有効なセファクロルとシプロフロキサシンで、これらを混合しセメントに配合して用いられる。残された病巣内の無菌化とう蝕の進行抑制が期待されるが、修復物の下部には軟化した歯質があり、歯質と接着せず一体化していない修復が行われているため、歯の破折や修復物の破折を招かないような配慮が必要である。多くは術後の経過を見て暫間修復物を除去して、最終修復を行う。

　著しく軟化したう蝕病巣を残したまま、エナメル質をエッチングしてレジン修復を行い、その経過を長期間観察した報告では、レジンの破折や歯質の破折がない限り、う蝕の進行は停止傾向にあり、症例によってはエックス線写真で脱灰部の再石灰化様の変化も観察されている。すなわちう蝕病巣は取り残しても修復物が口腔内との交通を遮断していれば、臨床的に問題はないということを示唆するもので、シールドレストレーション（sealed restoration）と呼ばれるものである[11]。さらに細菌の侵入した病巣に接着性レジンを浸透させて細菌を封じ込める試みもなされている[12]。

特に歯髄処置を回避する目的でこれらの方法は推奨されるが、一般的な症例では局所麻酔を用いずともう蝕象牙質外層の除去は可能であり、レジンの接着性を考えても、う蝕象牙質外層の除去と接着修復とを一回で行うのが妥当と考えられる。

間接法においては健全な象牙質まで切削せざるを得ないことが多い。このような場合でも、接着性レジンや、さらに流れのよい低粘性のコンポジットレジン（フロアブルレジン）により、露出象牙質面を被覆するレジンコーティング法が推奨されている[13]。この方法は、象牙質表面から歯髄への刺激を遮断し、歯髄保護に有効であるばかりでなくレジンセメントの接着性をも向上させる。自家重合型のレジンセメントあるいはデュアルキュア型のレジンセメントでも光照射が十分に行えない場合には、その接着強さは十分でないため、本法によりその欠点を補うことができる。

3）修復歯の管理

いわゆる永久修復と分類される修復法でも、その機能期間には限りがあり、久保らの報告[8]では、コンポジットレジン修復もメタルインレー修復も10年後の生存率は70〜75％程度、20年後では約60％である。再修復の多くの理由は二次う蝕であり、最近では材料自体の問題よりも修復物辺縁の二次う蝕の予防が重要となってきている[14-16]。

従来は修復処置が施されると、う蝕の治療が終了した、とされていた。しかしながら、う蝕の原因除去、すなわち個々の患者のリスク評価に基づくリスク改善がなされない限り、う蝕が再発し、二次う蝕となることは当然といえる。修復処置の施された歯は最もリスクの高い歯であるという認識は、歯科医師、歯科衛生士、さらには患者自身が共有して二次う蝕の予防に努めるべきである。リスクは生活習慣によっても影響されるものであり、経年的にも変化するものである。従って、修復処置が終了してう蝕治療が完了するのではなく、修復後の管理プログラムも、う蝕治療に含めるべきである。

（田上順次）

第1部 文献

第1章 う蝕のライフサイクルと予防（花田信弘）p.p.8-15

1) Loesche W.J.: Role of *Streptococcus mutans* in human dental decay. Microbiol Rev 50(4):353-80,1986.
2) Stephan R.M.: Changes in hydrogen-ion concentration tooth surfaces and in carious lesions. JADA 27: 718-723,1940.
3) Hintao J., Teanpaisan R., Chongsuvivatwong V., Dahlen G. and Rattarasarn C.: Root surface and coronal caries in adults with type 2 diabetes mellitus. Community Dent Oral Epidemiol 35(4):302-309, 2007.
4) 祖父江鎮雄, 長坂信夫, 中田 稔 編：新小児歯科学. 医歯薬出版, 東京, 2001.
5) 健康日本21企画検討会, 健康日本21計画策定検討会：21世紀における国民健康づくり運動（健康日本21）について報告書. 厚生省, 2000.
6) Caufield P.W., Cutter G.R. and Dasanayake A.P.: Initial acquisition of mutans streptococci by infants: evidence for a discrete window of infectivity. J Dent Res 72:37-45, 1993.
7) Harris R., Nicoll A.D., Adair P.M. and Pine C.M.: Risk factors for dental caries in young children: a systematic review of the literature. Community Dent Health 21:71-85, 2004.
8) Law V. and Seow W.K.: A longitudinal controlled study of factors associated with mutans streptococci infection and caries lesion initiation in children 21 to 72 months old. Pediatr Dent 28:58-65, 2006.
9) Smith R.E., Badner V.M., Morse D.E. and Freeman K.: Maternal risk indicators for childhood caries in an inner city population. Community Dent Oral Epidemiol 30:176-181, 2002.
10) 厚生科学審議会地域保健健康増進栄養部会：「健康日本21」中間評価報告書. 2007.
11) Keyes P.H.: Present and future measures for dental caries control. J Am Dent Assoc 79:1395-404, 1969.
12) 千田 彰, 寺下正道, 田上順次, 片山 直 編：保存修復のクリニカルガイド. 医歯薬出版, 東京, 2003.

第2章 う蝕治療におけるミニマルインターベンション（田上順次）p.p.16-19

1) 歯科疾患実態調査報告解析検討委員会 編：解説 平成17年歯科疾患実態調査. 口腔保健協会, 東京, 2007.
2) 大石憲一 他：岡山県における永久歯抜歯の理由について －平成10年度と昭和61年度調査との比較－. 口腔衛生会誌, 51：57-62, 2002.
3) Felton D., Madison S., Kanoy E., Kantor M. and Maryniuk G.: Long term effect of crown preparation on pulp vitality. J Dent Res 68(Special Isuue Abst): 1139, 1989.
4) Axelsson P., Nystrom B. and Lindhe J.: The long-term effect of a plaque control program on tooth mortality, caries and periodontal disease in adults - Results after 30 years of maintenance. J Clin Perio 31: 749-757, 2004.
5) Tyas M.J., Annusavice K.J., Frencken J.E. and Mount G.J.: Minimal intervention dentistry. International Dental Journal 50: 1-12, 2000.
6) Baysan A. and Lynch E.: Effect of ozone on the oral microbioal and clinical severity of primary root caries. Amer J Dent 17:56-60, 2004.
7) 総山孝雄, 田上順次：保存修復学総論. 21-53, 永末書店, 京都, 1996.
8) 久保至誠, 横田広彰, 林 善彦：コンポジットレジン修復ならびに鋳造修復の耐用年数. 日歯保存誌49（春季特別号）：21, 2006.
9) 田上順次, 千田 彰, 奈良陽一郎, 桃井保子 監修：保存修復学21. 57, 永末書店, 京都, 2006.
10) 岩久正明, 星野悦郎, 子田晃一：抗菌剤による新しい歯髄保存法. 124-155, 日本歯科評論社, 東京, 1996.
11) Merts-Fairhurst E.J., Curtis Jr. J.W., Eagle J.W., Rueggeberg F.A. and Adair S.M. : Ultraconservative and cariostatic sealed restorations: Results at year 10. J Am Dent Assoc 129: 55-66, 1998.
12) Yoshiyama M., Doi J., Yamada T., Nishitani Y., Itota T., Tay F.R., Carvalho R.M. and Pashley D.H.: Modified sealed restoration combined with antibacterial adhesive systems—Self-etching primer:current status and its evolution—. Tagami J. ed.: Proceeding of the international symposium '01 in Tokyo. 113-124, Kuraray medical, Tokyo, 2003.
13) 二階堂 徹, 田上順次：次世代の歯冠修復法 レジンコーティング法とモノブロック修復法とは？吉山昌宏, 桃井保子 監修：う蝕治療のミニマルインターベンション. 98-118, クインテッセンス出版, 東京, 2004.
14) 森田 学, 石村 均, 石川 昭, 小家和浩, 渡邊達夫：歯科修復物の使用年数に関する疫学調査. 口腔衛生会誌45：788-793, 1995.
15) 豊島義博, 安田 登, 野村義明, 錦 仁志：一般歯科臨床における脱落, 2次齲蝕の調査. 接着歯学11：237-243, 1993.
16) Wilson N.H.F., Burke F.J. and Mjor I.A.: Reasons for placement and replacement of restorations of direct restorative materials by a selected group of oractitioners in the United Kingdom. Quintessence Int 28:245-248, 1997.

第II部

臨床編

第1章 歯の萌出前

目標：健全な乳歯列を完成させる。

　妊娠中には、間食が増えたり、つわりでブラッシングが不十分だったりして口腔内の環境が悪くなり、母親の口腔内のう蝕細菌が増加する。もともと、新生児の口腔内にはう蝕細菌は定着していない。細菌は養育者（母親であることが多い）から伝播し、乳歯のエナメル質表面に付着する。こうしてできたプラークの下でエナメル質の脱灰（病変）が進む。現在、う蝕は養育者からの細菌感染で始まると理解されている。養育者のう蝕をコントロールすることは、人の生涯を通してのう蝕予防の出発点である。

1．リスク評価と予防

　う蝕は、乳幼児期にはより細菌感染症として捉えられるが、以降は生活習慣病としての側面が強調される。しかもミュータンスレンサ球菌（mutans streptococci：MS菌）単一細菌によるものではなく、他のレンサ球菌（streptococci）、乳酸桿菌（lactobacilli）など多様な口腔内酸産生菌も関与している。そしてその病因論がKeyesの輪で説明されるように多因子性で、日常生活に関わるそのリスク要因まで完全に制御することは依然として困難である。しかしながら、様々な予防手段の普及によって、小児のう蝕は減少傾向にある。

➡ 第Ⅰ部第1章15ページ

　ここでは、歯の萌出前、さらには妊娠中から始まる、完全ではなくとも現実的で有効なう蝕予防法について考える。

1）う蝕細菌の伝播（transmission）と定着（colonization）

（1）う蝕細菌の定着時期

　う蝕が細菌の存在により発症する疾患である以上、まずその由来について対策を考えるべきである。出生直後の口腔内は、特に帝王切開では、ほとんど無菌的なので、その後に養育者を含めた環境から細菌が伝播（transmission）しているのが現実である。

　口腔レンサ球菌は出生後4～5日で認められようになるが[1]、それでも最も病原性の高いミュータンスレンサ球菌については歯が萌出するまで定着（colonization）は見られない。ミュータンスレンサ球菌の定着の50％が19～31か月とされ、この期間は「感染の窓（window of infectivity）」と名づけられている[2]。ミュータンスレ

➡ 第Ⅱ部第2章29ページ図3

ンサ球菌が早期に感染すると、それだけう蝕が発症するリスクとなるので[3]、この時期はミュータンスレンサ球菌の定着を抑制することに注意すべきである。特に帝王切開で出生した乳幼児では、*Streptococcus mutans* の定着は早いことが指摘されている[4]。

ミュータンスレンサ球菌が他の口腔細菌に比べてう蝕原性が高いといわれる理由については、スクロース（ショ糖）、グルコース（ブドウ糖）、フルクトース（果糖）のような発酵性炭水化物を代謝して乳酸、ギ酸といった有機酸を産生し、歯質を脱灰していくという、他の細菌とも共通するう蝕の本質に加えて、スクロースとの組み合わせでのみ不溶性グルカンを合成し、プラークとして歯面に付着することで、う蝕のイニシエーターとして寄与していることが大きい。

ミュータンスレンサ球菌のうち、ヒト口腔に存在する種が、*S. mutans* と *Streptococcus sobrinus* であるが、その両方を検出した場合、病原性が微妙に異なるからか、*S. mutans* 単独よりう蝕多発傾向にあるとされる[5]。

乳酸桿菌が検出されるようになるのは、さらに遅く4〜5歳頃とされるが、う蝕リスクが高い幼児では早くなる[1,6]。

（2）う蝕細菌の感染源対策

ミュータンスレンサ球菌の感染源は多くの場合主な養育者となる母親の唾液とされるが、時に父親となることもある[7]。従って子どもの養育に当る人は、その点に留意して、スプーンの共用など唾液の接触を避けること、口腔内を清潔に保つことが求められる。特に未処置のう窩が存在する場合、その修復処置により唾液中のう蝕細菌の減少が見込める[8]。母親の唾液中の *S. mutans* が多いと早期に感染させやすく[4]、母親に予防的介入を行うことで子どものう蝕発症も抑制できることが確認されている[9,10]。

➡ 第Ⅱ部第2章29ページ

遅くとも歯の萌出が始まる生後6か月前には、養育者の口腔内が良好な状態になっていることを目標とする。そのために妊娠中から、適切なブラッシングやフロッシングといったセルフケアの支援とPMTCなどのプロフェッショナルケアを妊娠性歯肉炎に対する治療の意味も含めて始めたい。このように、子どものう蝕予防は妊娠中の母親からすでに始まっている。

2）妊娠中からのケア

（1）妊娠期のう蝕リスク

まず母親自身にう蝕を発症させないよう、出産前から配慮すべきである。そもそも女性は男性に比してう蝕が多いことが疫学的に明らかであるが、妊娠期は特にう蝕のリスクが増大する。

その理由として、「つわり」に伴い口腔清掃が十分にできないことや、食生活が変動することに加えて、唾液の変化も挙げられる。妊娠中は、安静時、刺激時共に耳下腺唾液の分泌量が減少し、それに伴って緩衝能も低下することが指摘されている[11,12]。すなわち、Keyesの輪でいうところの三つの因子全部が増悪の傾向にあるので、多角的なアプローチで集中的なケアが必要となる。

う蝕予防の考え方として、例えばプラークコントロールに問題があってう蝕リスクが高いというケースに対し、フッ化物応用を勧めるばかりでは根本的な解決になっていない。う蝕リスク検査等により、主要因が何か検討して、それに対するアプローチが行われなければならない。ただし、ブラッシングのみでリスクの低減を図るより、

（2）う蝕予防のためのブラッシング指導

ブラッシング指導において、「泡だらけになるので時間をかけて磨けない」、「香料のせいできちんと磨けていなくてもスッキリしてしまう」といった歯磨剤使用による弊害を強調するあまり、歯磨剤は不要とされていることがある。しかしながら、小児はもちろん高齢者に至るまで広くフッ化物配合歯磨剤の効果は臨床疫学的に確認されており[13]、う蝕の減少に対する貢献が指摘されて久しい[14]。従って、これらの欠点を踏まえた上で、フッ化物配合歯磨剤を用いて充分なブラッシングができるよう指導するべきであろう。

フッ化物は、低濃度で高頻度に利用することが、安全性も有効性も高いとして推奨される。すなわち歯磨剤や洗口剤等の日常的なフッ化物応用が、プロフェッショナルケアにおけるフッ化物より、長期予防管理下にある患者のう蝕発症に対する影響は大きいことが示唆されている[15]。

20歳代と30歳代がほとんどを占めるこの時期に発症するう蝕は、隣接面う蝕と二次う蝕が多いので、歯間部清掃も欠かせない。そこでデンタルフロスや歯間ブラシにゲル状のフッ化物配合歯磨剤をつけることが勧められる。デンタルフロスや歯間ブラシ単体より歯間部のミュータンスレンサ球菌が減少することも示されており[17]、更なるう蝕予防効果が期待できる。

> フッ化物配合歯磨剤の効果を最大限に発揮させるための、「Göteborg technique」または「toothpaste technique」と呼ばれる方法がある。これはフッ化物配合歯磨剤を、①2cm取り、②まず歯面全体に広げて、③2分間磨くが、④その間吐き出さない、⑤10mLの水で、⑥30秒間ブクブクうがい、⑦吐き出したら、⑧2時間は洗口・飲食を控える、というもので、隣接面う蝕に対する有効性が報告されている[16]。

（3）う蝕予防における唾液とチューインガム

先に述べた唾液の緩衝能についてチェアサイドで簡易に評価するには、巻末の附録に示した数種のキットが利用できる。ただ注意すべきは、採取条件により唾液は分泌量のみならず成分まで変動するので（図1）[18]、刺激の種類などの条件を一定にすることである。

ドライマウスと診断される程ではない、ほとんどの妊娠期にみられる唾液の変化に対しては、チューインガムによる刺激で唾液分泌量と緩衝能の改善を図ることを勧める。咀嚼刺激と味覚刺激の両方で、安静時に比して多量の分泌を促すことが重要である。そうすると図1に示すように、分泌量の増加に伴って唾液中重炭酸イオン（HCO_3^-）濃度が上昇することで、唾液腺機能の低下があってもそれなりに緩衝能の高い唾液が多く産生されることとなる。

さらには子どもが生後3か月から2歳になるまで、母親に対してキシリトールを含有するチューインガムを毎日4回程度摂取させることで、クロルヘキシジンバーニッシュやフッ化物バーニッシュを6か月毎に塗布するより、ミュータンスレンサ球菌の定着を抑制し、5歳の時点で子どものう蝕経験は少なかったとする臨床疫学研究がある[10]。ただこれは、キシリトールに特異的なものでなく、エリスリトールなどを用いたシュガーレスガムでも同様の効果を期待できる可能性がある[19]。

➡ 附録：唾液検査キット一覧 241ページ

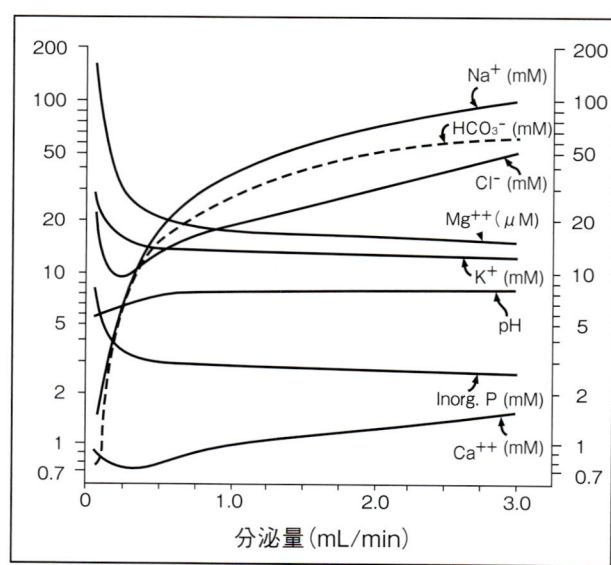

図1　耳下腺唾液成分の濃度に及ぼす分泌量の影響
（文献18より引用改変）

● **Column** ●　夜寝る前にキシリトールのガムを噛むことは？

　う蝕を激減させたフィンランドでは、夜寝る前にキシリトールのガムを噛むことが習慣とされているかのような広告が見受けられ、質問を受けることがある。このような話について、筆者の留学したヘルシンキ大学歯学部口腔衛生学講座の教員は認識していないとのことであった。

　キシリトールが効果的に活用されていることは既知の事実だが、一方でう蝕の減少は、フッ化物の積極的な応用が広範に行われた成果でもあることは、しばしば見過ごされているようだ。フッ化物配合歯磨剤の市場占有率は20年以上前からすでに98〜99％で[20]、フィンランド歯科医師会がこれを毎日2回は利用することを推薦する声明を出している（http://jasenpalvelut.hammasll.fi/eng/recommendations.asp　2008年1月29日取得）。

　そこでフッ化物配合歯磨剤を用いてブラッシングを行ったらすぐに寝ることが、口腔内に残留した微量のフッ化物を就寝中にも停滞させておくために重要と考えられる。う蝕にならないガムとはいえ、それからガムを噛んで口腔内のフッ化物を唾液で流してしまうようなことは勧められない。

2．診査、診断、治療方針

　妊娠期間中は新たなう蝕や病変が発生しやすい特異環境下にあるため養育者に対する口腔診査、診断のポイントはそのことを念頭に行う。また、妊娠期間中は妊産婦自身に対するケアだけでなく妊娠期間中に形成される乳歯ならびに永久歯の成長・発育に対する栄養学的な配慮を忘れてはならない。

1）妊産婦の口腔診査、診断

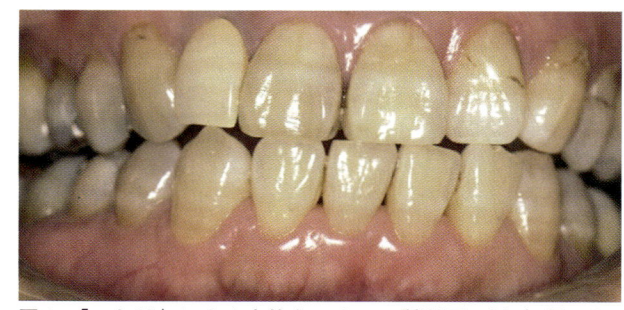

図2　「つわり」による広範なエナメル質脱灰の例（3児の母、45歳）

　妊娠期間中は、う蝕に限らず歯周疾患が初発したり、あるいは、すでに存在している疾患の症状が再発・増悪したりする。前述したように、一過性であるが妊娠期間中に特有な「つわり」のため食生活の規則性が失われることに特に注意が必要である。一般的に少食・頻回食となるため、食事や間食さらには甘味食品の摂取回数が増加する。変化に対応できない場合、口腔清掃はおろそかとなる。これらの要因が重複し清潔な口腔環境を維持できない場合、う蝕リスクあるいはう蝕感受性は高まる時期である。

　特異な例としては、「つわり」のため胃液ならびに胃の内容物が繰り返し口腔に作用する。胃液（塩酸）のpHは歯を脱灰するのに十分な酸性度である。「つわり」が頻繁な場合には、定期的口腔診査によって広範な脱灰がエナメル質表面全体に及んでいるのを確認できる（図2）。また、エナメル質の厚さが薄い感を呈するようになる。極端な場合は、歯の酸蝕症と同様の症状を呈することがある。

　妊娠期間中は生理的な変化として女性ホルモンの分泌が活発となる（思春期も同様）。女性ホルモンによって発育が促進される菌種である *Prevotella intermedia* は、う蝕との関連ではないが妊娠性の歯肉炎を起こすことがある。女性ホルモンは、分泌が活発な思春期や妊娠期に歯肉溝浸出液にも認められることから、この菌が歯周局所で異常に増加し、易出血性の浮腫を伴う歯肉炎の原因となる[21]。

2）予防プログラムあるいは MI アプローチ中心の治療方針

（1）予防プログラムを中心とした定期的な口腔ケア

妊娠期間中は基本的には治療（エックス線による診断、観血的処置等）や投薬を避けるために、予防プログラムを中心とした定期的な口腔ケアを行う。そのためには妊娠前より定期的な口腔健診を受けていることが望ましい。

妊娠期は予防プログラムを導入するには適切な時期であるにもかかわらず、その恩恵を受けていないとする例が多くある。英国（1999年）では、妊娠期の歯科治療は無料であることを知っている妊婦が多いにもかかわらず、妊娠期間中に口腔健診を受診したのは64％だった[22]。米国（2005年）では、妊娠期間中に歯科を受診したのは49％であった。しかも、妊娠期間中に歯科を受診するか否かを決定する要因には、通常時に歯科を受診しているかが関連することが示されている[23]。すなわち、妊娠前より「かかりつけ歯科医院」で定期的な口腔健診を受けていることが大切である。

（2）妊産婦に対する保健教育

妊産婦に対する予防プログラムの一環として、妊娠期間中の胎生期に乳歯や永久歯の形成が行われていることに対する保健教育が必要である（表1）。乳歯はすべての歯が出生前に歯胚形成を開始し、しかも石灰化も開始される。永久歯は一部（第一大臼歯と前歯部）のみ出生前に歯胚形成を開始し、出生時ただちに第一大臼歯だけが石灰化を開始する。また、出生時に第一小臼歯の歯胚形成が開始される。そのためにも妊娠期間中は特に偏食とならないよう食生活に関する指導が大切である。しかも、妊婦ならびに授乳婦の場合は、エネルギー、脂質、タンパク質の各所要量だけでなく、ビタミン摂取基準量やミネラル摂取基準量も意識して多く摂取しなければならない。厚生労働省が行っている国民健康・栄養調査によれば、カルシウム摂取量は1日600 mgを下回っている[24]。他の栄養素、ミネラルが充足しているのに対して、カルシウムだけが不足している状況が続いている（図3）。

表1　歯の形成に関する出生前後の主な事項（妊娠期）

節目の時期	歯種	歯の形成に関する事項
出生前	乳歯	すべての乳歯は歯胚形成を開始している
	乳歯	すべての乳歯は石灰化を開始している
	永久歯	第一大臼歯と中・側切歯，犬歯は歯胚形成を開始している
出生時	永久歯	第一小臼歯が歯胚形成を開始する 第一大臼歯だけが石灰化を開始する

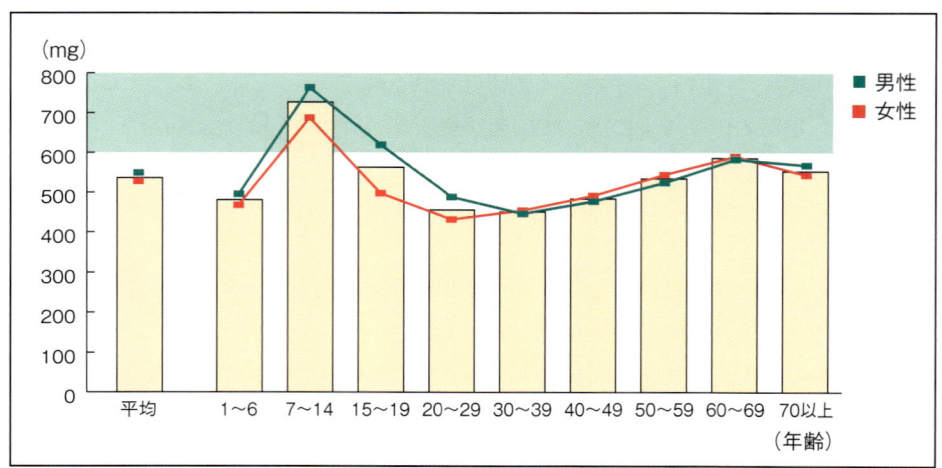

図3　平成16年のカルシウム摂取量（文献24のデータをもとに作成）
国民健康・栄養調査によれば、日本人のカルシウム摂取量は1日600 mgを下回っている。他の栄養素、ミネラルが充足しているのに対して、カルシウムだけが不足している状況が続いている。

（3）妊娠期間中の注意事項

妊娠期間中に歯の痛みや違和感、歯肉の腫れを自覚した場合は、症状が進行する前に早期に歯科医院を受診する。症状が悪化してからでは、罹患歯質の除去、投薬や観血的処置が避けられない場合がある。治療を行うとしても、時期を考慮する必要があり、可能ならば妊娠初期や臨月を避け、エックス線防護措置には十分配慮する。

治療を実施するにしてもMI [25] を意識した歯科治療内容となる。MIとはMinimal Intervention（必要最小限の侵襲）の略であり、侵襲を可能な限り避け歯質保護を基本に治療を行う概念である。機械的・外科的な歯質削除中心の従来の歯科治療とは異なる。

➡ 第Ⅰ部第2章17ページ

● **Column** ● 乳児に対する予防プログラムの内容

乳児とは1歳未満児のことであり、この時期の重要な出来事は、乳児期に乳歯の萌出が開始することである。ほぼ同じ頃、離乳が開始され、離乳進行中である。これらのことを念頭においた乳児期の口腔ケアのポイントは、望ましい咀嚼機能と食生活習慣を確立することである。そのために、歯が萌出していない無歯期からう蝕予防のための準備を開始し、乳歯のう蝕予防に全力で取り組む必要がある。

無歯期の口腔機能は主に哺乳機能であるが、哺乳や離乳の開始により口腔粘膜や舌の表面が汚れる。口腔ケアの一環として大きめの綿棒やガーゼ等で清拭することは、毎日の沐浴と同じように必要な清潔習慣の一つである。この時期から口腔の内外を触れられることに慣れておくことは、これから萌出してくる歯の本格的な口腔清掃への移行をスムーズに行うためにも必要である。

● 無歯期の清拭の要点

この時期は保護者が主役になって実施する。習慣形成には毎日継続する（短時間・無理をしない）ことが大切である。具体的には、いわゆる「寝かせ磨き」と同じ体位をとり、両手を使うと比較的楽に実施できる。保護者の左手・人差し指を児の口腔内の頰粘膜まで入れ「ほっぺた」を軽く引っ張るようにすると奥の方が見やすくなる。前の方を見やすくするには上唇を人差し指で上げたり、下唇を人差し指や親指で下げたりする。このように口腔内をよく観察しながら、綿棒やガーゼ等がどこを清拭しているかを確認しながら行うように指導する。

● 口腔機能の発達と離乳の進め方の要点

「離乳とは、母乳または育児用ミルク等の乳汁栄養から幼児食に移行する過程をいう」と定義される [26]。離乳の開始時期は、一般的には5、6か月である。最初の乳歯が萌出する時期とほぼ一致する。萌出時期が遅い場合には無歯期から離乳が開始される。歯の萌出によって徐々に咀嚼機能を発達させていくが、乳児は吸啜反射を中心とした哺乳反射によって乳汁の摂取をする。離乳初期には乳汁以外の「米がゆ」をはじめとする固形食物を調理形態として「ドロドロ状」とし食べやすくする。離乳の進行に応じて、徐々に「舌でつぶせる固さ」、「歯ぐきでつぶせる固さ」、「歯ぐきで噛める固さ」に移行する。口腔領域の動きと機能の発達過程と関連性があって、そのような配慮を行う。すなわち、機能の発達過程は嚥下、捕食、押しつぶし、咀嚼（臼磨）の順である [27]。本格的な摂食機能の発達は、乳歯が萌出してからである。

（飯島洋一、北村雅保）

第2章　幼年期（1〜5歳）

目標：健全な乳歯列を完成させる

健全な永久歯列を獲得するために、健全な乳歯列を守り育てる時期である。この時期は、ミュータンスレンサ球菌がエナメル質表面に簡単に定着できる。感染は19〜33か月に集中しており、平均感染時期は26か月と報告されている。この時期には、本人の自発的な予防態度を期待することもできないし、診療室での予防処置に協力をうることも難しい。従って、養育者のう蝕予防に対する意識を高め、養育者が日常の生活の中で子どもに予防を実践していくことが何より大切である。

1．リスク評価と予防

1）各種リスク評価法

（1）う蝕細菌の小児口腔内への定着時期

ミュータンスレンサ球菌（mutans streptococci：MS菌）の定着時期は、乳歯の萌出時期に一致すると以前はいわれていたが、最近の研究では、約2歳くらいの報告が多く、平均すると決して早く定着するわけではない。もう少し詳しく述べると、Caufield[1]は平均年齢2歳2か月±7か月（19〜33か月）、香西らのグループ[2]は、平均年齢は2歳0か月±12.3か月（11〜36か月）と報告している（図1）。また乳歯の萌出本数と関係を調べたものが図2であるが、10本の乳歯の萌出を見る頃、すなわち乳臼歯の萌出に併せて累積検出率（cumulative probability）が急増する。

この時期にミュータンスレンサ球菌が定着しやすくなる理由として、①萌出歯が増えることで菌の付着面積が増加すること、②解剖学的に複雑な小窩裂溝を持つ乳臼歯の萌出でより菌が定着しやすくなること、③離乳から普通食への移行によってミュータンスレンサ球菌が不溶性グルカンを生成しやすいスクロース（ショ糖）などの糖分が供給され食物残渣として口腔内に停滞しやすくなること、④低年齢児の口腔内の常在菌の種類も成人に比べるとまだ少ないことなどの環境要因が考えられる。

以上のようにミュータンスレンサ球菌の感染は、口腔の成長や機能の発達と非常に深く関わっているのである。Caufieldはこのようなミュータンスレンサ球菌が定着しやすい生後19か月（1歳7か月）から33か月（2歳9か月）の期間を「感染の窓（window of infectivity）」（図3）と呼んでおり、我々が小児患者のう蝕予防プログラムを構築する上で重要な期間となる。

➡ 第Ⅱ部第1章22ページ

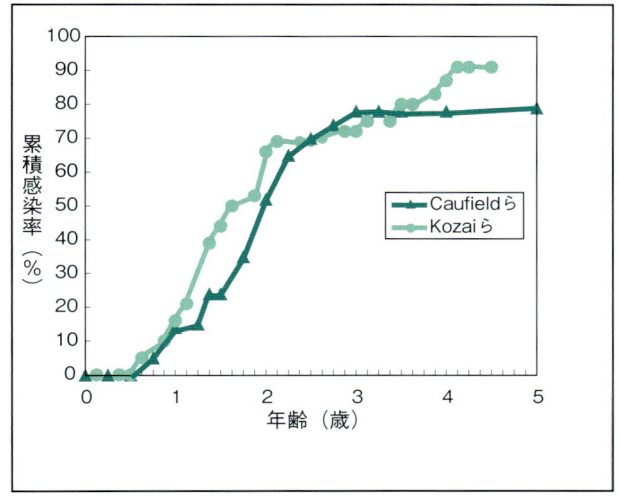

図1　ミュータンスレンサ球菌の累積感染率の年齢推移
（文献2のデータをもとに作成）

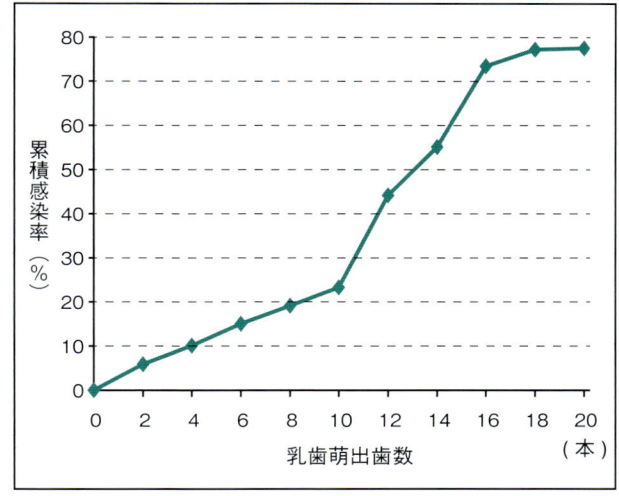

図2　乳歯萌出歯数から見たミュータンスレンサ球菌の累積感染率の推移（文献2のデータをもとに作成）

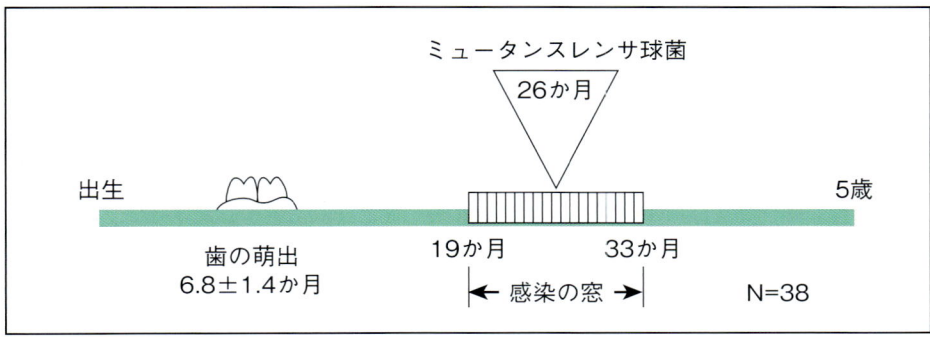

図3　ミュータンスレンサ球菌の感染の窓（文献1より引用改変）

> Caufieldは1933年に発表した論文においては、「感染の窓」を生後19〜31か月の期間としている（第Ⅱ部第1章の文献2）。その後1997年に発表したレビューにおいては、生後19〜33か月の期間となっている（本章文献1）。

（2）伝播の感染源

　では、この感染の窓が開いている時期にミュータンスレンサ球菌はどこから、あるいは誰から伝播し定着するのであろうか。ミュータンスレンサ球菌の伝播に関する研究は、以前は血清型分類やバクテリオシンによる分類による希少な菌株を保有するヒトを調べることによって感染源を推測してきた。1988年頃から染色体DNAフィンガープリント法（chromosomal DNA fingerprinting：CDF法）を用いることにより確実に菌の感染源を追究することが可能となった。香西らの研究[3]では、診療室に来院した小児の家族構成員を対象としてCDF法を用いて分析した結果、36名の小児から検出されたミュータンスレンサ球菌70菌株のうち母親由来が51.4％、父親由来が31.4％、その他が18.6％であった。

　一方、両親から分離したミュータンスレンサ球菌74菌株を調べたところ、母親の保有する株の62.5％、父親の保有株の33.3％が子へ伝播していた。またこの研究では *S. sobrinus* の方が *S. mutans* よりも伝播力が強いことが示唆されている（表1、表2）。また、託児所の19名の小児を対象とした同じ方法による分析では、得られた24菌株のうち母親由来が33.3％、父親由来が8.3％、その他が58.4％と母親が多いものの、その割合は低く両親以外の感染源が多くなっていた。このように、ミュータンスレンサ球菌の感染源は、昼間の主たる養育者である母親であることが多いが、成育環境によって父親やその他の家族なども感染源となりうる。

表1 36名の小児から分離したミュータンスレンサ球菌70菌株の感染源
（文献3より引用改変）

母親の保有する菌株と一致	父親の保有する菌株と一致	その他
36（51.4）	22（31.4）	13（18.6）

1菌株は、両親共に一致していた。　　　　　　　　　　菌株数（%）

表2 20組の両親から分離したミュータンスレンサ球菌74菌株の子への伝播
（文献3より引用改変）

	母親の菌株		父親の菌株	
	子の菌株と一致	子の菌株と不一致	子の菌株と一致	子の菌株と不一致
	20（62.5）	12（37.5）	14（33.3）	28（66.7）
S. mutans				
血清型 c	12（52.2）	11（47.8）	6（19.4）	25（80.6）
血清型 e	3（75.0）	1（25.0）	2（50.0）	2（50.0）
S. sobrinus				
血清型 d	2（100）	0（0）	4（80.0）	1（20.0）
血清型 g	3（100）	0（0）	2（100）	0（0）

菌株数（%）

（3）う蝕細菌感染後の増加

ミュータンスレンサ菌が検出された後の同菌の量的変化を追跡すると、食事環境や口腔清掃の状態によって、①徐々に増加しその後増減を繰り返すパターン、②急激に増加しそのまま高いレベルを維持するパターン、③最初の検出から低いレベルを維持するパターンの三つのパターンに分類できる。う蝕の発症はミュータンスレンサ球菌感染後の菌量のレベルに強く関係するため、う蝕予防のプログラムは ①ミュータンスレンサ球菌の感染遅延、②ミュータンスレンサ球菌の増殖抑制、の2段階で考えることが重要である。これまで歯科の臨床や指導におけるう蝕予防プログラムはシュガーコントロールやプラークコントロールなどう蝕細菌の増殖抑制を主な目的としてきたが、最近は乳歯う蝕の予防対策としてう蝕細菌の感染予防や感染遅延のプログラムも導入されるようになってきた。

（4）う蝕リスク因子とリスク検査の方法

多くのう蝕リスク検査が開発され検査方法も簡易になってきているが、乳幼児に適用可能なものはまだ数少ない。特に唾液を試料とする検査はパラフィンを咬む必要があるため、低年齢児には不向きである。また、リスク因子の重要度も成長発達や歯の萌出状態、食生活の変化などによって変動するため、リスク検査の結果に対するう蝕因子の分析、処置と指導などを的確に行うためには、口腔はもとより全身の発達や成長についての十分な知識を必要とする。幼年期におけるう蝕リスクの判定には、細菌の検出や唾液緩衝能が少量の試料で簡易に行える必要があるが、これら客観的な数値によるリスク検査と共に、家族構成、昼間の養育者、食習慣や歯口清掃習慣などの養育環境がう蝕リスク因子となる[4]ため、両者を総合した上でリスク評価を判定しなければならない。

a．0〜2歳

低年齢児におけるう蝕リスクに関する診査においては、生活習慣に関する聞き取りやアンケートがう蝕リスクを判定する重要な資料となる。具体的なリスク因子は、食習慣に関する項目では、卒乳の時期（1歳6か月が基準となる）、習慣的夜間授乳の有無、哺乳びんへの低pH飲料（スポーツドリンクなど）の使用の有無、間食の不規則性や間食回数などである。また歯口清掃習慣に関する項目では、仕上げ磨き（点検磨き）の開始やその方法もチェック項目となる。さらに1歳6か月歯科健診も含めた定期健診を受けているかどうか、フッ化物の利用などがリスク検査のチェック項目に含まれる。

➡ 第Ⅳ部第6章 215ページ

低年齢児のう蝕細菌の活動性を調べるリスク検査としては、カリオスタット（デンツプライ三金）やシーエーティー21テスト（モリタ）が有効である。本検査は唾液採取ではなく、綿棒によるプラーク採取によって酸産生菌の有無を調べるため低年齢の小児にも適用しやすい。この時期にミュータンスレンサ球菌を検出するようであれば、高リスクといってよい。また、菌の検出がなくてもその感染源が母親や父親であることが多いことから、家族構成員全員がう蝕リスク検査を受け家族単位でう蝕の予防や早期治療を心がけることが大切である。また指導の際にミュータンスレンサ球菌の感染予防のために親子間のスキンシップや精神的な絆の形成に障害を与えるような指導は受け入れられるものではない。感染源となる親の口腔内のケアを指導することが大切である。

➡ 巻末附録248ページ

b. 2～4歳

このライフステージでは、前ステージでの食習慣や歯口清掃習慣に関する指導が各家庭で実際に反映されているか評価する時期である。また生活環境の変化により短期間のうちに口腔環境が悪化しやすい時期でもある。

多くの小児でこの時期にミュータンスレンサ球菌の感染を受けるため、菌量の変化を測定することは重要である。ミュータンスレンサ球菌や乳酸桿菌の量、唾液緩衝能などの数値が高リスクの場合は、できるだけ早急に具体的な目標値を設定して、それに向けて生活改善の指導を行わなければならない。歯口清掃では就寝前の仕上げ磨きの習慣、デンタルフロスの使用、食生活では間食回数、間食の規則性、また専門歯科医への歯科健診の継続、フッ化物の使用（フッ化物配合歯磨剤、フッ化物洗口、フッ化物塗布）などチェックしなければならない。

唾液のリスク検査はこの年齢でもパラフィンを咬むことが難しかったり、唾液を必要量採取できなかったりすることが多く簡易な唾液検査の開発が必要である。

c. 4～6歳

乳歯列の安定期であり、う蝕リスク検査に関しても、ミュータンスレンサ球菌、乳酸菌の菌量測定、唾液緩衝能など、実施が容易となる検査が多くなる。定期健診ごとのアンケートにより食習慣、歯口清掃習慣の継続が円滑に実施されているか確認し、リスク検査の結果に基づき、食生活指導、歯口清掃指導は成長に応じて少しずつ変化をもたせて実施していきたい。乳臼歯隣接面のう蝕罹患性が高まる時期でもあり、デンタルフロスの励行は重点的に指導したい。さらに間食指導やフッ化物の利用も継続して行う。永久歯が萌出している場合は萌出後成熟の時期でう蝕罹患性も高いため、高リスクの小児は特に重点的にこの部位に対するブラッシング指導やフッ化物含有セメントによる早期裂溝封鎖などの予防処置を必要とする。

2）リスク除去の診療室技術

（1）歯口清掃指導（う蝕誘発部位の認識と清掃技術、プラーク染色）[4]

幼年期（幼児期）のう蝕は、年齢によって発症の歯種や歯面に特徴がある。基本的に乳歯の萌出後1～2年間は萌出後成熟期間であること、歯面の中でも歯頸部、臼歯部の小窩裂溝、歯と歯の間（隣接面）は三大不潔域でプラークが付着しやすく清掃しにくい、睡眠時は唾液分泌が停止するため緩衝作用を受けにくいことなどによって、う蝕誘発部位が定まってくる。それ故、主要な予防手段である歯口清掃指導は、年齢や歯列期に応じて変化させていかなければならない。低年齢の小児は手先の運動も未発達であり自分でブラッシングを行うにはまだ早すぎる。従って親に

よる仕上げ磨き（点検磨き）が必須であると同時に、本人にも習慣づけの意味で歯ブラシを持たせることもある。

　1歳前後の小児のプラーク付着部位は上顎乳前歯の唇面で、特に夜間授乳では睡眠時は唾液分泌が行われないため自浄作用が期待できず、上唇粘膜と接する歯面へのプラークの蓄積が顕著となりやすい。プラークを歯面から落とし、う蝕細菌を除去する目的で行うブラッシングは、最初の歯が萌出する頃に開始するのがよく、最初はガーゼなどで歯を拭いてやることから始めるとよい。保護者による仕上げ磨きが早期に習慣化されると、う蝕の好発年齢である3歳以降の口腔管理が容易となる。

　1〜2歳児の歯の汚れの状態は、上顎乳前歯部の唇面、上顎乳臼歯部の頬側面にプラークが付着しやすく、乳前歯よりも乳臼歯において、また切端部より歯頚部においてプラークが付着しやすい。上唇をめくりしっかり観察できる状態でブラッシングするように心がける。協力度の良い小児ではプラーク染色も可能である。

➡ 第Ⅲ部第3章123ページ

　3歳児でのプラークの付着部位は、上下顎乳臼歯の咬合面、頬側面、下顎乳臼歯の舌側面である。さらに閉鎖歯列では、隣接面間もプラークが付着しやすいため、ブラッシングではデンタルフロスも必要となる。上顎第二乳臼歯部の口蓋側のカラベリ結節部の小窩もプラークが除去しにくい箇所である。ブラッシングが習慣化されていても、プラークが確実に除去できているかプラーク染色などを使ってチェックする必要がある。

　4〜5歳児のう蝕の好発部位は、この年齢では乳臼歯の咬合面、隣接面であるため、この部位のプラーク除去も注意しなければならない。また、プラーク除去の難しい箇所として上下乳犬歯の歯頚側、上下乳臼歯の歯頚遠心部が挙げられる。小児自身のブラッシング習慣も確立されて来る時期であるが、ブラッシングやフロッシング操作の微細な運動はまだ十分できないため、保護者による仕上げ磨きはたいへん重要となる。6歳近くなると第一大臼歯が萌出してくるが、この部は非常にプラークが付着しやすく、プラーク除去も難しい。さらに萌出後成熟にも時間がかかるため、萌出途中にう蝕を作らないために最善の注意が必要である。

（2）フッ化物の応用[5, 6]

　診療室ではフッ化物の歯面塗布が広く行われている。歯面塗布用のフッ化物は9,000 ppmの高濃度フッ素を含有しており、1年に2〜3回塗布するものである。歯科保健対策の中でフッ化物の抗う蝕効果は最も強いエビデンスを有しているが、フッ化物歯面塗布はフロリデーションやフッ化物洗口に比べるとその効果は決して上位ではない。

　萌出後2〜3年間歯は成熟を続けるためこの期間はフッ素の取り込みが大きい。従って乳歯の萌出から永久歯列の完成期にかけて適切な濃度のフッ化物を定期的に歯に取り込ませることは効果的かもしれない。2％フッ化ナトリウム溶液（ネオ＜ナルコーム製作所＞）、酸性フッ素リン酸溶液（フルオールＮ液＜ビーブランド・メディコーデンタル＞、フローデン Ａ＜サンスター＞）、リン酸フッ化ナトリウム（APF）ゲル・ゼリー（フルオール・ゼリー＜ビーブランド・メディコーデンタル＞）がある。

（3）食生活指導（間食の規則性と回数、哺乳瓶の習慣性使用と夜間授乳）

a．間食の規則性と回数

　間食回数とう蝕との関連性も調べられており、間食回数が3回、4回と多くなればなるほどう蝕罹患率が明らかに高くなることが報告されている[7, 8]。

第2章 幼年期（1〜5歳）

　このような間食の不規則性や間食回数とう蝕発症との間には密接な関係が示されるが、口腔内でのう蝕発症のメカニズムはステファンカーブに基づいて説明ができる[9]。間食が不規則になったり間食回数が多くなると、歯の脱灰を生じる臨界pH以下の領域で示されるう蝕リスクが拡大する。さらに乳歯や幼若永久歯は萌出後石灰化が未熟で、臨界pHが成熟永久歯と比較して高いことも乳幼児がう蝕になりやすい要因として挙げられる。乳児院で生活している出生直後から3歳までの小児のう蝕状態を調査した報告によると、乳児院の小児のう蝕罹患率は一般家庭の小児に比べて著しく低いことが明らかにされている[10]。同時に行った食生活の実態調査では乳児院の小児のスクロース摂取量は少なく、間食も規則的であった。保育園、幼稚園の園児や幼児健診など多くの調査で、間食の時間を決めずに不規則に摂取している小児にう蝕が多いことが明らかにされている[8,11]。

　従って一日の間食回数は2回程度とし、決まった時間に決まった場所で摂るよう指導する。

➡ 第Ⅰ部第1章8ページ
➡ 第Ⅰ部第1章8ページ
➡ 第Ⅲ部第5章156ページ

b. 哺乳瓶の習慣性使用と夜間授乳

a) 哺乳瓶う蝕 nursing bottle caries、bottled caries[12]

　乳幼児を寝かし付けるために哺乳瓶の中にスポーツドリンクなどの低pH飲料あるいは糖分を含有した飲料を入れて飲ませることを習慣化すると、上顎乳前歯の唇面から脱灰しはじめ、そのまま数か月継続すると舌面を含めた全歯面が重症のう蝕となる（図4、図5）。就寝中は唾液分泌が停止するため唾液による緩衝作用が行われにくい口腔環境となり、歯質を広範囲に脱灰することになる。さらに飲料にスクロースをはじめとする糖分が含まれていたり、歯口清掃状態が不良の場合は、プラーク形成が促進され、急速にう蝕へと進行する。上顎に対して下顎前歯にはう蝕をほとんど認めない。このような特徴を示すう蝕を哺乳瓶う蝕と総称する。熱性疾患の際に小児科医などから水分補給のためにスポーツドリンクを勧められ、それがいつの間にか習慣化して常飲するようになったケースも多く、歯科医療関係者は他の医療、看護、保育関係者に注意を喚起しておく必要がある。いずれにせよ、保護者には遅くとも1歳6か月までには哺乳びんの使用を終えるよう、また哺乳瓶の中身は白湯やうすめたお茶にするよう指導することが大切である。

➡ 第Ⅳ部第6章215ページ

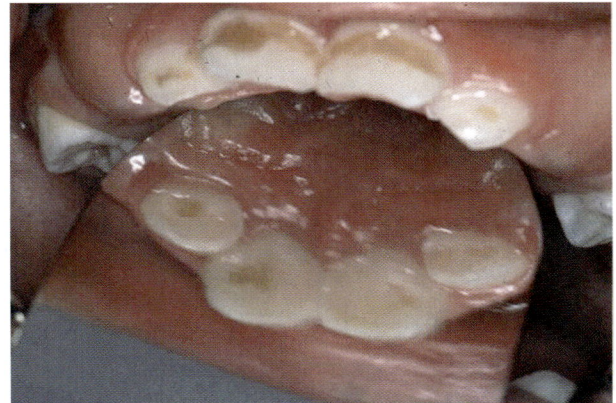

図4　哺乳瓶う蝕（唇側と口蓋側の両側にう蝕による実質欠損が認められる）

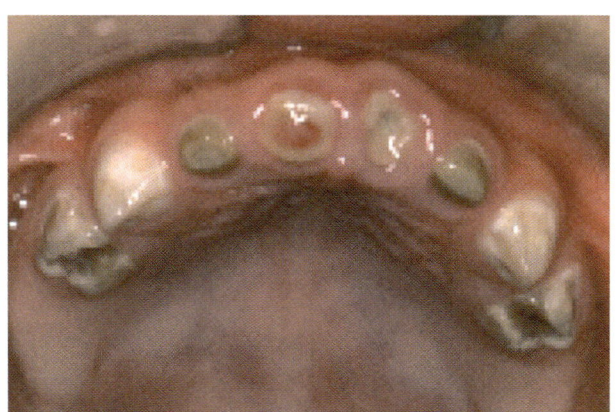

図5　哺乳瓶う蝕（2歳0か月、哺乳瓶の中味はスポーツドリンク）

b）授乳の不規則性とう蝕

母乳による夜間授乳が1歳6か月をすぎても長期にわたって習慣化する場合にも、哺乳瓶う蝕と同様に上顎乳前歯部歯頸部がう蝕になりやすい。この場合、母乳自体にう蝕誘発性はなく、夜間授乳で示される日常の不規則な食生活が口腔に反映され、唾液が分泌されない就寝中の口腔内で多量のプラークを形成するために早期にう蝕罹患すると考えられる。食生活習慣の改善が重要なポイントとなるため、家族の理解と実行が鍵となる。従って、否定型指導ではなく、どういう飲み方をすれば歯にとって好ましいかを常に考えてもらうような問題志向型の指導を行い、卒乳時期は1歳半を目標とする。

3）プロフェッショナルケア

（1）フッ化物ゲルの塗布[5]

フッ化物塗布の方法には、歯ブラシ法、綿球や綿棒による塗布、トレー法、イオン導入法があるが、幼児に対しては歯ブラシを利用してゲルを塗布する方法が容易である。歯ブラシであれば小児にとっても普段から使用しているため受け入れやすく、塗布時間も長く保てる。歯ブラシを持参してもらうようあらかじめ連絡しておくか、診療室で新しい歯ブラシを用意する。塗布後はうがいをさせないで約30分間飲食を避けるよう指導する。

トレー法は口腔内にトレーを挿入するため協力を得にくい低年齢児には不向きである。フッ化物の塗布は唾液中にフッ素イオンをいかに長時間保持するかにかかっているため、塗布を嫌がったりすぐに吐いてしまう場合は方法を変えなければならない。塗布用の9,000 ppmのフッ化物ゲルにリンゴ味のものが加わり、塗布しやすくなった。1回に塗布するフッ化物ゲルの量は酸性フッ化物ゲルであるフルオール・ゼリーで約1g（フッ素量約8mg）が適量である。フッ素の中毒発現量は20 mg/10 kgである。

（2）PMTC：professional mechanical tooth cleaning

歯科医師あるいは歯科衛生士による専門的なプラークの機械的除去および歯面清掃をいう。歯ブラシ、ブラシコーンなどのコントラエンジンや超音波装置（SUSブラシ）などを用い、縁下プラークも含めて除去する。薬剤を併用するとさらに効果が高まる。また外来性の色素沈着の除去にも極めて有効である。

→ 第Ⅲ部第4章133ページ

乳歯の外来性着色のほとんどは食品に起因することが多く、その中でも茶類に含まれるカテキンの歯面への沈着、いわゆる茶渋が最も多い。またヨード系含嗽剤を多用すると茶色の沈着物が付着する。この場合、歯面研磨により簡単に着色が除去できる。鑑別すべきものとして、外傷による褐色あるいは黒ずんだ変色、テトラサイクリンによる褐色様着色、フッ化ジアンミン銀による黒色の着色などがありこれらは、容易に着色除去はできない。

4）ホームケア（特に歯間清掃の重要性について）

（1）仕上げ磨き（点検磨き）の重要性[4]

小児自身の清掃によるプラーク除去効果では細かいブラッシングの動作はできないため、親による仕上げ磨き（点検磨き）が必須である（図6）。

> 本書では、「プロフェッショナルケア」に対して個人で行う口腔管理を「セルフケア」で統一している。しかし、幼児の場合は自分で口腔管理を行うことは難しく、養育者等が行うことが多いため、「ホームケア」を用いる。

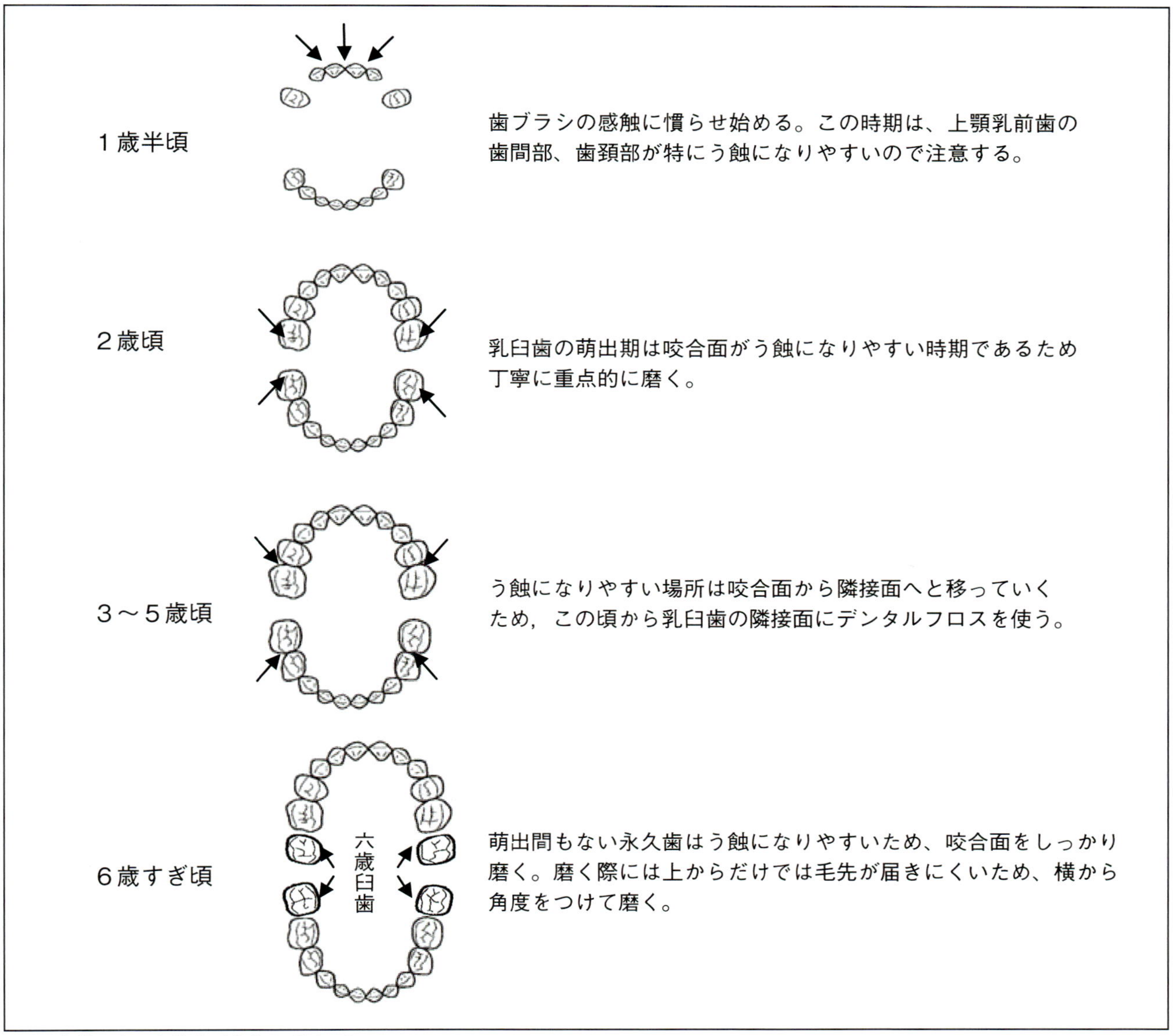

年齢	仕上げ磨きのポイント
1歳半頃	歯ブラシの感触に慣らせ始める。この時期は、上顎乳前歯の歯間部、歯頸部が特にう蝕になりやすいので注意する。
2歳頃	乳臼歯の萌出期は咬合面がう蝕になりやすい時期であるため丁寧に重点的に磨く。
3〜5歳頃	う蝕になりやすい場所は咬合面から隣接面へと移っていくため、この頃から乳臼歯の隣接面にデンタルフロスを使う。
6歳すぎ頃	萌出間もない永久歯はう蝕になりやすいため、咬合面をしっかり磨く。磨く際には上からだけでは毛先が届きにくいため、横から角度をつけて磨く。

図6　年齢にあった仕上げ磨きのポイント
年齢によって、う蝕に罹患しやすい部位が変化するため、ポイントをおさえた仕上げ磨きが大切である。（広島大学病院小児歯科編「親子でつくろう歯〜とふるライフ」より引用転載）

a. 歯ブラシの選び方

小児の口腔状態に合った歯ブラシを選ぶ（図7、図8）。
・ヘッドの大きさは小さめ（子どもの人指し指の指先から第一関節までより短いもの）
・毛の長さは短め（6〜8mm）で、普通の毛の硬さのもの
・ネックの部分はストレートで握りやすいもの

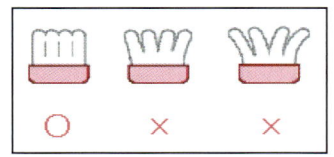

図7　歯ブラシの選び方と交換時期
ヘッドの長さは人差し指の指先から第一関節までくらいが適切である。また広がった毛先が背面から見てはみ出していれば、交換の時期と考えればよい。

b. 姿勢

子どもを上向きに寝かせ、頭をひざにのせて上顎の臼歯が直視でき、安定した体勢ををとる（図9）。

c. 磨き方

上唇をめくり上顎乳前歯がよく見えるようにする。また、人さし指で頬を軽く引くと奥歯が良く見える。仕上げ磨きを始めた最初の期間は嫌がる小児も多いが、う

第Ⅱ部 臨床編

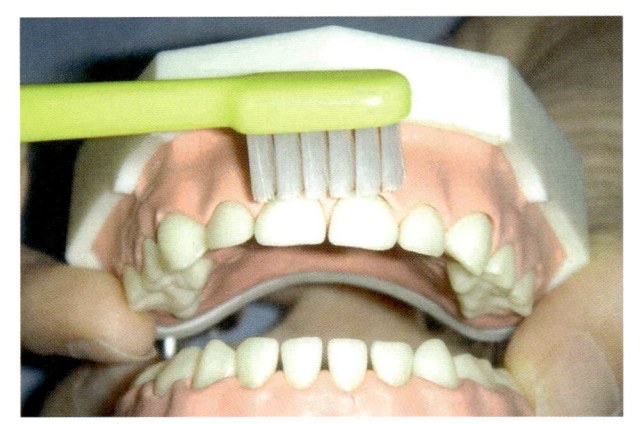

図8 歯ブラシの大きさと毛の長さ
　　毛の長さは6〜8mmくらいが適当である。

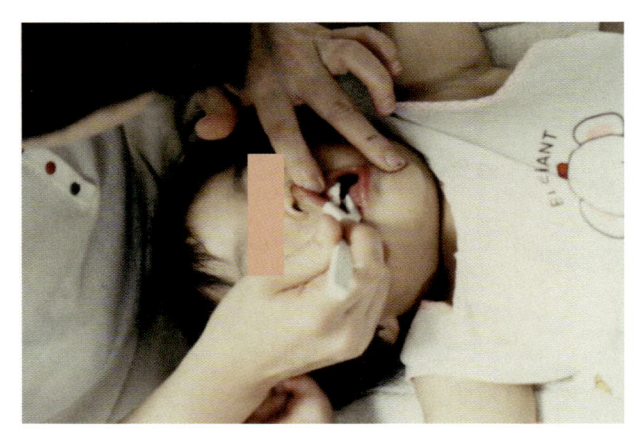

図9 母親による仕上げ磨き
・就寝前にする　　・寝かせみがき
・う蝕になりやすい場所をみがく
・力を入れない　　・Lift Lip！唇をめくって！

蝕に成りやすい部位から手際良く、数を数えたり歌いながら飽きさせない、歯ブラシ圧を強圧にしない、体を押さえつけないなどに注意して、就寝前には必ず仕上げ磨きをすることが習慣化するよう指導しなければならない。

d. 歯ブラシの管理

使用後の歯ブラシは、流水でよく洗い、水分を切って風通しのよいところで乾燥させておく。毛先が開いてしまうと歯ぐきを傷つけることがある。歯ブラシを後ろから見て、毛が見えるようなら交換を勧める。

（2）デンタルフロス（歯間部の清掃）の重要性

乳前歯に空隙のない閉鎖歯列弓の場合、上顎乳前歯の隣接面は特に不潔域となりやすいため、早期からデンタルフロスによるプラーク除去を行うことが望ましい。また、3歳以降は乳臼歯部の隣接面が不潔域となるため、同部のフロッシングも必要となる。

（3）フッ化物の利用

プロフェッショナルケアでの高濃度のフッ化物塗布と異なり、ホームケアで行うフッ化物の利用は、低濃度のフッ化物を用いる。

市販歯磨剤のすでに90％がフッ化物を含有しておりその濃度は1,000 ppm以下である。歯磨剤には歯を強くするフッ化物などの薬用成分が入っているものが多く、有効な働きをする。

しかし、歯磨剤は補助的なものであり、含嗽ができるようになってから使うべきであり、1回につける量は小豆大くらいが適量である。多すぎるとすぐに泡だらけになり、かえって磨きにくくなる。また嫌がる場合は無理に使う必要はない。

フッ化物洗口剤には、ミラノール（250および450 ppmに調整、ビーブランド・メディコーデンタル）とオラブリス（250および450 ppmに調整、昭和薬品化工）などがある（図10）。専用容器が用意されており家庭で調整して用いる。洗口剤についても歯磨剤と同様、含嗽（ブクブクうがい）ができるようになってから使うことが勧められる。フッ化物スプレーには100 ppmF含有のレノビーゴ（ゾンネボード製薬）がある（図11）。

わが国で市販されているものとしては、950〜980 ppmがフッ素の最高濃度であるが、100 ppmの低濃度のものもある。

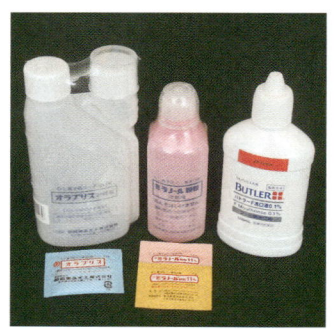

図10 歯ブラシの大きさと毛の長
　　　フッ化物洗口剤

図11 フッ化物スプレー
　　　（レノビーゴ 100 ppmF）

第2章　幼年期（1～5歳）

（4）食生活を含めた生活の規律性

　成人と比べ胃の小さい小児にとって、おやつは食事と食事の間に摂取する大切な栄養補給（間食）であり、決して甘食ではない。

　また甘い味を早期に覚えると、そればかり欲しがるようになり他の味覚が発達しにくくなる。3歳くらいまではできるだけ甘いものを与えないよう気をつける指導も必要である。う蝕を誘発するお菓子の特徴として、砂糖含有量が多い、粘着性が強い、口腔内に長時間停滞する等が挙げられる。

　さらに間食のだらだら食いを避け、時間、回数、場所を決めるなど、食生活を含めた生活全体に規律性をもたせることが肝要である。時間と回数を決めておやつを与えることが大切である。

　現代の食生活は軟食化が進み、1回の食事当たりの時間、咀嚼回数も減っており、わずか十数分で600～700回の咀嚼回数である。唾液分泌の低下は咀嚼回数と比例することから、食事指導のなかに咬みごたえのあるものを取り入れたり、すぐに飲み込まずにゆっくり咬むことなど、咀嚼機能の発達促進も含めた食事指導が望ましい。

2．診査、診断、治療方針

　従来の乳幼児の歯科検診は、歯の萌出、う蝕状態、歯周疾患、不正咬合などを中心に診査していたが、今後は食生活習慣や摂食嚥下など生活機能面も含めた総合的な健診を行っていくことが求められており、歯科医師や歯科衛生士は小児の全身の発育を熟知したうえで、歯科健診を実施しなければならない（図12）。特に診断においては現在 C_0（シーゼロ）とは別に CO（シーオー）の考えが一般的となっている。

　CO[13] とは、要観察歯（questionable caries under observation）のことで、わずかな表面脱灰や白濁などを呈する初期う蝕の段階は可逆性で、再石灰化によりもとの健全な歯質に戻る可能性があるためプラークコントロールやシュガーコントロール、フッ化物の利用を実施しながら経過観察を行う。1995年から学校保健法の一部改正により導入された。一方、1981年以降使われていた C_0 は C_1、C_2、C_3、C_4 で表現されるう蝕進行状態の5段階の検出基準のひとつで、やはり要観察歯ではあるが、C_1 の前段階という見方が強かった。今後も、積極的な経過観察の意味が強い CO[13] が重要なポイントとなりこの段階で行う処置や指導がその歯の健康を決めるといっても過言ではない。

➡ 第Ⅱ部第3章 55ページ

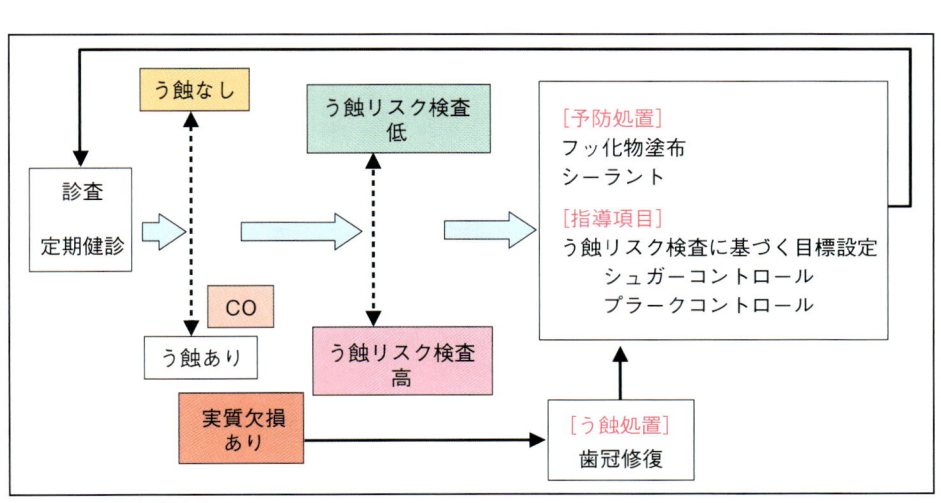

図12　幼年期う蝕診査のフローチャート

1）1歳までのポイント

（1）診査

a. 視診・触診
歯の萌出状態、う蝕診査（特に上顎乳前歯部）

b. 医療面接
栄養状態、離乳開始、寝かせ磨きの開始などを中心項目として、聞き取りあるいはアンケート記載によって資料とする。

c. う蝕リスク検査
う蝕状態や医療面接でリスクが疑われる場合は行う。

（2）診断
上顎乳前歯部のう蝕（脱灰、実質欠損の有無、プラーク付着状態）を中心に診査する。

（3）治療・予防
＜指導項目＞仕上げ磨き指導、夜間授乳・哺乳びん使用での注意、卒乳の準備
＜予防処置＞フッ化物塗布
＜う蝕処置＞脱灰部：フッ化物塗布、フッ化ジアンミン銀塗布（適応症に注意、歯面の着色、42ページ参照）
　　　　　　実質欠損：乳前歯－コンポジットレジン、グラスアイオノマーセメント

2）1～2歳のポイント

（1）診査

a. 視診・触診
歯の萌出状態（2歳6か月で乳歯萌出完了）、う蝕診査（上顎乳前歯、閉鎖歯列の隣接面）

b. 医療面接
卒乳、夜間授乳の習慣の有無、寝かせ磨きの開始を中心項目とする。

（2）診断
上顎乳前歯部のう蝕診査（脱灰、実質欠損の有無、プラーク付着状態）

（3）治療・予防
＜指導項目＞仕上げ磨き指導、フッ化物配合歯磨剤の使用、夜間授乳・哺乳びん使用での注意、卒乳の準備、間食指導
＜予防処置＞フッ化物塗布
＜う蝕処置＞脱灰部：フッ化物塗布、フッ化ジアンミン銀塗布（適応症に注意、歯面の着色）
　　　　　　実質欠損：乳前歯－コンポジットレジン、グラスアイオノマーセメント

1歳6か月児歯科健康診査（市町村が主体となり実施するもの）

[診査]

集団健診での体勢は、歯科医師と保護者が対面して膝をつき合わせる格好で座り、歯科医師側に頭がくるように、仰臥位で小児を膝の上に寝かせて、足を保護者の膝の上に置く体勢で診査する。膝の上にバスタオル等を敷くとよい。

[診断]

判定基準は、O_1O_2ABCの罹患型で表される（表3、表4）。

表3　1歳6か月児歯科健診診査要項

乳歯う蝕罹患型		診断基準	予測	指導事項
O型	O_1型	う蝕がない	う蝕がなく、かつ口腔環境も良いと認められるもの。問診での危険因子がないもの	低リスク	・現在の状態を続けるよう努力させる ・一般的な指導事項（シュガーコントロール、プラークコントロール）を指導する ・予防処置（フッ化物塗布）や定期健診をすすめる
	O_2型		う蝕はないが、口腔環境が良好でなく、問診での危険因子の項目が多く、リスクが高いと思われる	中リスク	・一般的な指導事項を徹底する ・特に歯の清掃と間食、飲物に対して十分注意、指導する ・3～4か月おきの定期健診を勧める ・予防処置（フッ化物塗布）をすすめる
A型		上顎乳前歯部のみ、または乳臼歯部のみにう蝕がある		高リスク	・う蝕進行阻止の処置（グラスアイオノマーセメント、場合によってはフッ化ジアンミン銀塗布）を指示する ・卒乳、哺乳びんの使用等に関して注意する ・その他、O_2型に準じて指導する
B型		乳臼歯部および上顎乳前歯部にう蝕がある		高リスク 広範性う蝕になる可能性もある。	・A型に準じて指導する。特にシュガーコントロール、プラークコントロール、卒乳・哺乳瓶使用について問題点を抽出してその指導にあたる ・う蝕治療、定期健診を確実に受けるように指導する
C型		乳臼歯部および上下顎乳前歯部すべてにう蝕のあるもの		高リスク 広範性う蝕	・A型に準じて指導する。特にシュガーコントロール、プラークコントロール、卒乳・哺乳瓶使用について問題点を抽出してその指導にあたる ・直ちにう蝕の治療をすすめる ・専門的な口腔管理を受けるよう指示する

O_1, O_2の判定は、表の危険因子が多い場合をO_2とするが、各地域で基準を設定できる

表4　1歳6か月時健診における問診項目

問診項目		→ 危険因子
主な養育者	父母	その他（　　　）
母乳の有無	与えていない	与えている
哺乳びん	使用していない	使用している
よく飲むもの	牛乳	清涼飲料水等
間食時刻	決めている	決めていない
歯の清掃	行う	行わない
視診項目		→ 危険因子
プラーク付着状態	良好	不良

3）3〜4歳のポイント

（1）診査
　乳臼歯咬合面の小窩裂溝を精査する。高リスクでは隣接面う蝕の精密診査も行う。
　シュガーコントロール（間食の取り方）、プラークコントロールの医療面接やアンケート、う蝕リスク検査

（2）診断
　特に乳臼歯咬合面、乳前歯隣接面のう蝕診査（脱灰、実質欠損の有無、プラーク付着状態）

（3）治療・予防
＜指導項目＞仕上げ磨き指導（デンタルフロス）、フッ化物配合歯磨剤・フッ化物洗口の使用、間食指導
＜予防処置＞フッ化物塗布、シーラント
＜う蝕処置＞脱灰部にはフッ化物塗布あるいはフッ化ジアンミン銀塗布を行う。
　実質欠損が有る場合は、乳前歯う蝕にはコンポジットレジン、グラスアイオノマーセメント、乳臼歯のう蝕実質欠損にはコンポジットレジン、インレー、既製乳歯冠などが適用となる。

4）4〜5歳のポイント

（1）診査

a. 視診、触診およびエックス線診査
　乳臼歯咬合面の小窩裂溝および隣接面に注意する。この年齢では特に乳臼歯の隣接面が新たにう蝕好発部位となり、視診では診断が難しいことからエックス線検査（咬翼撮影法）が有効である（図13）。またデンタルフロスで糸がさばける場合は隣接面う蝕が進行して歯面が粗糙になっていることが考えられる。また、6歳近くなると第一大臼歯の萌出も開始するため、早期う蝕にならないよう高リスクの患者には特に注意しなければならない。

b. 医療面接
　定期健診を継続していれば、シュガーコントロール（間食の取り方）、プラークコントロールについての改善事項やアンケート、う蝕リスク検査を中心に行う。

（2）診断
　乳臼歯咬合面、乳前歯隣接面のう蝕診査（脱灰、実質欠損の有無、プラーク付着状態）

（3）治療・予防
＜指導項目＞仕上げ磨き指導（デンタルフロス）、フッ化物配合歯磨剤・フッ化物洗口の使用、間食指導
＜予防処置＞フッ化物塗布、シーラント

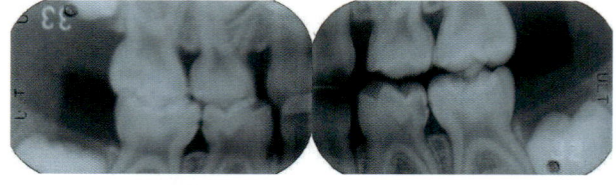

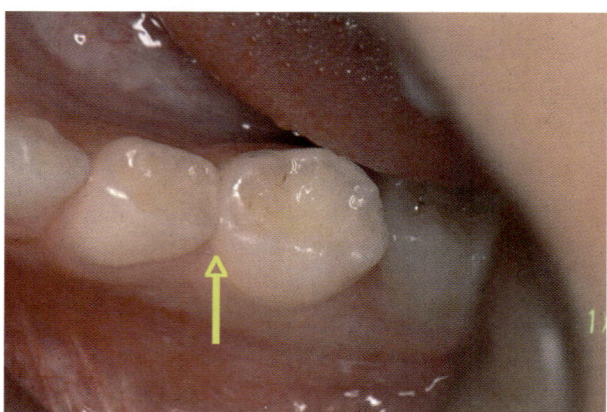

図13　下顎両側第一・第二乳臼歯間の隣接面う蝕（上）
　　　エックス線咬翼撮影法では隣接面う蝕を診断できるが、視診では判定できない（矢印）。

<う蝕処置>脱灰部：フッ化物塗布、フッ化ジアンミン銀塗布

実質欠損が有る場合は、乳前歯う蝕にはコンポジットレジン、グラスアイオノマーセメント、乳臼歯のう蝕実質欠損にはコンポジットレジン、インレー、既製乳歯冠などが適用となる。

3歳児歯科健康診査（市町村が主体となり実施するもの）

健診の体勢は、指導要綱には立たせて診査となっているが、1歳6か月児歯科健診と同様、寝かせた状態で診査する方が臼歯部までよく診査できる。

[診断]

O A B C_1 C_2 で表される（表5）。

<指導項目>仕上げ磨き指導、フッ化物含有歯磨剤の使用、夜間授乳・哺乳びん使用での注意、卒乳の準備、間食指導。1歳6か月健診での指導が実行されているか確認しなければならない。う蝕が発見されれば診療所での処置あるいは指導を受けるよう指示する。

<予防処置>フッ化物塗布

表5　3歳0か月児歯科健診診査要項

乳歯う蝕罹患型		診断基準	予測	指導事項
O型		う蝕がない	低リスク	・口腔清掃に注意する。最低1日1回の保護者による仕上げ磨き、特に隣接面や歯頚部をよく清掃する。歯ブラシの習慣づけ ・1年に3～4回の定期健診とフッ化物塗布 ・食間に糖分や粘着性のデンプンを摂るのを極力止めさせて、果実類や牛乳などに変えていく
A型		上顎乳前歯部のみ、または乳臼歯部のみにう蝕がある	比較的程度は軽い 中～高リスク	・現在あるう蝕の治療を受けるよう指示する ・う蝕が上顎乳前歯部に限定してあらわれる小児については、母乳や哺乳びんの長期習慣が考えられるため、卒乳の指導に努め、う蝕の拡大を防ぐ ・その他はO型にあげた指導事項に準じて指導する
B型		乳臼歯部および上顎乳前歯部にう蝕がある	上下左右の4か所の乳臼歯部にう蝕がある場合は、う蝕の感受性はかなり高く、将来C2型に移行する可能性が高い 高リスク	・A型の指導事項に準じて指導する ・う蝕感受性が高いと思われるものについては定期健診を確実に受けるように指導する。また甘味食品を減らすように指導し、歯口清掃には特に注意するよう指導する
C型	C1型	下顎乳前歯部のみにう蝕がある	元来う蝕の少ない同部にう蝕が発症しているため、将来臼歯部へ波及する可能性が高い 高リスク	・現在あるう蝕の治療を受けるよう指示する ・その他はO型にあげた指導事項に準じて指導する
	C2型	乳臼歯部および上顎乳前歯部にう蝕がある	う蝕感受性は極めて高く、う蝕の進行は急速である。将来、第一大臼歯の近心転位や近心傾斜、犬歯の唇側転位、小臼歯の舌側転位等が起こることもある 高リスク	・直ちに歯科医師を訪れう蝕の治療を受け、定期健診を確実に受けるようにすすめる ・この型のものは全身的な原因のあることが想像され、また重症う蝕のために全身的な機能低下を来していることもあるので、是非とも小児科医の診療を受けるようにすすめる ・その他はB型にあげた指導事項に準じて指導する

5）集団検診における探針の使用の是非について（WHOの指針）

　先端の鋭利な探針による幼若エナメル質の小窩裂溝（pit and fissure）への人為的破壊の危険性が指摘されており、特に口腔内の明視や十分な診査時間が取れないなどの条件になりやすい集団検診においては、先端がより鋭利な探針による診査は、エナメル質の成熟化、あるいは再石灰化による健全エナメル質への移行を不可能にし、逆にう蝕を進行させる可能性がある。

　そこで、WHOの口腔検査法の指針によると、WHOペリオドンタルプローブ（CPIプローブ、先端が直径0.5 mmの球形）をう窩に挿入し、軟化壁と軟化底を確認できる状態のう窩を基準として、う蝕を診断するよう勧めている。またCPIプローブや鋭利でない探針は、食物残渣、プラーク除去、充填物の確認を目的としても使用するとしている。2002年に示された日本学校歯科医会の方針でも、鋭利な探針の使用を原則として用いないよう指示されている。診療室での診療用チェアでの明視野での精密な診査においてはこの限りではなく、従来通り探針で注意深く診査を行う。

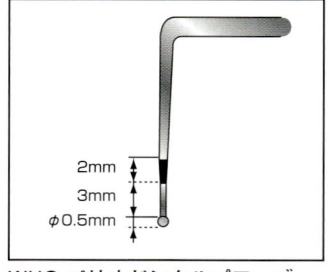

WHOペリオドンタルプローブ

3．処置

1）再石灰化（回復）

（1）再石灰化療法

a. フッ化物による再石灰化促進[14]

　フッ素イオンの歯質への作用は、形成途上や萌出後の未成熟の歯質だけでなく、初期う蝕に対する再石灰化にも大きく寄与する。プラーク中で産生される酸は歯質内部に浸透し表層エナメル質よりも下の深層に脱灰を起こす。しかし、表層エナメル質においてはフッ化物の存在によって再石灰化現象が促進され、ハイドロキシアパタイトの結晶の成長速度が速くなり、一部はフルオロキシアパタイトの結晶も沈着し耐酸性を増していくのである。

　さらにフッ化物の再石灰化の効果を促進するためには、初期う蝕病変内部のpHの改善と再石灰化を長時間維持することが重要である。実際の臨床では、表層下脱灰によってプラーク細菌から産生し浸透した酸を緩衝するために、重炭酸イオン配合ペーストを使用し、フッ化物ペーストにより再石灰化促進と耐酸性効果がもたらされる。この場合、低濃度のフッ化物を持続的に適用する方が再石灰化の促進効果が高い。

　飯島はプロフェッショナルケアとセルフケアの両面からのアプローチによる再石灰化療法を推奨している[15]。

➡ 第Ⅲ部第5章151ページ

b. レーザーによる再石灰化の促進

　新たなう蝕予防の処置法としてレーザーを利用する方法が考えられている。

（2）う蝕の進行抑制（フッ化ジアンミン銀）

　フッ化ジアンミン銀（サホライド＜ビーブランド・メディコーデンタル＞）はエナメル質に限局したう蝕の進行抑制剤として適用されるが、あくまで暫間的処置であり歯面を黒変させるため使用頻度は減少傾向にある（図14）。

> これは、Nd-YAGレーザー照射とフッ化物を併用する方法で、レーザー照射によってエナメル質表面が溶融し耐酸性が高まると共に、生じた亀裂部により酸性フッ素リン酸溶液の浸透が増すため、再石灰化の促進が期待できることが実験で確かめられている[16]。

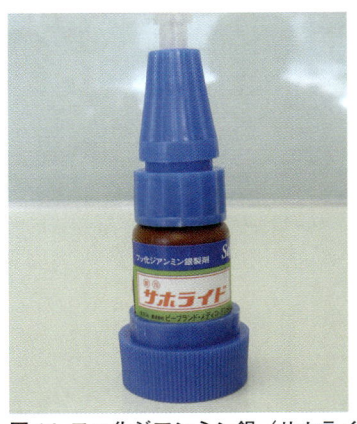

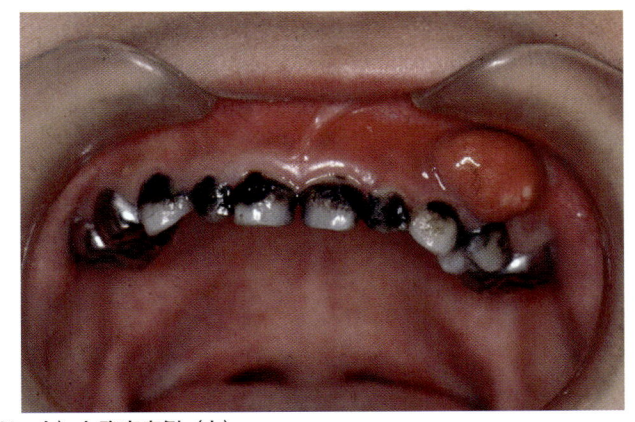

図14 フッ化ジアンミン銀（サホライド、左）と臨床症例（右）
乳前歯部にフッ化ジアンミン銀が塗布され黒色となっている。上顎左側第一乳臼歯部には歯槽骨骨膜瘍が生じており、歯周・歯髄処置および歯冠修復が必要である。フッ化ジアンミン銀が適応となるのは、エナメル質う蝕に限られる。

（3）う蝕細菌の除去法

う蝕細菌の除去法は、機械的な除去と化学的な除去の二つの方法に大きく分類できる。

a. 機械的除去

手用歯ブラシ、デンタルフロスについては前項で述べたとおりである。音波歯ブラシや電動歯ブラシについては、重量が重い、ブラシ部分が大きい、あるいは振動が大きいなどの欠点もある。

b. 化学的除去

（a）クロルヘキシジンバーニッシュ[14]

殺菌消毒剤のクロルヘキシジンは、ミュータンスレンサ球菌に対して特異的に殺菌性が強く、Sandhamは臨床に応用するために、クロルヘキシジンバーニッシュ（chlorzoin ＜ Oralife 社＞）を開発した。日本でもクロルヘキシジンの口腔内適用の薬剤が商品化されている。

（b）3DS（Dental Drug Delivery System）[14]

3DSについては第Ⅲ部第4章参照のこと。

（c）オゾンを利用したう蝕細菌の制御

オゾンは、う蝕組織内を容易に浸透しう蝕細菌を殺菌し、さらにはう蝕部位における再石灰化を促す効果がある。イギリスではすでに臨床治療が始められており、咬合面小窩裂溝における初期う蝕や、実質欠損を伴わない根面う蝕で効果が得られるといわれている。最近ではオゾン治療の装置（HealOzone、KaVo. Dental GmbH 社）による良好な臨床成果も報告されている。

2）修復とシーラント

（1）乳歯う蝕の修復法

乳歯う蝕の修復の目的は、咀嚼機能の回復、う蝕進行の抑制、乳歯歯髄の保護、歯列弓の保持（近遠心、高径）、発音機能の回復、審美性の回復である。そのためには各種乳歯の形態的、組織学的特徴を把握しておくことと、成長発達を考慮した修復を熟知しておく必要がある。例えば乳歯では生理的咬耗が見られるため、それに

> フッ化ジアンミン銀の使用にあたっては、着色についての説明を十分に行い同意を得なければならない。着色部が広範囲である場合や着色周囲に新たなう蝕ができ拡大する傾向がある場合は、乳前歯ではコンポジットレジン冠修復することが望ましい。
> フッ化ジアンミン銀の作用機序は、組成中の Ag および F^- イオンが、特にう蝕罹患歯質に作用してう蝕の進行を抑制する。従って本剤の使用目的は予防処置でも最終処置でもない。乳歯へ適応する際は浅在性う蝕に用いる。さらに黒色に着色するため永久歯に対して使用してはならない。

➡ 第Ⅰ部第2章17ページ

合った硬度の修復材料が望まれる。また後続永久歯とスムースに交換する必要があるため、ブリッジのような複数歯にまたがる固定架橋の修復は禁忌である。また小児歯科では乳歯既製冠を頻用するがその適応症は、多歯面にわたる乳歯う蝕、歯冠崩壊の著しいもの、う蝕感受性が非常に高いもの、歯髄処置をしたもの、形成不全歯などである。

乳歯に対するシーラントの目的は、う蝕感受性の高い小窩裂溝を、一時的に填塞材で封鎖することによりう蝕誘発性の口腔環境から遮断し、小窩裂溝う蝕を抑制することであり、乳歯の萌出程度により材料を適時替えていく。シーラントには、レジン系シーラント（光重合型、フッ化物徐放性）、グラスアイオノマー系セメント（酸‐塩基反応の従来型）などが使われる。

➡ 第Ⅲ部第4章145ページ

4．メインテナンス

1）高リスク患者における修復（う蝕治療）後のメインテナンス

う蝕高リスクの幼児の場合、う蝕治療後も早期に別の歯面や新たに萌出する歯にう蝕を発症する確率が高いため、以下に述べるような定期健診、予防処置および早期治療などの十分な対策を講じてう蝕リスクを下げなければならない。

（1）定期健診の間隔

う蝕リスクの高い幼児、特に低年齢児は1～2か月の短い間隔で定期健診（リコール）を行い、特に家庭での口腔ケア（仕上げ磨きの実施、プラークコントロール）や食生活の指導（シュガーコントロール）が遵守されているか確かめ、問題があれば早期に指導に修正を加えていかなければならない。定期健診を短い間隔で続けていき、リスクが下がったと診断された時点ではじめて間隔を3～4か月あるいはそれ以上へと徐々に拡げていく。

（2）予防処置と早期治療

高リスク患児の場合、乳歯および永久歯の萌出直後の健全な状態のときに、早期に予防処置を講じる必要がある。歯口清掃の重点指導やシーラント、フッ化物の適用などの予防処置のほか、萌出途中の臼歯部咬合面に対してはグラスアイオノマーセメントによる裂溝封鎖が有効である。セメントはレジン系シーラントと比べると接着性が低く、定期健診間隔を短くすることで繰り返し、封鎖することが可能であり、完全萌出後、防湿など填塞条件が整ってからレジン系シーラントを填塞する。

次にう蝕によって実質欠損を生じた場合は、う蝕の拡大進行を阻止するために早期治療が必要である。高リスクの小児の場合、シュガーコントロールやプラークコントロールによるリスクの低下を望めない場合、予防拡大を含めた歯冠修復法を選択する場合もある。

（3）ホームケアと食生活改善のフォローと点検

小児のう蝕予防は、生活習慣が極めて大きく関与するため特に幼児ではホームケアが重要であり、家族構成員や本人を取り巻く生活環境に関わるすべての人達の協力を必要とする。高リスクの場合、シュガーコントロール、プラークコントロールのどこに問題点があるか、十分に吟味しポイントをついた指導を行う必要がある。食事調査票、間食の取り方や飲み物の嗜好などに関するアンケート、さらに仕上げ

磨きに関するアンケート分析を行って、問題点を抽出し、定期健診ではその改善についてチェックしていかなければならない。

2）定期健診

（1）定期健診（リコール）の重要性と間隔

乳歯う蝕の臨床的特徴は、急進性、多発性、不明確な自覚症状である。従ってう蝕が進行して手遅れになる前の、予防や早期発見が非常に重要となる。小児歯科専門の診療施設ではリコールシステムが確立しており、その間隔は一般に3〜6か月とされている。しかし小児の年齢や食生活、プラークコントロールによってう蝕リスクには個人差があるため、間隔も必然的に変えていく必要がある。高リスクの小児では、1か月に数回指導やPMTCに通ってもらうこともある。

（2）定期健診で行う内容

小児の歯科診療で一般的に行う定期健診は、う蝕診査だけでなく咬合、歯列の成長発達が順調に進んでいるかどうかを調べ、障害が生じていればそれを除去あるいは改善し、また障害を生じるおそれのある場合はそれを予防することを目的とする。術者が行う項目には、探針での触診、隣接面う蝕を精査するための咬翼撮影法でのエックス線検査などがある。また乳歯列期にパノラマエックス線写真で永久歯の歯胚の確認を行い永久歯欠如の有無、萌出時期や永久歯列の予測などを行っておくと、長期う蝕予防管理の基本情報として有効である。う蝕診査はもちろんであるが、前回指導したプラークコントロールやシュガーコントロールが家庭で遂行されているかもう蝕リスク検査、プラーク染色、アンケート調査によりチェックしなければならない。小児の成長発達に応じてう蝕に罹患しやすい部位も変動するため、保護者への仕上げ磨きのポイントも毎回異なるはずである。必要に応じて、シーラントやフッ化物適用など、小児の口腔状況に応じたオーダーメイドのリコールシステムを構築しておかなければならない。

> ● **Column** ● 　歯列不正の予防とう蝕予防（小児期の咬合誘導）
>
> 　前歯部叢生、小臼歯の頰舌側転位、上顎犬歯の低位唇側転位などの歯列不正は、歯と顎骨のディスクレパンシーが要因で発現するが、後天的原因の一つにう蝕が挙げられる。例えば、乳臼歯隣接面に実質欠損を伴うう蝕を発症した場合、あるいは歯根膜炎で保存不可能となり抜歯に至った場合、後方歯は近心側に生じたスペースへ移動したり傾斜する。そのため後続永久歯の萌出スペースが不足し正常な位置に萌出できず、歯列不正となってしまう。
>
> 　一方、叢生など歯列不正があると、その前後の歯と接する部位は清掃困難な不潔域となりプラークが蓄積してう蝕リスクが増大する。このように、歯列不正とう蝕とは相互関係があり、両者を予防することが口腔の健康を維持する上で大切となる。
>
> 　小児期で行う咬合誘導とは、永久歯との交換期間に生じるスペースや顎の成長を利用して、萌出スペースの確保や歯の移動を行い、永久歯列を健康な個人機能正常咬合に導くことで、う蝕の観点からも重要である。さらに、口腔内にワイヤーなどの装置を装着した場合、プラークが付着しやすくかつ除去しにくい口腔環境になるため、口腔清掃指導は極めて重要となる。従ってう蝕リスクの高い小児に対してはリスクを下げるプログラムを実施した後に咬合誘導を開始すべきである。

（香西克之）

第3章　学齢期（6〜15歳）

> **目標**：健全な永久歯列を完成させる。
>
> 　小学校低学年は乳歯が多く、乳臼歯の隣接面がう蝕になっている者が多い。乳歯のエナメル質の臨界pH（エナメル質の脱灰が始まる）は 5.7〜6.2 と永久歯のpH5.5 より高く、弱酸でも脱灰が始まってしまう。特に、甘味飲食品の摂取に気をつける。
> 　小学校中学年は永久歯と乳歯の混合歯列期で、この時期の子ども達の歯をう蝕から守りきれば、健全な永久歯列の完成が間近に見えてくる。また、永久歯の歯列不正が予測される歯列に対して咬合の誘導ができる唯一の時期である。歯列の状態も考慮したプログラムを立案する。
> 　学校歯科健診における、歯科保健教育によるう蝕予防の啓発が始まる。この時期は、学校歯科医や地域の臨床家と連携して、子ども達の健全な歯列を守り育てることにより、一生の口腔の健康維持・増進の基盤を築く。

1．リスク評価と予防

1）各種リスク評価法

　学齢期は乳歯から永久歯への交換期で、混合歯列を経て永久歯列がほぼ完成する時期である。また、精神的、身体的な成長期でもあり、保護者の管理から自立してくる。このような学齢期の特徴を踏まえ、個々の対象者を把握し、生活習慣や口腔内状況、リスクテストの結果などを勘案し、総合的にリスク評価を行い、予防・指導計画を立案する。

　う蝕リスクテストとして、現在、チェアサイドで用いられているものの種類と方法は、第Ⅲ部第1章および巻末附録で紹介されている。本章では、学齢期におけるポイントを記載する。

➡ 第Ⅲ部第1章102ページ
➡ 巻末附録241ページ

　学齢期の永久歯は萌出したてで、エナメル質表層の石灰化が未成熟であるため、酸に対する耐性が低い。また、乳歯にう蝕が多い場合、ミュータンスレンサ球菌（mutans streptococci：MS菌）や乳酸桿菌（lactobacilli）などの口腔内のう蝕細菌が多く存在し、永久歯のう蝕リスクも高くなる。また、矯正中で装置を装着している場合には、ブラッシングが困難な上、口腔内の細菌も増加する傾向が見られ、う蝕リスクも高くなる。以下に学齢期における特徴を考慮し、う蝕リスクについて述べる。

（1）各種う蝕リスクテスト[1]の用い方と評価方法

詳細については、第Ⅲ部第1章および巻末附録参照のこと。

（2）う蝕リスクの総合評価

う蝕リスクは単一のリスクテストのみを用いるのではなく、いくつかの要因を総合的に評価する必要がある。以下に、熊谷ら[1]が提唱するリスク要因8項目を例として示す。それらの要因を考慮して、セルフケアおよびプロフェッショナルケアで適切なプラークコントロールを行うことが大切である。

①う蝕の経験歯数：学齢期では、永久歯のDMFTだけではなく、乳歯のdftも関連してくる。

　乳歯のう蝕経験歯数や萌出したての永久歯（特に第一大臼歯）の未処置う歯および処置歯のある者は、う蝕リスクが高いと判定する。

②唾液の分泌量（刺激唾液）：5分間の刺激唾液量の測定（mL）

　唾液は口腔内の自浄作用や、再石灰化と関連している。唾液量が少ない（刺激唾液3.5 mL以下／5分）とう蝕リスクは高いと判定する。

③唾液の緩衝能：デントバフストリップ、CRTバッファなど

　細菌が産生する酸を、唾液が中和する能力をいう。唾液の緩衝能が低く、酸性に傾いていると、う蝕リスクは高いと判定。

④ミュータンスレンサ球菌の数：デントカルトSM、CRTバクテリア、ミューカウントなど

　学齢期では、自分で甘いお菓子や飲料などを買って食べるようになる場合が多い。ミュータンスレンサ球菌はう蝕の発生や進行に最も強く関連し、スクロースの存在下で増殖する。菌数の多い場合はう蝕リスクが高いと判定する。

⑤乳酸桿菌の数：デントカルトLB、CRTバクテリア

　乳酸桿菌は糖を代謝し、乳酸を産生し脱灰を促すなど、う蝕に関連する細菌で、矯正装置が入っていると増えやすいといわれている。菌数の多い場合はう蝕リスクが高いと判定する。

⑥1日の飲食回数：食事や間食、甘味飲料（牛乳などを含む）の摂取回数

　食事、間食や甘味飲料などを頻回に摂取することは、う蝕リスクが高いと判定する。

⑦プラークの歯面付着・蓄積量：Plaque Index、Plaque Control Record（PCR）など

　プラークの付着量を評価し、付着量が多い場合をう蝕リスクが高いと判定する。

⑧フッ化物の使用状況：フッ化物配合歯磨剤、フッ化物洗口、フッ化物溶液の歯面塗布など

　フッ化物は歯質を強化し、再石灰化を促進し、う蝕予防に最も効果がある。使用した経験がない場合はう蝕リスクが高いと判定する。

その他、学齢期では、課外活動や塾などで食事の時間が不規則になったり、睡眠時間が短くなったりと生活習慣が乱れること、矯正治療、口呼吸などもリスクファクターになる。

●代表的なう蝕リスクテスト

・デントカルトSM（オーラルケア）

　ミュータンスレンサ球菌の選択性が高く、臨床や研究に世界的に最も用いられている。ストリップは白色で青いコロニーの形態や量が鮮明で、健康教育の効果も大きい。ただし、培養に48時間かかり、比較的高価である。

・RDテスト（昭和薬品化工）

　唾液中の細菌の酸産生能をpH指示薬の色調変化で判定する。培養時間は体温で15分間と短く、操作も簡単で色調も児童にわかりやすい。口腔保健の健康教育には有効である。

・カリオスタット（デンツプライ三金）

　プラーク中の細菌の酸産生能をpH指示薬の色調変化で判定するので、児童にわかりやすく、口腔保健の健康教育にも有効であるが、培養に2日間かかる。

2）リスク除去の診療室技術

学齢期に適した方法を以下に列記する。各技術についての詳細は、第Ⅲ部にて説明する。

（1）プラークコントロールとミュータンスコントロール
　①プラークコントロール：ブラッシング、フロッシングなどの口腔清掃指導　　→ 第Ⅲ部第3章121ページ
　② PMTC（professional mechanical tooth cleaning）　　→ 第Ⅲ部第4章133ページ
　③ 3DS（dental drug delivery system）[4)]　　→ 第Ⅲ部第4章136ページ

（2）フッ化物の応用[2)]
　①フッ化物歯面塗布法：歯面に高濃度のフッ化物溶液を塗布する方法。
　②フッ化物洗口法（家庭における）の処方と指導、管理。　　→ 第Ⅲ部第3章125ページ

（3）フィッシャーシーラント（小窩裂溝填塞）[3)]　　→ 第Ⅲ部第4章145ページ

（4）保健指導：生活リズム、食生活、間食指導（甘味食品、菓子、甘味飲料の摂取頻度、量など）　　→ 第Ⅲ部第3章126ページ
　　　　　→ 第Ⅳ部第6章213ページ

3）プロフェッショナルケア

プロフェッショナルケアは、歯質の石灰化が十分でなく、う蝕リスクの高い学齢期において、リスク除去のみならず、適切なセルフケアを行える手法（スキル）を習得するための支援と基礎作りとして重要である。永久歯が萌出する6歳前後から、歯の生え揃う中学生の時期を「カリエスフリー」で過ごせば、大人になっても健康な歯で過ごせる確率が高くなる。ブラッシング法や食生活の指導、唾液の量と質の改善、フッ化物を応用して歯質の強化や再石灰化を促進するなど、学齢期にあった適切なプロフェッショナルケアとセルフケアを行えるように指導することが重要である。

（1）フッ化物の応用[2)]
　①フッ化物歯面塗布法
　②フッ化物洗口法（家庭における）

（2）フィッシャーシーラント（小窩裂溝填塞）[3)]

（3）保健指導：生活リズム、食生活、間食指導（甘味食品、菓子、甘味飲料の摂取頻度、量など）

（4）プラークコントロールとミュータンスコントロール
　①プラークコントロール
　② PMTC（professional mechanical tooth cleaning）　　→ 第Ⅲ部第4章133ページ
　③ 3DS（dental drug delivery system）[4)]　　→ 第Ⅲ部第4章136ページ

第3章 学齢期（6〜15歳）

4）セルフケア

（1）歯ブラシ、デンタルフロス、ワンタフトブラシ、その他の清掃用具

➡ 第Ⅲ部第3章 121 ページ

a. 子ども用歯ブラシ

年齢ごとに、ヘッドやグリップのサイズや長さが分かれているものが多い。学齢期は混合歯列用や6〜12歳用などの表示がされている。

b. デンタルフロス、ワンタフトブラシなど[5]

成人期の歯周病予防として歯間清掃は重要であるが、日本では、デンタルフロスなどを指導しても、なかなか習慣化できる人は少ない。欧米諸国では、デンタルフロスは学齢期より習慣化されている場合が多い。学齢期に適切なブラッシングと共に、フロッシングが習慣化されることは、隣接面う蝕や歯周病の予防に効果的である。混合歯列期の歯列は空隙や叢生が多くみられる。また、矯正装置を装着している場合や、萌出途中で対合歯と咬合するまでの背が低い永久歯などはプラークが溜まりやすく、普通の歯ブラシでは届かない場合がある。そのような場合に、ワンタフトブラシが効果的である（図1）。

図1　ワンタフトブラシ（プラウト＜オーラルケア＞）

（2）フッ化物の応用

学齢期は石灰化が不十分であるので歯質を強化するためにフッ化物配合歯磨剤やフッ化物ゲル、フッ化物溶液の洗口などの利用はとても効果がある。また、この時期、フッ化物の歯質への取り込みも促進されやすい。フッ化物には歯の質を強くする効果と、う蝕細菌の酵素活性を抑制するなどの予防効果がある。以下にフッ化物の応用で、家庭でセルフケアとして行える方法を紹介する。

a. フッ化物配合歯磨剤

フッ化物配合歯磨剤は日本の歯磨剤市場占有率（シェア）の80％を越えている。世界的にも2000年には97か国、約15億人が使用しており、フッ化物の応用法の中では最も普及している。各社から子ども用にイチゴ味やミカン味などのフレーバーのついた物が市販されている。学齢期では、飲み込みの心配が少なく、たとえ飲み込んだとしても全身への影響も少ないので、歯質強化の点では、フッ化物濃度が900〜1000 ppm の物を使用した方が効果的である。6歳以上では1日2回、1回使用量 0.25 g 以上、12歳以上では1回使用量 0.5 g 以上で行い、ブラッシング後の口すすぎは、少量（20 mL ぐらい）の水で軽く1〜2回ほどにする。すすぎすぎるとフッ化物の効果が減弱する。

b. フッ化物ゲル

研磨剤無配合で泡立ちがなく、高い濃度でフッ素を長時間保つことができるなどの利点で、応用されている。通常のハミガキ後に使用するダブルブラッシング法に最適。キシリトール配合のものもある。

図2a　チェックアップジェル：NaF 配合

第Ⅱ部　臨床編

　代表的なものは、チェックアップジェル（ライオン、図2a）、ホームジェル（オーラルケア、図2b）などがある。チェックアップジェルの〔レモンティー〕はフッ化ナトリウム（950 ppmF）配合、6歳以上特に10代向けで、矯正治療中やう蝕リスクの高いものに有効である（図2）。使用方法はブラッシング後に歯ブラシに、約1cmとり、歯に塗布し、軽く吐き出し、その後のうがいをしないで、30分から1時間は飲食を控える。

図2b　ホームジェル：第1フッ化スズ配合

> ● Column ●ダブルブラッシング法
>
> 　1回目のブラッシングは、プラーク除去を目的に歯ブラシ（水や少量の歯磨剤を使用可）でよく磨く。2回目はフッ化物などの薬用成分の効果を発揮させるため、ブラシ部分の半分程度（0.25〜0.5g）の歯磨剤またはフッ化物ゲルを歯面全体に隅々まで延ばすようにする。その後、1回ほど軽く口をすすぎ、30分間以上飲食は控える。発泡性の低いゲルの場合は口をすすがない方が効果的。

c. フッ化物溶液の洗口（かかりつけ歯科医のもとで、家庭で行う洗口法）

　永久歯が萌出する学齢期において効果的である。週一回法はフッ素濃度900 ppm（0.2% NaF）、毎日法はフッ素濃度225 ppm（0.05% NaF）で、食後又は寝る前にフッ化物溶液10mLを口に含み全歯面にいきわたるように30秒程うがいをし、30分くらい飲食を控える。ミラノール（ビーブランド・メディコーデンタル）やオラブリス（昭和薬工）、バトラーF洗口液0.1%（サンスター）などがある。

（3）ブラッシング方法

a. 毛先磨き、第一大臼歯の磨き方、矯正装置の入っているときの磨き方

　ブラッシング方法は年齢によってフォーンズ法やスクラッビング法、毛先磨き（図3）などを個人に合わせて行う（歯科衛生士の指導を受けることが望ましい）。第一大臼歯は萌出して対合歯と咬合するまでに数か月を要し、その間は咬合面にプラークが多く付着しう蝕リスクが高くなる。その時期には、横からヘッドが届くように背の低い第一大臼歯を特別に磨く。

b. 混合歯列期のブラッシング

　6歳前後で6歳臼歯といわれる第一大臼歯が萌出し、前歯や小臼歯は順次、乳歯から永久歯へ萌えかわっていく。この時期は、乳歯と永久歯が混在し、空隙ができたり、歯列が乱れたり、口の中の状態も刻々と変化していく。また、咬合誘導や矯正が始まると、装置が装着され、ますますブラッシングが困難になる。随時、口の中の状態に合った磨き方を指導すると共に、保護者のチェックおよび9〜10歳頃までは磨き残った部分の仕上げ磨きを行うことを勧める。

> ● フッ化物溶液スプレー
> （レノビーゴ、ゾンネボード）
>
> 　フッ化ナトリウム（フッ素濃度100 ppm）およびグリチルリチン酸モノアンモニウムが配合されている。薬液の濃度が低いため、一般の薬局で購入でき、幼児や学童にも安心して使用できる。

➡ 第Ⅲ部第3章 123ページ

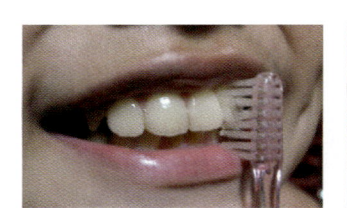

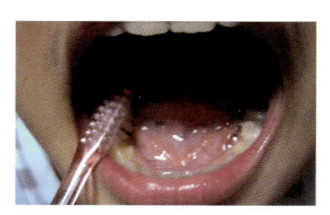

図3　毛先磨き

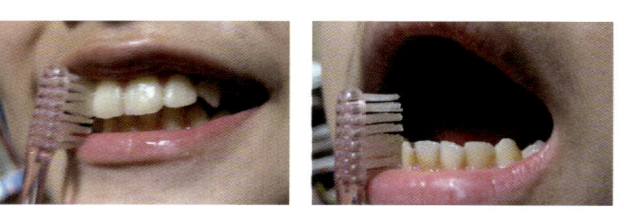

2．診査、診断、治療方針

今まで記載してきた内容を勘案して、診査・診断・治療方針を決定するまでのマニュアル（ディシジョンツリー）の例を示す（図4）。なお、口腔環境改善はすべてのケースで必要であるが、個人のリスクの中で最も高い部分から順次、改善処置や指導を行っていく。

【症例：女児8歳（初回）から1年後（9歳）の変化】

●初回
・永久歯の第一大臼歯に小さなう窩（1歯）
・ミュータンスレンサ球菌の数（唾液）：レベル2、（プラーク）：レベル2
・乳酸桿菌の数：レベル0、唾液の緩衝能：スコア0（青）、
・唾液の分泌量：10mL 以上 /5分、母親のミュータンスレンサ球菌の数：レベル2

●1年後
・永久歯の第一大臼歯にレジン充填（1歯）
・ミュータンスレンサ球菌の数（唾液）：レベル0、（プラーク）：レベル1
・乳酸桿菌の数：レベル0、唾液の緩衝能：スコア0（青）
・唾液の分泌量：10mL 以上 / 5分、母親のミュータンスレンサ球菌の数：レベル1

●1年間の間の治療、指導、変化
・第一大臼歯咬合面う蝕（1歯）の治療：レジン充填
・ブラッシング・フロッシング指導：1日2回のブラッシング、フロッシング2〜3回/週
・甘味食品、飲料を控えるようになった。
・フッ化物配合歯磨剤を毎日使用、フッ化物洗口（オラブリスにて毎日家庭で洗口）

1年間で大きく変化したのは、唾液のミュータンスレベルが2から0に改善されたことである。

理由として、フッ化物溶液の洗口（毎日）、甘味食品・飲料の摂取減少、う蝕治療、丁寧なブラッシングとフロッシングなどが考えられる。また、母親のミュータンスレベル2→1に改善されており、母子共に口腔環境が改善されていた。ただし、今後も継続した指導、メインテナンスが必要である。

> ●メディカルトリートメントモデル
> Oral Physician（口腔内科医）により行われる。
> メディカルトリートメントモデルとは、イエテボリ大学のBo Krasseが紹介した概念で、医療の観点で構築されたモデル。熊谷[6]は、このモデルを歯科医療に当てはめ、oral physician がこのモデルを行う。oral physician とは、かかりつけ歯科医をより明確化したもので、「患者の生涯にわたってう蝕、歯周病という口腔二大疾患の発症と再発を防ぐため、様々なリスクを診査、診断し、処置方法を決定することができる内科医的な歯科医」と提唱している。

3．処置

1）再石灰化（回復）

1）再石灰化（回復）

再石灰化についての詳細は第Ⅲ部第5章参照のこと。　　　　　　　　➡ 第Ⅲ部第5章 151ページ
① 再石灰化療法：フッ化物の応用と MI ペースト（ジーシー）[7]
② う蝕の進行抑制（進行・再石灰化（回復）していないう蝕）：フッ化ジアンミン銀の歯面塗布など
③ う蝕細菌の除去法：フッ化物の応用はセルフケアの項で、3DSについてはプロ　➡ 第Ⅲ部第3章 125ページ
フェッショナルケアの項を参照のこと。また、クロルヘキシジン（CHX）など　➡ 第Ⅲ部第4章 136ページ
の除菌作用のある薬剤が配合されたマウスリンスやマウスウォッシュもある。

第Ⅱ部　臨床編

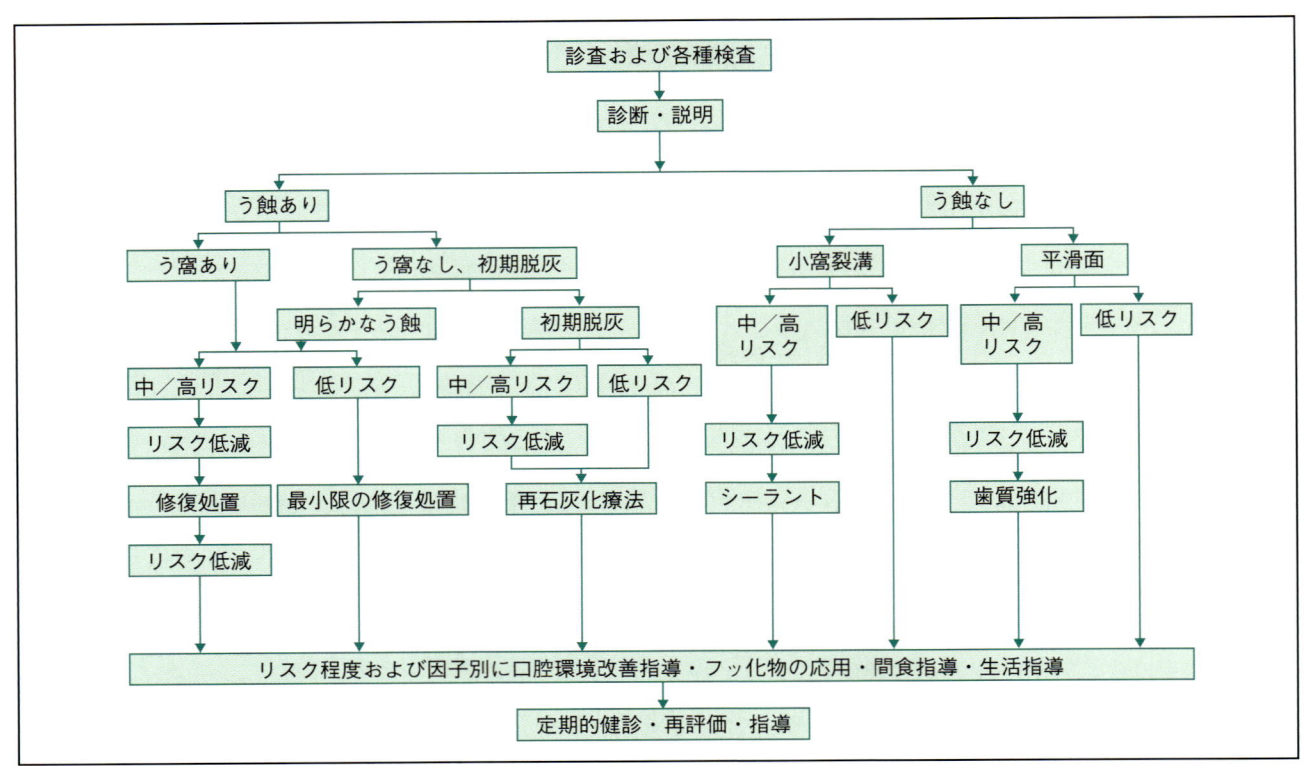

```
                        診査および各種検査
                              ↓
                          診断・説明
                    ┌─────────┴─────────┐
                 う蝕あり              う蝕なし
              ┌────┴────┐          ┌────┴────┐
           う窩あり  う窩なし、初期脱灰  小窩裂溝    平滑面
              │     ┌────┴────┐    ┌──┴──┐  ┌──┴──┐
              │   明らかなう蝕  初期脱灰  中/高  低リスク 中/高  低リスク
              │   ┌──┴──┐  ┌──┴──┐  リスク       リスク
           中/高  低リスク 中/高 低リスク
           リスク       リスク
              │     │     │     │       │           │
           リスク低減    リスク低減     リスク低減    リスク低減
              │     │     │     │       │           │
           修復処置 最小限の修復処置 再石灰化療法  シーラント    歯質強化
              │
           リスク低減
              │
              └─────────┬─────────────┘
          リスク程度および因子別に口腔環境改善指導・フッ化物の応用・間食指導・生活指導
                              ↓
                      定期的健診・再評価・指導
```

図4　ディシジョンツリー（女児、8歳）

2）修復

　う蝕が進行し、象牙質まで及ぶ歯質の崩壊が起こり、う窩を形成している場合は修復治療を行う。ただし、実質欠損を伴わない初期う蝕の場合は、フッ化物を応用し、う蝕リスクを低く改善・維持できるよう指導・管理を行い歯質の切削を回避できるようなアプローチを行う。

4．メインテナンス

1）学齢期のメインテナンスの特徴

（1）修復後のメインテナンスの中でハイリスク患者を中心とした術後管理

　高リスク患者の場合、う蝕を修復した後、甘味飲食物の摂取に関する指導やブラッシングを中心としたプラークコントロール、フッ化物配合歯磨剤の使用を指導することが必要である。また、定期的にリスク評価（リスクテストなど）を行い、リスクの程度に応じ、二次う蝕の予防とう蝕の発生を予防するために、フッ化物溶液塗布やフッ化物洗口、さらに3DS等も必要性を考慮し行う。

（2）矯正歯科治療中の場合

　矯正装置の装着により歯口清掃が困難になったり、不正咬合による形態的不調和や咀嚼機能不良により歯垢沈着、不潔域の増加および自浄作用の低下を生じやすい。また、学齢期では生活習慣、食習慣が不規則となり、口腔清掃も不十分となりやすい。このように、矯正中は、う蝕、歯周疾患、口腔粘膜疾患および口臭等のリスクが高くなる[8]。リスクテストの評価や初期う蝕の診断に基づいて、口腔清掃指導、フッ

第3章 学齢期（6～15歳）

化物の応用などを行うことで、歯質の強化およびう蝕の初期症状の進行抑制もしくは再石灰化促進による歯質の回復が期待される。矯正治療の定期的チェックと共に、適切なセルフケアの指導やプロフェッショナルケアを行うことが必要である。

2）定期健診

小・中・高校生時代に毎年1回以上行なわれる学校歯科健診では、かかりつけ歯科医を持ち、自主的に健診を受け、治療だけでなく予防処置や指導を受けるきっかけとなるよう働きかける。

定期健診では、初期う蝕や二次う蝕の診断、歯並びや咬合、ブラッシング法、歯肉や歯周組織の状態、予防処置の必要性、食生活の問題などについてチェックする。

（1）学校歯科健診について[9]

学校歯科健診において、う蝕・歯周疾患・口腔清掃状態・歯列不正・顎関節の異常等の健診項目がある。

以下に、ブラッシング指導や歯科保健指導および定期的な観察が必要な項目を示す。

a. 要観察歯CO（図5）

➡ 第Ⅱ部第3章37ページ

エナメル質に軟化した実質欠損は認められないが、以下の3項目のどれかに相当するものをいう。

①小窩裂溝において、褐色状の着色が認められるもの。
②平滑面において、粗糙面や白濁、褐色斑が認められるもの。
③隣接面において、う蝕を疑わせるがエナメル質の軟化、実質欠損が明らかでないもの。

【事後措置】

治療勧告の対象とはしないが、放置すると、う蝕に進行する可能性が高いので、定期的な観察（3～6か月ごと）および、刷掃指導、食事指導などの保健指導、保健管理を行う。

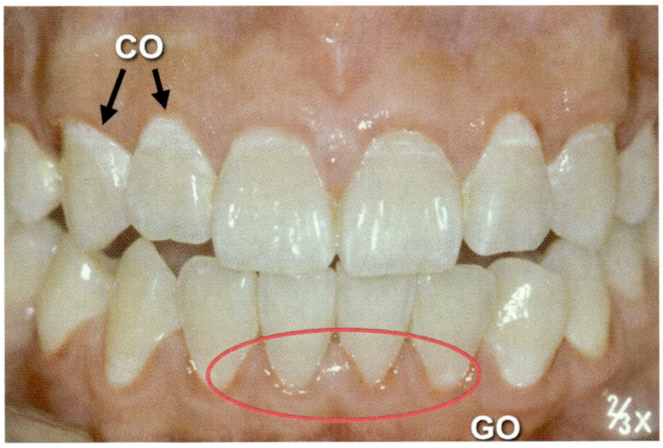

図5　要観察歯COと歯周疾患要観察歯

b. 歯周疾患要観察歯GO（図5）

以下の3項目のどれかに相当するものをいう。

①歯肉に軽度の炎症症状が認められるが、健康な歯肉の部分も認められる。
②プラークの付着は認められるが、歯石の沈着は認められない。
③歯の清掃指導を行い、注意深い歯みがきを続けて行うことによって炎症症状が消退するような歯肉の保有者をいう。

【事後措置】

治療勧告の対象とはしないが、刷掃指導、食事指導などの保健指導を行う。適当な期間（3～6か月）を経て、炎症症状が改善したかどうか再診査する。

第Ⅱ部　臨床編

> **Q：キシリトール入りのガムなどを食べるとう蝕は防げるのでしょうか**
> A：キシリトールは、ガムや飴などに代用甘味料として使用されている糖アルコールです。ミュータンスレンサ球菌はキシリトールを利用し、酸を産生することができないこと、キシリトール入りのガムは唾液の分泌促進効果があるといわれており、う蝕になりにくい甘味料として知られています。ただし、キシリトールは、フッ化物のように、明らかな予防効果を示すものではなく、う蝕予防の補助的手段の一つと考えるとよいと思います。
>
> **Q：学校歯科健診で、う蝕は無いといわれましたが、何もしなくてよいですか**
> A：学校歯科健診の場合、暗い照明や見にくい位置で、短時間に多くの人数を診査しなければなりません。歯科医院の専用のユニットで、一本一本の歯に時間をかけて精査する場合とは違い、あくまでも大きなう蝕や明らかな歯科疾患のチェックです。また、学校歯科健診は1年に1回しか行われない場合が多く、う蝕になりやすい学齢期には、学校の歯科健診だけでは不十分です。う蝕がない場合でも、かかりつけの歯科医院で、定期的に、ブラッシング指導を受けたり、フッ化物溶液塗布やシーラントなどのう蝕予防処置や歯石除去などの歯周病予防処置を受けたりすることが大切です。

（川口陽子、品田佳世子）

5．学齢期の6番を守る

　第一大臼歯を守ることが咬合全体を保持することにつながるのは言うまでもない。第一大臼歯に関する事柄を列挙してみると、最も早く萌出する永久臼歯、最も大きい、最もう蝕になりやすい、最も歯列咬合に影響を及ぼす、最も咬合力が強い…など、「最も」がつく特徴を持っている。
　社会医療診療行為別調査（厚生労働省）、および歯科疾患実態調査の結果から患者の年齢別受診率をみると、医科は生まれる時が高く、成人になるにつれて低くなり、老齢化するに従ってまた受診率が高くなる「U型」をしているのに対し、歯科は生まれた時は低く、7～8歳でピークを迎え、成人になるに従って低くなり、40代からまた増加し始めて、54～56歳で再びピークがあり、老齢化するに従って低くなる、いわゆる「M型」をしている（図1）。
　歯科の二つのピークを考えてみると、これは第一大臼歯が萌出後まもなくう蝕になり、修復される時期と、第一大臼歯が抜歯されてなくなる時期に合致すると類推されるのである。また、いくつかの研究に認められるように、歯は、いったん修復されると約7年サイクルで再修復されることが報告されている[1]。これらのことから、8020を真剣に達成しようとするならば、第一大臼歯をいかにう蝕にしないで長く保持するかを第一に考えねばならない。

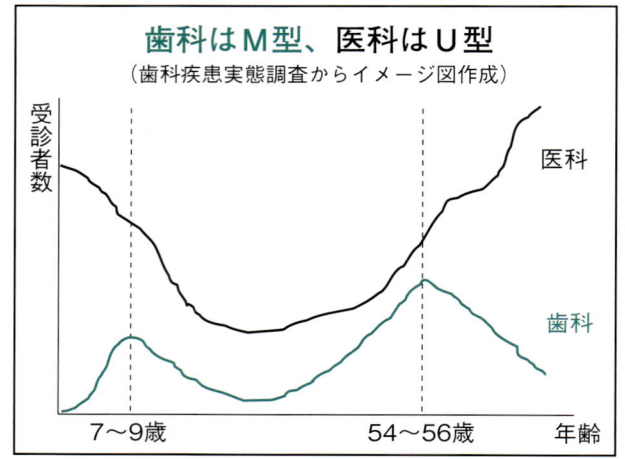

図1　医療機関受診者数年齢別推移

1）学校歯科医と地域の臨床家（かかりつけ歯科医）との連携

　第一大臼歯をう蝕にしないためには、学校歯科医とかかりつけ歯科医との連携が不可欠である。学校でう蝕あるいはその疑いやCO（後述）があると診断された子ども達は、「健康診断結果のお知らせ」を持ってかかりつけ歯科医院を訪れるが、かかりつけ歯科医が学校健診のことやCOを知らないとうまく連携が取れないことになる。従って学校歯科医である、ない、の如何を問わず、学校歯科については知っておかねばならない。ここでは最近の学校歯科事情について述べる。

（1）学校健診の移り変わりの経緯

　1995年に学校保健法施行規則が一部改正になったのは臨床家にとっても大きな転機となる出来事となった。この改正の中で健康診断に対する考え方が180度変わった。改正以前は「疾病を見つけて勧告する」ことが検診の役割で、児童生徒を疾病の側から見ていた。そのため疾病のない子ども達には何もアプローチしなかった。

　それが改正によって「疾病への危険度を判定しふるい分ける（リスクスクリーニング）」ことが重視されるようになり、児童生徒を健康の側からみるようになったのである。また、後述するように、学校は「教育の場」であり、「医療の場」ではないことから疾病の確定病名や部位は特定しないことになった。

　具体的には「疾病があれば勧告する」のはもちろんだが、それだけでなく、「疾病に移行する危険性が高い児童生徒に対しては観察・指導を行う」、さらに「健診時に問題がない児童生徒に対しても健康を保持増進するよう指導する」ことが必要となったのである。疾病を見つけ出す「検診」から健康を保持増進する「健診」に変わったのである。この背景には「自分の健康を自分で守る」というヘルスプロモーションの考え方がある。

　こうして学校健診では、通常歯科医院での診断で用いられるう蝕の確定診断名C_1、C_2、C_3、C_4は使用せず、部位も特定せずに、「う蝕」はすべてCと表記することになった。そしてう蝕の徴候や進行の危険性のある歯をCO（シーオー、questionable caries under observation、要観察歯）[1]として学校で指導することになった。

（2）学校における健康教育の考え方の経緯

　学校は教育の場であり、学校教育は「学習指導要領」に基づいて行われている。平成元年の学習指導要領改正（1991年施行）で学力に対する考え方がそれまでと大きく変わった。これは「自分で課題を発見し、自分で解決法を考え行動する力を養う」という考え方で「新学力観」と呼ばれている。この考え方は前述のヘルスプロモーションの考え方と合致するため、現在、歯・口を教材とした健康教育が推奨されている。また、心身の健全な発育を計るため平成9年の保健体育審議会答申では、学校の非常勤職員である学校歯科医の保健教育への積極的な参加が推奨されている。

　こうして学校では学校健診や学校教育の変化によって、健康管理ばかりでなく健康教育が一層重視されるようになってきている。学校健診も学校行事の一つとして教育の一環として行われているのである。学校歯科保健に関する詳しい内容は2005年6月に日本学校歯科医会から発行された文科省の指導書「『生きる力』をはぐくむ学校での歯・口の健康つくり」に記載されている。

　学校健診で「う蝕」と診断された場合、「健康診断結果のお知らせ」（図2）で本人・家庭に通知されるが、その児童生徒が「う蝕」という課題に対して「自ら治療に行く」という行動をとれるよう教育するのが学校の役割なのである。

　歯科医院では治療を目的としているため、治療法を決定するのに確定診断が必要だが、学校健診では教育を目的としているため、リスクスクリーニングだけで確定診断は必要ない。歯科医院と学校とでは診断の目的が異なるのである。

　従って、学校からの「健康診断結果のお知らせ」を持って子ども達が受診する歯科医（いわゆるかかりつけ歯科医）は、学校歯科保健のことを熟知して対応しなければトラブルが起こることがある。特にCOがある場合は対応に注意しなければならない。決して安易に切削修復をしないような配慮が必要である。

第Ⅱ部　臨床編

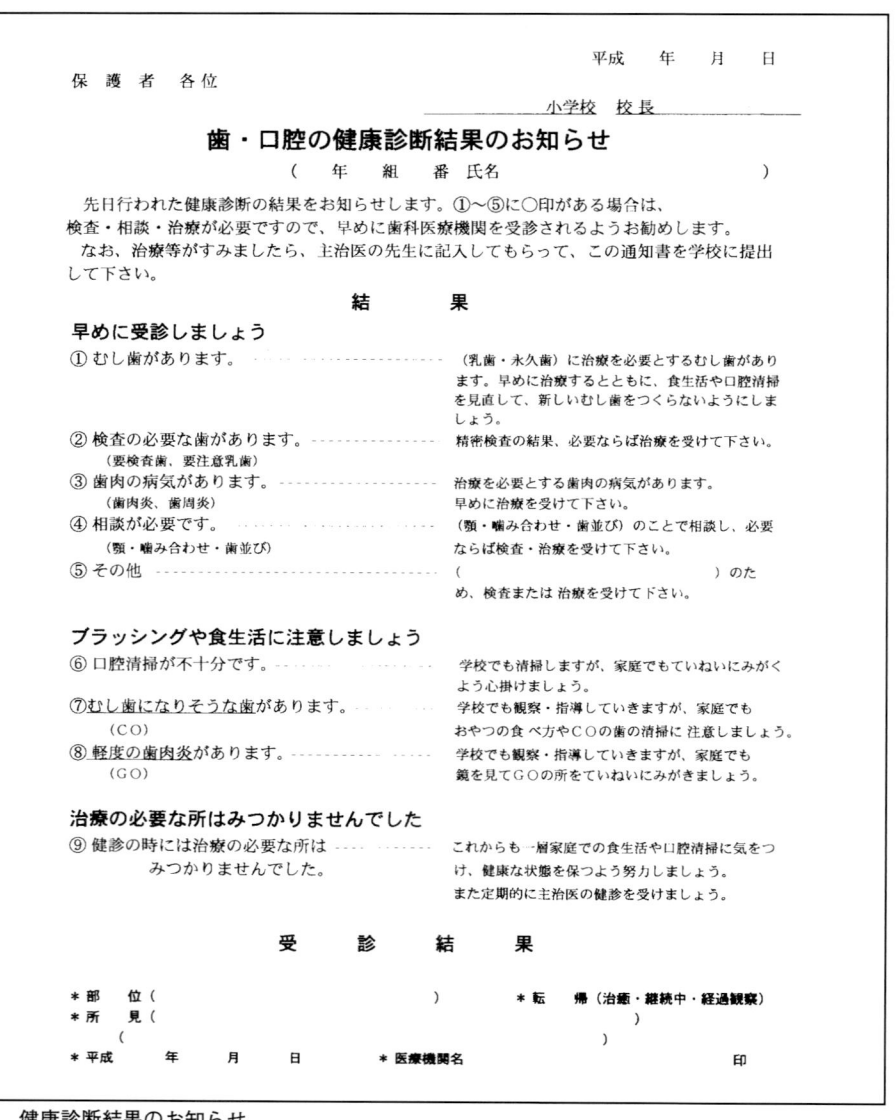

図2　健康診断結果のお知らせ

（3）臨床における初期う蝕の診断と治療法の移り変わりの経緯

　昭和50年代までは「う蝕の洪水」の時代といわれる程重症のう蝕が多く、発見したらとにかく早く削って詰める必要性があったが、近年になってようやく児童生徒の重症のう蝕が減少してきた。この頃からう蝕学（カリオロジー）が見直されるのと平行して学校保健で提唱されたＣＯの考え方が、歯科医院での初期う蝕の治療法に変化をもたらしたのである。

　以前は、う蝕は一度なったら元に戻ることはなく、治療法もう蝕になった部分を削って詰めるのが唯一の方法だと考えられてきた。

　しかし実際にはう蝕は、脱灰と再石灰化を繰り返す「ゆれ動くプロセス」[2]で、う窩ができるまでは元に戻ったり、進行が停止したりする可能性があることが分かってきた。プロセスの結果として歯の表面が白濁したり、着色したりしていても、歯質の強化や食生活の改善、う蝕細菌の除去といった、いわゆるう蝕リスクを低下させることによって白濁が消えたり着色が安定することも分かってきた[3]。

　こうしたことから初期う蝕の再石灰化を積極的に促進し、う蝕リスクを低くすることにより、削ったり詰めたりしないで歯を管理して行く方法（再石灰化促進療法）[4]

が新しい初期う蝕の治療法として確立されてきている。う蝕の診断もその時点での歯の状態だけを見ることから、う蝕リスクを見て経時的な変化を重視し、判断するように変わってきている。

2）6番の長期観察

筆者は萌出直後から数年間にわたって小学生の約600歯の第一大臼歯の咬合面の変化を観察し、写真撮影してその経時的変化の推移を分析した[5]。

プラーク付着と白濁については上下顎同じような傾向で、咬合面小窩裂溝およびその周囲のプラーク付着は6歳で約7割弱に認められるが次第に減少し、8歳から9歳で大きく減少する。そして11歳では3割弱になる（図3）。小窩裂溝およびその周囲の白濁は6歳で9割以上に認められるが次第に減少し、11歳では5割弱になる（図4）。逆に小窩裂溝の着色は上下顎で少し傾向が違い、年齢と共に増加する。下顎第一大臼歯では6歳で約4割に認められ、次第に増加し、11歳では8割以上に認められた。上顎第一大臼歯では、6歳で約3割に認められ、年齢と共に増加し11歳では8割以上に認められた。また、着色の色は年齢が進むにつれて薄茶色から褐色、黒褐色、黒色へと変化することが分かった（図5）。

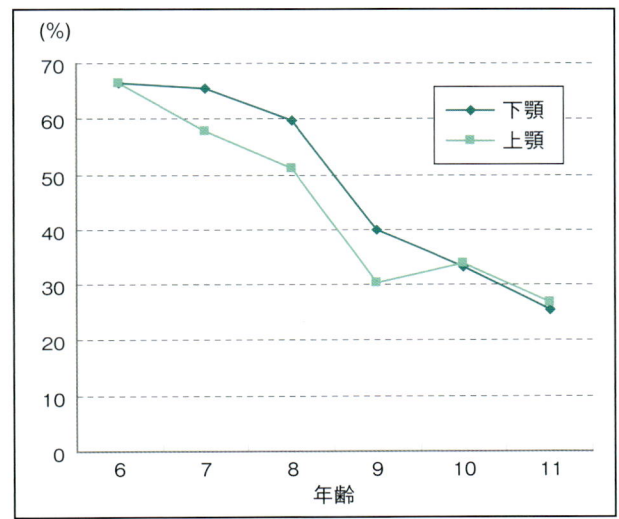

図3　プラーク付着の推移

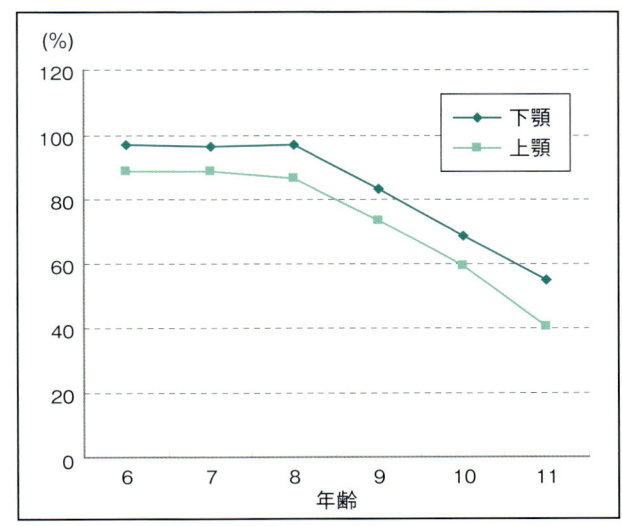

図4　白濁の推移

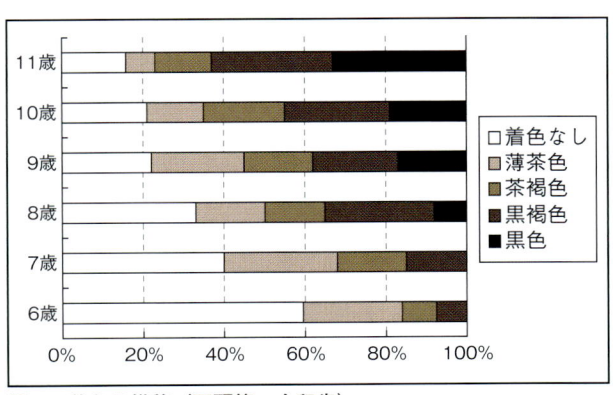

図5　着色の推移（下顎第一大臼歯）

3）症例（図6）

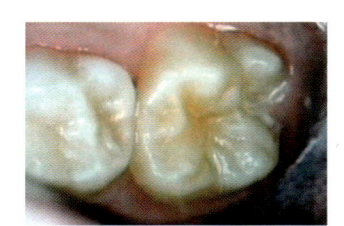

図6a 症例1-1
7歳男子⌞6である。萌出途中で遠心部にはまだ歯肉が一部残っている。裂溝内には白いプラークが残っているのが分かる。

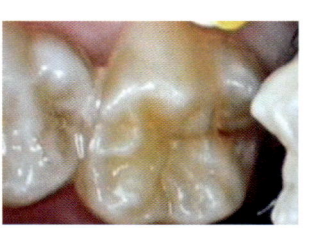

図6b 症例1-2
6か月後、ほぼ萌出し、遠心裂溝の一部に薄い褐色の着色が認められる。

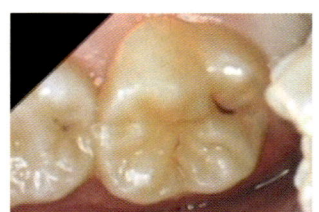

図6c 症例1-3
さらに6か月後（1-1から1年後）、咬合するようになると裂溝内のプラークは自浄作用で減少してくる。遠心裂溝部の着色が次第に濃くなっているのが分かる。さらに中央裂溝の頬側に一部プラークが残っているがその部分に着色が認められる。

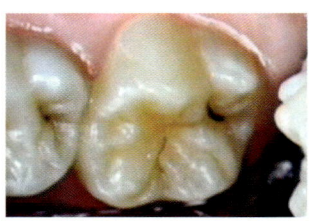

図6d 症例1-4
1-1から2年後、着色が次第に濃くなり、黒色に近くなっているのが分かる。

Q：鏡で口の中を見ていたら奥歯の溝が黒くなっていたけどむし歯なの？削って詰めなければいけないの？

A：よく見つけたね。黒くなっているのは初期のむし歯だよ。でも、穴があいていなければまだ削って詰めなくてもいいんだよ。歯医者さんでよく調べてもらおうね。昔は歯の溝が黒くなっていたら、むし歯がどんどん進んでしまうので早く削って詰めるしか治療法がないと考えられていたんだ。でも今は、歯の表面が白濁したり、着色した状態の歯はCO（シーオー：要観察歯）といって、食べ物や飲み物の糖分や回数に注意したり、フッ化物を利用して歯を強くすれば、むし歯の進行が止まって、むしろ削って詰めない方が長持ちすることが分かってきたんだ。歯医者さんにアドバイスをしてもらって、歯医者さんと一緒にむし歯が進まないように頑張ろうね。

（柘植紳平）

第4章 青年期（16～24歳）

目標：健全な永久歯列を維持させるために良い生活習慣を定着させる。

健康日本21の報告書[1]において、青年期だけ歯の健康に関する目標値が設定されていない。このことは、う蝕の予防や治療を行うにあたって将来大きな課題となるであろう。アイデンティティ確立から自立への巣立ちの時期である青年期は、自己管理能力養成の時期として非常に重要であり、次のライフステージおよび生涯を通じた歯の健康づくりに対する波及効果も高いといえる。

1．リスク評価と予防

1）各種リスク評価法

う蝕は多因子性疾患であるので、各因子に関する検査や診査を行い、総合的に評価しなければならない。しかし、現在までのところ客観的で精度の高い判定法がないのが実情である。

（1）米国歯科医師会（American Dental Association：ADA）の判定法[2]

青年期では、1年間にう蝕の新生が認められなければ低リスク、2本以上発生すれば高リスクとする。また、隣接面にエックス線透過像が認められれば、中リスク以上と判定する。この評価法が簡便で一番現実的な方法であろう。ただし、定期的にチェックできなければ評価できないという欠点を有する。

➡ 第Ⅲ部第1章104ページ

（2）唾液検査

青年期では、唾液分泌量および緩衝能に問題のある人は少ない。ただし、受験や就職、友達関係でストレスを感じている者は多い。さらに、ストレスや不安を感じている人の1/3は睡眠不足を感じているといわれているので、安静時の唾液分泌量は少ない可能性がある。

通常、耳下腺管は上顎第一大臼歯近心咬頭付近に開口している。1横指開口させた状態で耳下腺管開口部が上顎第一大臼歯近心隅角部より前方にある場合、上顎第二大臼歯の頬側から遠心面にかけてう蝕リスクが高くなるといわれている[3]。特に、青年期前期の萌出間もない上顎第二大臼歯は、う蝕感受性も高いため注意を要する。

（3）細菌検査

検査結果の取り扱いは他のライフステージと変わらない。自己管理能力養成の動機づけや評価で有効活用できる。

（4）DMFT

過去のう蝕経験であるが、永久歯列が完成して年数が経っていない青年期では、将来のう蝕発生の予測に有効であろう。平成17年度歯科疾患実態調査[4]では、15～19歳の1人平均DMFTは4.4、20～24歳は8.0であった。明確な基準はないが、初診時に0～2を低リスク、8（15～19歳）あるいは11（20～24歳）以上を高リスクと想定しても大きな間違いにはならないであろう。ただし、DMFTは時代と共に変動するので、常に最新のデータを参考にして基準を設定するよう心がける。

（5）フッ化物の使用状況

青年期では、歯磨剤に含まれるフッ化物以外に、フッ化物を使用している人はほとんどいないと思われる。ブラッシングの状況は、平成17年度の調査[4]によると、1回／1日：20.1%、2回／1日：65.2%、3回／1日：11.6%であった。

（6）プラークコントロール

青年期では、第一大臼歯までは比較的よく清掃できていても、第二大臼歯に多量のプラークが付着している人が多い。さらに、青年期は智歯が萌出する時期でもある。傾斜した半埋伏状態で清掃が非常に困難なときは、高リスクとなる。また、青年期では、咬合面より隣接面にう蝕が発生しやすい[5]。歯間部に食物残渣や多量のプラークが付着している場合、中リスク以上として対応する。

（7）生活習慣

青年期前期はまだ成長期であり、クラブ活動でも体力消耗が激しく、受験などのストレスもあって、飲食頻度が多くなる。また、青年期中期～後期にかけては「巣立ち」の時期であり、進学や就職で親元から離れ、新たな生活を始める人も多い。生活スタイルが変わればストレスも増す。さらに、この期間に喫煙や飲酒の習慣が始まるが、養育者や学校に管理されず、生活リズムや食生活が乱れやすい。従って、幼年期、学齢期と低リスクであっても、う蝕リスクが一気に高くなることがある。清涼飲料水や間食の摂取が1日に3回以上の場合、要注意である。

（8）受療行動

15歳以上を対象とした調査[6]で、約70%の人が歯や口のなかの悩みごとを持っていることが判明した。しかし、青年期は最も少なく、約半数（52.9%）の人しか悩み事を有していなかった。また、受診しても、クラブ活動、受験勉強、進学や就職先などの新しい環境への対応などで忙しく、処置後のメインテナンスが難しい時期でもある。ADAの判定基準[2]に記載されているように、定期的に歯科を受診しない人は中リスク以上として対処する。

（9）その他

初診時に複数の急性う蝕や下顎前歯部にう蝕が認められる場合、高リスクと想定して対応する。

第4章 青年期（16〜24歳）

2）リスク除去の診療室技術

　青年期において特に注意しなければならないリスク要因は、プラークコントロール、生活習慣ならびに受療行動である。青年期では、健康を美容やファッションという視点で捉えている人が多い。従って、歯の健康も全身の健康のみならず美容や運動能力にいかに大きく関わっているか、情報を提供して関心を高めることから始め、主体的に取り組む姿勢を養うことが効果的であろう。例えば、ヘアケアやスキンケアのようにトゥースケアを、あるいはダイエットを兼ねた甘味飲食物の過剰摂取制限を働きかける。

　生活習慣が改善されていく過程は、一般に「知識の受容」「態度の変容」「行動の変容」という三段階を経るといわれている[1]。まず、一次予防の重要性に気づいてもらうことが大切であり、これに大きな力を注ぐ必要がある。ただし、青年期は社会からの働きかけに反発しやすい時期でもあるので、医療コミュニケーション能力の向上が必要である。また、青年期では友人関係やメディアの影響が強く表れる傾向にあるので、ウェブサイトに予防コーナーの立ち上げや充実を図り、比較的年齢の近い医療スタッフに担当させるのも一法であろう。態度と行動の変容では、歯科医療チームは専門的情報やサービスの提供を通じて、双方向のコミュニケーションに基づき、変容を強要するのではなく支援することが成功の秘訣である。また、急速な改善を目指さず、定着と継続的な改善を推進していくことが重要である。このための有効な手法として、PDCAサイクル（計画をたて（Plan）、実行し（Do）、その評価（Check）に基づいて改善（Action）を図るというプロセスを繰り返すマネージメント法）が推奨される。

3）プロフェッショナルケア

　健康日本21の理念は、個人の力と社会の力（家族、学校、職場、専門家）を合わせて一人ひとりの健康を実現することにある[1]。患者と歯科医療チームはこの理念と目的、さらに、それぞれの役割をよく理解し、取り組むことが必要である。歯科医療チームはPDCAサイクルにおける個人の特性に応じた計画立案に協力し、評価とフィードバック、さらには早期リスク発見を通じてリスク低減を図る。また、う蝕を早期に発見し、回復（再石灰化）処置を行うことも重要である。

　上手に磨けていない部位を示し、プラークコントロール指導後、クリーニング（PMTC、PTC）を行う。青年期では、咬合面う蝕より隣接面う蝕の発生頻度が高くなる。また、比較的上手にブラッシングしている人でも、第一大臼歯頬側遠心半側から第二大臼歯頬側にプラークが付着していることが多いので、これらの部位を重点的にチェックする。特に智歯が正常に萌出していない場合、入念なクリーニングと、歯質強化や再石灰化促進を期待して、フッ化物ゲルを塗布する。

4）セルフケア

　う蝕は生活習慣病としての性格も有するので、生活が乱れやすい青年期のう蝕予防では、医療チームの支援を受けた自己管理の実践が重要である。しかし、個人の必要性に応じた歯科保健知識・技術は修得できていないのが現状である。平成11年度に行われた調査[6]によれば、歯科診療所でブラッシング指導を受けたことのある青年の割合は12%と74歳以下で最も低かった。また、歯間部清掃用具（デンタルフロス）を使用している者は11.9%であり、壮・中年における歯間部清掃用具（デンタルフロス＋歯間ブラシ）の使用割合の1/2であった。

➡ 第Ⅲ部第3章 124ページ

第Ⅱ部 臨床編

う蝕発症のメカニズムやう蝕リスクの検査結果のわかりやすい説明と個々の状況に応じたプラークコントロール指導を行い、食後・就寝前のブラッシングの習慣化、甘味飲食物の過剰摂取制限などの自己管理および適切なプラークコントロール法の習得を支援することが基本である。特に、青年期では、咬合面う蝕より隣接面う蝕の発生頻度が高くなるので、積極的にフロッシング指導を行い、その実行を推進することが大切である。初心者には、ホルダー付きデンタルフロスが使いやすいと思われる。また、第一大臼歯頬側遠心半側から第二大臼歯頬側にかけては、歯ブラシが歯面に適切に当たったときの周囲組織の感覚、開口程度を認識してもらい、さらに歯ブラシの持ち方、動かし方を指導すると効果的である。いずれにしても、評価しながら繰り返し指導して改善を図ることが定着につながる。歯磨剤は歯質強化が期待できるフッ化物配合のものを用い、うがいは1回軽く行うよう指導することが肝要である。学校や職場などで昼食後にブラッシングできない場合、機能性ガムを噛むことを勧め、う蝕予防効果や意識変化を促す。

➡ 第Ⅲ部第3章 127ページ

2．診査、診断、治療方針

1）診査および診断

各種の診断器具、診断法があるが、単独で正確な診断を下せるものはない。さらに、活動性う蝕と非活動性う蝕を精度よく判定できる方法もない。一般臨床では、視診とエックス線写真を併用して行い（図1、2）、必要に応じて他の診断器具を用いる。隣接面う蝕の発生・進行が青年期の特徴であることを知っていれば、診査の効率化や見落とし防止が図れる。

視診では、歯面を清掃（フロッシングを含む）し、よく乾燥して行うと、より多くのう蝕を発見できる。しかし、う窩のない咬合面と臼歯隣接面う蝕の検出率には限界がある。口腔内CCDカメラを介してディスプレイ上で拡大してみると発見できることもある。また、CCDカメラを用いる方法は患者にも見せることができ、動機付けにつながる利点を有する。隣接面の診断においては、舌（頬）側から強い光を当てて行う透照診（図3）が前歯から小臼歯にかけて有効なこともある。さらに、歯間離開を行うと検出力があがる。

➡ 第Ⅲ部第2章 117ページ

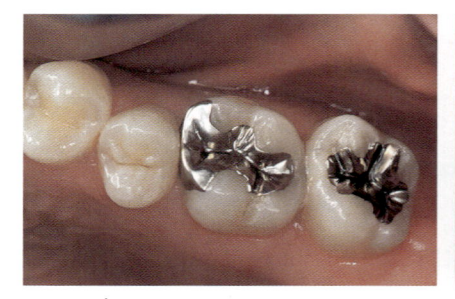

エックス線撮影（二等分法または咬翼撮影法）は、隣接面う蝕の検出あるいは診断のためによく行われる。しかし、視診と同様にその診断には主観的な面があり、

図1a ７|の近心辺縁隆線部は乳白色を呈しており、急性う蝕と診断した（ミラー使用）。

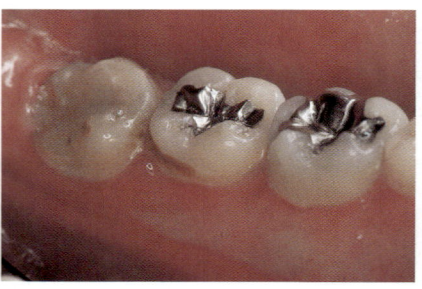

図1b ７|の舌側にはう蝕が認められるが、視診のみでは両隣接面のう蝕の検出は難しい（ミラー使用）。

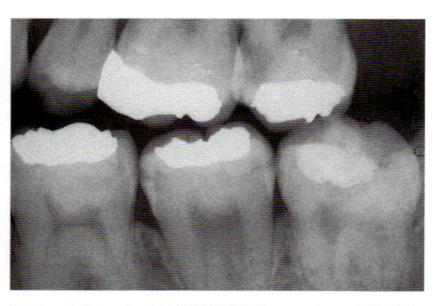

図2 図1a、bの咬翼撮影法エックス線写真。一部隣接歯と重なっているが、７|近心のう蝕は象牙質の1/2以上進行していることが判明した。７|の両隣接面に象牙質に達するう蝕が認められた。

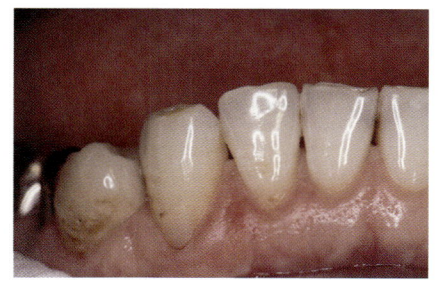

図3 透照診によるう蝕の検出
a： 1|1 の近心隣接面にう蝕の疑いのある着色が認められる。3| の近心隣接面にもごくわずかな着色が見られる。
b： 舌側から見ることで、1|1 の近心隣接面のう蝕検出は容易となったが、3| の近心隣接面にはう蝕を疑う所見は認められない（ミラー使用）。
c： 透照診により、3| のう蝕の早期検出が可能となる。

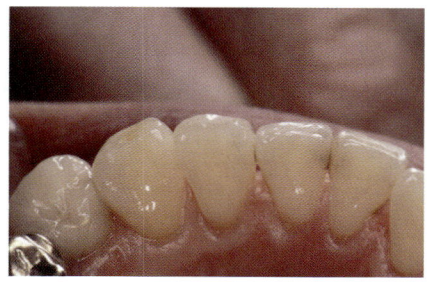

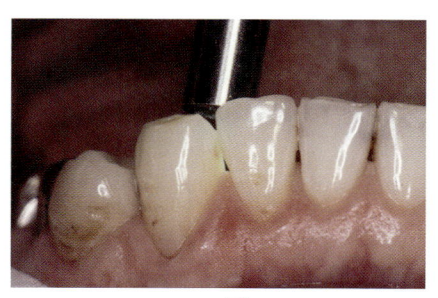

特に初期う蝕は正確に検出できない。また、隣在歯が重なって撮影されることがないように、照射方向に注意しなければならない。最近急速に普及している歯科用デジタルエックス線画像システムは、濃淡調整、部分拡大、濃度計測、距離測定などが可能となり、う蝕の再石灰化や進行抑制処置の効果を客観的に評価できる優れた機能を有している。ただし、経過をより正確に比較するためには、フィルム位置と照射角度の標準化を図る必要がある。この点において、照射方向をある程度規定できる撮影インディケーター（阪神技術研究所）は有用である。

DIAGNOdent（KaVo. Dental GmbH 社）は、客観的な手法でう蝕の進行程度を定量的に計測できるが、隣接面では正確性に欠けていた。最近開発されたDIAGNOdentpenはこの点も改良され、隣接面専用チップがあり、プロフェッショナルにクリーニングされた歯であれば、信頼のおける診断ができるとされている。いずれにせよ、基準値を超えたら修復するという用い方でなく、再現性に期待して長期的に経過を観ながらう蝕の進行をモニタすることでの使用を勧める。

➡ 第Ⅲ部第2章 119 ページ

筆者は、エナメル質う蝕の診断と象牙質う蝕では診断基準を異にしたほうがよいと考える。すなわち、非侵襲的な再石灰化処置やう蝕の進行抑制処置を行うエナメル質う蝕の場合、疑わしきはう蝕と診断する。一方、侵襲的な修復の対象となる場合もある象牙質う蝕では、疑わしきは経過観察（進行抑制処置）とする。なお、高リスク者の象牙質う蝕の場合、ほとんどがう窩を伴っているといわれているので[7]、見過ごす危険性は少ないと思われる。

2）治療方針

青年期の患者における診査から治療方針までのディシジョンツリーを図4、5に示す。

う蝕リスクが高くない状況では、隣接面のエナメル質う蝕がエックス線写真上で象牙質まで拡大したと確認されるまで3～9年を要する[7]。このように、う蝕の進行は緩慢であるので、う蝕が進行するか、停止するか、回復するか、経過を観察できる時間的余裕は十分にある。また、象牙質う蝕でも、その程度が外側1／2以内でう窩を伴わなければ、プラークコントロールとフッ化物応用で停止可能とされている[7]。従って、経過観察を行って、う蝕の活動性が停止していると確認されるものは修復治療の対象とならないと考える。

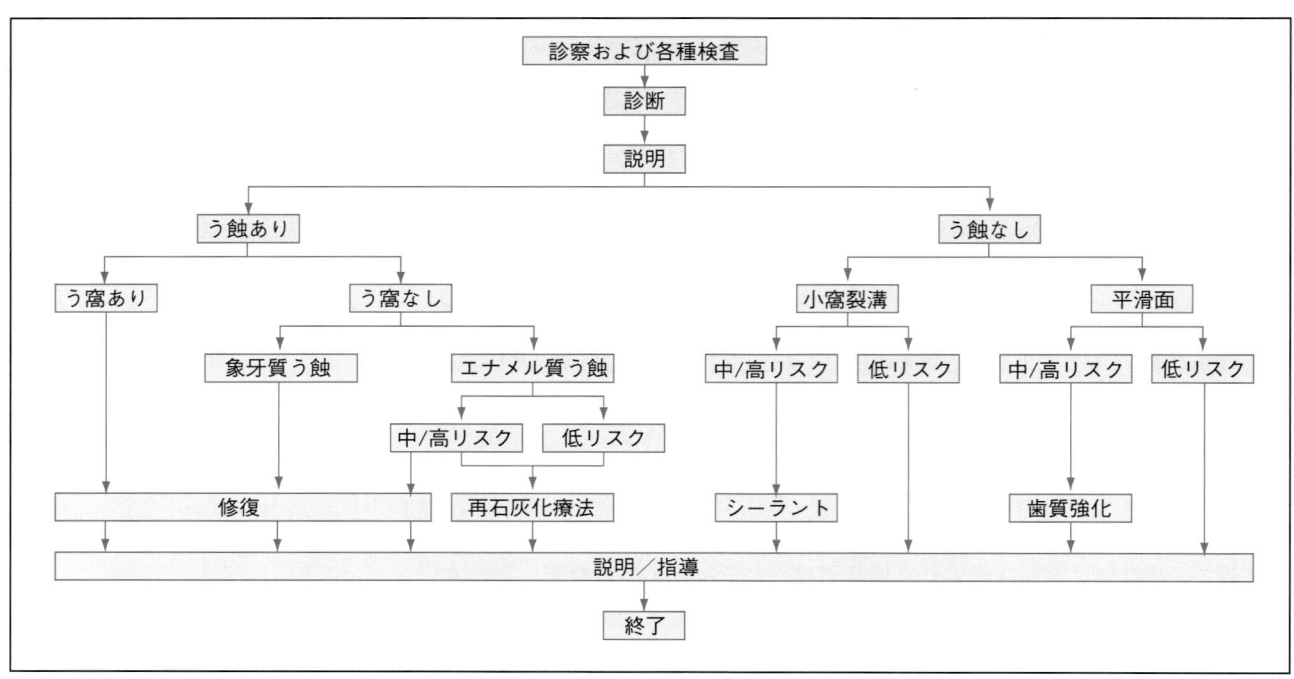

図4 治療回数に制限があるか、メインテナンスができないケースにおけるディシジョンツリー

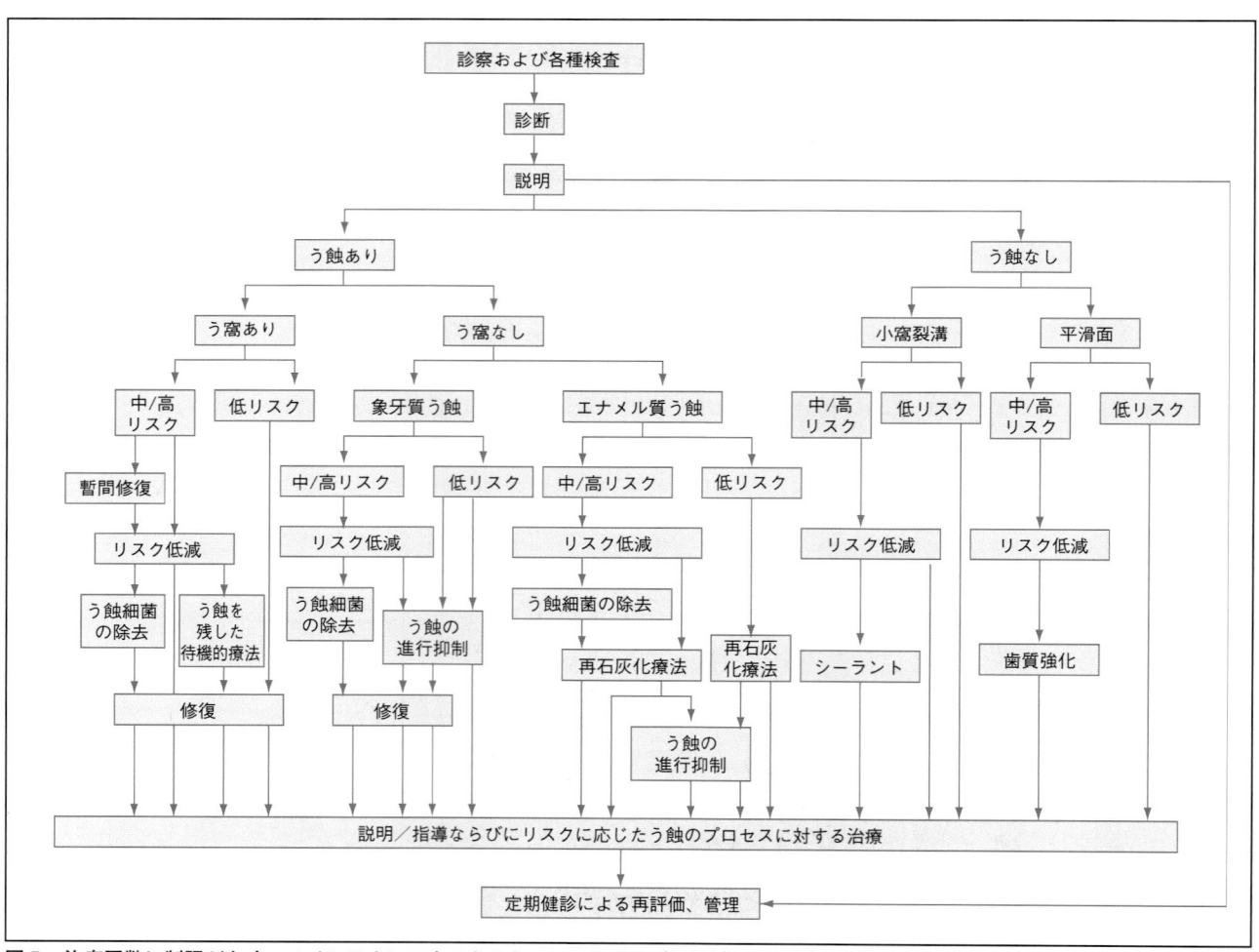

図5 治療回数に制限がなく、メインテナンスもできるケースにおけるディシジョンツリー
　　エックス線写真で象牙質外側1/3に達する隣接面う蝕の多くはう窩が認められないことが報告されている[7]。また、智歯の咬合面小窩裂溝部のう蝕でも、う窩がなくてもう蝕が象牙質に達するものも多いと思われる。
　　Axelsson[7]は、多くの研究成果から、う窩のないう蝕象牙質病巣はすべて停止可能であり、侵襲的に治療（修復）すべきでないと結論づけている。特に、隣接面においては修復介入は医療過誤と見なされるべきであるとまでいっている。

3. 処置

1) 再石灰化

基本的なことについては、第Ⅲ部第5章（再石灰化療法）を参照すること。

➡ 第Ⅲ部第5章 151ページ

（1）再石灰化療法

隣接面う蝕がエナメル質内に限局しているときには、修復処置よりフッ化物バーニッシュなどの予防的ケアが、質の高いエビデンスを持って推奨されている[8]。

（2）う蝕の進行抑制

象牙質に及ぶう蝕でも、適切なプラークコントロールとフッ化物の局所応用でう蝕の進行を停止させることが可能である[7]。フッ化ジアンミン銀は優れたう蝕進行抑制剤であるが、審美的な問題があるので、青年期では不適応であろう。しかし、高リスク患者の臼歯部には用いることもある。

➡ 第Ⅱ部第2章 42ページ

（3）う蝕細菌の除去法

徹底したプラークコントロールやPMTCも除菌法の一つであるが、真の高リスク患者には薬剤による除菌法が効果的であろう。第Ⅲ部第4章の3DSを参照のこと。

➡ 第Ⅲ部第4章 133ページ
➡ 第Ⅲ部第4章 136ページ

2) 修復

ミニマルインターベンションのコンセプトに基づいて修復処置を行う。隣接面う蝕では、トンネル窩洞を用いた修復法も選択肢の一つであるが、修復の適応症であるような象牙質う蝕の場合、残存させた辺縁隆線部の破折やう蝕の取り残しの危険性が比較的高いと思われる。隣接面う蝕の修復では、コンタクトの回復と歯肉側の適合に細心の注意をはらい、う蝕再発のリスクを高めてしまわないように心がける。また、窩洞形成中は隣接歯の損傷に気をつけなければならない。

➡ 第Ⅰ部第2章 16ページ

症状はないが、う蝕が歯髄の近くまで進行している急性期のう蝕の場合、青年期でも3Mix（3種混合抗菌薬療法）、IPC（Indirect pulp capping、暫間的歯髄覆罩法）、ART（Atraumatic restorative treatment、非侵襲的修復技法）などを応用した修復治療にチャレンジし、極力歯髄の保存を試みる。

4. メインテナンス

1) 高リスク患者を中心とした術後管理

う窩がある場合、う蝕の進行制止やリスク低減を目的として修復を行うが、う蝕の原因が除去されたわけではない。従って、二次う蝕が再修復の最大の原因となっており、術後のメインテナンスが修復物を長持ちさせるためにも重要である。高リスク患者の場合、メインテナンスの間隔を4か月程度にして早期のう蝕発見とリスク発見に努め、リスクの高い部位にはフッ化物を局所塗布しながら、改善への行動をサポートする。さらに、再修復の判定基準は甘くし、レストレーションサイクルへ陥らないように心がける。

● Column ●　ホワイトニングの普及

　ここ数年、日本でもホワイトニングが急速に普及し、メディアでも取り上げられる機会が増えてきた。すなわち、美容やファッションに興味ある青年期の人が歯科医院を訪れない手はない。ホームホワイトニングで用いる10％過酸化尿素の作用により、唾液のpHが上昇し、乳酸桿菌（lactobacilli）も減少したことが報告されている[9]。また、20％過酸化尿素と0.11％のフッ化物が含有されているホームホワイトニング剤でう蝕感受性が有意に低下することが明らかにされ[10]、う蝕予防という副次効果も期待できる。さらに、0.05％フッ化ナトリウムと1.5％過酸化水素を含んだ含嗽剤でホワイトニング効果だけでなく歯肉炎の改善も認められたことが報告されている[11]。ただし、これらの製品は厚生労働省から認可を受けていないので、説明責任を含めて取り扱いには注意が必要である。

2）定期健診

　進学、就職、結婚などのために、治療やメインテナンスの中断が余儀なくされる。終了時に治療の継続や健診の重要性を説明し、自主的な取り組みを指導する。

　最近、フリーター、引きこもり、ニートの増加が大きな社会問題となっている。これらの人たちの多くは青年期に属し、自己管理能力が未熟であるにもかかわらず、養育者、学校、職場などからも管理されず、定期健診からも外れる人たちである。う蝕リスクの観点から見ると、高リスクの人が多いと推測される。歯科領域においても二極化が進み、将来大きな問題となる可能性がある。

5．症例

症例1　自己管理能力確立プロセスとメインテナンス継続の難しさ

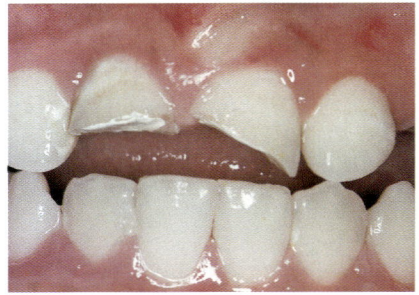

図1　初診時12歳、DMFT:12。聴力障害と肥大型心疾患の疑いあり。学校の階段で転落し、前歯を破折したため、紹介された。

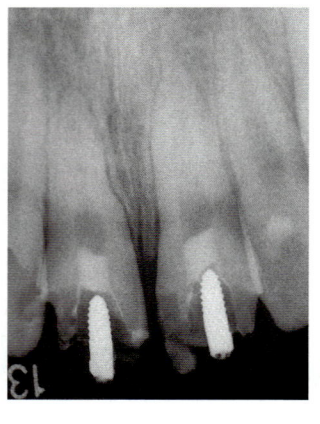

図2　露髄していたため抜髄したが、根尖が完成していなかったので、アペキソゲネーシスを試みた。

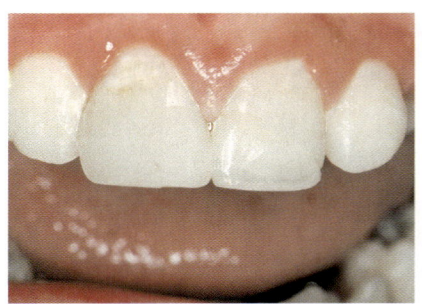

図3　その間コンポジットレジンにより機能ならびに審美を回復した。2｜の近心隣接面にう蝕が認められる。

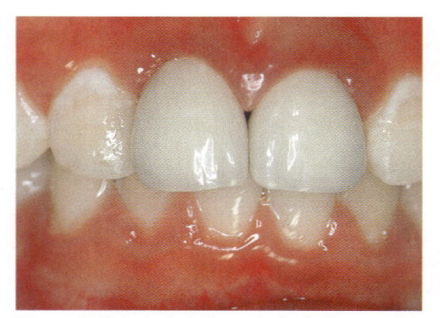

図4　歯根の完成を待って（2年後、14歳）硬質レジン前装冠を装着した。2｜2の歯頸部にエナメル質の脱灰が認められる。

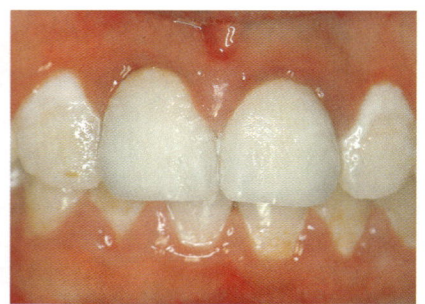

図5　3年後のリコール時（15歳）、2｜2の脱灰範囲が拡大していた。

第4章 青年期（16〜24歳）

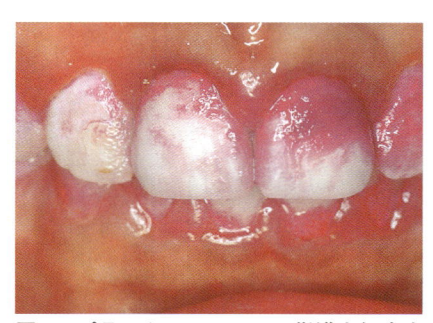

図6 プラークコントロール指導を何度も行っていたが、効果が見られず、プラークが多量に付着していた。

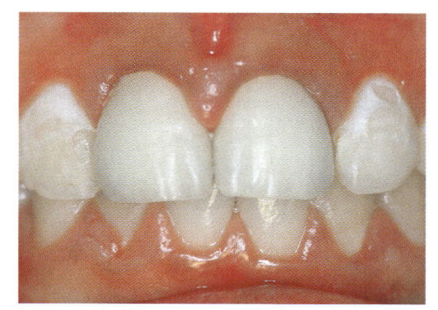

図7 4年後のリコール時（16歳）、歯口清掃状態の改善が認められたが、|2の脱灰部に欠損が見られたので、コンポジットレジン修復を行うことにした。

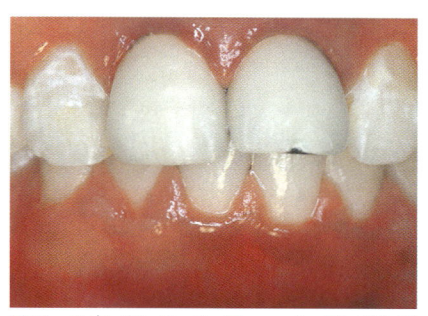

図8 6年後のリコール時（18歳 DMFT:18）、プラークコントロール技能の定着が認められる。しかし、2|の脱灰部に欠損が生じており、修復することにした。また、|1の前装部破損は補修することにした。唾液分泌量 5.5mL/5min、pH 7.5、GC Buff 10、SM レベル2
その後、就職で転出ししたため、メインテナンスできなくなった。

症例2　自己管理能力育成の難しさと次のライフステージへの橋渡し

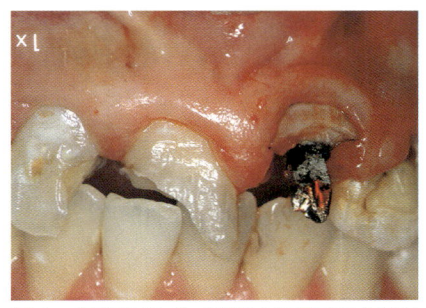

図1 初診時16歳（希望する高校の入試に失敗し浪人中）、DMFT:16。初診時の口腔内状態からう蝕リスクが非常に高いことが容易に推測できる。

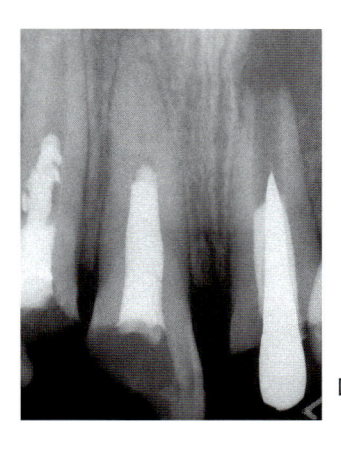

図2 デンタルエックス線写真。|1、根未完成と根尖部に透過像が認められる。

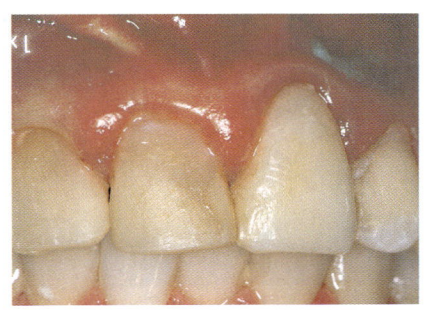

図3 |1、根未完成のためアペキソゲネーシスを試み、仮封冠装着。他は根治後、コンポジットレジン修復を行う。

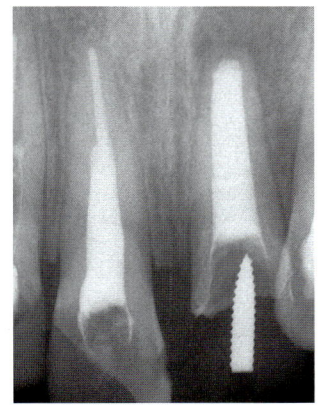

図4 デンタルエックス線写真

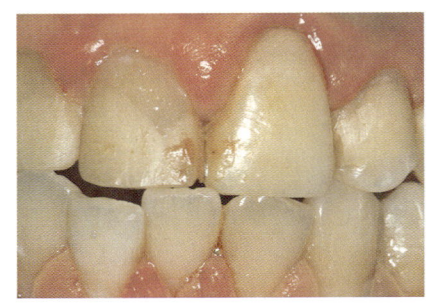

図5　2年後（18歳）、結局希望していた高校には入学できなかった。当時はメインテナンスシステムが確立しておらず、何か問題があるたびに不定期に受診。

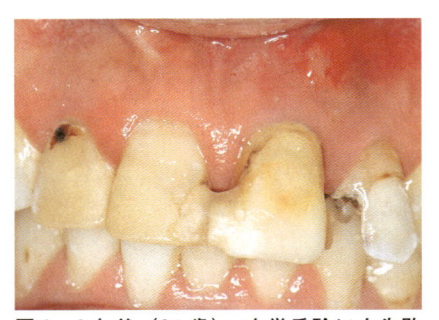

図6　8年後（24歳）、大学受験にも失敗し、専門学校に通っていた。2|のコンポジットレジンが脱落し、1|の根尖相当部には膿瘍が認められる。

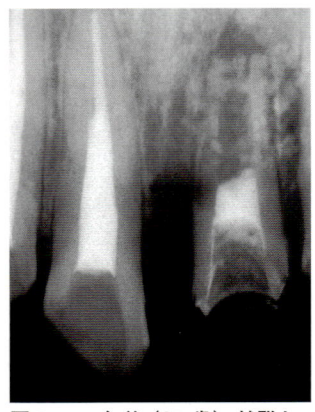

図7　11年後（27歳）、就職し、上司から歯の治療を行うよう指導される。1|は根の吸収が認められ、抜歯することにした。

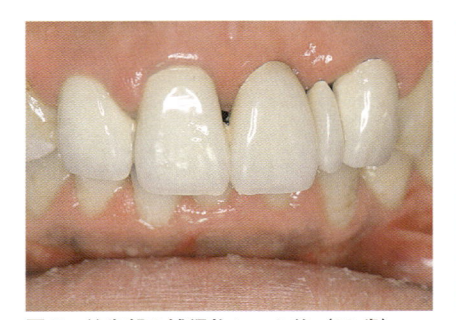

図8　前歯部の補綴物セット後（30歳）

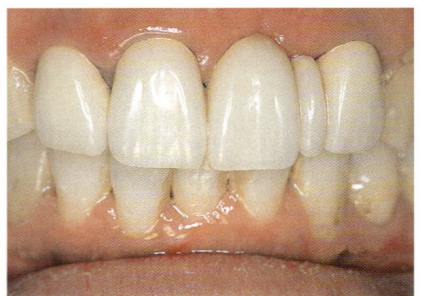

図9　初診から23年後、補綴物セットから11年後（39歳、DMFT:27、M:1）、硬質レジンの変色は認められるが、比較的良好な状態が維持されている。

症例3　青年期後期に確立された自己管理能力によるう蝕進行抑制

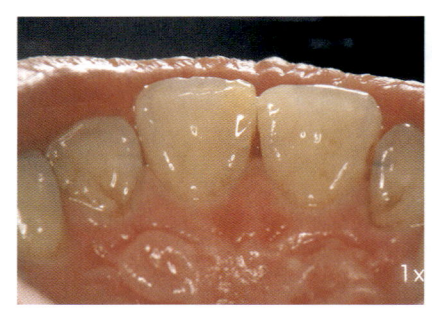

図1　初診時30歳（歯科衛生士）、DMFT:19。1|1の近心に4級コンポジットレジン修復を行う。修復時に見過ごしていたが、口腔内写真では2|の近心隣接面にう蝕が認められる。

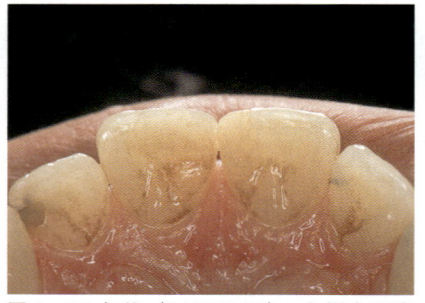

図2　22年後（DMFT:20）、左側中切歯のコンポジットレジン修復は1年前に交通事故で破折し、他歯科医院で再修復されていた。側切歯のう蝕はほとんど進行していない。

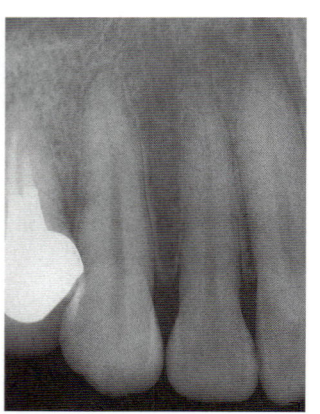

図3　22年後のデンタルエックス線写真（2|）。う蝕はエナメル質に限局しているように見える。

（久保至誠）

第5章 壮・中年期（25〜64歳）

目標：健全な歯列を維持し、働き盛りを支える。

　壮年期・中年期は、社会的使命が最も求められる時期である。喫煙や飲酒、運動不足などの生活習慣が続けば、う蝕のみならず歯周疾患のリスクも高くなる。歯肉退縮により歯根の露出が始まる時期でもあり、そうなれば口腔内の環境は一変し、う蝕予防も青年期とは異なった角度から考えなければならない。特に、40〜50歳以降になると根面う蝕の発症頻度が高まるので、その予防と治療をトータルケアとして行っていくことが重要となる。この時期で健全な歯を維持することは、健康ではつらつとした高年期への導入として大切である。

1．壮年期・中年期のリスク評価

　う蝕のリスク評価と予防の実際については、第Ⅱ部第4章青年期および「第Ⅲ部臨床を支える知識と技術編」にある方法が、このライフステージにも適合する。ただし、年齢が上がり全身疾患を抱えるようになると、常用する薬剤によって唾液分泌量の減少をきたす場合があり、う蝕のリスクにも強く関わってくるので注意が必要である。本書第Ⅳ部第1章ドライマウスの主な原因（175ページ）、同第2章の生活習慣（186ページ）、同第8章のう蝕と全身との関連（229ページ）を参照。

1）壮年期・中年期のう蝕の特徴

　図1は、平成17年歯科疾患実態調査により明らかとなった年齢・男女別の歯科受診率である[1]。男性では、壮年期・中年期に受診率が低く、これは社会を支える働き盛りの男性の生活環境を反映した結果と見ることができよう。また、図2に見られるように、この時期は、充填や特に被覆冠による修復処置を受ける歯が増加し、健全歯が経年的に失われていく。歯冠部については女性の方が男性よりう蝕経験が高く、歯根部については男性の方が根面う蝕のリスクが高いと報告した疫学調査もある[2]。図3で明らかなように、この年代では4mm以上の歯周ポケットを有する者が経年的に急速に増加し、この傾向は男性でより強い。20〜59歳の会社員770名の口腔内診査によれば（表1）、全体を通して3.2%に活動性の歯根う蝕が1歯以上見られたという[3]。歯周治療後の歯根露出もあり、根面う蝕への対応はこの時期の重要な課題である。

● tooth wear
　tooth wear（歯の摩耗）は、咬耗、摩耗、酸蝕などが原因で起き、発現と進行にはその人のライフスタイルが深く関わっている。このため個々人で程度に幅広い差があり、病態が体系化されておらず、対処法も含め臨床家に広く理解されているとは言い難い。しかし、人々がより多くの歯を保持しつつ齢を重ねている現在、tooth wearに対する気づきは重要である。現在、"tooth wear"を、う蝕と歯周疾患につぐ第三の疾患と名づけ人々の注意を喚起しようとする動きがある。

第Ⅱ部 臨床編

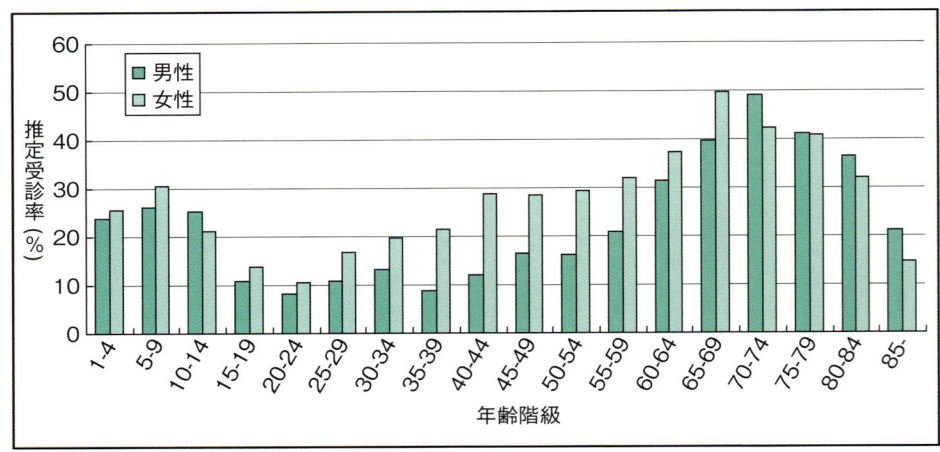

図1 歯科受診率（厚生労働省医政局歯科保健課、2007年）

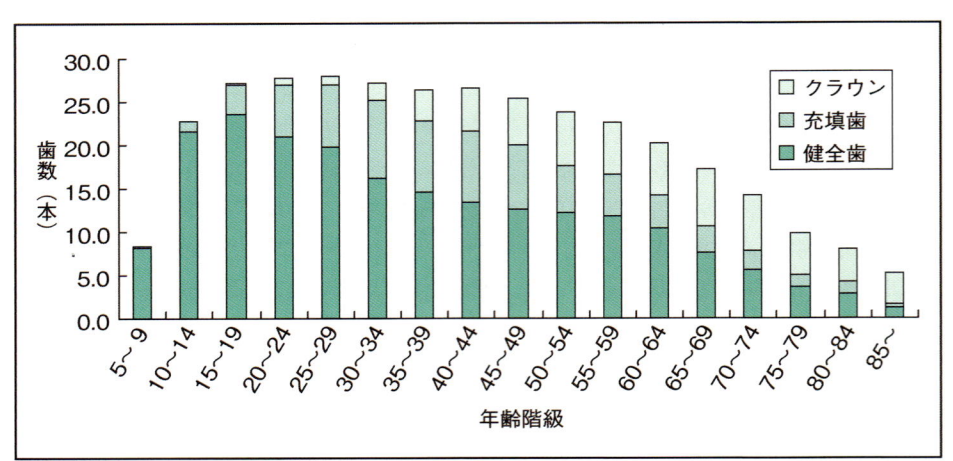

図2 歯科処置内容別の歯数（厚生労働省医政局歯科保健課、2007年）

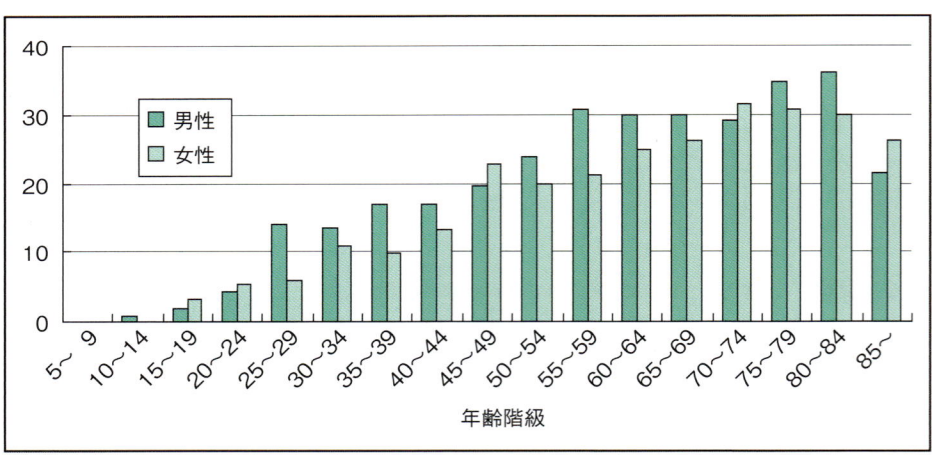

図3 歯周ポケット（4 mm以上）保有者の割合（厚生労働省医政局歯科保健課、2007年）

表1 20〜59歳を対象にした口腔内診査
（文献3より引用改変）

	20〜29歳群	50〜59歳群
活動性歯根う蝕の頻度	2.2%	9.4%
活動性、非活動性の歯根う蝕、歯根面充填を有する者の比率	3.1%	43.4%
歯根摩耗を有する者の比率	10.3%	42.5%

● 二次う蝕

う蝕を臨床的に分類すれば、一次う蝕（原発う蝕、初発う蝕）と二次う蝕に分けることができる。二次う蝕には、修復物の周りに起きる**辺縁性二次う蝕**と、修復時における感染歯質の取り残しが原因の**再発う蝕**があるが、実際の臨床ではどちらかを見分けることは難しい。壮・中年期では、一次う蝕の処置に比べ二次う蝕に対する処置が格段に多い。原因は、学齢期や青年期に受けた一次う蝕に対する処置の事故と考えることができる。診査は、十分な照明下で歯面をエアーで乾燥し、咬翼撮影法エックス線写真を参考に行う。修復物と歯質との移行を確認するには先の鋭い探針を使用するが、これを隙間に差し込んではならない。対処法は、事故の原因とう蝕リスクを把握した後に選択する。

➡ 第Ⅳ部第2章189ページ

2）歯肉退縮・歯根露出

歯肉の退縮は加齢によって増加する。この年代の男性を対象とした疫学調査[4]は、歯肉退縮には年齢の因子が最も大きく関与し、その有病者率は76％で、40歳を境に高かったことを明らかにしている。また、「水平法」で磨く者に、歯肉退縮や歯頚部摩耗の有病率が高く、歯肉退縮と喫煙習慣が関連性を示したことも報告している。

3）根面のセメント質

セメント質は、エナメル質と比べるとはるかに薄く、特に歯根の歯冠側1/2での厚みは、多くの場合数10μm程度に過ぎない。しかもセメント質の無機成分含有量は、歯を構成する硬組織中で最も少なく、50〜65（重量）％である。そのため、歯根断面を電子顕微鏡で見ると、セメント質は、下方の象牙質とは明らかに異なる有機成分に富んだ組織として観察される（図4）。

4）根面のう蝕感受性

セメント質は石灰化度が低い硬組織であり、約96（重量）％の無機成分を含むエナメル質に比べて酸に対する抵抗性が低い。歯根面の脱灰しやすさを実験的に調べた報告では、脱灰を生じさせる臨界pHは約6.7であるとされており[5、6]、この値は、エナメル質に対する臨界pHである5.5と比較すると明らかに高い。したがって、エナメル質に被覆された歯冠部と比較して、歯根面はう蝕感受性が高く、セメント質から象牙質への脱灰の波及も比較的短期間に起こりやすい。歯頚部のセメント質はスケーリングやルートプレーニングなどによって容易に剥離されてしまうため、歯周治療が施された歯根面では象牙質が露出していることも多く、この場合は象牙質がプラークの脱灰作用に直接さらされることになる。

図4 歯根断面の走査電子顕微鏡写真
歯根表面のセメント質は有機成分に富み、下方の象牙質とは明らかに異なる組織である。

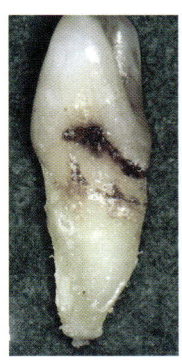

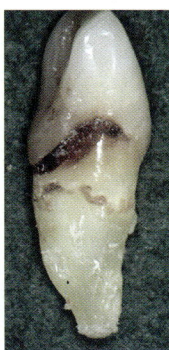

図5 歯頚部を取り巻くように進展した根面う蝕

5）根面のう蝕の広がり

歯根部に発生したう蝕は、歯冠部へと進展するよりもむしろ脱灰抵抗性の低い歯根面を特異的に拡がり、側方へ拡大していく傾向が強い。選択的に歯根面がう蝕に罹患した結果、病巣が歯頚部をとりまく形を呈する場合も見受けられる（図5）。また、図6のような重度の状態になると、歯頚部から歯冠が一塊として崩壊することもある。

6）根面のう蝕の臨床的特徴

（1）発生部位

歯根はいずれの面であっても基本的にプラークコントロールが十分に行き届きにくい。このため、根面う蝕には歯冠部う蝕のように特異的と言えるほどの好発面はない。2万本以上の抜去歯を調査した報告によれば、根面う蝕は抜去歯の40.1％に見られ、その発生部位は多くの歯種で隣接面であり[7]、遠心面に次いで近心面に多く、唇（頬）や舌（口蓋）面で少なかったとのことである。また、う蝕が歯根の全面にわたるものが4.1％、歯髄方向への深さは平均1.1mmで、セメント－エナメル境に位置するものが88.6％であった[8]と報告されている。

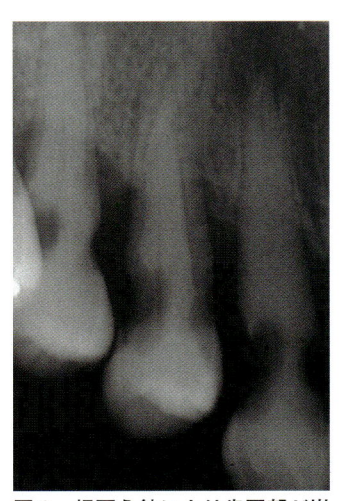

図6 根面う蝕により歯冠部が崩壊寸前である。

（2）病態

歯肉の退縮に伴う歯根の露出により、広い範囲の線維性セメント質に病変が始まる[9]。セメント質の破壊は、組織学的に弱いシャーピー線維の部分などから起こり、脱灰に続いて有機質の崩壊が進行する。セメント質の破壊後、速やかに直下の象牙質のう蝕が引き起こされると同時に、病変はセメント－象牙境に沿っても拡大する。

2．予防と再石灰化（回復）のプログラム

壮年期・中年期における根面う蝕の発症を防ぐには、成人期以前からの歯冠部う蝕の確実な予防と、将来の歯根露出につながる歯周疾患の予防が極めて重要である。また、活動性の根面う蝕でも、数か月にわたってその部位のクリーニングを励行し、フッ化物を応用することで停止性のう蝕に変換できる[10]ことがわかっているので、必要に応じて再石灰化（回復）のプログラムを実行することがポイントとなる。

1）プロフェッショナルケア（リスク除去の診療室技術）

「第Ⅲ部臨床を支える知識と技術編」を参照する。

（1）PMTC

➡ 第Ⅲ部第4章133ページ

フッ化物配合研磨ペーストによる根面の滑沢化は、プラークを除去した後に、PMTC用のポイントにフッ化物が配合されたペーストをつけ、ルートプレーニング後の研磨と同様の要領で行う。なお、フッ素には殺菌的な強い抗菌作用は期待できないため、フッ化物に加えてクロルヘキシジンなどの抗菌薬が配合された研磨ペーストを用いるのもよい。

（2）フッ化物の局所適用

う蝕病変部にフッ化物を集中的に適用するには、フッ化物含有バーニッシュやゲルを使用する[11]。溶液と異なり、高い局所停滞性を有する高濃度フッ化物含有バーニッシュには、根面う蝕の予防効果が期待できる。しかし、抗菌性バーニッシュやフッ化物含有のバーニッシュなどは、国内の認可が得られておらず、歯科医師が個人的に入手し、患者の同意を得て自己責任のもとに使用することとなる。

フッ化物ゲルは、フッ化第一スズなどを配合した数種類のものが国内でも認可・市販されており、根面う蝕に対する有効性を示す臨床研究も少なくない。例えば、Billingsら[12]は、病巣表面の滑沢化に加えてフッ化物ゲルを適用することにより、深さ0.5mm以下の浅いう窩を呈する病変では、脱灰の進行を高率に抑制できることを報告している。歯根面に効果的に薬剤を浸透させ、かつ薬剤の飲み込みを防ぐ意味でも、ゲルの適用にはカスタムトレーを用いるのがよい。また、フォーム状のフッ化物製剤は、滞留性にすぐれているので、既成の簡易型トレーを使用することも可能である。

2）セルフケア

この年代の特徴は、露出した歯根面の摩耗に配慮したブラッシング指導をすべきこと（図7）、また、種々の修復物や補綴物が口腔内に存在するため、ブラッシングによるプラーク除去が難しくなることである。

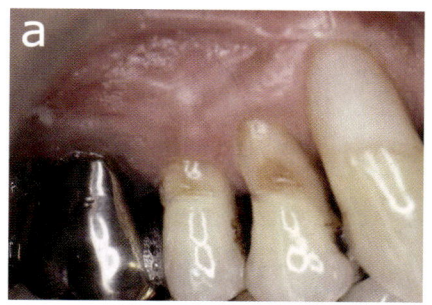

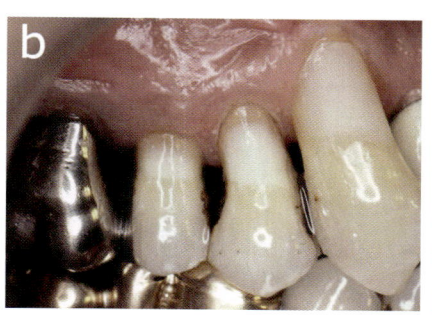

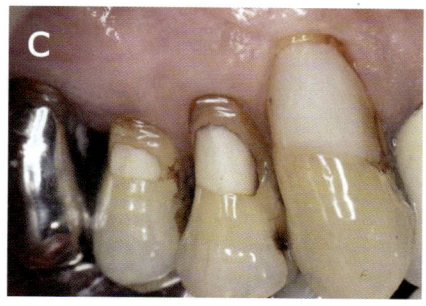

図7　歯根露出とくさび状欠損
a：60歳、男性。上顎右側第一・第二小臼歯の露出根面に生じたくさび状欠損。強い横磨きが主因と思われる。
b：コンポジットレジンで修復。
c：10年後、歯肉は退縮を続け、露出した根面にはブラッシングが主因の欠損が再び生じている。

（1）ブラッシング

a. フッ化物配合歯磨剤を使用したダブルブラッシング

歯磨剤は、高濃度のフッ化物が配合されたものを奨め、塩酸クロルヘキシジンや塩化セチルピリジニウムなどの殺菌剤や、再石灰化促進助剤が合わせて配合されたものを推奨したい。現在わが国では、1,000 ppm を超えるフッ化物が配合された歯磨剤は認可されておらず、市販されているものとしては 950〜980 ppm が最も高濃度である。プラーク除去を行った後、薬剤を浸透させるためにペーストをつけてブラッシングを行うダブルブラッシング法[13]などを指示し、歯質にフッ化物がいきわたるような配慮が必要である。

b. 歯間清掃

根面が露出し、様々な大きさの歯間空隙が存在する。歯肉の傷害や歯根の摩耗を避けるため、適度な抵抗感をもって挿入できる歯間ブラシを選択する。また、タフトブラシは、欠損側に面した歯面、孤立歯の周囲や、最後方臼歯の遠心面などに効果的である。

c. 歯磨剤による摩耗

鏡面研磨したエナメル質表面に微小傷を形成した試料をレジンプレートに埋め込み、被験者の口腔内で8〜12週間、歯磨剤を使用したブラッシングと使用しないブラッシングを行った実験[14]によると、歯磨剤を使ったブラッシングの場合は、微小傷はエナメル質表層の摩耗が進行した結果消失し、新たにブラッシングによる傷が形成され、エナメル小柱の断端が絶えず露出し続けたとのことである。一方、歯磨剤を使用しないブラッシングでは、エナメル質表面はブラッシング前の状態が保たれ、有機性のペリクルをベースとした無機性の保護膜が形成される所見が得られたことが報告されている。歯磨剤中に含まれるシリカの数が多い場合、またその大きさが大きい場合には、ブラッシングの際の象牙質の摩耗が激しくなる。一方、歯磨剤中に含まれる塩化ナトリウムの結晶も象牙質の摩耗の原因となる。摩耗には歯ブラシの硬さよりも歯磨剤の影響が大きい[15]ことを認識しておきたい。

（2）歯磨剤のpH

歯磨剤のpHが酸性側に傾くと歯頸部の知覚過敏の誘因となりうることがわかっている[16]。

（3）フッ化物配合洗口剤の使用の指示

フッ化物は、歯科医院での局所適用以外に、セルフケアにおいても洗口剤や歯磨剤として毎日使用することが推奨される。Wallaceら[17]の研究は、60歳以上の高齢者のDMFSが、0.05%のフッ化物を配合する洗口剤による毎日の洗口で、有意に低下したことを示した。フッ化物洗口剤については、医薬品としての認可の問題から、わが国ではごく少数しか発売されていないため、歯科医院において患者に提供する必要がある。また、抗菌成分が配合された洗口剤（表2）の併用を推奨し、う蝕関連細菌の抑制効果を期待することも良い。

表2　抗菌成分配合洗口剤の例

配合抗菌成分	製品名
グルコン酸クロルヘキシジン	バトラーCHX洗口液（サンスター），コンクールF（ウェルテック）
塩化セチルピリジニウム	ガムデンタルリンス（サンスター）
イソプロピルメチルフェノール	システマ薬用デンタルリンス（ライオン），ハピカエース（松風）
ユーカリ油等の天然由来成分	薬用リステリン（ジーシー）

（4）生活習慣と口腔保健行動

職域成人においてう蝕経験歯数に関連している生活習慣および口腔保健行動は、「間食習慣があること」と「かかりつけ歯科医院があること」であった[18]。う蝕経験指数と、睡眠時間、喫煙経験、飲酒習慣との間に関連性を認めた報告は、口腔状態には生活習慣やストレスが大きく関与することを示している[19]。

（5）定期的検診

セルフケアの効果を評価し、プロフェッショナルケアを行うために、定期的な来院（リコール）を奨める。補綴物や修復物の経過観察、またう蝕リスクの評価を行い、定期検診の間隔を決定することが推奨される（メンテナンスの項、78ページを参照）。

3．診査、診断、治療方針

1）根面う蝕の臨床的分類

日本人高齢者を対象とした根面う蝕の調査[20]では、停止性病変を保有している人は、活動性う蝕を保有している人の3倍程度であることがわかっている。根面う蝕は、臨床的に、病変部の硬さを指標に、soft lesion、leathery lesion、hard lesionの三つに分類される（表3）。これは、病変部の硬さが、ソフト、なめし革（レザー）様、ハードであることを意味した用語である。根面に病変を有する率は、35歳以降で急激な増加を示し、soft lesionについては、各年齢で5％に満たない低い有病状況であったが、hard lesionは高い値で、増齢による変化が顕著であったと報告されている[21]。なお、根面う蝕では、病変の色と硬さにはあまり関連性が無く、黄色から淡褐色でも硬いものや、濃褐色や黒色でも軟化しているものなどが存在する。

表3　根面う蝕の臨床的分類（文献22より引用改変）

臨床所見	脱灰程度	活動性	病巣内の総菌数*（$\log_{10}$CFU）
soft lesion	容易に探針が挿入できる	高度に脱灰 active	6.8
leathery lesion	探針は挿入できるが引き抜く際に抵抗がある	ある程度の再石灰化 active/inactive	4.3
hard lesion	健全歯根面と同程度の硬さ	高度に再石灰化 inactive	1.9

現在、ICDAS（International Caries Detection and Assessment System）では、う蝕の進行程度を記号で表し、国際標準化を行っている。ここでは、根面う蝕に加え、根面の修復物の二次う蝕についても、歯面ごとに記号で表すシステムが提唱されている。詳細はICDASのウェブサイトを参照（第Ⅲ部第1章114ページ）。

2）根面う蝕の診査

（1）soft lesion

中等度の圧力で探針を挿入すると容易に侵入する。高度な脱灰を生じているため軟化しており、活動性（active）病変に相当する。

（2）leathery lesion

Soft lesion と Hard lesion の中間に相当し、探針の挿入は可能だが、引き抜く際に抵抗があり、ちょうど探針をなめし革に突き刺したような感覚を伴う病変である。活動性病変に分類されるが、病巣内では種々の程度の再石灰化が生じており、非活動性への移行状態にある。

（3）hard lesion

中等度の圧の探針による診査で、周囲の健全な歯根面と同程度の硬さが触知されるもので、非活動性または停止性（inactive、arrested）となっている病変である。病変の表層は通常高度に石灰化しており、顕微エックス線写真で断面を見ると、表面に明瞭な再石灰化層が確認できる（図8）。また、組織学的には、表層下の象牙細管が種々の形態の石灰化物で満たされている（図9）。

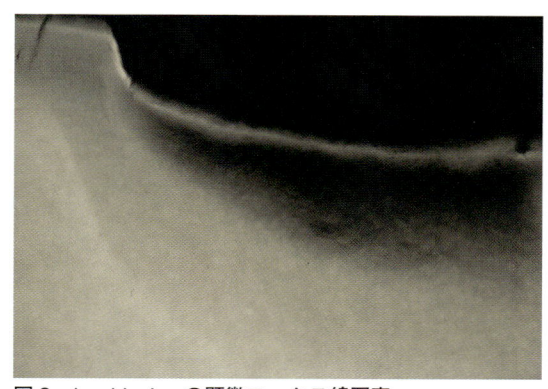

図8　hard lesion の顕微エックス線写真
表面に明瞭な再石灰化層が認められる。

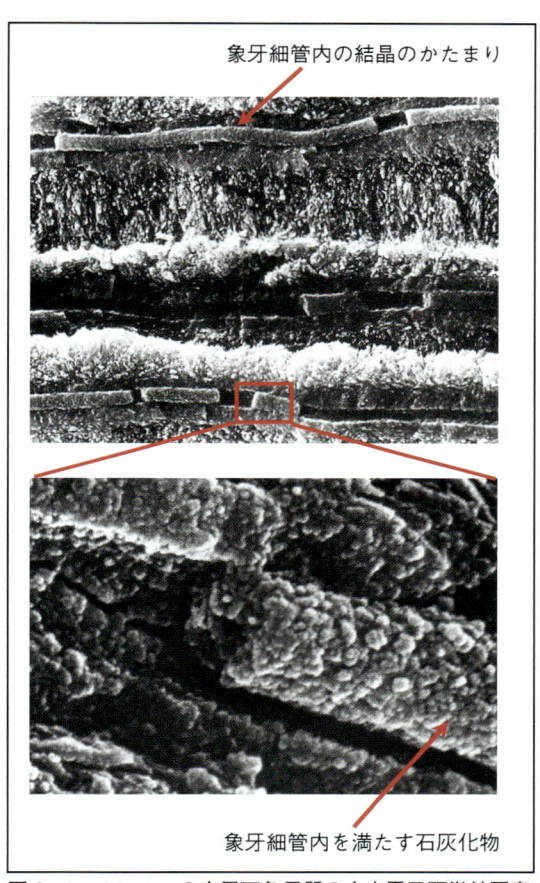

図9　hard lesion の表層下象牙質の走査電子顕微鏡写真
象牙細管内は石灰化物で満たされている。

4．対処

歯冠部う蝕とは異なるアプローチが必要である。根面う蝕の対処には、先述した低侵襲性の再石灰化促進治療と、修復治療の二通りがある。根面う蝕は、広範囲に拡がることが多いので、とくに、「う蝕の治療＝修復処置」という単純な対処が当てはまらず、再石灰化促進治療が適している場合がある。実質欠損がそれほど大きくなくても、歯頸部に広範囲に拡がったう蝕などでは、修復処置を行うのは非常に困難である。また、う蝕病変を積極的に削除するよりむしろ保存的に対処する方が歯の延命をはかれるような場面もある（図10）。このような症例では、脱灰部分の再石灰化を促しながら病変を管理する低侵襲性の治療法を選択するのが適当である。図11は、同一の病変の中に、soft lesion（軟らかい病変）と hard lesion（硬い部分）が混在しているもので、一度脱灰軟化された病巣の一部が再石灰化により硬化したことを示している。顕微エックス線写真でみても、hard lesion 部の表面には一層白く写る再石灰化部が確認できる。再石灰化促進治療は、フッ化物などを用いて脱灰病変を hard lesion 部の状態へと積極的に誘導するものである。また、根面う蝕病巣の辺縁は比較的不明瞭で、

第Ⅱ部　臨床編

健全部との判別が容易でないこともあり、このような場合には、修復処置と再石灰化促進処置を併用することも必要となる。

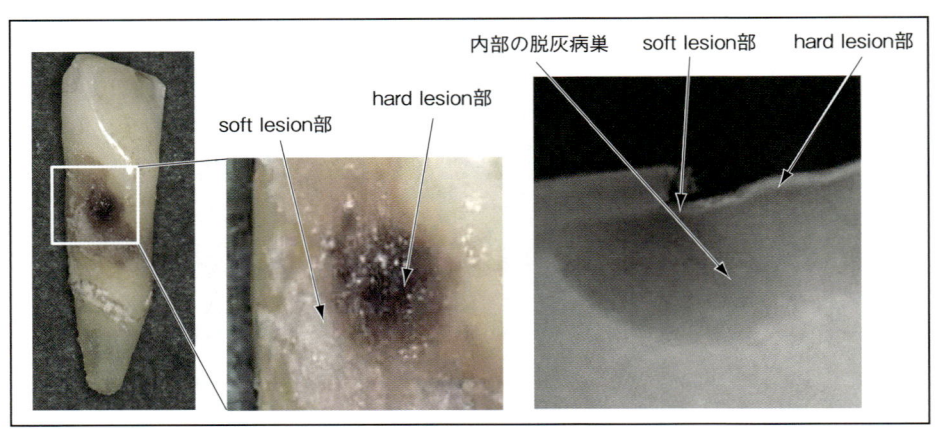

図11　soft lesion部とhard lesion部が混在する根面う蝕病変とその顕微エックス線像（右）

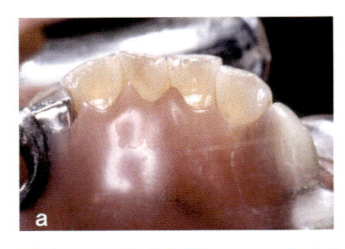

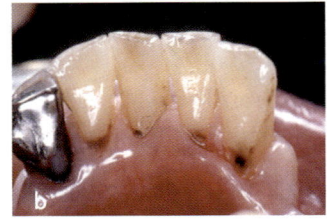

図10　部分床義歯を装着しているために、通常では発生しにくい下顎舌面に根面う蝕が発生した。う蝕を削除し修復するのは非常に難しい部位である。再石灰化療法で歯質保存的に対処する。
a：義歯を装着したところ。下顎前歯の舌面。
b：義歯をはずしたところ。舌側歯根面にう蝕が認められる。

5．修復治療

　現状では、根面う蝕の処置法は、くさび状欠損と同様で、コンポジットレジンやグラスアイオノマーセメントによる修復が多くなされ、根面う蝕の修復では、前歯部、臼歯部を問わず、充填処置が基本となる。たとえ臼歯の隣接面であっても、インレー（アンレー）修復を行おうとすれば歯冠を大きく削除しなければならず、抜髄を余儀なくされるケースが多いからである。

1）感染歯質の除去

　根面う蝕では、病変の色調と感染程度が必ずしも一致せず、歯質の色は除去の判断基準となりにくいため、主に硬さを指標に除去を行うこととなる。う蝕検知液もガイドとして有効であるが、歯質の着色が強い場合などは染色程度の判定が難しい。また、健全部とう蝕辺縁の判別が困難なことも多く、歯質除去には注意が必要である。

（1）手用切削器具
　スプーンエキスカベーター：刃先がスプーン形で、ひっかくようにして軟化した象牙質を除去する。

（2）エアブレイシブ
　酸化アルミナなどの微細な粉末を圧縮空気により歯質に衝突させて切削する方法である。炭酸水素ナトリウム（重曹）粉末を水と共に圧縮空気にて歯面に噴霧するエア・ポリッシャー（歯面清掃器）は、主に歯面に付着したプラークやタバコ、外来着色物の除去に使用される。

（3）レーザー
　不快な音、振動等がなく、特に象牙質の削除に際しては回転切削器具より痛みが少ない。レーザー照射とフッ化物塗布を併用すると、露出根面象牙質の表面が溶融し、フッ素の取り込みが増加して耐酸性が向上することから、歯周治療後の根面う蝕予防への応用の可能性も示唆されている[23]。

第5章 壮・中年期（25〜64歳）

（4）薬剤

　薬剤によるう蝕象牙質除去は、疼痛が少なく、振動、不快音などが無いため、患者が恐怖感から解放されるという心理的な効果が期待できる。現在、次亜塩素酸ナトリウム、水酸化ナトリウムとアミノ酸によるう蝕象牙質溶解・除去システムが紹介されている。

2）修復材料の選択

（1）コンポジットレジン

　う蝕除去が完了し、防湿や隔壁の装着などに問題がなければ、第一選択としてレジン系接着システムとコンポジットレジンを用いた充填処置を行う。窩洞が多歯面に及ぶ場合などは、フロアブル（低粘性）タイプのコンポジットレジンを用いるのもよい。残存歯質が少なくなった場合、グラスアイオノマーセメントは歯質を支える接着強さと材料自体の強さが十分でないことから、歯質の破折を招くため選択できない。歯質接着性の高いレジンは残存歯質と一体となりこれを支えることができる（図12）。感染歯質の完全な除去が不確定なケースでは、窩洞殺菌効果を有する抗菌性接着システムの使用が推奨される（79ページのコラム参照）。

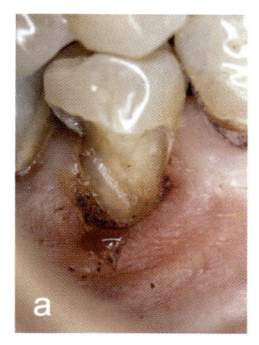

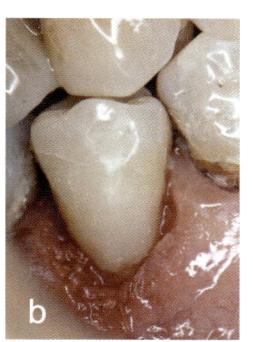

図12　レジンは歯と一体となり、残り少ない歯質を支えることの好例
a: 60歳女性。下顎左側小臼歯の歯頸部のう蝕を削除すると、大きな欠損となった。
b: 接着性コンポジットレジンで修復
c: 7年後。修復物辺縁に着色を認めたので、削除してコンポジットレジンで補修することにした。
d: 9年後
e: 11年後。修復物辺縁が再び着色してきたが、良好に機能している。

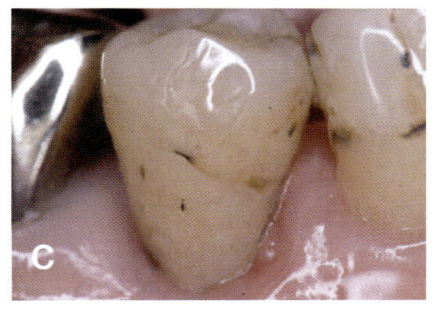

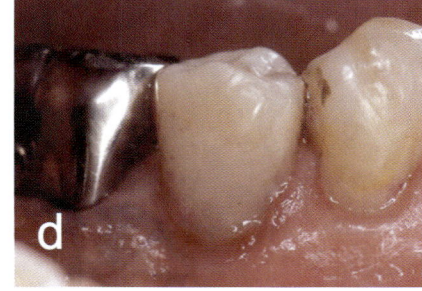

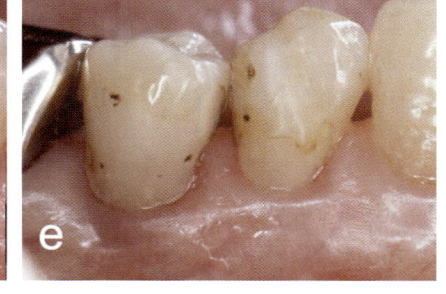

（2）グラスアイオノマーセメント

　レジン添加型であっても、グラスアイオノマーは機械的強度がコンポジットレジンに劣り、耐摩耗性や耐変色性などの点で不利である。長期的な耐久性という点からはコンポジットレジン修復が推奨される。しかし、根面う蝕の修復にあたっては、できるだけ侵襲を小さくしたいという点で、必ずしも感染歯質の完全な除去が行えるとは限らない。また、部位的に十分な防湿を得にくいことも多い。こういったケースでは、グラスアイオノマーセメント系充填材に一利がある。というのは、グラスアイオノマーセメントは、接着性レジンと比べると、被着面に多少の水分や汚染が存在しても、硬化や接着に問題が生じにくい材料だからである（図13）。この点は、ある程度十分にう蝕が除去された被着面と厳密な防湿を必要とする接着性レジンシステムとは異なっている。また、グラスアイオノマーセメントからのフッ化物の徐放が、感染歯質の表層を再石灰化させ、修復後の問題発生を低下させることも期待

第Ⅱ部 臨床編

できる[24]。ただし、感染歯質が残存している場合、修復下でう蝕が進行して結局予後が不良となることも多く、永久修復として過信してはならない。

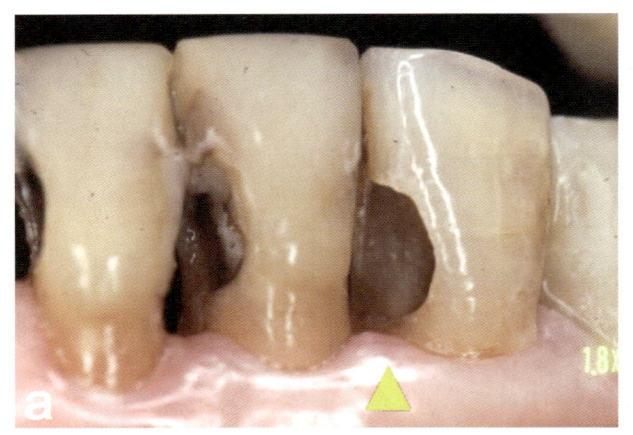

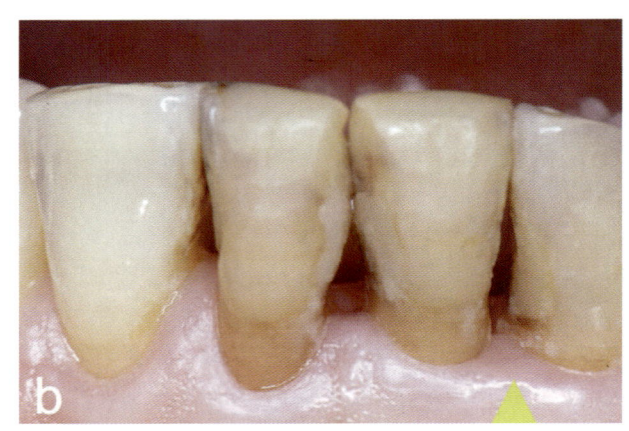

図13 グラスアイオノマーセメントの有用性が示された大きなう蝕
a: 下顎前歯、歯根歯頸部で大きく拡がったう蝕は、感染歯質の除去が困難である。
b: グラスアイオノマーセメントを充填して3年後

6. メインテナンス

　メインテナンスの目的は、個々人のう蝕のリスクレベルを判定し、その結果に基き継続的にリスクレベルを低減していくことにある。

　根面う蝕を中心としたトータルケアにおいては、リコールが重要となる。とくに、再石灰化促進治療を行っている場合は、う蝕病変の活動性のモニタリングは必須である。口腔清掃状態、食事習慣や内容、唾液の量や緩衝能、唾液中のう蝕関連細菌の数などに基づいてう蝕リスクを総合的に判定し、リコール間隔を決定する。ただし、根面う蝕に関しては、適切なリスク診査項目そのものもまだ十分に確定されてはおらず、エビデンスに基づいた明確なリスク判定とリコール間隔の決定基準は確立されていない。表4に、う蝕リスクを低・高の二段階に分け、3～6か月または1～3か月でリコールするパターン[25]を例示するが、フッ化物による根面の再石灰化促進の程度はフッ素の取り込み量に依存している[26]ため、病変の活動性を観察しながら、局所的なフッ化物適用の頻度とリコール間隔を考慮するのがよい。なお、根面う蝕の発症と進行の原因菌は現在も特定されていないが、歯肉退縮で露出した根面においてミュータンスレンサ球菌や乳酸桿菌の数とう蝕の発生が相関すること[27]や、根面う蝕の発症と唾液中のミュータンスレンサ球菌の数が相関すること[28]などが確認されており、現状ではこれらの細菌をリスク診査の対象とすることが妥当であると考えられる。

　リコール時に実施することは、予防と再石灰化におけるプログラムに順じるが、リスクの判定、PMTC、フッ化物の応用、抗菌的アプローチ、補綴物や修復物の管理に加え重要なのが口腔保健教育である。リコール時の定期的な保健教育を通して、口腔内を自己管理することへの意欲を常に高めておくことは、う蝕のリスク低減に不可欠である（図14）。

表4　根面う蝕のリスクレベルの判定とリコール間隔の一例

リスクレベル	判定基準	リコール間隔
低	唾液中のう蝕関連菌レベルが低い 正常な唾液流量 進行の遅い少数の根面う蝕がある 活動性でない歯冠部う蝕を有する 口腔清掃状態はまずまず良好	3～6か月
高	唾液中のう蝕関連菌レベルが高い 唾液流量低下 広い範囲に根露出を認める 活動性の根面う蝕を多数有する 活動性の歯冠部う蝕を多数有する 口腔清掃状態不良	1～3か月 （リスクの定期的 チェックを行う）

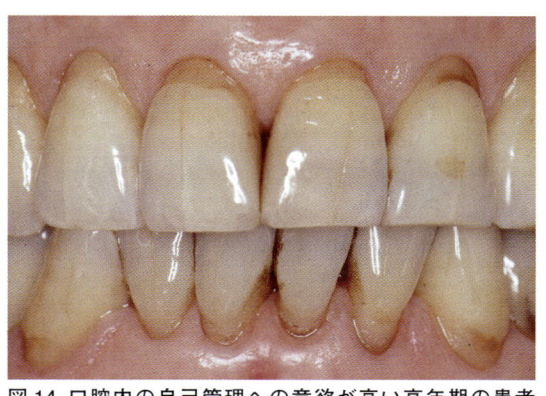

図14 口腔内の自己管理への意欲が高い高年期の患者（84歳）の健康な歯列

● Column ● 抗菌的アプローチ

再石灰化促進治療は、フッ化物による作用を基本にした低侵襲性処置であるが、これ以外に、抗菌性材料を用いた根面う蝕の対応にも期待が寄せられている。抗菌性レジンによる根面う蝕のマネージメントはその一例である。これは、世界初の抗菌性レジン系接着システム[29, 30]を根面う蝕に適用する方法で、システム中の抗菌性プライマーが病巣内の細菌を死滅・不活化させるとともに、病巣の表面をボンディングレジンで確実に封鎖することによって新たな酸や細菌の栄養源の侵入を阻害し、う蝕の進行を抑制しようというアプローチである（図15）。この方法は、病巣を全く、あるいはほとんど除去しない条件でう蝕の進行を停止させる治療オプションであり、細菌に対する直接的な働きかけによって感染性疾患であるう蝕をコントロールすることを意図している。現在までに、抜去歯を用いての実験ではあるが、本システムを適用することによって脱灰病巣内の細菌が確実に殺菌されることや、人工う蝕の進行が抑制できることなどが明らかになっており、今後の臨床応用が期待されている。

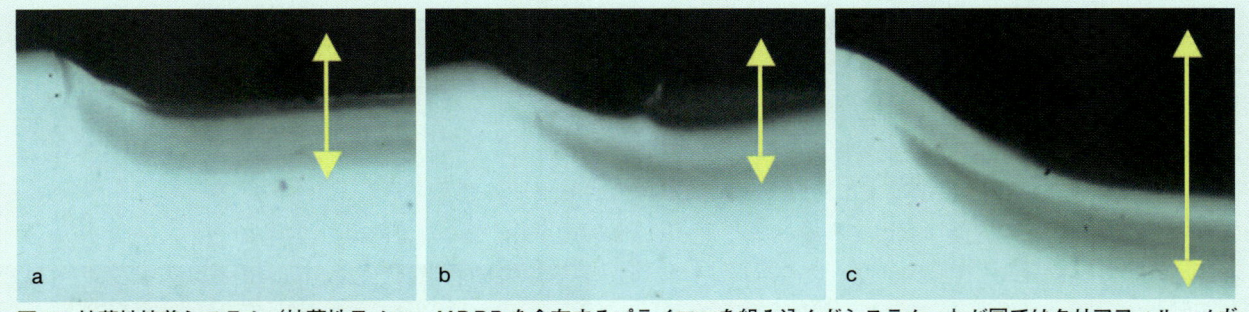

図15 抗菌性接着システム（抗菌性モノマーMDPBを含有するプライマーを組み込んだシステム。わが国ではクリアフィル・メガボンドFAの名前でクラレメディカルより市販）の適用による人工う蝕の進行抑制作用。Streptococcus mutans菌液中で2週間培養して作製した根面う蝕(a)に，抗菌性接着システムを適用しさらに2週間培養しても，病変の進行は認められない(b)。cは接着システムを適用せず4週間培養した場合。矢印は脱灰深さを示す。

（桃井保子、今里　聡、尾崎和美）

第6章　高年期（65歳〜）

目標：咬合崩壊の防止対策を最優先に考える。

　加齢は、唾液分泌量の低下、根面の露出、義歯使用による口腔内環境の変化など、う蝕を誘発する方向に働く。一方、高齢者のエナメル質や根面象牙質は過石灰化しているため、口腔内の環境を整えさえすれば、う蝕の進行は若年者に比べてはるかに緩慢となる。健全な口腔は、快適な咀嚼や自由な会話、若さと尊厳に満ちた笑顔をもたらし、高齢者が QOL を維持することに貢献する。

1．リスク評価と予防

1）高齢者の病態の認識と説明

　歯科疾患のリスクを考える時、まず疾患の病態をどう認識するかが基本になる。65歳以上の高年期においては、う蝕、歯周病、欠損が混在するのに加えて、様々な咬合崩壊の病態を認識することが重要である。

　例えば、すれ違い咬合[1]に移行する局面で一気に患者の咀嚼機能障害も進行し、歯科医も患者も予想外の困難に直面する場合がある（図1）。従って、C_4、P_3、歯根破折など、抜歯の診断を下す時やブリッジの脱落または撤去を必要とする時は、処置後の咬合崩壊の状況を予測し、起こりうる咀嚼機能障害について患者にあらかじめ納得のいく説明をしておく必要がある。はじめて可撤性の義歯を使用する場合には、義歯に関する説明も十分に行っておかなければならない。高年期には特にこのような配慮が重要である。

　中高年期では、欠損歯数の増加と共に「咬合崩壊病」として顕在化するすれ違い咬合や高度に顎堤の吸収した無歯顎など、崩壊した咬合の再建治療は一般歯科診療の中でも最大級の難症例となることも認識に含めておかなければならない（図2）。

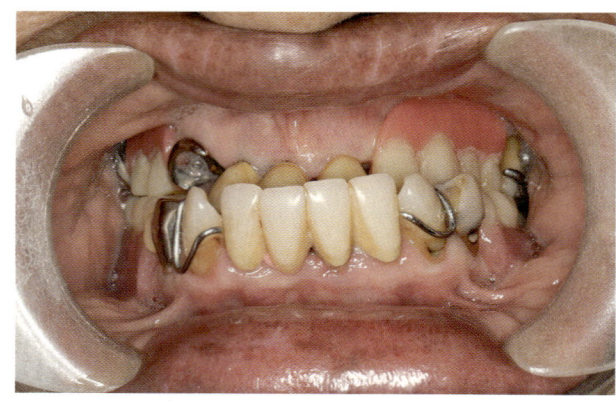

図1　すれ違い咬合に移行する局面
う蝕、歯周疾患、欠損が混在するだけでなく、咬合崩壊が一気に進行する。

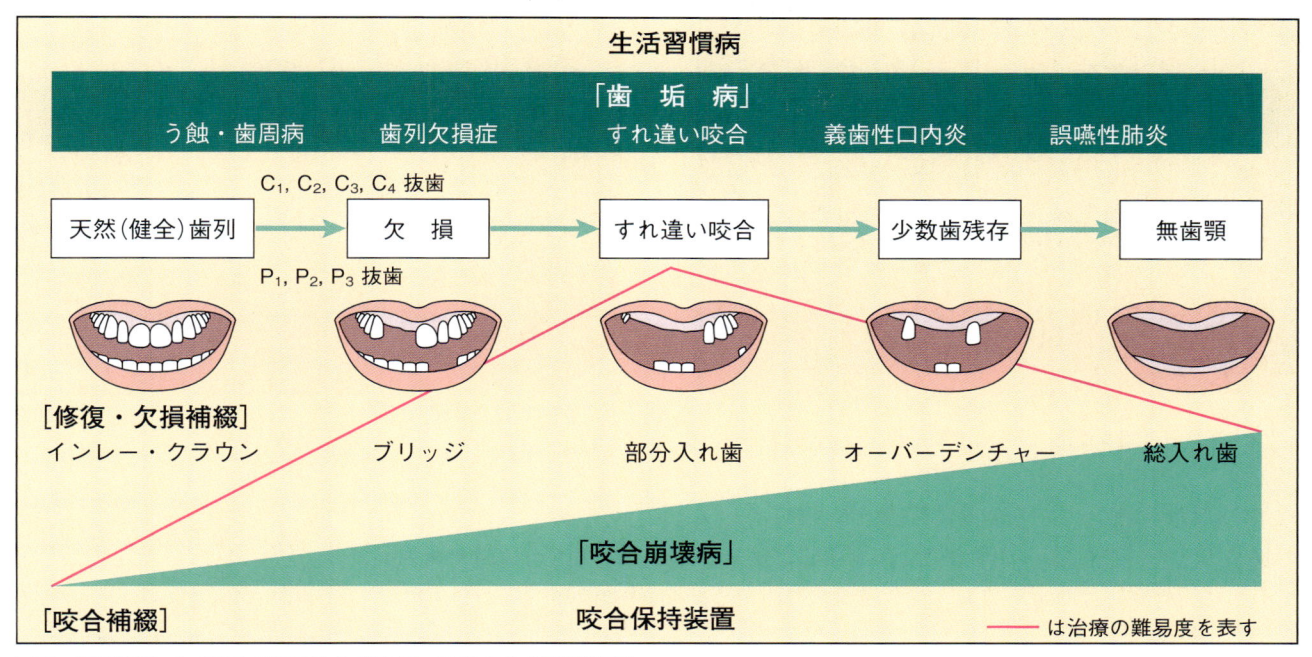

図2 「歯垢病」と「咬合崩壊病」の概念図（文献2より引用改変）

2．診査、診断、治療方針

1）医療面接と主訴への対応

　初診時の医療面接は、主訴、歯科病歴およびその他の病歴聴取の順に進める。高年期では歯科の病歴も長く、全身的にもいろいろな病気があり、服用薬を持つ人も多い。ドクターショッピングを重ねるなど、難しい心の問題を抱えるケースも少なくない[3,4]。患者の心の問題にも対応しながら、歯科診療に必要な情報を的確に把握する医療面接の技量が求められる。

　主訴として激しい疼痛や歯肉腫脹、義歯の脱離や破折など、緊急性を要する問題がある時は、最初にこれを解決することは言うまでもない。

2）口腔内診察と咬合の確保

　続いて口腔内を診察し、DMF歯とプラークの付着や歯周組織の破壊状況を記録する。通常これに、パノラマエックス線検査と研究用模型による咬合の検査等が必要である。さらに根面う蝕の多発傾向や口腔乾燥、舌痛症状などを認める場合はドライマウスの検査が必要である。

➡ 第Ⅳ部第1章178ページ

　中高年期では、保存治療の対象か抜歯の適応かという診断や、ブリッジかパーシャルデンチャーかなど補綴の診断の前に、まず咬合を確保し、さらなる咬合崩壊の防止対策を最優先に考えるべき症例が非常に多い。従って、あらかじめ「咬合崩壊病」という認識を持ち、それに対応できる咬合保持装置を用いた補綴治療法を準備することが肝要である。

　暫間義歯においても、現在歯による咬合保持の有無が鍵になる。EichnerのB-3、B-4、C-1など咬合保持の不安定なケースでは、通常のパーシャルデンチャーの設計では暫間義歯としての目的を十分発揮できない。そういう場合には、咬合保持に主眼を置いたオクルージョンリテーナー義歯（リテーナー義歯[5,6]と略す）が有効になる（図3）。すれ違い咬合など咬合の不安定な場合だけでなく、動揺歯や破折歯があり、二次固定を求めるケースでは治療用義歯あるいは診断用義歯として、また、

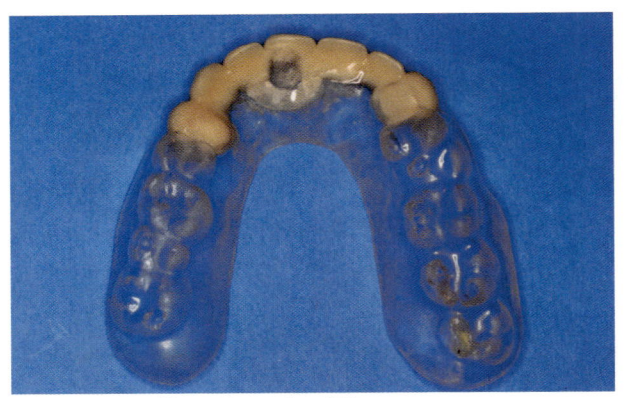

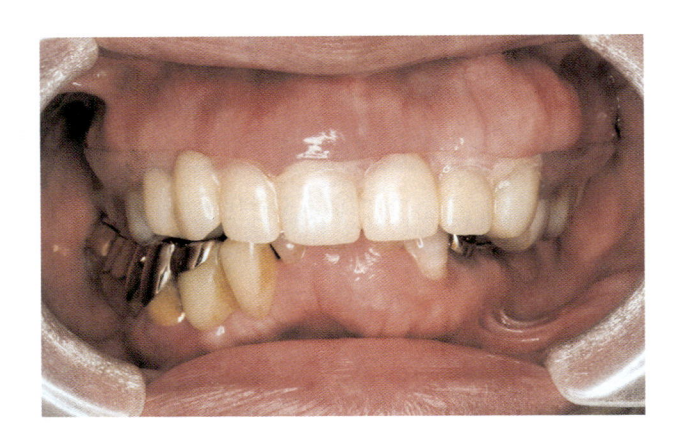

第Ⅱ部　臨床編

図3　オクルージョンリテーナー義歯
　　　咬合の不安定な症例、上顎に診断用義歯として装着した。

結果的に移行義歯としても有効に機能する。
　従来の「一口腔単位」の診療では、全顎的な診療計画を立てても、抜歯や歯周疾患の初期治療を先行させる結果、咬合崩壊を進めてしまう危険性がある。

3) 原因療法へ、指導のポイント

　口腔内と義歯のプラークを染め出して患者本人に見せなければいけない（第Ⅲ部第3章123ページ）。最初に尋ねるべき質問は「プラークとは何か知っていますか？」であり、現状に対する患者自身の解釈モデル[7]の把握である。
　誤った生活習慣に行動変容を起こし、正しいプラークコントロールができるように共に考えることが必要である。いきなりブラッシング指導やスケーリングを行うのではない。地球環境を守るためには、環境破壊のメカニズムを理解することが先決である。また、北風と太陽のグリム童話は指導の基本姿勢になる。「歯周病」が進行して「咬合崩壊病」が顕在化し、今も進行しているのだと納得してもらえばよい。そこからがブラッシング指導の始まりである。

> 歯科治療の重点をう蝕や歯周病の処置に置くのではなく、また、プラークコントロールを処置後の再発防止法として位置づけない。臨床においては、う蝕と歯周病を分けずに、プラークのコントロールを必要とする生活習慣病、「歯垢病」として一つに認識する。その方が患者の生活レベルにおいて疾患の本質を理解しやすく、歯科治療や抜歯をしたから完治したと誤解することも少なくなる。
> う蝕、歯周病のほか、歯内療法に関わる根尖性歯周炎、義歯性口内炎、誤嚥性肺炎なども「歯垢病」の範疇に入る。

3．処置

1) プラークコントロールとデンチャープラークコントロール

　ブラッシングを中心とした（狭義の）プラークコントロールを指導する。初期治療においては特にプラークの付着部位を染色して確認し、セルフコントロールできるように指導することが重要である。プラークが細菌の塊であることを実感してもらうためには、患者自身のプラークを採取し、位相差顕微鏡像として見せることも良い動機づけになる（図4）。口腔内の条件に応じた清掃用具の使い分けについては他に譲るが、私の行っている指導法を一つだけ紹介する。ブラッシングの方法論に終始せず、「歯垢病」の意味と発症のメカニズムを理解してもらうことに意を注ぐ。
　咬合を確保し、プラークコントロールができれば一安心できる。その先は個々の歯の保存治療や延命治療、自然脱落まで看取る治療や指導など、時間をかけて行うことができる。

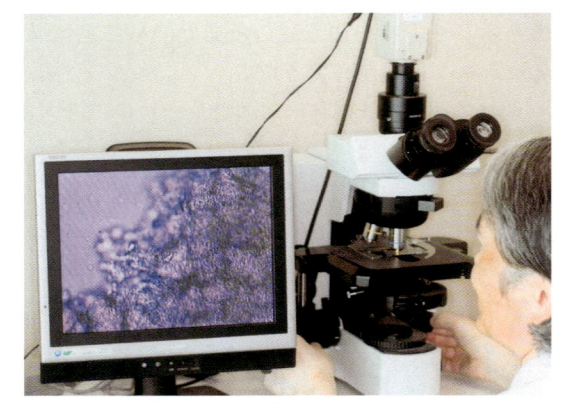

図4　位相差顕微鏡による動機づけ
　　　患者自身のプラークを採取し、プラークが細菌の塊であることを実感してもらう。

第6章 高年期（65歳〜）

● Column ●　深い歯周ポケットのブラッシング

　通常の歯ブラシ類では到達困難な深い歯周ポケットがある場合、ワンタフトブラシや小筆（スーパーボンド用、曲2本組、サンメディカル）によるブラッシング法を指導する（図5）。歯周病菌は嫌気性菌であり、酸素や水を送り込むことが有効であること、プラークや食物残渣などを迷入させない注意などを理解してもらい、イソジン等の含漱剤をコップに作り、小筆を洗いながらポケット内のブラッシングを行う。術前が重症であるほど改善が実感できるため、指導効果が上がるケースが多い。破折歯の保存にも有効である。

　デンチャープラークコントロールも必ず指導する。義歯にプラークは付着しないと誤解している人は非常に多い（図6）。「歯垢病」たるゆえんの口腔内常在菌の繁殖は義歯も例外ではないことを説明し、必ず染色して確認してもらう。支台歯周囲やそれに接する鉤体部は重要である（図7）。究極的には無歯顎で全部床義歯を使用していても、口腔内と義歯のプラークコントロールが大切であることを理解してもらえるように説明する。誤嚥性肺炎の話は重要であり、必ず行う。

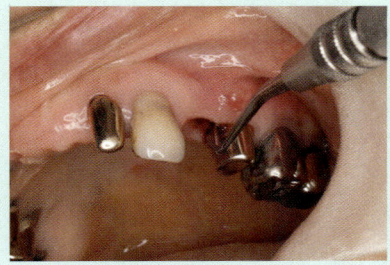

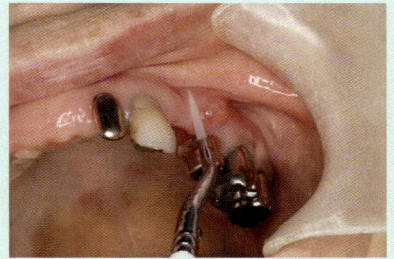

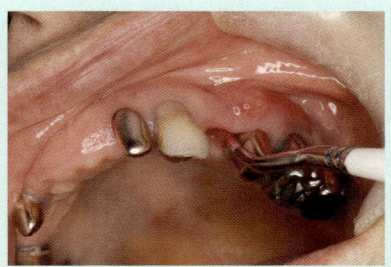

図5　深い歯周ポケットのブラッシング、ワンタフトブラシ（またはスーパーボンド用の小筆、曲2本組）によるブラッシング法を指導する。

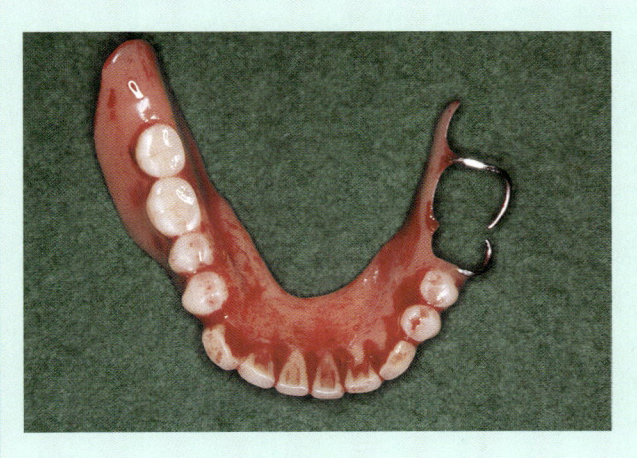

図6　デンチャープラークコントロール
　　義歯にはプラークは付着しないと誤解している人は非常に多い。必ず染色して確認してもらう。

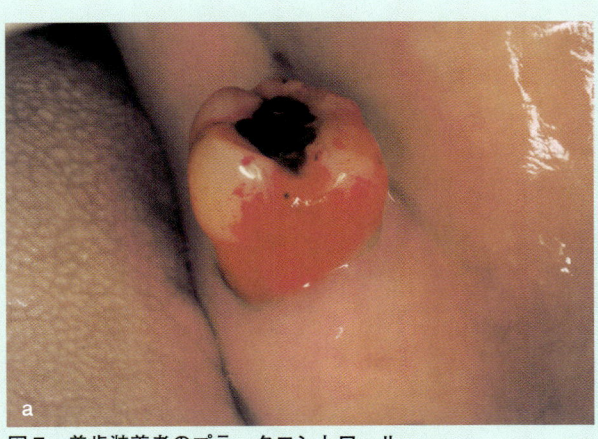

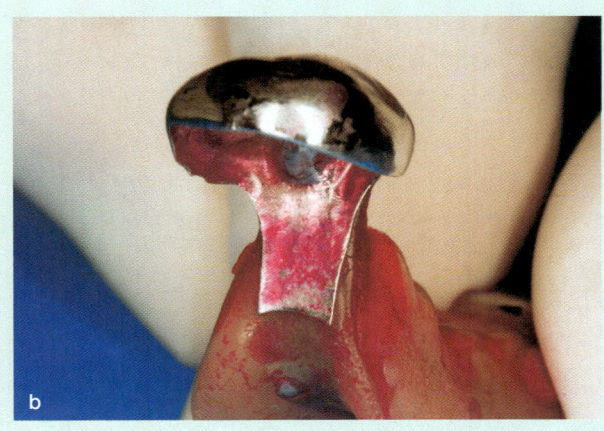

図7　義歯装着者のプラークコントロール
　　支台歯周囲（a）や鉤体部（b）が重要。欠損（補綴）側隣接面はう蝕リスクの最も高い部位である。

4. メインテナンス

　診療計画における最終補綴処置を完了した後は、回復した咬合の安定をできるだけ長期間維持することが目標になる。そのためには、新たなう蝕や歯周疾患による歯の喪失を防ぐことと、補綴装置の破損や不適合を防止することである。リコールによる定期検査を行い、リテーナー義歯の安定とプラークコントロールをチェックして良好な状態を保つように努める。

1）咬合の保全

　リテーナー義歯が金属製であれば、咬合は長期に良好に維持できる可能性が高い。ただし、支台歯や顎堤粘膜に対する適合状態はときどき刻々変化するので、症例に応じて床の裏装や支台装置の適合および維持力などの調整を適切に行わなければならない。症例に応じたリコール間隔の設定だけでなく、異常を感じた時は予約日にこだわらず、すぐ連絡をするように患者と約束をする。

　支台歯の破折や、動揺歯の脱落などがあると咬合のバランスが崩れるため、ただちに喪失歯の増歯修理、ならびに床全体の裏装を行い、咬合接触関係も再チェックする。中心咬合位におけるタッピング運動と左右前後の偏心運動時に義歯の動揺が肉眼的に観察されない状態を確認する。

2）歯と口腔のケア

　高年期の口腔ケアには他の年代とは異なる高リスクな場所がある。
　一般に小窩裂溝、隣接面、歯頸部がう蝕の三大好発部位といわれるが、高年期の欠損歯列では、可撤性義歯の支台歯と支台装置の周囲が重要な場所となる。

（1）欠損側隣接面と支台装置の周囲

　特に欠損（補綴）側隣接面が最もう蝕のリスクが高い（図7a）。支台歯は義歯の調整が不十分であると負担過重を起こしやすく、歯肉炎、動揺度の増加、歯槽骨の吸収など歯周疾患症状の増悪を招く危険性も高い。

（2）歯根露出とドライマウス

　露出した歯根面のケアは見ためより困難である。ブラッシングが不足すればう蝕や歯周疾患は進行するし、磨き過ぎれば歯根は磨耗しやすい。咬合のストレスによる歯頸部の楔状欠損が重なると、知覚過敏や歯冠破折を起こす危険性は高くなる。さらにドライマウスによる唾液分泌低下が加われば、唾液緩衝能や抗菌・殺菌作用、洗浄作用などの自浄性は低下し、う蝕や歯周疾患のリスクは非常に高くなる。患者には、歯冠部エナメル質より歯根部は柔らかいこと、ブラッシング圧の過多や研削性の強い歯磨剤の使用により容易に削れてしまうことを理解してもらう。

（3）視力低下や運動機能の衰え

　高年期では老化による全身的な身体機能の低下が現れる。脳梗塞などの後遺症があればなおさらである。口腔ケアの自己管理ができていた人でも、次第にできなくなる。長寿高齢社会における終末期ケアの中で、歯科が解決して行かなければならない分野である。口腔内と義歯に対する介助磨きの啓発と普及が急務である。

第6章 高年期（65歳〜）

（4）歯頸部う蝕、根面う蝕の処置

歯冠修復や歯冠補綴物マージン部の二次う蝕は非常に多く見られる。修復物や歯冠補綴物を除去して再治療を行うか否かの診断は、前に述べた「歯垢病」、「咬合崩壊病」の観点から慎重に行う。除去せずに普通処置し、グラスアイオノマーや接着性レジンなどで充填を行い、プラークコントロールに努めながら経過観察を行う方法が現実的に有効な方法である（図8）。

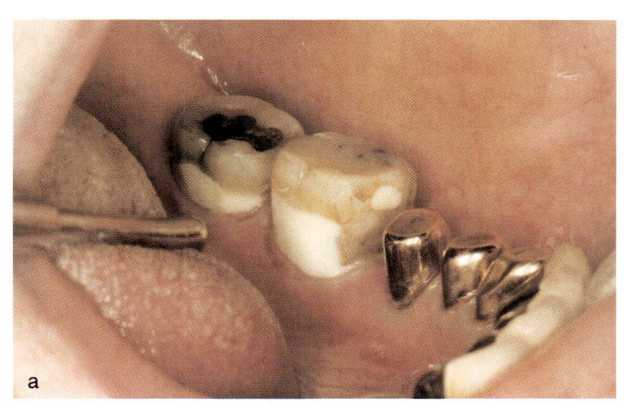

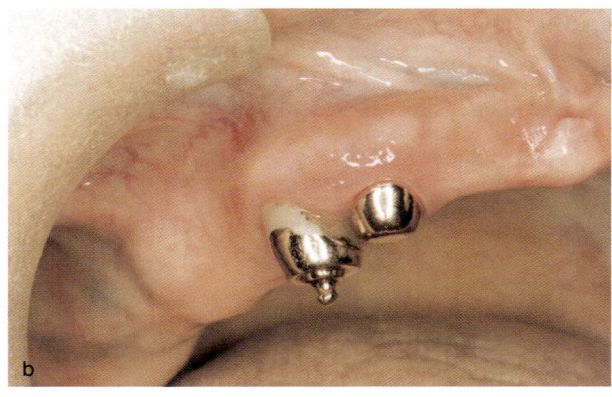

図8a、b　根面う蝕、マージン部う蝕の処置
　　　　グラスアイオノマーやレジンで充填し、経過観察を行うのが現実的に有効な方法である。

3）義歯の調整とメインテナンス

（1）固定性ブリッジのプラークコントロール

支台歯周囲、特にポンティックの連結部のプラークコントロールが重要である。下部鼓形空隙の大きさに合った歯間ブラシの選択と指導、スーパーフロスによるポンティック下部の刷掃指導がポイントになる（図9）。

（2）可撤性ブリッジやアタッチメント義歯などのプラークコントロール

コーヌス冠などを支台装置とする可撤性ブリッジやアタッチメント義歯などは、義歯を撤去して口腔内に残る支台装置（コーヌス内冠など）の歯頸部の刷掃と、撤去した可撤性ブリッジまたは義歯の清掃（デンチャープラークコントロール）を行う。義歯用ブラシによる機械的清掃の後、

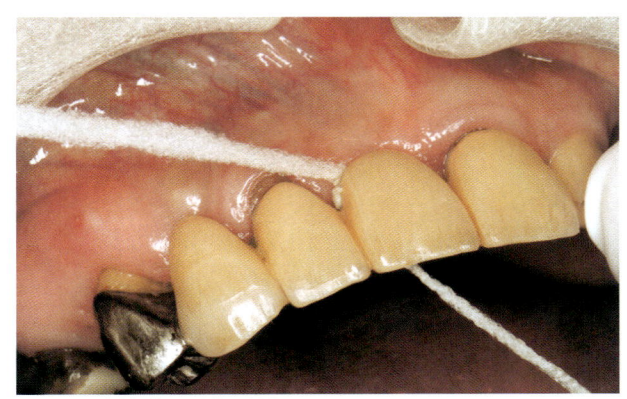

図9　固定性ブリッジの場合
　　　スーパーフロスによるポンティック下の刷掃指導（1）。

義歯洗浄剤による化学的洗浄を併用する。外冠の内面やアタッチメントなど、狭い陥凹部には毛先の届くワンタフトブラシ（プラウト＜オーラルケア＞を選択する（図10）。複雑な形態の義歯には超音波洗浄器も有効である。

（3）クラスプ義歯のプラークコントロール

義歯用ブラシによる機械的清掃の後、義歯洗浄剤による化学的洗浄を併用する。
クラスプの内面はクラスプ用ブラシや欠損歯列用歯ブラシを使用すると良い（図11）。

図10 アタッチメント義歯などの場合
　　外冠の内面やアタッチメントなど、狭い陥凹部には毛先の届く小さなブラシを選択する。

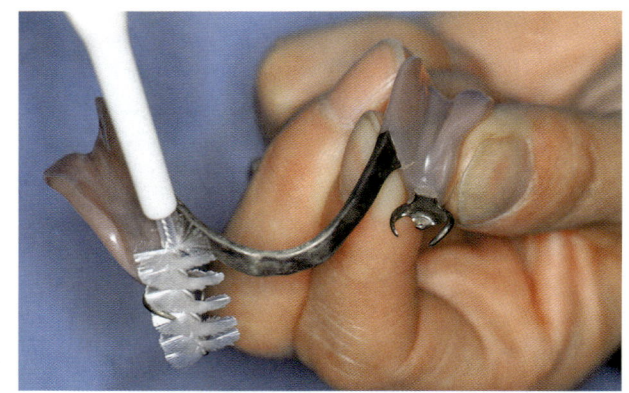

図11 クラスプ義歯の場合
　　クラスプの内面はクラスプ用ブラシや欠損歯列用歯ブラシを使用すると良い。

（4）インプラント義歯のプラークコントロール

　固定性あるいは術者可撤性のインプラント義歯の場合は、基本的には固定性義歯に準じ、口腔内でのブラッシングを中心としたプラークコントロールが重要である。
　患者可撤性インプラント義歯はアタッチメントを支台装置としたオーバーデンチャーの設計であるから、プラークコントロールもそれに準ずる。

（阿部　實）

第7章 要介護者

目標：要介護者の口腔ケアへの理解とその技術を学ぶ

要介護者は、重い障害を多岐にわたりかかえていることがあるため、う蝕に関心が払われることが少なく、う蝕に対する対処はいつでも後まわしである。要介護者の口腔ケアは、技術が特殊であるとして一般には理解されてこなかった。しかし、今、消化管の入り口であり、摂食・嚥下の要である口腔を健康に保つことの重要性は、障害を持つがゆえに大きいと認識されている。健全な口腔を獲得することは、人が尊厳に満ちた人生を送ることに大きく貢献する。

1. 要介護者とは

日常生活になんらかの助けが必要な状態を「要介護状態」といい、その状態にある者を「要介護者」という。2000年4月に介護保険が施行された後は、要介護認定を受けて要介護状態と認定された者を要介護者ということが多い。要介護状態にある65歳以上の者を「要介護高齢者」と呼ぶ。

介護保険においては、要介護状態を5段階に分け、軽度の要介護1から最重度の要介護5に分類する。また、要介護状態より軽度の状態を「要支援状態」とし、要支援者を要支援1と要支援2の2段階に分類する（表1）。

表1 要介護度等の分類と状態の例

分類	要介護度	介護の必要度	状態の例
要支援	要支援1	社会的支援 介護予防	ある程度の自立した生活 自立度を高める支援が必要 心身の機能の維持向上が望ましい
	要支援2		
要介護	要介護1	部分的介護	立ち上がりや歩行が不安定 日常生活に見守りが必要
	要介護2	軽度の介護	立ち上がりや歩行に支えが必要 物忘れや無関心あり
	要介護3	中等度の介護	入浴や排泄が自力では困難 認知の問題あり
	要介護4	重度の介護	立ち上がりや歩行が困難 生活全般の介護が必要
	要介護5	最重度の介護	自力で食事や排泄ができない 寝たきり状態

厚生労働省による平成18年度介護給付費実態調査結果では、介護保険サービスの年間累計受給者数は4298万人で、そのうち介護予防サービス受給者数は476万人、介護サービス受給者数は3824万人となっている。

2．要介護者と歯科治療

1）ある症例から

在宅要介護状態の高齢者の口腔内を示す（図1）。患者は81歳男性で脳梗塞の既往がある。下肢に麻痺はあるが、認知機能は問題なくコミュニケーションも良好である。現在、歩行は困難であるが、食事・排泄・入浴などは助けがあれば行える状態である。残存歯の冷水痛の訴えがあり、歯科訪問診療にて対応することとした。

口腔内所見から知ることができるのは、第一に多数歯の根面う蝕、第二に機能歯の歯頸部からの破折である。しかし、特徴的なのはう窩を除いた部位のプラークコントロール状況である。つまり、現在のセルフケアによるプラークコントロールは良好であるという点がこの症例に特徴的である。ここに要介護者における歯科的問題点が内包されている。

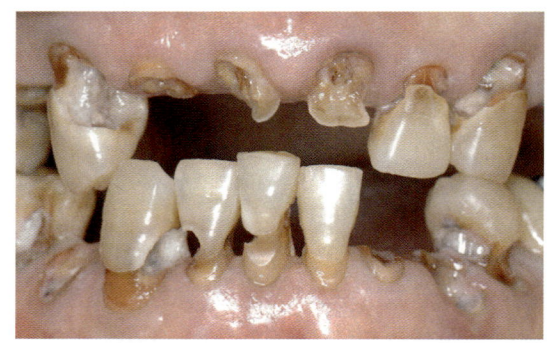

図1　在宅要介護状態の高齢者の口腔内（81歳、男性）

2）治療とケアの中断

この症例では脳梗塞発症により意識障害があった期間にプラークコントロールが行えず、結果的に多発性のう蝕に罹患した。回復期に入り、本人によるブラッシングが再開した後も根面う蝕への対応が行われなかったために、う蝕の進行と歯頸部からの歯冠破折を惹起した。ここで考えなければならないのはケアの中断と歯科医療サービスへのアクセスの困難さである。要介護者のケアの継続と再開、介護と歯科医療サービスの連携の問題がここにある。

在宅の要介護者に対する訪問調査結果[1]によると、歯科治療の中断を経験した者が42.9％にものぼり、その中断期間は平均6.7年、最長21年間であった。ケアの再開と、ケアの環境作りのための歯科治療のバランスをとることが歯を守り、口腔機能を維持向上させる基盤になる。

要介護者に対するう蝕の予防と治療、そしてサポーティブ・ケアは、一言で表現すると介入を考慮しなければ成立しないということになる。

3）介入の考え方

機能障害に対してWHOではICF（international classification of functioning, disability and health：2001）の考え方を導入している[2]（図2）。要介護者のケアと治療もこの考え方に則って考えることができる。障害部分だけに注目するのではなく、環境因子および個人因子の相互関係のなかで広い視野で捉えようとする試みである。

ICFは生活機能と障害について"心身機能・身体構造""活動""参加"の3要素に加え、影響因子として、環境因子と個人因子を挙げている。これまでのWHO国際障害分類（ICIDH）が身体機能の障害による生活機能の障害（社会的不利）を分

類するという考え方中心であったのに対し、ICFは各要素の相互的かつ総合的な捉え方を導入している。このような考え方は、要介護者や障害者はもとより、全国民の保健・医療・福祉サービスのあり方の方向性を示唆していると考えられる。機能の低下した部分（例えば利き手の麻痺によるセルフケア困難例）を補う方法を一律のケアで補うのではなく、個人の状況に合わせて個別に補う個別のケアが求められている。残存機能を活かすため、洗面所をユニバーサルデザインに改修して洗面所までは自分で移動し、グリップを改造した歯ブラシで届く範囲のブラッシングは自分で行い、磨き残しは介助で仕上げ磨きを行う、といった具体的ケアプランの基盤になる概念である。

また、患者－歯科医師の関係は、患者の訴えにより成立するとする一般的な理論では要介護者との関係は生まれない場合がある。相手が話すことも、痛みを表現することも、時には感じることすらできない場合があるからである。歯科医学的な立場から、時には積極的に対応しなければならない場合がある。これを介入と呼ぶ。我々の対応は治療も診査も処方もすべて介入である。

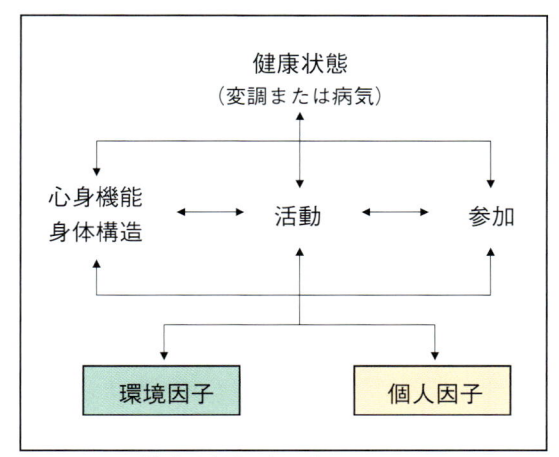

図2　ICFの構成要素間の相互作用

4）診療方針の立案：患者の持つ「条件」の加味

自分で症状を訴えることができない患者やセルフケアが困難な後遺障害を持った要介護者に対する歯科医学的な対応を考える基本は介入にある。しかし、どこまで何を介入するのか個々の症例により対応は異なる。

介入の程度を決定するためには、患者の持つ条件を個別に把握して対応することが必要である。この考え方の中心になるのが診療の流れの中での診療方針の立案と呼ばれる段階である。診療方針は従来の治療方針よりも広い範囲を検討するところに特徴がある。要介護者の有する条件は複雑で多岐にわたるために、全身的・環境面の問題だけを検討しても歯科的な病状や状態を改善することが困難なためである。一般的な治療方針の立案方法では、診査・診断により一対一に治療が決まる。しかし、患者の持つ条件を加味すると「診断＝治療」でない場合がある。

例えば、歯髄に達するう蝕では、歯髄の保存が困難と診断される。しかし、不整脈の状態から浸潤麻酔を避けなければならないこともある。その場合、麻酔抜髄という治療法の選択はできない。つまり、一般論は通用せず「診断≠治療」となる。この例では診療方針としては、優先順位が高いのは循環器の状態である。歯科的対応の決定の前段階で抜髄や抜歯は避けるとの方針が決まることで、安全で確実な歯科診療を構築することが可能になる。

5）歯科訪問診療

要介護者の多くは歯科医療機関へ通院することが困難な条件を有する。この通院困難という条件を加味してどのような診療形態で対応していくかを検討するのも診療方針の立案の段階で行う。すなわち搬送による外来での診療形態か、入院による病棟管理が必要か、そして訪問により対応するかどうかを検討する。

ここで概念として重要なのが「往診」と「訪問診療」の違い[3]である（表2）。一時的な通院困難に対応するので

表2　往診と訪問診療の相違点

往診	訪問診療
依頼時のみ訪問	長期的な医療計画のもとに訪問
外来診療の延長線上	外来・入院とは異なる診療形態

あれば往診は有効で、歯科においても古くから「かかりつけ歯科」の機能として実施されてきた。しかし、高齢化と疾病構造の変化から、長期的な通院困難者が増加してきたために往診では十分に対応できなくなってきている。

長期的な診療計画を特徴とする訪問診療は、往診よりも積極的に要介護者に歯科医療サービスを届けようとするものである。時代の要請は歯科訪問診療にあるといえる。

診療方針の立案段階で、歯科訪問診療として対応するか往診で対応するかを考慮することが要介護者の診療を考える上で有効な手段である。診療の短期的・中期的・長期的目標を設定する場合にも訪問診療と往診ではその内容が違ってくるので、あらかじめ明確にして診療方針の立案を行う。

要介護者のう蝕では、う蝕に関していえば往診で対応する場合、修復処置で終了する。しかし、歯科訪問診療で対応すると処置の後に口腔ケアプランの再考や継続的な管理、積極的なケア介入、摂食嚥下機能の維持・向上・リハビリテーションなども含まれてくる。

6）歯科訪問診療の適応

食や栄養をサポートする視点で考えれば、歯科治療とケア、そしてリハビリテーションは生活の場で実施されるほうが効果的である。

家族の介助による搬送により外来診療で対応したとしても、実際に調整した義歯で噛めているのか、送り込みや嚥下は大丈夫なのかといった評価は外来では十分には行えない。歯科訪問診療は、患者の生活の中で行われる診療であるので、外来診療にはない利点が多く存在する。日常生活の中でこそ、歯科診療の結果は評価されるものである。食事時間中の訪問などはその代表例である。食事しながらの義歯の評価や摂食嚥下の機能評価、食後の清掃風景の観察と指導など患者の生活に密着した仕事ができる。ケアを考える場合に洗面所までの距離や段差の有無、洗面台の高さなどを知らずに口腔衛生指導などは効果的に行えない。

3．要介護者とう蝕リスク

ヒトは加齢と共にライフサイクルに個人差が生じるようになり、それは次第に大きくなり、結果的に個々の人生を歩むことになる。同時に生じる各種リスクも加齢と共に増加し、またその個人差も大きくなる。

病気をすること、障害を持つこと、そして死ぬことのリスクも加齢と共に増加するが、これらリスクすべてを軽減するのは不可能であるとの理解がライフステージ最終段階にある高齢者への対応には必要である。本邦における65歳以上の死亡者の平均寝たきり期間が8.5か月である[4]という数字は要介護状態と誰もが無関係でない事実を表している。そして何より、ヒトはいつか必ず死ぬのである。

ここでは加齢に伴って増加するう蝕に対するリスクを考える。リスクとは、ヒトが何かを行った場合にその行為に伴って生じる危険を意味するが[5]、要介護者のう蝕もリスクの問題として考えることができる。

要介護者のう蝕リスクには、加齢を代表とする自然リスク、歯の切削や抜歯、義歯装着といった人為的リスク、そして環境リスクが考えられる。なかでも環境リスクとしてのセルフケア障害のリスクが最大のリスクである。

1）自然リスク

（1）歯肉退縮
　経時的な歯肉の退縮は根面う蝕のリスクを高め、結果として歯質の脆弱化を招いて歯冠破折のリスクが高まる。歯冠破折は歯列の連続性を崩し、最終的には咬合崩壊へとつながる。咬合位の保持を失い、すれ違い咬合のリスクにもつながる。

（2）咬耗
　経時的な咬耗は壮年期以降のリスク因子として重要である。辺縁隆線の咬耗は食片圧入のリスクを高め、う蝕のリスクを高める。咬耗による咬合小面の拡大は歯への側方力を増強させ、歯冠破折そして歯根破折のリスクを高める。
　全身疾患によるブラキシズムや不随意運動による咬耗の進行はリスク増強因子である。

2）人為的リスク

（1）歯の切削
　歯の切削、特にエナメル質の切削は人為的なう蝕リスクである。形態・強度のいずれも大きく損なわれることになる切削は最小限度にしてリスクを軽減しなければならない。

（2）抜歯
　抜歯による残存歯や咬合の変化は中・長期的な人為的う蝕リスクである。すなわち、隣在歯の傾斜や対合歯の挺出は歯列の不連続化を惹起して接触点の変化をもたらし、食片圧入や不潔域の増大によりう蝕リスクが高まる。

（3）修復物・補綴物
　歯科治療としての修復物や補綴物も人為的う蝕リスクになる。自然物と人工物の境界では常にリスクが発生する。

3）環境リスク

（1）セルフケア障害
　要介護者における最大のう蝕リスクである。利き手の麻痺、口腔領域の知覚低下、認知症、意識障害によるセルフケアの中断や歯科への通院困難など、自立度が低下した場合のう蝕リスクは計り知れなく大きい。このリスクを完全に克服する方法はまだ見つかっていないが、介入の程度から口腔ケアを分類する方法も考案されて実施されている[6]。

（2）全身状態に起因するリスク
　う蝕のリスクは全身状態に大きく左右される。シェーグレン症候群や放射線治療によるう蝕リスクに加え、糖尿病や腎疾患、抑うつやストレスなどに起因するリスクがある。さらに二次的な口腔機能の低下によるう蝕のリスクも考慮する必要がある。口腔機能の低下は口腔乾燥状態の原因になることがあり、舌や口腔周囲筋の活

性が低下するために唾液が減少し、口唇閉鎖が困難になる。結果として介助による口腔ケアも難しくなってゆく。これはリスクがリスクを増悪させる一例である。

保湿ケアにより、この悪循環を断ち切り、口腔機能を向上させると共に、口腔衛生を確保する手法が開発されている[7]。口腔ケア専用の湿潤剤も開発され発売されている[8]。

(3) 通院条件

通院条件が悪くなるのは二次的なう蝕リスクである。早期発見・早期治療が困難になり放置されやすくなる。口腔内の崩壊は口腔機能を低下させて摂食嚥下機能に影響を与え、全身状態を悪化させるという悪循環を生む。

往診だけでなく、患者の状態によって訪問診療を導入することが必要になる。

4. 要介護者のう蝕の診断と治療

1) 基本原則

う蝕に限らず、要介護者への歯科医学的対応は一般患者への対応と異なる部分がある。要介護状態にある者の多くが麻痺などで痛みを感じることができない、もしくは痛みを訴えられない状態にある。すなわち訴えがないことが歯科的問題点のないことにはならない。歯科医学的な根拠をもとに介入することが求められる場合がある。

2) 診療環境の構築

在宅や介護施設における診療は、まず診療環境の構築からはじめなければならない。訪問診療と外来診療で最も異なるのが診療環境の構築方法である。あらかじめ診療環境が整備されている中に患者を誘導する外来診療室と異なり、患者の生活環境の中に診療環境を構築することが歯科訪問診療の基本である。特に術野の確保と衛生レベルの確保が重要である。

術野確保には、寝ている状態や車椅子に座っている場合が多い患者と、歯科医師・歯科衛生士の位置関係の決定と衛生的環境の確保、そして重要なのが照明の確保である。近年のミーティング技術の進歩は、歯科診療にも応用されるようになってきている。

衛生レベルに関しては、外来診療室よりも一段階低い衛生レベルであることを念頭において診療環境を構築する。

留意点としての動線には、人の動線と器材の動線がある。訪問診療においては外来診療におけるフォーハンドシステムを実行するのは困難であり、人の動線は症例ごとに変更が必要になる。器材の動線も一律に制御するのは困難で清潔・感染対策において診療補助者の負担が大きいが、スタンダードプレコーション（標準予防策）[9]の導入を図り、使用済みの器材はOne wayで扱い、汚染の拡大を防止する。

3) う蝕の診査

定期的な口腔内診査を継続できることが望ましいが、歯科的ニーズが把握できない状態での歯科訪問診療は難しい場合がある。特に在宅要介護高齢者の場合にはう蝕の発見が遅れる傾向が強い。施設利用者の場合には入居時の口腔内診査と年1回

から2回程度の定期健診が必須である。ちなみに特別養護老人ホームには嘱託歯科もしくは協力歯科が義務化されており、施設のかかりつけ歯科の役割が期待されている。

要介護者の口腔ケアを担当する家族、ワーカー、看護師には十分な歯科的知識を伝え、日常的な観察から早期の発見につなげる努力が必要である。

4）う蝕の診断（処置方針）

要介護者のう蝕の診断で特に重要なのが「活動性う蝕」と「非活動性う蝕」の鑑別である。活動性う蝕、すなわち新しく発見された進行性のう蝕は進行の抑制と形態の回復目的で速やかに処置の対象とする。一方、進行の認められない非活動性う蝕は観察を続け、積極的な歯質の切削は避けることを選択する。経過観察と呼ばれるが、経過観察は放置になってはいけない。すなわち、非活動う蝕と診断し、経過観察を選択した場合にはかならず定期的な専門家による確認が必要である。定期的な訪問が困難と予測される場合には、積極的な予防管理と共に、戦略的な充填処置が求められる場合もある。

全身状態の変化、特に悪化した時期にう蝕が急速に活動性を有する例を多く経験する。唾液の減少や抗菌薬の減少、全身的な抵抗力の減弱などが原因と考えられているが、急速に進行するう蝕の進行を止められないことがある。全身的な変化の予測される症例、特にターミナルステージの場合には経過観察の方針は慎重に選ぶ必要がある。

5）材料の選択

う蝕の処置の基本は直接修復であるが、使用する材料に検討が必要なことがある。具体的には光重合型コンポジットレジン（CR）かグラスアイオノマーセメント（GI）かの選択が問題になる。

この2種の材料は特徴が大きく異なるので、その利点を活かせる選択が求められる。CRは歯質への強い接着と審美性が最大の利点であるので、術野の確保が確実に得られる場合や審美的要求の高い部位の処置に選ぶことが多い。一方、GIはフッ素の放出が期待できることと、歯肉縁下の浸出液や血液の存在に比較的強いという利点がある。

要介護者のう蝕処置に歯科訪問診療で用いる充填材料は圧倒的にGIの比率が高い。口腔環境やケアの状況に対応でき、多数歯に対応する場合にも利点が多い。ただし、歯質への接着に関してはCRに劣るので、歯冠および歯根破折のリスクが若干高い。暫間充填としてGIで形態回復を行い、縁上マージンの確保や歯周組織の改善などの条件が整った後にCR充填で最終修復する術式も開発されており推奨される。

歯肉縁下根面う蝕の充填処置に用いる成形充填材料の具備すべき要件は、①象牙質への接着性を有すること、②術野の環境が完全でなくともある程度の性能を発揮できること、③充填・成形操作が簡便で特別な器材を必要としないこと、④硬化後の強度が十分にあること、⑤ある程度の審美性を有することなどで、これに歯質の再石灰化作用や抗菌性があればさらに望ましい。

6）治療（根面う蝕）

ここでは高齢者に多い歯肉縁下う蝕の治療例の詳細を解説する[10]。要介護者のう蝕治療でもその頻度が最も高い術式である。

➡ 第Ⅱ部第5章69ページ

（1）根面う蝕の問題点

根面う蝕を取り巻く全身的・環境面の問題点は、根面う蝕が高齢者に多い病態であることと関連が深い（欄外）。局所的な問題点をみても術野の確保、浸出液や出血への対応など診療条件を整えるのは困難である。歯周疾患の罹患率を考えても、アタッチメントロスに伴って増加する根面う蝕のリスクは避け難い。

（2）縁下根面う蝕への処置方針

根面う蝕の種々の問題を解決するための仮説が「形態を改善することで（局所の）環境を改善することができ、治癒に導く」というものである。形態は環境であり、環境を改善することで自己治癒能力を賦活化させるという口腔内科的ともいえるアプローチが今後の歯科医療に必須になることは間違いない。これにはプラークコントロールを容易にし、確保することが歯周治療の基本であることも理論的背景にある。

歯肉縁下根面う蝕は、成形充填材料による処置が一般的であるが、充填の環境（術野）を確保することが難しい。つまりラバーダム防湿も簡易防湿も行い難く、術野の防湿が困難であることから接着性レジンを選択しにくい（接着性レジンは歯質との接着に求められる条件が極めて厳しいため）。しかも、全身的条件から浸潤麻酔や歯肉切除を避けつつ処置を進めるという要求があるとなると、既存の術式では対応できないことになる。

そのような場合に暫間充填という考え方を導入する。局所の条件を改善して、段階的に質の高い処置につなげていくのである。

（3）術式（図3～8）[10]

7）サポーティブ・ケア

歯科治療後の管理をサポーティブ・ケア、もしくはサポーティブ・セラピーと呼ぶようになってきた。かつてのメインテナンスという言葉が、その内容を正確に表現していない点と、そもそも機械に対して用いる用語であった点への反省がその理由であろう。ただし、インプラントに対しては現在もメインテナンスという用語を用いる。

医療行為としての治療で要介護者のう蝕への対応が終わるわけではない。う蝕再発の防止、日常的なプラークコントロールの確保など、治療後にはじまる仕事も多い。現在では治療後のケアは介護領域に属する仕事であると考えられることが多く、特に在宅の要介護者の場合には治療に継続したケアを介護保険の居宅サービスの一つである「居宅療養管理指導」で維持管理することになっている。要介護者のう蝕問題は、二つの制度に関わる問題である。その具体的な内容は口腔ケアと総称されるが、その詳細を次項で解説する。

●全身的問題点
・浸潤麻酔を避けたい
・外科的処置を避けたい

●環境的問題点
・プラークコントロール
・通院条件

➡ 第Ⅱ部第5章69ページ

●二つの制度
医療保険と介護保険、この二つの制度が若干の重複をもちながら連携をとることで要介護者のう蝕リスクを軽減することができる。制度上の優先順位は介護保険が高位であるので、在宅での介護保険受給者は重複部分にあるサポーティブケアもしくは口腔ケアは介護保険で提供されることになる。介護施設利用者もしくは非高齢者は医療保険の範囲で衛生指導が行われる。

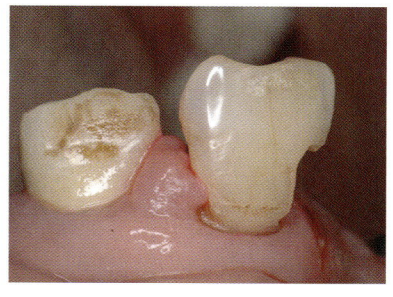

第 7 章　要介護者

図3　処置前の|1。近遠心にう蝕が認められ、遠心う蝕に歯肉息肉が大きく入り込んでいる。

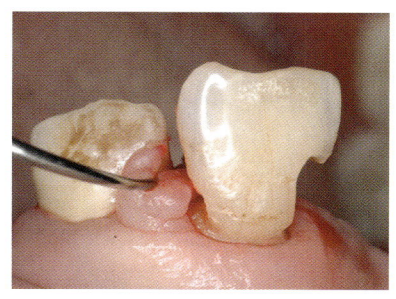

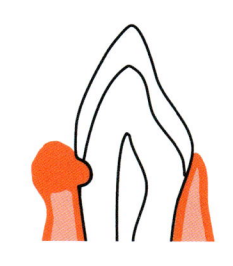

歯肉息肉は炎症反応性の増殖である。

図4　歯肉息肉を圧排してう窩の診査をしている様子。軟化象牙質の除去は、鋭利なスプーンエキスカベータが適する。

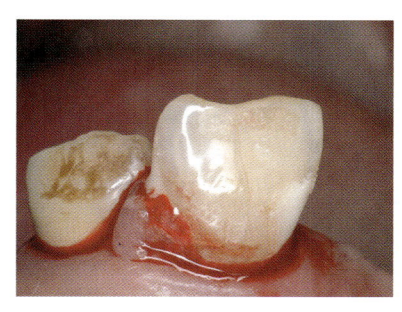

息肉を圧排して軟化象牙質の除去を確認する。エアーブローにて血液や浸出液を飛ばしながら行う。

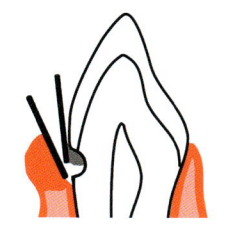

図5　出血や浸出液を過充填によりう窩より排出させる。

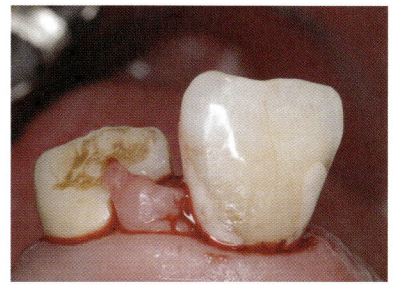

息肉を圧排しながらの充填。標準粉液比よりもわずかに硬めに練和し、窩洞上から充填を行う。

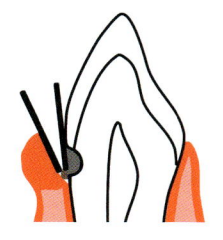

グラスアイオノマーセメントは吸水により物性が劣化するので、感水層はう窩の外に圧出させ、う窩を満たしている充填材は感水させないようにする。

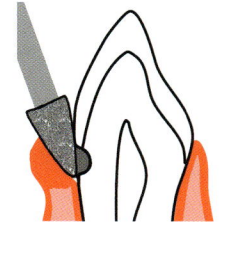

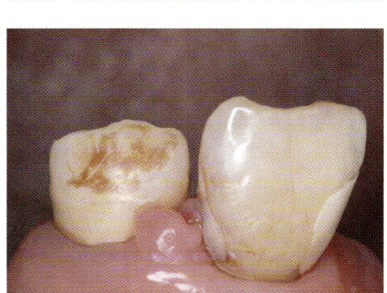

図6　充填し研磨した直後。感水層は研磨で除去され、表面は正常硬化層となる。

感水層はホワイトポイントにて除去されるので硬度差として判別できる。

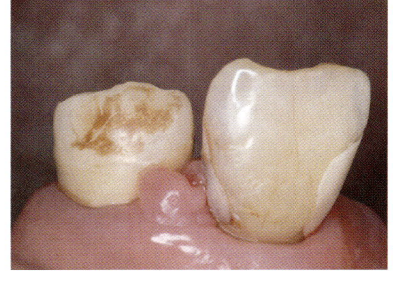

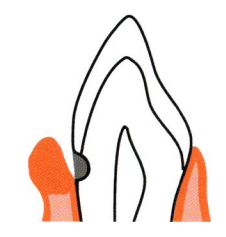

図7　暫間充填1週間後。息肉は消退傾向にある。歯肉の退縮した部分は縁上のマージンが確認できる。

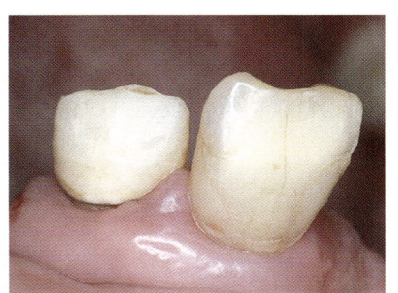

歯の形態を回復することでブラッシングも可能になり、治癒する環境が整う。

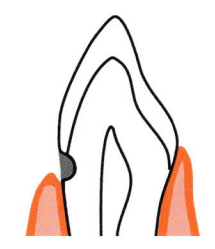

図8　縁上マージンが確保された後、コンポジットレジンで最終修復。3か月後には息肉も消失した。

プラークコントロール可能な環境を創ることを、形態改善から試みる術式である。

※図3〜8は、術者の視点から見たもの

5. 要介護者と口腔ケア

　要介護者の有するう蝕のリスクのうち、大きな比重を占めるのがプラークコントロールにおけるセルフケア自立度の低下である。対応は前述した「介入の考え方」により介助によるケアを行うが、欠けた機能を欠けた部分だけ補うためのシステムはまだ十分に開発されていない。必要とされるのは口腔ケアのアセスメント（問題点の発見）とケアプラン。そしてケアプラン実施のための道具と技術である。

1）口腔ケアの3領域

　介助による口腔衛生を一般に口腔ケアと呼んでいる。本章では口腔ケアを三つの領域に分類したうえで、介助によるケアを構築する。
　口腔ケアを三つの領域に分類すると、以下のようになる。
　①口腔衛生：狭義の口腔ケア
　②口腔機能：咀嚼、嚥下、発音を中心とした機能
　③口腔環境：口腔環境の維持・改善。たとえば口腔乾燥の改善

2）アセスメント

　口腔ケアの手法の1例として「介入レベル別口腔ケア」を紹介する。本法は口腔ケア介入の分類で、介入の程度を三つのグループに分けて考える方法である。これは一律のケアから一歩前進させる個別のケアの入り口になる[6]。概略を表に示す（表3）。

表3　口腔ケアの介入レベルと口腔ケア用具・工夫

介入レベル	状態	使用する用具・工夫
軽度	ほぼ自立	既存用具の改造・指導 補助清掃用具の指導 声かけ
中等度	部分介助	介助用ブラシの使用 仕上げ磨き（確認） 義歯清掃・保管
高度	全介助	スポンジ・ブラシ 給水・吸引ブラシ 口腔湿潤剤

> 口腔ケアという用語は特に介護および看護の現場で浸透し、多用されるようになった。しかし、用語としての口腔ケアは、あまりにも広い概念を含んでおり、その内容のあいまいさと実行する職種による差から、用語の見直しと再定義が必要とも考えられている。
> 　語源は Oral Health Care で、予防から治療をも含んだ広い概念を示す用語である。基本は口腔衛生であるが、近年では口腔機能が含まれるようになり、口腔衛生と口腔機能の基盤となる口腔環境の構築までも含む考えが出てきている[8]。

（1）軽度介入による口腔ケア

　口腔ケアの自立度が比較的高く、セルフケアが一部可能な場合には口腔ケア介入は最小限に抑える。通常の歯ブラシでは不十分な場合は歯間ブラシやデンタルフロス等の補助的清掃用具を指導する。リウマチや麻痺によるブラシ保持に問題がある場合には、柄の改造により自力清掃を支援することも軽度介入である。認知症や記憶に障害があるような例では、声かけだけで口腔ケアが可能になる場合もある。
　軽度介入の場合は、いずれも自立支援の要素が強く、衛生に対するアプローチが主体になる。そして衛生をサポートする環境も介入ポイントになってくる。

（2）中等度介入による口腔ケア

　口腔ケアの自立度がさらに低下している場合には、中等度の介入が必要になる。衛生に対する中等度介入は、この段階から直接介入、すなわち介助による清掃が必要になる。

中等度介入はプランニング段階で介入期間も検討する。つまり、対象者のライフステージが回復期であるのか、維持期なのか、終末期に向かう場合なのかによって目標期間が変わる。求められているのはライフサイクルを加味した介入プランである。

機能への介入も中等度介入の口腔ケアの重要項目である。そして機能を支える環境創りがここでのポイントになる。衛生も機能も環境が整わなければ提供することができない。口腔ケアの介入を行う場合には、三要素すなわち環境、衛生、機能をバランスよく継続的に提供できるプランニングが必要になる。患者が義歯を装着している場合は、義歯の管理も介入項目になる。

(3) 高度介入による口腔ケア

口腔ケアに全介助のケアが必要な状態の場合は、高度介入による口腔ケアが必要になる。衛生、機能の全介助サポートはもちろん、環境を含めたすべてに積極的な介入が必要になる。高度介入が必要な対象者の多くは意識障害を伴い、口腔機能が極めて低下している状態なので、最初に環境の改善を行い、その上で衛生と機能に対するアプローチを行うとよい。

まず環境面では口腔乾燥の有無が第一関門である。口腔乾燥を放置していては良いケアは構築できない。口腔機能の低下による唾液流出量の低下、開口状態の持続や呼吸管理による条件など、口腔環境は悪化している。それが最も顕著に表現されるのが口腔乾燥状態である。まず、環境を整え維持することに取り組む。

衛生と機能には介助用の用具や機器も必要になる。多くの対象者が意識障害を伴うような状態で、口腔機能が低下しているので、清掃に加えて保湿やマッサージなどの介入が求められる。咽頭に水を落下流入させない方法としては、口腔湿潤剤を応用したブラッシングの他、給水機能に加え吸引機能がついた介助用ブラシを用いる方法もある。

3) プランニング

口腔ケアを行う、という場合には、対象と目的が明確になっていなければならない。例えば、口腔衛生状態の改善や口腔乾燥を改善して口腔環境を整えることなどである。

多職種連携の場合には、この条件に「実行者」を追加し明確にすると、「ケアワーカーによる残存歯のブラッシングによる口腔衛生状態の改善と、看護師による口腔湿潤剤を用いた口腔乾燥の改善による口腔環境の確保の後、看護師と歯科衛生士による口腔周囲筋のマッサージによる口腔機能の向上」といったケアプランになる。複雑な口腔ケアは、ここまできちんと表現しないと正確な内容にならない。

(菅　武雄)

第Ⅱ部　文献

第1章　歯の萌出前（飯島洋一、北村雅保）p.p.22-27

1) 眞木吉信：唾液中細菌叢の年齢的推移に関する生態学的研究．口腔衛生会誌 35：361-377，1985．
2) Caufield P.W., Cutter G.R. and Dasanayake A.P.: Initial acquisition of mutans streptococci by infants: evidence for a discrete window of infectivity. J Dent Res 72: 37-45, 1993.
3) Alaluusua S. and Renkonen O.V.: *Streptococcus mutans* establishment and dental caries experience in children from 2 to 4 years old. Scand J Dent Res 91: 453-457, 1983.
4) Li Y., Caufield P.W., Dasanayake A.P., Wiener H.W. and Vermund S.H.: Mode of delivery and other maternal factors influence the acquisition of *Streptococcus mutans* in infants. J Dent Res 84: 806-811, 2005.
5) Okada M., Soda Y., Hayashi F., Doi T., Suzuki J., Miura K. and Kozai K.: Longitudinal study of dental caries incidence associated with *Streptococcus mutans* and *Streptococcus sobrinus* in pre-school children. J Med Microbiol 54: 661-665, 2005.
6) 北村雅保，飯島洋一，川崎浩二，林田秀明，古堅麗子，福本恵美子，福田英輝，川下由美子，原口尚久，齋藤俊行：1歳6か月児および3歳児健康診査におけるう蝕原性細菌の検出と関連要因─長崎県全国成人歯科保健調査より─．口腔衛生会誌 56：514，2006．
7) Kozai K., Nakayama R., Tedjosasongko U., Kuwahara S., Suzuki J., Okada M. and Nagasaka N.: Intrafamilial distribution of mutans streptococci in Japanese families and possibility of father-to-child transmission. Microbiol Immunol 43: 99-106, 1999.
8) Wright J.T., Cutter G.R., Dasanayake A.P., Stiles H.M. and Caufield P.W.: Effect of conventional dental restorative treatment on bacteria in saliva. Community Dent Oral Epidemiol 20: 138-143, 1992.
9) Köhler B. and Andréen I.: Influence of caries-preventive measures in mothers on cariogenic bacteria and caries experience in their children. Arch Oral Biol 39: 907-911, 1994.
10) Isokangas P., Söerling E., Pienihäkkinen K. and Alanen P.: Occurrence of dental decay in children after maternal consumption of xylitol chewing gum, a follow-up from 0 to 5 years of age. J Dent Res 79: 1885-1889, 2000.
11) Hugoson A.: Salivary secretion in pregnancy. A longitudinal study of flow rate, total protein, sodium, potassium and calcium concentration in parotid saliva from preganant women. Acta Odontol Scand 30: 49-66, 1972.
12) Laine M., Tenovuo J., Lehtonen O.P., Ojanotko-Harri A., Vilja P. and Tuohimaa P.: Pregnancy-related changes in human whole saliva. Arch Oral Biol 33: 913-917, 1988.
13) Jensen M.E. and Kohout F.: The effect of a fluoridated dentifrice on root and coronal caries in an older adult population. J Am Dent Assoc 117: 829-832, 1988.
14) Jenkins G.N.: Recent changes in dental caries. Br Med J 291: 1297-1298, 1985.
15) 北村雅保，福本恵美子，古堅麗子，林田秀明，川崎浩二，飯島洋一，新庄文明：歯科診療室における長期予防管理下の小児の永久歯う蝕発病要因について．口腔衛生会誌 55：625，2005．
16) Sjögren K., Birkhed D. and Rangmar B.: Effect of a modified toothpaste technique on approximal caries in preschool children. Caries Res 29: 435-441, 1995.
17) 今井光枝，眞木吉信，藤平弘子，高宮勝代：フッ化物を応用したフロッシングによる齲蝕予防．デンタルハイジーン 15: 857-862，1995．
18) Jenkins G.N.: The physiology and biochemistry of the mouth (4th ed). 305, Blackwell Science, UK, 1978.
19) Mäkinen K.K., Saag M., Isotupa K.P., Olak J., Nõmmela R., Söderling E. and Mäkinen P.-L.: Similarity of the effects of erythritol and xylitol on some risk factors of dental caries. Caries Res 39: 207-215, 2005.
20) 北村雅保，眞木吉信：フィンランドの歯科保健医療─12歳児のDMFT指数1.2の背景─．The Quintessence 11: 2094-2101，1992．
21) 奥田克爾：デンタルプラーク細菌─命さえ狙うミクロの世界─（第2版）．123，医歯薬出版，東京，1999．
22) Lindow S.W., Nixon C., Hill N. and Pullan A.M.: The incidence of maternal dental treatment during pregnancy. J Obstet Gynaecol 19: 130-131, 1999.
23) Al Habashneh R., Guthmiller J.M., Levy S., Johnson G.K., Squier C., Dawson D.V. and Fang Q.: Factors related to utilization of dental services during pregnancy. J Clin Periodontol 32: 815-821, 2005.
24) 厚生労働省健康局総務課生活習慣病対策室：平成16年国民健康・栄養調査．厚生労働省，2006．(http://www.mhlw.go.jp/houdou/2006/05/h0508-1a.html 2007年12月5日取得)
25) Tyas M.J., Mount G.J., Anusavice K.J. and Frencken J.E.: Minimal intervention dentistry-a review. FDI Commission Project 1-97. Int Dent J 50: 1-12, 2000.
26) 中原澄男：改訂「離乳の基本」について．母子保健 442: 14-16，1996．
27) 金子芳洋 編：食べる機能の障害（第1版）．40-42，医歯薬出版，東京，1987．

第2章　幼年期（香西克之）p.p.28-45

1) Caufield, P.W.: Dental caries-a transmissible and infectious disease revisited: a position paper, Pediatric Dentistry 19(8): 491-498, 1997.
2) Tedjosasongko U. and Kozai K.: Initial acquisition of mutans streptococci in children at day nursery. Journal of Dentistry for Children 69(3): 284-288, 2002.
3) Kozai K., Nakayama R., Tedjosasongko U., Kuwahara S., Suzuki J., Okada M. and Nagasaka N.: Intrafamilial distribution of mutans streptococci in Japanese families and possibility of father-to-child transmission. Microbiology and Immunology 43（2）: 99-106, 1999.
4) 日本小児歯科学会編：乳幼児の口と歯の健診ガイド．医歯薬出版，東京，2005．
5) 予防歯科臨床教育協議会編：予防歯科実践ハンドブック．医歯薬出版，東京，2004．
6) 安藤雄一：フッ化物応用のエビデンス．花田信弘編者代表：新しい時代のフッ化物応用と健康─8020達成をめざして─．10-19、医歯薬出版，2002．
7) Weiss M.E. and Trithart A.H.: Between-meal eating habits and dental caries experience in preschool children. Am J Pub Health 50: 1097-1104, 1960.
8) 西村　康，内村　登，檜垣旺夫：食生活の変遷とう蝕．歯科ジャーナル 18：51-62，1983．
9) Stephan R.M.: Changes in hydrogen-ion concentration on tooth surfaces and in caries lesion. JADA 27: 718-723, 1970.

10) 赤坂守人，宮沢裕夫，井上 悟 他：集団保育児（乳児院児）のう蝕罹患と保育環境について．日本歯科評論 406：202-208，1976.
11) 香西克之，桑原さつき，中山隆介，長坂信夫：幼稚園・保育園児の食習慣・歯口清掃習慣に関する研究．小児歯誌 34: 78-90，1996.
12) 香西克之，長坂信夫：スポーツドリンクとう蝕．デンタルダイアモンド 24：66-71，1999.
13) 柘植紳平：初期う蝕の診断と治療方針．小松久憲 編：初期う蝕のマネージメント―う蝕を進行させないために．26-41，クインテッセンス出版，2004.
14) 田上順次，花田信弘，飯島洋一 他：「内科的う蝕治療」への転換に向け．日本歯科評論 65（6）：47-88，2005.
15) 飯島洋一：Section 5-8 初期う蝕（エナメル質う蝕）に対する治療法．予防歯科臨床教育協議会 編：予防歯科実践ハンドブック．102-103，医歯薬出版，東京，2004.
16) 森岡俊夫：レーザーによるエナメル質への耐酸性付与．歯科用レーザー・21世紀の展望 パート1（別冊クインテッセンス），34-35，クインテッセンス出版，東京，2001.

第3章　学齢期
1～4（品田佳世子、川口陽子）p.p.46-54
1) 熊谷　崇 編著：クリニカルカリオロジー．医歯薬出版，東京，1996.
2) 厚生労働省：フッ化物洗口ガイドライン．東京，2003.
3) 予防歯科臨床教育協議会 編：予防歯科実践ハンドブック．100-101，医歯薬出版，東京，2004.
4) 花田信弘 編：抗菌薬・殺菌薬とフッ化物（デンタルハイジーン別冊）．35-42，医歯薬出版，東京，2005.
5) 荒川浩久 監修：プラークコントロールのためのホームケア指導．クインテッセンス出版，東京，2000.
6) 熊谷　崇：これからは Oral Physician が患者利益を提供できる．歯界展望 104（2）：225-231，2004.
7) Reynolds E.C., 日野浦 光：CPP-ACP（リカルデント）によりエナメル質の再石灰化を促す新技術．歯界展望 104（6）：1129-1141，2004.
8) 葛西一貴，亀田　晃，川本達雄，後藤滋巳，相馬邦道，丹羽金一郎 編：歯科矯正学（第4版）．249-254，医歯薬出版，東京，2001.
9) 中垣晴男：「学校保健とCO（要観察歯）」のその後．東海学校保健 25（1）：3-11，2001.

5　学齢期の6番を守る（柘植紳平）p.p.54-58
1) 森田　学 他：歯科修復物の使用年数に関する疫学調査．口腔衛生会誌 45：788-793，1995.
2) 日本学校歯科医会：初期う蝕の検出基準ならびに要観察歯の基準とその取扱いに関する報告書．1986.
3) Pitts N.B.：Diagnostic and measurements impact on appropriate care. Community Dent Oral Epidemiol 25：24-35, 1997.
4) 柘植紳平：学童の第一大臼歯咬合面における白濁と着色の経年的推移．口腔衛生会誌 49: 348-264，1999.
5) 柘植紳平：臨床に新分野を拓く再石灰化促進療法．日本歯科評論 692：77-86，2000.

第4章　青年期（久保至誠）p.p.59-68
1) 健康日本21企画検討会，健康日本21計画策定検討会：21世紀における国民健康づくり運動（健康日本21）について報告書　6. 歯の健康．厚生省，2000.
2) Caries diagnosis and risk assessment. A review of preventive strategies and management. J Am Dent Assoc 126 Suppl:1S-24S, 1995.
3) 熊谷　崇，熊谷ふじ子，藤木省三，岡　賢二，Brathall D.：クリニカルカリオロジー 第1版．58-59．107，医歯薬出版，東京，1999.
4) 歯科疾患実態調査報告解析検討委員会 編：解説　平成17年歯科疾患実態調査（第1版）．71,74,117，口腔保健協会，東京，2007.
5) Mejàre I., Stenlund H. and Zelezny-Holmlund C.: Caries incidence and lesion progression form adolescence to young adulthood: A prospective 15-year cohort study in Sweden. Caries Res 38: 130-141, 2004.
6) 歯科保健医療研究会 監修：歯科保健関係統計資料－2003年度版（第1版）．27-30，口腔保健協会，東京，2003.
7) Axelsson P.（高江洲義矩 監訳）：う蝕の診断とリスク予測　実践編（第1版）．171-227，クインテッセンス出版，東京，2003.
8) Pitts N.B., Deery C. and Evans D. et al.: Preventing dental caries in children at high caries risk: Targeted prevention of dental caries in the permanent teeth of 6-16 year olds presenting for dental care. A National Clinical Guideline, SIGN publication 47: 14, 2000.
9) Bentley C.D., Leonard R.H. and Crawford J.J.: Effect of whitening agents containing carbamide peroxide on cariogenic bacteria. J Esthet Dent 12: 33-37, 2000.
10) Al-Qunaian T.: The effect of whitening agents on caries susceptibility of human enamel. Oper Dent 30: 265-270, 2005.
11) Hasturk H., Nunn M., Warbington M. and Van Dyke T.E.: Efficacy of a fluoridated hydrogen peroxide-based mouthrinse for the treatment of gingivitis: A randomized clinical trial. J Periodontol 75: 57-65, 2004.

第5章　壮年期（桃井保子、今里　聡、尾崎和美）p.p.69-79
1) 歯科疾患実態調査報告解析検討委員会 編：解説　平成17年歯科疾患実態調査．口腔保健協会，東京，2007.
2) 鳥羽聡子，虫本栄子：循環器疾患患者における口腔健康状態　特に性差について．日本補綴歯科学会雑誌 43（3）：518-528，1999.
3) Yoshikazu O., Sugihara N., Maki Y. et al.：20-50歳日本人成人集団での歯根う蝕の頻度（英語）. The Bulletin of Tokyo Dental College 34(3):107-113, 1993.
4) 埴岡　隆，田中宗雄，小島美樹 他：歯肉退縮と歯頸部摩耗についての疫学的研究　年齢，ブラッシング習慣および喫煙習慣との関連について．口腔衛生学会雑誌 44(2)：202-210，1994.
5) Hoppenbrouwers P.M., Driessens F.C. and Borggreven J.M.: The vulnerability of unexposed human dental roots to demineralization. J Dent Res 65:955-958, 1986.
6) Hoppenbrouwers P.M., Driessens F.C. and Borggreven J.M.: The mineral solubility of human tooth roots. Arch Oral Biol 32: 319-322, 1987.
7) 石川　昭，渡辺　豊，平野直哉 他：抜去歯で観察された根面齲蝕の分布．口腔衛生学会雑誌 40(4) 号：406-407，1990.
8) 石川　昭，山本龍生，渡辺　豊 他：抜去歯でみた根面う蝕の分布．口腔衛生学会雑誌 48(1)：78-84，1998.
9) 中村隆之，須賀昭一：根面齲蝕のマイクロラジオグラフィーによる研究．79(2)：451-472，1991.
10) Nyvad B. and Fejerskov O.: Active root surface caries converted into inactive caries as a response to oral hygiene. Scand J Dent Res 94: 281-284, 1986.

第II部　臨床編

11) フッ化物応用研究会 編：う蝕予防のためのフッ化物歯面塗布実施マニュアル．社会保険研究所，東京，2007.
12) Billings R.J., Brown L.R. and Kaster A.G.: Contemporary treatment strategies for root surface dental caries. Gerodontics 1: 20-27, 1985.
13) フッ化物応用研究会 編：う蝕予防のためのフッ化物配合歯磨剤応用マニュアル．社会保険研究所，東京，2006.
14) 黒岩美枝，小高鉄男 他：エナメル質の自然表面における微細欠損の修復（第2報）エナメル質に対するブラッシングの磨耗作用と保護作用．歯界展望 78(2)：345-362, 1991.
15) 木下四郎，新井 喬，浦口良治：歯磨剤の磨耗性について（英語）．The Bulletin of Tokyo Medical and Dental University 26(3): 225-242, 1979.
16) Kodaka T., Kuroiwa M. and Higashi S.：市販されている各種歯磨剤を用いたブラッシングにともなうヒト歯牙象牙質の変化（英語）．昭和歯学会雑誌 17(4)：341-350, 1997.
17) Wallace M.C., Retief D.H. and Bradley E.L.: The 48-month increment of root caries in an urban population of older adults participating in a preventive dental program. J Public Health Dent 53: 133-137, 1993.
18) 森田十誉子，小川洋子：歯科衛生士臨床を支える Research Library 成人のう蝕に影響する生活習慣および口腔保健行動の要因について．歯科衛生士 30(11)：77-79, 2006.
19) 合地俊治，田中とも子，榊原健治，山口直彦，齋藤秀樹，蓑輪玲子，小池基之，志賀正信，横塚浩一，今野秀樹，中村一雄，中村瑞美，飯野陽子，岩本幸子，佐藤 勉：口腔状態と生活習慣との関連に関する研究　職域健診時における口腔診査と生活習慣アンケートの結果について．日本歯科人間ドック学会誌 4(1)：11-18, 2004.
20) Imazato S., Ikebe K., Nokubi T., Ebisu S. and Walls A.W.G.: Prevalence of root caries in a selected population of older adults in Japan. J Oral Rehabil 33: 137-143, 2006.
21) 北村雅保：成人集団における歯根面部の歯質変化の発症に関わる咬合要因．歯科学報 99(8)：675-688, 1999.
22) Beighton D., Lynch E. and Heath M.R.: A microbiological study of primary root-caries lesions with different treatment needs. J Dent Res 72: 623-629, 1993.
23) 田中洋織，加藤 熈：露出根面象牙質の耐酸性に及ぼす Nd:YAG レーザー照射とフッ素塗布の影響．日本歯科保存学雑誌 42(5)：1004-1014, 1999.
24) 千田 彰，中垣晴男，真木吉信 編：フッ化物徐放性修復材料ガイドブック．永末書店，東京，2005.
25) 今里 聡，尾崎和美 編著：やさしい説明，上手な治療 [4] 根面う蝕．永末書店，東京，2004.
26) 稲葉大輔，飯島洋一，高木興氏：脱灰根面の再石灰化におよぼすフッ化物の効果．口腔衛生学会雑誌 41(4)：494-495, 1991.
27) Ellen R.P., Banting D.W. and Fillery E.D.: Streptococcus mutans and Lactobacillus detection in the assessment of dental root surface caries risk. J Dent Res 64: 1245-1249, 1985.
28) Ikebe K., Imazato S., Izutani N., Matsuda K., Ebisu S., Nokubi T. and Walls A.W.: Association of salivary Streptococcus mutans levels determined by rapid detection system using monoclonal antibodies with prevalence of root surface caries. Am J Dent 2008 (in press).
29) Imazato S., Walls A.W.G., Kuramoto A., Ebisu S.: Penetration of an antibacterial dentine-bonding system into demineralized human root dentine in vitro. Eur J Oral Sci 110: 168-174, 2002.
30) Kuramoto A., Imazato S., Walls A.W.G. and Ebisu S.: Inhibition of progression of root caries by an antibacterial adhesive. J Dent Res 84: 89-93, 2005.

第6章　高齢期（阿部 實）p.p.80-86

1) 尾花甚一 監修：すれ違い咬合の補綴（第1版）．6-13, 医歯薬出版，東京，1994.
2) 阿部 實：そこが知りたい入れ歯の秘密－人生80年代　入れ歯と正しく付き合おう－．歯医者さんの待合室 6：4-17, 2001.
3) 大塚ひかり：歯医者が怖い。─歯の痛みは心の痛み？─（平凡社新書）．平凡社，東京，2006年.
4) 小野 繁：ドクター・ショッピング─なぜ次々と医者を変えるのか（新潮選書）．新潮社，東京，2005年.
5) 阿部 實，青木孝幸，三山善也 他：歯を抜かずに守るリテーナー型義歯．デンタルダイヤモンド 30（5）：117-126, 2005.
6) 阿部 實：第8章 リテーナー義歯のすすめ．前田芳信 編：カラーアトラス 私のお薦めオーラルアプライアンス─モデルキャプチャーを用いたサーモフォーミング．永末書店，京都，2007年.
7) TEVEN A. and COLE J.B.: The Medical Interview -The Three-Functional Approach-. (2nd ed.), Mosby, USA, 2000.（飯島克巳，佐々木将人 訳：メディカルインタビュー─3つの機能モデルによるアプローチ─．90, 173, 175, メディカル・サイエンス・インターナショナル，東京，2003.）

第7章　要介護者（菅 武雄）p.p.87-97

1) 菅 武雄 他：歯科からみた居宅療養管理指導─介護と医療の接点として─．ケアマネジメント学，2：84-92, 2003.
2) WHO：ICF 国際生活機能分類─国際障害分類改定版．中央法規出版，東京，2002.
3) 折茂 肇 監修：新老年学（第2版）．東京大学出版会，東京，1999.
4) 厚生労働省：平成7年度人口動態社会経済面調査．1995.
5) 橘木俊詔 他編集：リスク学入門 1．岩波書店，東京，2007.
6) 菅 武雄：口腔ケアハンドブック．日本医療企画，東京，2002.
7) 菅 武雄（分担執筆）：口腔乾燥がある患者の口腔ケア，菊谷武監修：口をまもる生命をまもる「基礎から学ぶ口腔ケア」．学習研究社，東京，2007.
8) 菅 武雄：保湿からはじまる口腔ケア．看護技術 53(3)：57-68, 2007.
9) 日本歯科医学会：エビデンスに基づく一般歯科診療における院内感染対策．永末書店，京都，2007.
10) 菅 武雄 他：環境改善をねらった根面う蝕への対応．GCサークル 122:20-24, 2007.

第Ⅲ部

臨床を支える知識と技術編

第1章　う蝕のリスク評価

1．う蝕のリスク要因と評価法

1）う蝕のリスク要因

「う蝕のリスク」を評価する方法について考える前に、そもそも「リスク」とは何かを明確にしておく必要がある。R.H.Fletchers は「リスクとは疾患のない人々が、ある因子（"危険因子" risk factor）にさらされた後に、疾患に罹患する確率の高さ」と定義している[1]。この定義に従えば「う蝕のリスク」を評価するとは、「う蝕」の発生確率を高める「リスク要因の強弱」と暴露される「時間の長短」を評価することになる。

う蝕のリスク要因を評価する場合のもう一つの重要な要素として「量－反応」関係のパターンがある。リスク要因の増大（「リスクの強さ」×「時間」）に伴う疾患の発生確率の変動にはいくつかのパターンがあるが[2]、う蝕のリスク要因で見られるパターンは図1の（A）および（B）と考える。少なくとも「量－反応」のパターンか直線的な関係であるというのは「う蝕」には見られない。例えばスクロース（ショ糖）やプラーク（う蝕細菌）というリスク要因に対して生体が適応している範囲があって、臨界点を越えたときに急激にう蝕の発生リスクが高まる図1の（A）のようなパターンとなる。また、フッ化物は典型的な必須栄養素に見られる図1の（B）のようなパターンをとると考えられる。

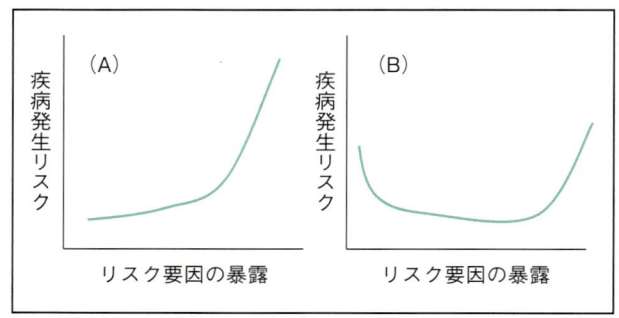

図1　う蝕リスク要因の暴露（量）と疾病発生リスクの関係
（文献2を引用改変）

「う蝕リスク」を評価し、それに基づいて予防戦略を立てる際には、そのリスク要因がどのようなパターンを示すのかを知る必要がある。そして予防戦略の対象となる集団や個人が、今どのようなリスク要因にさらされ、どのような時期にあるのかを評価しなければならない。しかしながら、現在のところう蝕に関する臨床疫学研究は不十分で、我々が「う蝕リスク要因」と考えているものが、どのようなパターンを示すのか明確に把握されているわけではなく、混乱している部分も多い。「う蝕リスク評価」に際しては、その限界をよく理解し実行していく必要がある。

現在考えられている（評価すべき）う蝕リスク要因は、Keyes の三つの輪で整理されているう蝕病因と考えてよい。しかし、Keyes の病因論には再石灰化の要素が含まれていないと考えられることから、さらに Larmas の二元論（感受性 VS 活動性）が新たなう蝕要因論として登場した[3]（図2）。単純化した二つの病因論を見てもわ

➡ 第Ⅰ部第1章15ページ

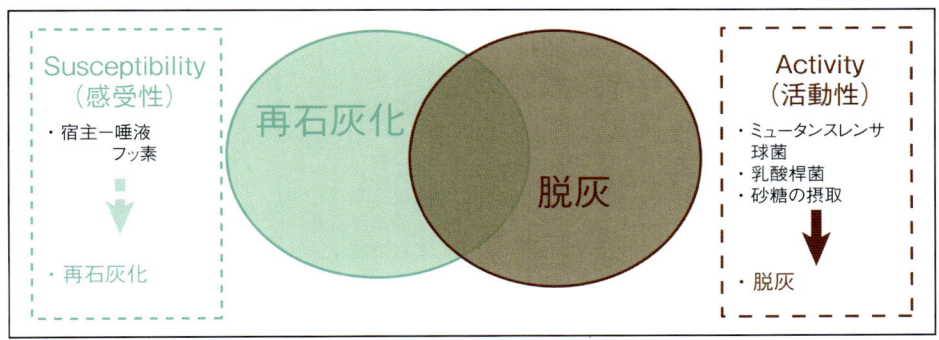

図2 Larmasのう蝕のリスク要因（文献3より引用改変）

かるように、う蝕の発生要因は多様であり、極めてダイナミックである。従って、「う蝕リスク」は、個人においてはなるべく多くの「う蝕リスク要因」を総合的に多様性も含めて評価しなければならない。逆に、集団においては集団の特性として存在している共通の「リスク要因」を評価する必要がある。

2）う蝕リスクの評価法

（1）米国歯科医師会（American Dental Association：ADA）によるう蝕リスク評価[4]

う蝕は、すべての人々に等しく発生するものではなく、有病状況には同じ集団の中に差があり、また子どもと成人ではう蝕の発生パターンが異なっている。今後、人々の口腔保健を向上させていくためには、個々人に対応した一生涯の「歯科医と患者のパートナーシップ」を創ることが要求される。そのためには、リスク診断に基づく個々人への予防的アプローチが不可欠である。以上の考え方から、米国歯科医師会は1995年、「う蝕リスク分類ガイドライン」および「リスク診断によるう蝕予防方法」を発表した。

a. 小児および青少年のう蝕リスクと予防方法

表1は、「低リスク」「中リスク」「高リスク」へのリスク分類の基準とそれに対応した予防方法の内容を示している。初診時、あるいは定期的歯科健康診査時に、①健診時の過去のう蝕罹患状況、②小窩裂溝の形態、③口腔衛生状況、④適切なフッ化物の応用状況、⑤定期的歯科検診、⑥その他（矯正治療の受診、唾液分泌量、全身疾患、哺乳瓶の使用）を調べそれぞれの状況に応じて分類する。

それぞれの基準が完全に臨床疫学的なエビデンスに基づくものではないが、すくなくともKeyesのう蝕病因論を根拠として作成されたガイドラインである。評価項目をどのように選択するかの指示はないが、基本的な選択としては「う蝕の発生状況」と「適切なフッ化物応用状況」がかかるコスト、利便性から有用性が高いと思われる。う蝕細菌数による評価では、ミュータンスレンサ球菌（mutans streptococci：MS菌）数が1,000,000/mL、乳酸桿菌（lactobacilli）数が100,000/mL以上を「高リスク」群としている。

対応する予防手段は、う蝕リスク分類に応じて①健康教育、②フッ化物の応用、③予防填塞を行うことを基本としている。「健康教育」による良好な保健行動の強化では適切なフッ化物の応用知識と、う蝕はミュータンスレンサ球菌の感染症であることを意識したプラークコントロールの実践を目的とする。「フッ化物の応用」では現在のフッ化物の利用環境に応じた適切な応用方法を選択することである。「予防填

第Ⅲ部　臨床を支える知識と技術編

表1　米国歯科医師会によるう蝕リスク分類と予防方法（幼児および青少年）　＊F：フッ化物

リスク分類	評価基準	予防方法
低リスク	・う蝕発生なし（1年以内） ・予防填塞がされている ・良好な口腔清掃状態 ・適切なフッ化物の応用 ・定期的歯科健診	・健康教育による強化 　- 良好な口腔清掃状態 　- F歯磨剤の使用 　- 1年ごとのリコール
中リスク	・1歯面にう蝕発生（1年以内） ・深い小窩裂溝 ・不適切なフッ化物の応用 ・ホワイトスポット、隣接面エックス線透過像 ・不定期の歯科健診 ・矯正治療中	・小窩裂溝う蝕 　- 予防填塞 ・平滑面、二次、根面う蝕 　- 健康教育、間食指導、F洗口、F塗布、予防填塞、F歯磨剤、6か月ごとのリコール、F錠剤
高リスク	・2歯面以上のう蝕発生（1年以内） ・過去の平滑面う蝕 ・ミュータンスレンサ球菌が多い ・深い小窩裂溝 ・フッ化物応用がほとんどない ・口腔清掃状態、間食摂取が多い ・不定期の歯科健診 ・唾液流量が不充分 ・不適切な哺乳びんの使用	・小窩裂溝う蝕 　- 予防填塞 ・平滑面、二次、根面う蝕 　- 健康教育、F歯磨剤、予防填塞、Fの家庭応用（F洗口、1.1% Fゲル、3～6か月ごとのリコール時のF塗布）、ミュータンスレンサ球菌のモニター、抗菌薬、F錠剤

表2　米国歯科医師会によるう蝕リスク分類と予防方法（成人）　＊F：フッ化物

リスク分類	評価基準	予防方法
低リスク	・う蝕発生なし（3以内） ・適切な修復歯面 ・良好な口腔清掃状態 ・定期的歯科健診	・健康教育による強化 　- 良好な口腔清掃状態 　- F歯磨剤の使用 　- 1年ごとのリコール
中リスク	・1歯面にう蝕発生（3年以内） ・歯根面の露出 ・比較的良好な口腔清掃状態 ・ホワイトスポット、隣接面エックス線透過像 ・不定期の歯科健診 ・矯正治療中	・小窩裂溝う蝕 　- 予防填塞 ・平滑面、二次、根面う蝕 　- 健康教育、間食指導、F洗口、F塗布、予防填塞、F歯磨剤、6か月ごとのリコール、F錠剤
高リスク	・2歯面以上のう蝕発生（3年以内） ・過去の根面う蝕、多数の歯根面露出 ・ミュータンスレンサ球菌が多い ・深い小窩裂溝 ・口腔清掃状態、間食摂取が多い ・フッ化物局所応用がほとんどない ・不定期の歯科健診 ・唾液流量が不充分	・小窩裂溝う蝕 　- 予防填塞 ・平滑面、二次、根面う蝕 　- 健康教育、F歯磨剤、予防填塞、Fの家庭応用（F洗口、1.1% Fゲル、3～6か月ごとのリコール時のF塗布）、ミュータンスレンサ球菌のモニター、抗菌薬、F錠剤

塞」では、個人および歯のう蝕リスクの程度と正確なう蝕診断に基づいてその適用を考えなければならない。

　う蝕リスクの評価で重要なことは、「継続性」である。可能な限りのう蝕リスク要因を診査し、それに基づく予防的介入を行うが、その際に再評価を行い、モニタしているリスク要因が減弱していることを確認すること、もし効果が見られるならそのリスク要因に関連する保健行動要因を評価し、次の健康教育プログラムを提示する必要がある。

b. 成人のう蝕リスク評価と予防方法

　表2に米国歯科医師会による成人のう蝕リスク分類ガイドラインと対応する予防方法を示している。リスク分類の基準とする項目は、重みづけに多少の差はあるが、小児のガイドラインと基本的に変わらない。異なるのは、根面う蝕のリスク評価と予防方法が提示されていることである。

➡ 第Ⅱ部第5章71ページ

　小児においても同様であり、唾液分泌を抑制し口腔乾燥を引き起こす可能性のある薬物療養を受けている患者は「高リスク群」となるが、特に成人の場合はその頻度が高く注意してモニタリングをする必要がある。

　予防方法についてもほとんど小児と変わるところはない。ドライマウスについても、キシリトールガムなどによる唾液分泌の促進を図ることなども推奨される。

ADAの「リスク分類ガイドライン」はその簡便性と明瞭性から実用性も高く、わが国での応用も可能である。しかし、フッ化物の利用状況や医療供給システムの違いからもそのまま日本で使用できるとは考えられない。また、先述したように評価基準についての信頼性が検証され、確率されたものではない。このADAのガイドラインを参考として、日本版のう蝕リスク評価ガイドラインを作成することが望まれる。さらに、水道水フッ化物濃度調整法をはじめとするフッ化物応用や予防填塞、定期検診の普及を急がなければ、う蝕高リスク評価の本来の目的を見失うということも認識しておかなくてはならない。

(2) その他のう蝕リスク評価法

ADAのう蝕リスク判定の他にも総合的にチェアサイドでう蝕リスク評価を行う方法が考えられており実際にわが国でも応用されている。基本的には唾液をサンプルとするもので、唾液流量、唾液緩衝能、唾液中のミュータンスレンサ球菌や乳酸桿菌の菌数そしてう蝕経験やプラーク付着量、フッ化物の応用頻度などを評価項目としてその組み合わせにより判定のためのソフトなどを使って総合的に判定しようとするものである。現在、それぞれの項目についての検査キットが用意されており、唾液採取から評価判定までを診療室で行う方法と唾液サンプルを検査センターに送り、そこで希望する項目について分析と判定を依頼し、結果をそれぞれの診療所に報告するセンター方式が利用されている。

➡ 巻末附録241ページ

また、Axelssonはプラークの形成速度指数（Plaque Formation Rate Index：PFRI）とミュータンスレンサ球菌数の組み合わせからその分布によってう蝕リスクを判定する方法を提案している（図3）。PFRIは、PMTCを行って24時間後のプラーク付着量をスコア1から5までの段階で評価する（その間の口腔清掃は停止する）。ミュータンスレンサ球菌の陽性者が集団の25％以下であればその集団はう蝕リスクが低いと判断され、それ以上であるときはう蝕リスクはプラークの形成速度とミュータンスレンサ球菌の量の関連で評価する[5]。

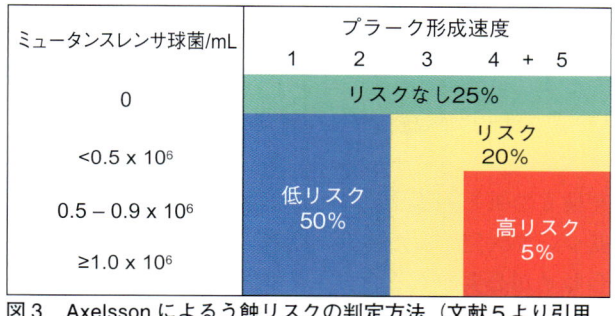

図3　Axelssonによるう蝕リスクの判定方法（文献5より引用改変）

（鶴本明久）

2. チェアサイドにおける唾液検査の位置づけとその活用

う蝕の有無は特別な場合を除き視診で診断が可能である。しかしながら、う窩や白斑を見いだす為の視診は歯の形態が変化した頃、すなわち疾患がすでに進行している状態での診断であることが多い。こうした検査は、"疾病の発見"が目的といえる。これに対し、疾患が生じる原因である"リスク因子の発見"を目的とし、それに対応した何かしらの介入処置を行いリスクの改善をするう蝕予防すなわち、テーラーメイド医療が求められている。

う蝕は多因子性疾患であり、主な要因としては宿主因子、細菌因子、環境因子に分けられる。これらの中でも細菌因子が特にう蝕の発症や進行に大きく影響していることから、う蝕リスク評価の一つとして唾液検査が普及し、多くの歯科医院で臨床応用されるようになってきた。唾液検査は使用する道具や実施状況によりその結

果と臨床評価との間に差を認めることがある。私たちは使用する道具の特性を理解し、いかに臨床に取り入れ、応用していくかを考えて行かなくてはならない。本稿では唾液検査の位置づけ、細菌検査の種類および特性そしてリスク評価を基づいた活用方法について解説する。

1）唾液検査の導入

　口腔内細菌のうちミュータンスレンサ球菌（mutans streptococci：MS 菌）と乳酸桿菌（lactobacilli：LB 菌）のう蝕原性に関してはすでに多くの研究結果が蓄積されている。MS 菌のうち Streptococcus mutans（以下 S. mutans）と Streptococcus sobrinus（以下 S. sobrinus）はスクロース（ショ糖）より不溶性グルカンを形成し、歯表面への固着、凝集能を持ち、乳酸桿菌には及ばないまでも耐酸性能を有し、強酸性下においても酸産生能を持つことから、う蝕に深く関与していることが知られている。これらの菌はパラフィン等を咀嚼した刺激唾液を採取すること（唾液検査）で簡便に算定・判定することが可能である。唾液検査を行うことで介入前と介入後の菌数を数値として比較し、伝えることでう蝕リスクの結果を患者本人も把握でき、モチベーションの向上につながる。そして、メインテナンスへの移行もスムーズに行うことが可能である。

2）唾液検査の種類と特徴

　歯科医院で行う唾液検査として、先に述べたう蝕細菌の検査、唾液緩衝能を測定することが多い（巻末附録 241 ページ）。う蝕細菌数は院内・院外培養が主流である。MS 菌については抗体による検出が近年市販され、短時間で評価できるようになった。院内培養は低コストであり、スクリーニング検査に適している。培養したコロニーや検査結果を直接見ることができるなどのメリットがあるが培養結果をチャートに基づいて判定するため、判定者によってばらつきを認めることもあり院内でのすり合わせが必要である。また、培養結果の報告書を作成する必要がある。一方、培養法では測定するまでに日数が必要とされていたが抗体を用いての MS 菌の検出は一回の来院により結果が分かるため患者の負担が軽減される。オーラルテスターミュータンス（トクヤマデンタル）は、唾液採取のために、5 分間ガムを咀嚼する必要があるが、幼児、高齢者で、咀嚼し続けることが困難な者は、ブラッシングにより採取したプラークで、検査が簡単に行うことができる（ただし、ガム 5 分の場合は 4 段階の判定だが、ブラッシングによるプラークだと 2 段階の判定になる）。

　外注による培養法は主に BML 社の検査が挙げられる。唾液を検体とした完全外注検査であり MS 菌数に加え、MS 菌比率が得られる。MS 菌比率は、唾液検体中の口腔総レンサ球菌数に対する MS 菌数の割合であり、検査の再現性は菌数より安定している。MS 菌比率（%）＝ MS 菌数 / 口腔総レンサ球菌数 × 100 で算出される。MS 菌の選択的検出を向上した培地を使用しており、コロニーカウンターを用いて機械的に算出しているので評価者による誤差がなく常に同じ条件により結果が得られるのは外注検査の大きな特徴であり、BML からの検査結果報告書（図 1）を用いて患者への説明が容易である。

　唾液緩衝能検査では、口腔内のう蝕に対する抵抗力を知ることができる。口腔内は通常 pH6.0 〜 7.0 の中性状態であるが飲食をすると酸性に傾いてくる。この pH の酸性への傾きを正常域に保とうとする働きが緩衝作用である。主なメカニズムとしては重炭酸塩などの物質により唾液中の酸を中和させることである。唾液検査では

●ブラッシングにより採取したプラーク

　唾液検査では、5 分間の刺激唾液を使用することが多い。MS 菌は、基本的には歯の表面にしか生息していない。刺激唾液の採取では、ガムやワックスを咀嚼させるが、このガムやワックスが歯の表面にあるプラークをはぎ落とし、刺激唾液中にはがれ落ちたプラークから菌の定量を行っている[1]。プラークをサンプルにする場合は、採取量を一定にすることが困難であり、データが安定しないことから、プラークより唾液をサンプルとするのが一般的であった。

　ブラッシングにより採取したプラークは、歯の表面のプラークを積極的にはぎ落とし、その中の菌量を測定するため、従来のプラークから菌量を測定する際の問題点が解決され、また、唾液をサンプルとするより、より高感度に測定することが可能である。

主に、パラフィンを咀嚼した刺激唾液を検体として使用するが刺激唾液は安静時唾液の20〜30倍程度緩衝作用が強いとされている。

3) 検査結果の判断

臨床所見とかけ離れたう蝕唾液検査の結果を得ることがしばしばある。う蝕経験歯数が多く、特に二級複雑窩洞修復が多く見られる場合や、歯表面全体にぬるっとしたプラークを形成している症例（図2）において"う蝕高リスクと出るはず"と意気込んで説明し、実際に検査を行ってみたら低リスクと判定結果が出た。またはその逆の症例（図3）として、う蝕経験歯数が少なく、比較的口腔衛生状態も良好で、リスクを把握したいからと患者自ら希望して検査を行った場合"う蝕低リスクと出るだろう"との予測だったのが、実際には高リスクと判定結果が得られた。"細菌のリスクが高い"という結果はリスク改善の介入につながるが"細菌のリスクが低い"場合の対応が問われる。

リスクの判断基準は、MS菌数 10^5 CFU/mL（BMLの報告書 10^4 CFU/0.1mL）以上、MS菌比率 2.0％以上を高リスク条件とし、MS菌数 10^4 CFU/mL（BMLの報告書 10^3 CFU/0.1mL）以下、MS菌比率 0.2％以下を低リスクの条件とする。

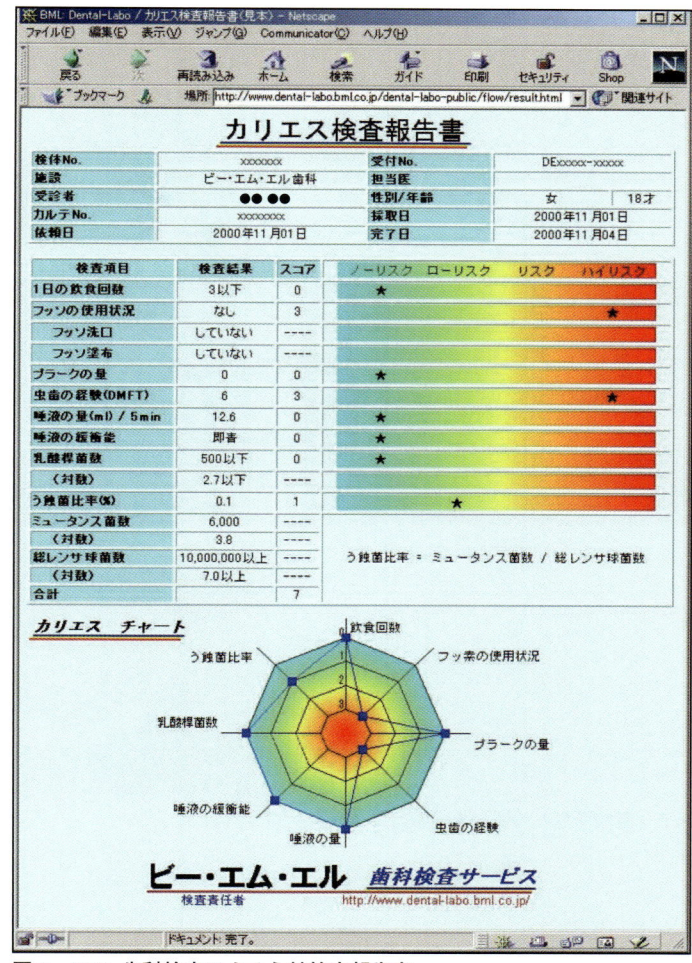

図1 BML歯科検査によるう蝕検査報告書

う蝕細菌の検出とう蝕罹患経験との関連は集団において正の相関が認められ、これらの細菌因子を把握して適切な予防のプログラムを確立することでう蝕のリスクを軽減することができることは過去の報告からも明らかである。う蝕の発症や進行のリスクとされるMS菌の予測値は、唾液中で $10^6 \log_{10}$ cfu/mL 以上としている報告もあるが[2,3]、児童の将来のう蝕の発症を予測した報告では、S. mutans と S. sobrinus が検出されない、もしくは検出限界以下である児童に比べ、オッズ比で score 1 は 4.4 倍、score 2 は 6.5 倍、score 3 は 8.9 倍、う蝕を持つ確率が高いとされている[4]。LB菌においてはMS菌ほど著明な関連は認めないという報告がある[4]。

● Column ● 遺伝子による細菌の同定法

細菌の有無を生死に関わらず非常に高い感度で検出する PCR（Polymeraze Chain Reaction）法があり、現在のところ培養法では区別できない S. mutans と S.sobrinus を確実に区別することができる。この方法は検出を目的とした菌の遺伝子の本体である DNA を検出する方法である。検出したい菌の持っている DNA のうち配列が分かっている一定の長さの領域を鋳型として検査試料よりその増幅を試みる反応であり増幅されなければ、試料中にその DNA が含まれていなかったことを示す[5]。検出したい菌は存在しなかったことが分かる。しかしながら、この方法は作業過程が繁雑であり、ランニングコストが高い。歯周病菌のように培養が困難な菌には有用であるが、う蝕細菌では培養法ほど普及していない。

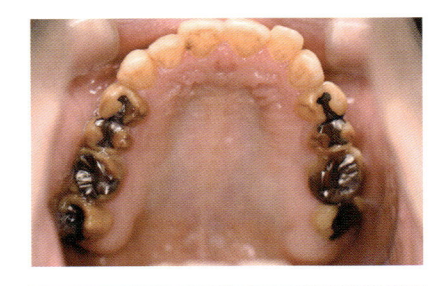

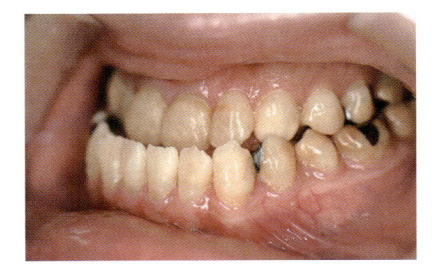

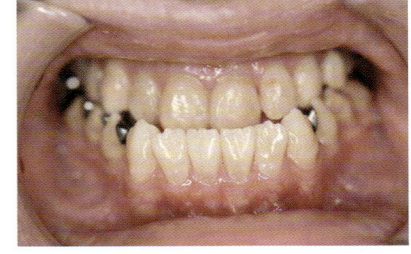

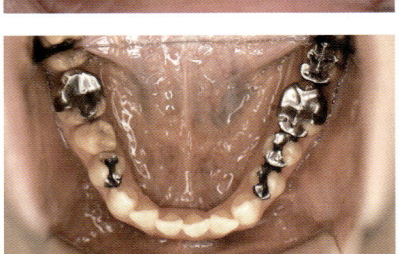

第Ⅲ部　臨床を支える知識と技術編

図2　臨床所見と検査結果が異なる症例1

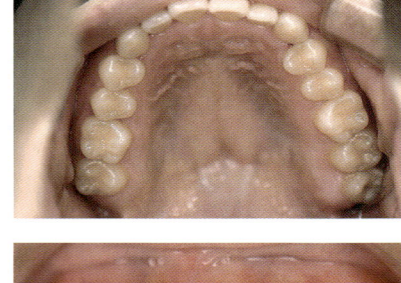

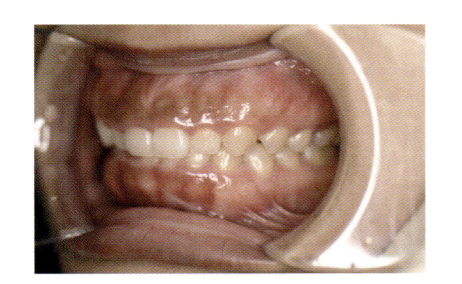

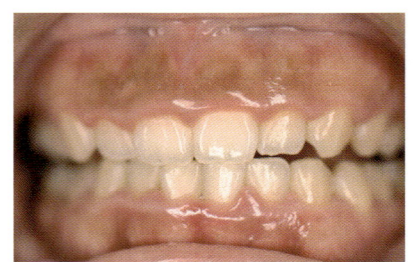

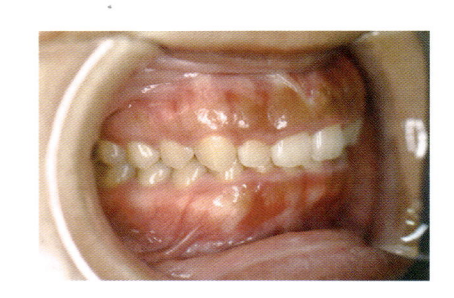

20代女性、口腔清掃状態不良、う蝕経験も多いため細菌検査にて高リスクかと思われたが、BML歯科検査で低リスクと判定された症例。

図3　臨床所見と検査結果が異なる症例2

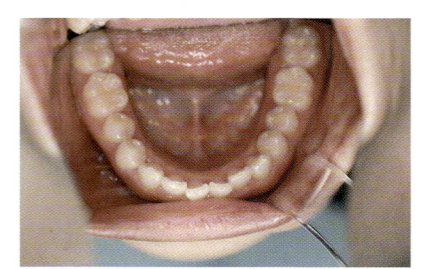

20代女性、口腔清掃状態比較的良好、う蝕経験も少ないため細菌検査にて低リスクかと思われたが、BML歯科検査で高リスクと判定された症例。

4）適切な検査時期

唾液検査に対する運用の仕方が異なるのは当然である。特殊な症例を除くと、自助努力がある程度なされたレベルからの残存リスクの検出が検査の目的の一つであり、その改善が診療所での役割と考える。最初はう蝕傾向の有無について、プラークの評価項目を参考に診断しておく。それに従ってう蝕細菌検査の必要性を決定すると合理的である。

（1）処置前の評価

う蝕傾向患者の急性処置を除く初期治療終了前に行った場合、検査結果をもとに生活習慣指導、口腔衛生実施指導を行う。既存のう蝕リスクを把握することによりセルフケア、生活習慣の補正がスムーズになる。

（2）処置後の評価

う蝕初期治療終了、またはPMTCなどう蝕リスク低減療法[6]後、唾液検査することでなお残留する改善困難な細菌リスクを抽出することが可能である。

（3）メインテナンス

メインテナンスに移行するにあたり、少なくとも2か月もしくは半年間隔の2点間で唾液検査を実施し、患者個人のリスク傾向を把握しデータの動向を評価する（図4）。こうすることで患者個人のメインテナンス期間が異なり、なぜ次回いついつにメインテナンスで来院するのかを明瞭に説明することができる。

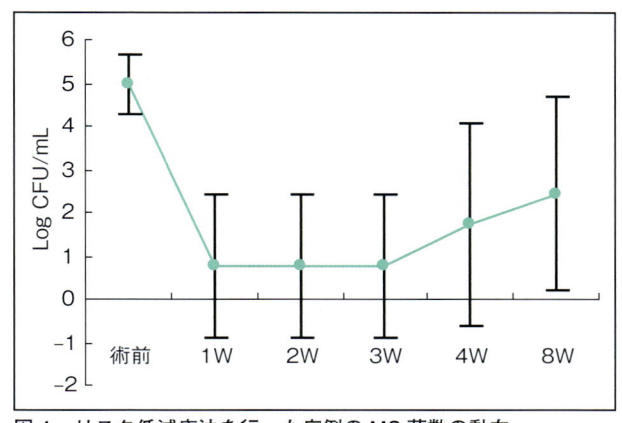

図4　リスク低減療法を行った症例のMS菌数の動向

5）各種リスク評価結果に基づく予防プログラム

（1）う蝕リスク評価の概要

現在、様々なう蝕リスク評価を行うキットが市販されている（製品の詳細については巻末附録参照）。う蝕のリスク評価は、現在のう蝕の有無を判定するものではなく、将来のう蝕の発症を予測するものである。高リスク、低リスク等の判定基準はキットごとに異なっている。

➡ 巻末附録241ページ

う蝕はあくまでも多因子性の疾患であるため、リスク評価の項目も多岐にわたるが、Keyesの三つの輪に代表されるように、宿主、環境、細菌の三つの因子に分けて考えると理解しやすい。宿主の因子では、歯の再石灰化の程度が計測できないため、フッ化物の使用で代用されている。フッ化物のう蝕抑制効果は明らかであるため、フッ化物は積極的に使用すべきであり、フッ化物を使用していないこと自体をリスク判定してもよいと思われる。その他、唾液量が少ない、唾液緩衝能が低い場合は、全身疾患との関連を疑うと共に、リコール間隔を短くすることが必要である。また、環境の因子としての砂糖の使用も、極力控えるようにすべきである。

➡ 第Ⅰ部第1章15ページ

MS菌量がBMLのキット使用時に2.0％を越える場合は、積極的に抗菌性物質を使用すべきである。

可能であれば、短期間に集中的に使用し、MS菌を検出限界に下げる。その後、定期的なリコールにより、MS菌量をモニタリングしていく必要がある。

> 我々の従来の研究では、抗菌性物質を使用すると2.0％以上の者を2.0％以下に下げることが可能であり、2.0％以下になると、0～2.0％の間でMS菌量が誤差変動することが明らかになっている。

我々の経験では、充填物が多い場合や、歯周ポケットが深い場合、2.0％以下に下げることができなかった症例も存在した。このような症例では、リコール間隔を短くし、定期的に薬剤を使用する必要がある。

（2）BMLの検査報告書を用いた予防プログラム例

BMLからの検査報告書（図1）による予防プログラムの一例を示す。

MS菌数 10^4 CFU/0.1mL以上、MS菌比率2.0％以上を高リスク条件とし、MS菌数 10^3 CFU/0.1mL以下、MS菌比率0.2％以下を低リスクの条件とする（同基準値は、今後変更される可能性がある）。検査結果が境界値である場合、臨床的診断基準（唾液の性状、多数の2級修復の存在、う蝕罹患経験、口腔清掃状態、歯科矯正ブラケット装着前など）と細菌学的診断基準（MS菌比率、定着数）の二つのカテゴリーを比べ除菌の必要性、有用性を判定し、一般的プログラムを実施すべきか高リスク者う蝕抑制プログラムを実施すべきかを選択することが必要である。

（3）一般的プログラム

a. セルフケア

宿主因子のう蝕抑制効果のために、フッ化物配合歯磨剤の使用を推奨する（現在市販されている歯磨剤の約8割にはフッ化物が添加されている）。また、生活環境因子の改善として、間食は時間を決め1日1回となるよう指導する。そして、砂糖摂取の一部をパラチノース、アスパルテームやソルビトールなど代用糖に置き換えることを推奨する。

b. プロフェッショナルケア

スケーリングやルートプレーニングで歯冠、根面の付着物を取り除き、汚染された面を滑択化して病原性の強い非付着性プラークが増殖しやすい環境を減らすようにする。そしてTBI、PTCやPMTCを行い、患者がセルフケアで対処しにくい箇所の清掃を補うようにする。

（4）高リスク者う蝕抑制プログラム

一般的プログラムに加え、高リスク者に応じたプログラム示す。

a. 高リスク者のセルフケア

フッ化物入り歯磨剤と併用し、フッ化物ゲルの使用を処方する。食後に特定保健用食品すなわちキシリトール、リカルデントやポスカムなどの摂取を処方する。

➡ 第Ⅲ部第3章126ページ
➡ 第Ⅳ部第7章222ページ

b. 高リスク者へのプロフェッショナルケア

う窩や不良補綴物はう蝕細菌の巣窟といえる。これらの適切な処置前後から開始する。そして、PTCに加えプロフィーカップやエバチップなど機械的道具を使用し歯面を滑択にする。オフィス専用フッ化物またはCPP-ACPといったカルシウム製剤の塗布を行う。さらに、3DSを実施し、プラークの除菌を行う。3DSはプラークの物理的破壊の直後に薬剤を歯面に局所集中輸送して、細菌のリスク低減処置を図る専門性の高いプラークコントロール法である。

また、宿主因子としての唾液分泌量が減少している患者に対しては、唾液分泌抑制がある薬剤を使用しているか否かを問診し、唾液分泌抑制の弱い薬物への変更が

➡ 第Ⅲ部第4章136ページ

可能かどうか等を他科に対診する。一般に唾液分泌減少が認められる患者に関してはサリグレイン（副交感神経に作用し唾液の分泌を促進する根本的治療薬）のような唾液分泌促進薬や保湿外用剤を処方する。それに併用して大唾液腺のマッサージを指導し、唾液腺を物理的に刺激し唾液分泌を促進する。その他ドライマウス外来に準じた処置を併用する。

➡ 第Ⅳ部第1章181ページ

　これら3DSを含む高リスク者に対するプログラムは永久的に行い続けるものではなく、2～3か月を一つの目安として一般的プログラムに移行できるように指導、管理していくことが重要である。

（西川原総生、玉置　洋、野村義明、花田信弘）

3．生活習慣調査

　生活習慣、保健行動あるいは生活環境の中にあるう蝕リスク要因においても、Keyesのう蝕病因に基づかなければならない。従って、う蝕に関わる保健行動要因は「間食摂取習慣（基質）」「刷掃習慣（細菌）」そして「フッ化物応用と予防填塞（宿主）」である。

➡ 第Ⅰ部第1章15ページ

　しかし、保健行動は自然に自動的に起こるものではない。それらの適切な保健行動を引き起こすエネルギーが必要である。それが歯科保健に関する知識や社会・経済要因である。社会・経済要因のう蝕有病状況の関わりについては多くの研究があり、図1はその結果の一例である[1]。保護者の社会的階層が上位の者は、一人平均う蝕歯数（DMFT）が低い。公衆衛生的フッ化物の応用（水道水フッ化物濃度調整法）は社会的階層が低い集団でもう蝕の発生を抑制するが、やはりその中でも社会的階層はう蝕のリスク要因である。しかし、わが国では社会経済要因の調査は比較的困難であり、社会・経済要因とう蝕との関連性は明確ではない。

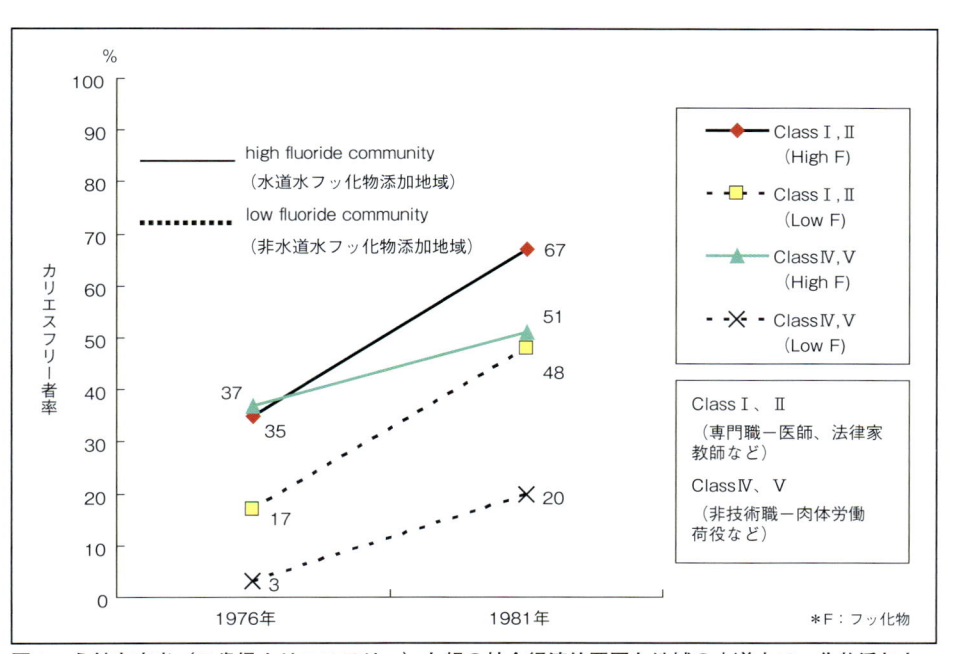

図1　う蝕有病者（5歳児カリエスフリー）と親の社会経済的要因と地域の水道水フッ化物添加との関係（文献1より引用改変）

1）保健行動モデル

生活習慣や保健行動に見られるう蝕要因は、う蝕の発生に直接関与するもの、間接的に関与するものがあり、それは階層的な構造を持つ。従って調査の要因項目を考える場合には、基本的な保健行動モデルに基づいて進めた方がその後の健康教育や予防戦略の立案に有用な調査が可能となる。保健行動モデルは単純なKAPモデル（Knowledge → Attitudes → Practice）からもう少し複雑な構造を持ついくつかのモデルがあり、対象や目的に応じて使い分ける[2]。

プリシード・プロシードモデルは、ヘルスプロモーションの理念により考察された地域保健の診断モデルで、う蝕に直接関わる保健行動要因、保健行動に影響する教育・組織要因や環境要因の階層的関連性がよく理解できる（図2）。このプリシードモデルに基づいて作成されたウェルビーイング（NPO法人）が開発した乳歯う蝕要因調査票FSPD3型は極めて優れたツールであり、多くの実績が蓄積されつつある[3]。

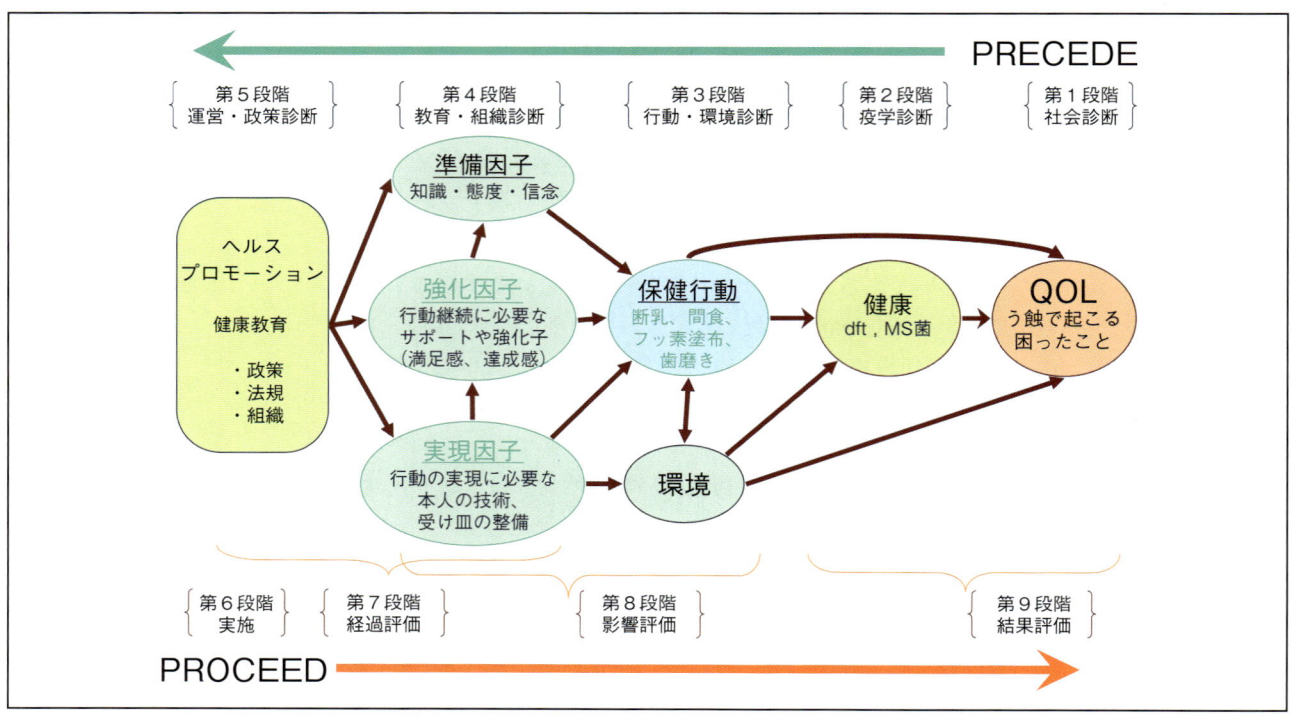

図2 プリシード・プロシードモデル（文献4より引用改変）

2）保健行動におけるう蝕要因

乳歯う蝕の保健行動リスク要因は比較的よく整理されており、さほど複雑ではない。しかし、それでも地域差や時間的推移により異なっている。従って乳歯う蝕においても、永久歯う蝕においても、う蝕リスク要因はかならず集団ごとに調査分析し、特定しなければならない。表1は、神奈川県において多変量解析により実施された乳歯う蝕リスク要因調査の結果に基づき作成された「乳歯う蝕リスク診断票」である[5]。20点以上が乳歯う蝕高リスク幼児であり、早期にう蝕予防管理を受けることが推奨される。しかし、この10年間のう蝕減少はさらに著しく、う蝕リスク要因の変化の可能性もあり、再調査する必要がある。

（鶴本明久）

表1 神奈川県版乳歯う蝕高リスク判定票（文献5より引用改変）

項目	オッズ比	リスク点数
1. 育児は負担であった	1.897	5
2. 1歳2か月頃の夜間授乳（母乳）	4.528	15
3. 1歳過ぎまでのほ乳びん	3.847	5
4. 1歳2か月頃の夜間授乳（ほ乳びん）	6.957	10
5. 間食は欲しい時	3.573	5
6. アメ・チョコを週3回以上	5.982	10
7. アイス類を週3回以上	4.408	5
8. スポーツ飲料を毎日	8.578	15
9. 1歳頃にう蝕らしい変化	13.417	20
10. プラークの付着が多い	6.418	10

（敏感度：78.8%　特異度：85.6%）

4．口腔内状態からのリスク評価

1）プラークスコアとう蝕発生のリスク

　島田（1983年）は予防歯科学の教科書の中で、う蝕の疫学的特徴として「断面調査では刷掃習慣が非習慣者よりう蝕が少ないという傾向を認めないのが普通である」と記載している[1]。その後の疫学調査を見ても、コホート研究、患者対照研究にかかわらず結果は様々である。しかし、ミュータンスレンサ球菌や乳酸桿菌などのプラーク細菌叢の質的なマーカーとう蝕発生の関係を調べた研究では関連性が認められる結果が多い。従って、プラークの付着量（プラークスコア）とう蝕の発生に明瞭な相関関係が見られない理由としては、プラークの量よりも細菌叢などの質的な要因の関与が大きいのかもしれない。また、プラークの付着とう蝕発生にはタイムラグがあるために断面による観察でその関連性を把握することは不可能である。少なくともコホート研究であるべきだが、生活習慣としての刷掃習慣は受診経験や保健情報により変動しやすく追跡が難しい。

　プラークスコアとう蝕発生に疫学的な関連性がみられないとしても、病因論から考えてプラークの蓄積量や質が歯科疾患に及ぼす影響は大きいはずである。特に歯周疾患との関連は疫学的にも明瞭であり、プラークスコアを歯科疾患のリスク指標としてモニターすることは重要である。

　現在応用されているプラークスコアはプラークの付着量を評価するものがほとんどである。う蝕リスクの高いプラークと低いプラークの質的な差違を考えると、プラークの基質やう蝕細菌の比率などの質的な要素を評価するプラークスコアが必要である。単色のプラーク染色液ではプラークの付着量のみを評価するが、二色性プラーク染色液はその染め分けによってプラークの質的評価ができる。青色に染め出されたプラークは、う蝕発生リスクが高いプラークであることを示している。青く染め出されるプラークを評価するプラークスコアが、今後う蝕の重要なリスク判定の要素となる可能性がある。

➡ 第Ⅲ部第3章123ページ

（鶴本明久）

2）乳歯う蝕と永久歯う蝕との関連

　乳歯は永久歯よりう蝕になりやすいとされているが、その原因として、胎児期や新生児期の栄養不足の影響から微少なエナメル質の形成不全が起こりやすく、その欠損部位にミュータンスレンサ球菌が定着しやすくなっていることが推測されている。永久歯は萌出から成熟まで乳歯と比較して時間がかかることから、その間の砂糖の摂取量をはじめとする生活習慣の影響を受けやすく、う蝕発症に関する因子の影響力には差がある。

　乳歯列期、混合歯列期の児童の永久歯のう蝕発症を予測する場合、様々な検査からう蝕の発症を予測するが、その中でも乳歯う蝕の本数が最も予想確率が高いことが知られている。う蝕は多因子性の疾患であることから、乳歯う蝕が各因子を統合的に反映していることがその要因であると考えられる。そのいくつかの理由として、う窩が存在する場合、う窩にミュータンスレンサ球菌、乳酸桿菌が多量に存在し、そこから口腔内にそれらの菌が放出されてくると推測されている。

　Li[2]らによれば、8年間の追跡調査で、永久歯にう蝕ができた者のうち94％の者が乳臼歯にう蝕があり（感度0.94）、永久歯にう蝕ができなかった者のうち98％の者

が上顎乳前歯にう蝕がなかった（特異度 0.98）ことから、乳臼歯と上顎乳前歯を組み合わせてリスクを判断することが効率的であるとしている。また、相対危険度による評価では、dmft 3以下、4〜6、7〜9、10以上のそれぞれの相対危険度は1.57、2.11、2.91、3.49で用量反応性を認めている。このように乳歯う蝕は永久歯う蝕発症を高い確率で予想できるが、感度が0.28、特異度が0.63とさほど予想確率が高くない研究も存在する。乳歯う蝕が存在する場合、治療や予防処置などの介入が入るため、介入の程度により予想確率も変化することが原因であり、乳歯にう蝕がある場合は、かなり綿密な予防プログラムを実施して永久歯う蝕の発症を予防していく必要がある。

3）歯の健康度指標

う蝕関連のIndexとしては、疫学指標としてDMFT、DMFSが使われてきた。また、個々の歯のう蝕の進行状態を表す指標として、わが国では島田の分類が使われている（表1）[3]。

表1　島田の分類：4度分類によるう蝕の検出基準（文献3より引用改変）

C_1	表面的な小う窩で、探針によりう窩の存在、または歯質削除が認められるもの。明瞭な stikcy fissure を含む。
C_2	う蝕性象牙質の存在が確実なもの。小窩裂溝部では探針先端が象牙質に達したと思われるまで（大臼歯の咬合面では約2mm）刺入されたものを含む。
C_3	歯冠のおよそ1／5がう蝕によって崩壊している。または歯髄の露出、歯の変色、歯髄痛の存在などから、う蝕に随伴した歯髄炎または歯髄死が明瞭なもの。
C_4	残根状態またはう蝕に付随した歯の破折などから要抜去であることが明瞭なもの。

DMFT、DMFSは個人の代表値として集計、分析が行いやすい。また喪失歯が生じてもMissing teethとして疾患の経験が蓄積されて、多くの歯周病の指標のように喪失歯が生じた場合でも指標の上では疾患の状態が良くなってしまうようなことは生じないため疫学指標として優れている。島田の分類は臨床感覚と合致しており簡便で非常に使いやすい指標となっている。しかし、国際的には認知されておらず、日本独特の指標である。

近年、再石灰化の研究の進歩により、初期う蝕は回復可能であることが明らかになってきた。そのため、学校歯科保健ではCOが導入された。う蝕の発症、進行には長期に時間がかかるため、DMFT、DMFSや島田の分類で評価することは、短期間で結果を出す臨床試験には不向きである。また、ヨーロッパやアメリカでもう蝕の進行状態を示す指標が統一されていなかった。

以上の問題を解決するために、う蝕の評価基準を国際的に統一する試みが進行している。欧米のう蝕学の研究者を中心にInternational Caries Detection and Assessment System（ICDAS）が提唱された。ICDASの特徴として、歯冠部う蝕、根面う蝕、二次う蝕をそれぞれ進行度に応じてCode 0からCode 6までの7段階に別々に評価を行う（表2）。判定を行う時には5秒間エアーで乾燥させた状態で判定を行うといった点が上げられる。今後はICDASがう蝕評価の国際標準となることが期待される。

ICDASの欠点としては個々の歯を綿密に観察するため時間がかかること、評価方法が複雑で現時点ではDMFのような個人の代表値を算出する方法が提唱されていないことがある。そのため、臨床研究では有用な指標であるが、疫学調査にはやや複雑すぎるといった点がある。

表2　ICDAS Ⅱの分類（文献4より引用改変）

一般用語	歯科用語	文字によるコード	コードナンバー	活動性
重篤な欠損	象牙質が可視できる大きな欠損	X	6	p/a/r
重篤な欠損	象牙質が可視できる明確な欠損	C	5	p/a/r
欠損の成立	表層に欠損がないが象牙質に影が見える	N	4	p/a/r
欠損の成立	エナメル質の局所的な欠損	L	3	p/a/r
初期の欠損	エナメル質の変化が明確なもの	E	2	p/a/r
初期の欠損	エナメル質の初期変化	V	1	p/a/r
健全	健全	S	0	p/a/r

p：進行中　　h：高リスク　　PCA：予防処置の推奨
a：休止中　　m：中等度のリスク　　OCA：保存修復治療の推奨
r：再石灰化　l：低リスク

　現在は2005年9月に発表されたICDAS Ⅱが使用されている。この分類では、う蝕に対応した「一般用語」「歯科用語」「文字記号」「数字記号」「活動性」、また「リスク（h：高リスク、m：中等度のリスク、l：低リスク）」に加えて「予防処置の推奨」「保存修復治療の推奨」を判定している（表2）。今後は改良が加えられより使用しやすい指標になることが期待される。ICDASに関する最新情報、評価基準等はICDASのウェブサイトからダウンロードすることが可能である。

●ICDAS
http://www.icdas.org/
（2007年12月5日取得）

（野村義明）

第2章 初期う蝕診断の新技術

1. QLF初期う蝕検出・診断システム

1) 初期う蝕検出・診断の意義

　視診に頼らざるを得ない従来のう蝕診断においては、ごく初期のう蝕は肉眼で検出しにくいため、確実に健全であるという診断が困難であり、さらに、健全から実質欠損までの脱灰進行過程の把握が不十分であった。近年様々な初期う蝕の検出機器が発表され、そのなかでもQLF法（quantitative light-induced fluorescence、定量的光誘起蛍光法）は肉眼で検出が困難な初期う蝕の検出を非破壊で行うことが可能であり、健全な状態あるいは病巣の微細な変化を、長期にわたり定量的にモニタリングすることができるという他の機器にはない特徴を兼ね備えている[1,2]。医科の分野においては様々な検査機器が導入され、診断や治療の視診として多種のデータを利用することが可能であるが、口腔内から得ることができる定量的なデータは決して多くなかったのが現状である。こうした意味からも、光学的な診断技術に限らず、いかに口腔内から客観的なデータを引き出せるかというポイントが個別の口腔健康管理を成功させる鍵となるといえる。

2) QLF法の原理

　歯に励起光を照射すると、象牙質から蛍光が発せられることはほぼ百年前から知られている。特に初期う蝕部では、エナメル質の結晶構造が乱れているため、象牙質から生じた蛍光が乱反射し、外部に到達する蛍光量が減衰した結果、初期う蝕は黒い像として観察される（図1）。QLF法はこの現象を応用して初期う蝕の検出および評価を行う手法である（図2）。すなわち、QLF法は歯のデジタル画像を撮影し、デジタル画像に黒変部として観察される初期う蝕部を発見した場合、健全な部位から生じる蛍光の強度を対照とし、初期う蝕部における蛍光の減少程度をコンピュータによる画像解析を行い、初期う蝕を数値で表現する。

　う蝕を病理組織学的にin vitroで定量的に診断する、世界標準として認められている方法にマイクロラジオグラフィ法（Transversal Micro-Radiography：TMR）がある。この方法は歯の薄切標本を作製し、撮影したその標本のエックス線画像を解析することによりミネラル喪失量を測定するものである。QLF法に

図1　矯正治療中の患者の4|の歯頸部にみられた初期う蝕（矢印）

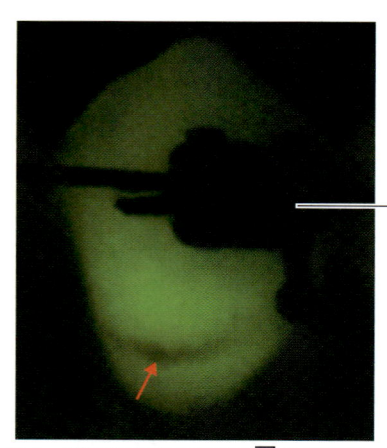

―矯正装置

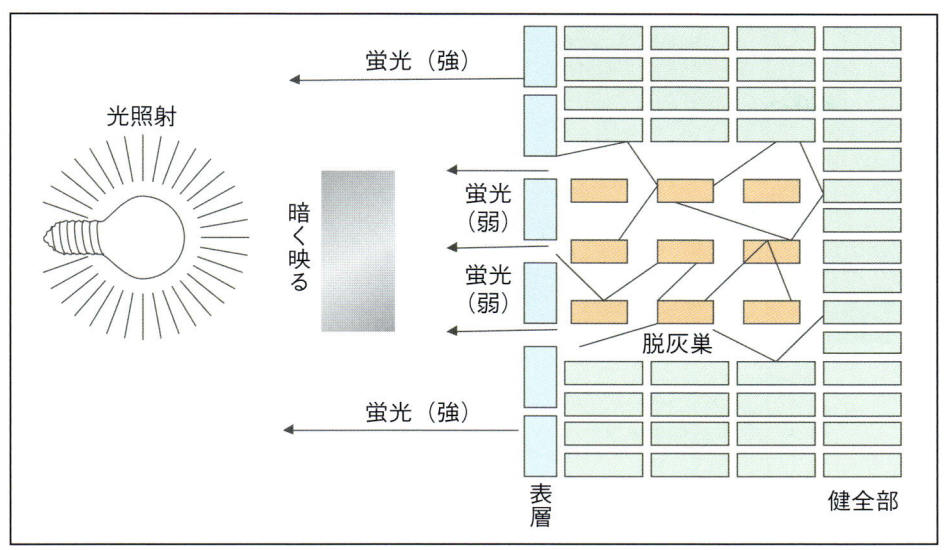

図2　QLF法 初期う蝕検出原理

よって得られる測定値は定量的マイクロラジオグラフィ法と高い相関のあることが知られているが[3]、定量的マイクロラジオグラフィ法は薄切標本を作製しなくては測定できないため、抜去歯でないと応用することができない。そのため、臨床の場において初期う蝕を定量的に評価するにはQLF法に頼らざるを得ないのが現状である。

3）QLF法による診査

現在入手可能なQLF法による口腔診査・診断システムとして、オランダのInspektor Dental Care社から発売されているInspektor Pro（図3）がある。

Inspektor Proは光源、コンピュータ、モニタ、ハンドピースから構成されている。ハンドピースにはCCDカメラと光照射ユニットが備えられており、口腔内にハンドピースを入れ、診査する歯にハンドピースの開口部を合わせると、ハンドピースの開口部から照射された励起光により歯から自家蛍光が生じる。自家蛍光を発している歯のデジタル画像はCCDカメラを介して捉えられ、この画像はフットスイッチを踏むことによりコンピュータに記録される。

●Inspektor Pro
http://www.inspektordentalcare.com/（2008年1月18日取得）

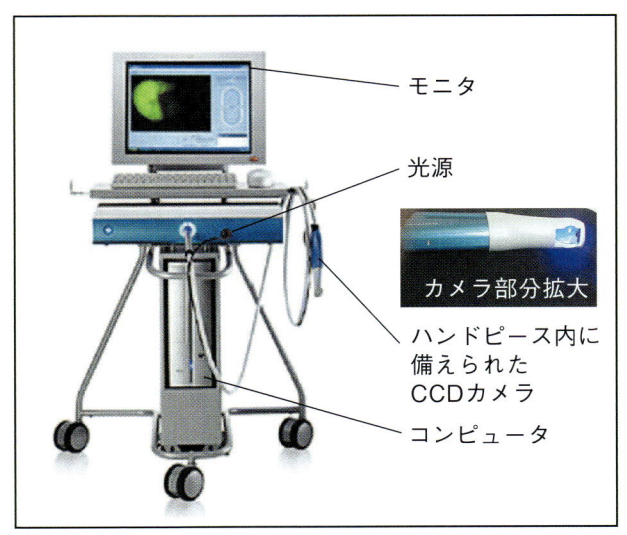

撮影したデジタル画像はInspektor Proに付属している専用の画像解析プログラムにより解析を行う（図4）。初期う蝕の解析は、黒く見える初期う蝕部の外周にある健全部の蛍光強度が対照となる。すなわち、図4のaおよびcに示す青い点線が初期う蝕部の対照として設定した健全な部位である。健全部の蛍光強度と比較した際の、初期う蝕部における蛍光強度の減少程度は青から黄に至る色調の変化（Threshold：％、図4b）として表現され（図4c）、健全部に対する平均蛍光強度の減少程度は－5％（青）から－40％（黄）までにクラス分けされ、それぞれのクラスにおける三種類のパラメータ値が表示される（図4d）。Delta（Δ）F（％）というパラメータは平均蛍光強度の減少量を示し、Area（mm^2）は初期う蝕部の面積を示す。そして、Delta（Δ）Q（$mm^2 \cdot \%$）はDelta（Δ）F値とAreaを掛け合わせた値で、初期う蝕部の三次元的な容積を示している。

図3　Inspektor Pro

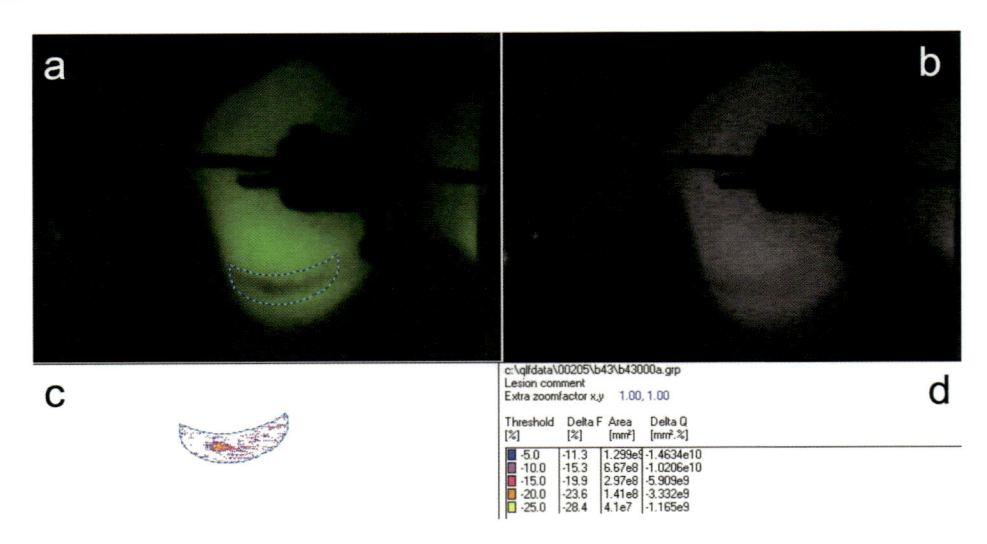

図4 Inspektor Proによるデジタル画像の解析

4）QLF法により評価を行った症例

患者は12歳の男児。矯正治療を主訴として来院した。Inspektor Proにより診査を行ったところ、下顎右側犬歯唇側面歯頸部に黒色の像を認め（図5a）、デジタル画像解析を行なった（ΔF：-9.8％、Area：2.0 mm^2、ΔQ：-19.4 mm^2・％）。初期う蝕の存在を伝え、ブラッシング指導を行い、フッ化物配合歯磨剤の使用を指示し、定期的な観察を行った。一年後に再度デジタル画像を取得し（図5b）、解析を行ったところ、すべてのパラメータは減少していた（ΔF：-8.5％、Area：0.5 mm^2、ΔQ：-4.1 mm^2・％）。すなわち、初期う蝕病巣が縮小していることがわかる。

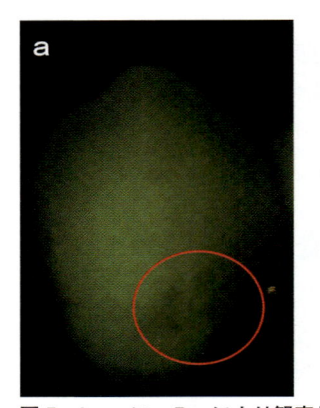

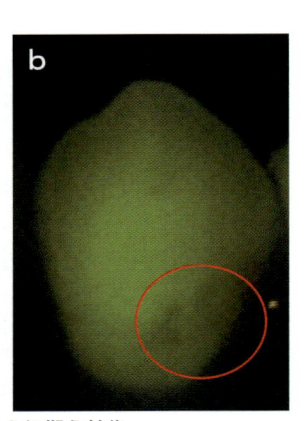

図5 Inspektor Proにより観察した初期う蝕像
a）初診時、b）一年後

このようにQLF法による経過観察を行うことにより、初期う蝕の進行過程を数字で表すことができ、デジタル画像も付加して説明することができるため、QLF法による診査・診断結果はインフォームドコンセントの取得や動機付けにも有効なツールとして機能させることができる。QLF法は、マウスの操作による直感的なインターフェイスでデジタル画像の取得や画像解析を行うことができるため、歯科医師が診断を行うまでのQLF法による口腔内情報の取得は歯科衛生士によっても充分行うことができる。

5）QLF法による研究

現在、QLFを使用した様々な基礎ならびに臨床研究が行われている。そのなかで、QLF法による疫学的研究を紹介すると、Kambaraら[4]は10歳以上で永久歯唇側面に初期う蝕と判断できる、ホワイトスポットを検出した被験者145名を対象に一年間の臨床研究を行った。その結果、フッ化物を配合していない歯磨剤を使用した、すなわち自然状態の群における初期う蝕の一年間の推移は、う蝕が進行した被験者は54％、う蝕が回復（再石灰化）した被験者は43％、停止性が3％であった。回復を示した初期う蝕が半数もあり、いままでほとんど定量的な検討が行われてこなかった口腔内の自然回復能の高さがこの研究により示されたことには大きな意義がある。

一方、フッ化物配合歯磨剤を使用した群では、一年間で88％の被験者が回復を示した。これまで報告されてきたフッ化物配合歯磨剤のう蝕抑制効果は30～40％で

あったことと比較すると、非常に高いう蝕抑制率を示していることがわかる。視診により初期う蝕の転帰を疫学的に調査した報告[5]によると観察期間は七年に及んでいる。しかし、QLFはより微細な初期う蝕の変化を数値で捉えることが可能であるため、一年という短い期間でも充分に初期う蝕の変化を把握することができたと考えられる。

6）臨床における光学的診査の必要性

　初期う蝕への対応は、再石灰化を促進させる口腔内環境をいかにして与えるかが最優先される課題である。しかし、再石灰化処置を行ったとしても、その成功の可否がう窩が生じた／生じなかったという点で判定するしかなかった時代ではなく、すでに我々は病巣の微細な変化を捉えることが可能な時代を迎えている。そして、忘れてはならないのはQLF法は病巣のみを捉える手法ではないということである。口腔内の健康管理を考えたときに、宿主要因がクローズアップされることはすでに述べたが、QLF法は歯が健康であるという科学的根拠を数値で表現することが可能な手法である。地域のかかりつけ歯科医のシステムの中、地域住民を個別に健康管理し健康増進をはかるうえで、QLF法をはじめとした光学的診査が臨床に取り入れられる必要性は今後高まってくると考えている。

（川崎弘二、神原正樹）

2．レーザーを用いたう蝕診断

1）レーザーによるう蝕診断装置　DIAGNOdent

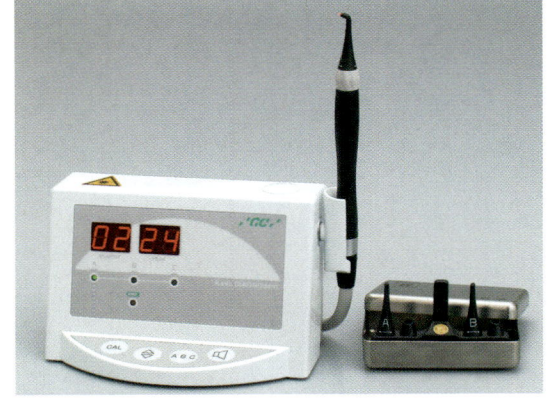

　DIAGNOdent（KaVo. Dental GmbH社）は、波長655 nmのレーザー光を歯に照射したときに生じる反射光スペクトルが、健康歯質とう蝕罹患歯質とで異なることを利用し、この差を検出し数値で表示する装置である（図1）。

　測定値は0から99で示されるが、数値が明確にう蝕の進行程度を示すものではない。測定値による臨床的な対応の目安が示されているが、本装置の測定値のみでう蝕診断を行うのではなく、あくまで情報の一つに過ぎないことを念頭に、視診（色調）、触診、エックス線検査などを利用して総合的な診断を行うべきである。

　特に、小窩裂溝う蝕では裂溝の底部のう蝕進行状況の把握が難しいことがある。このような場合に本装置を用いれば、う蝕の進行程度をある程度予測することができる。要観察と診断された歯に対して、経時的に測定値を評価しながら、その変化や、再石灰化療法の評価に利用することができる。う蝕病巣を除去して修復を行う際にも、病巣の除去が適切に行われたかどうかの判定にも応用可能であるが、この際にも、歯質の硬さや色調など臨床的な情報と合わせて判断すべきである。ごく限局された病巣の取り残しに対しては、う蝕検知液の方が確認しやすく確実である。

> ●DIAGNOdentの測定値と臨床対応の目安[1]
> 0－14：特に処置の必要はない。
> 15－20：予防処置を実施することが勧められる。
> 20－30：患者のう蝕リスク、リコール間隔に応じて予防処置または保存修復処置を実施することが勧められる。
> 31以上：保存修復治療（および予防処置）を実施することが勧められる。

図1　DIAGNOdent

第Ⅲ部　臨床を支える知識と技術編

2）可視光線によるう蝕診断

　口腔内カメラを利用して、その画像をモニタに示しながら患者への説明、教育に用いることは非常に効果的である。これらの装置には、さらにある特定の波長の光を応用することで、う蝕やプラークなどを検知できるものがある。ペンスコープ（図2）はビデオ画像、G-CAM（図3）はデジタル画像としてそれぞれ処理される。

　原理は紫色の光（波長405 nm）の照射により、細菌から励起される光を検知するというものであるが、ポルフィリンがこうした特異的な性質を示すものと考えられている。これらの装置では、口腔内画像上でう蝕病巣やプラーク付着を示すことができる（図4、5）。歯科医師や歯科衛生士が患者の口腔内を診査する際だけでなく、患者教育にも有効である。

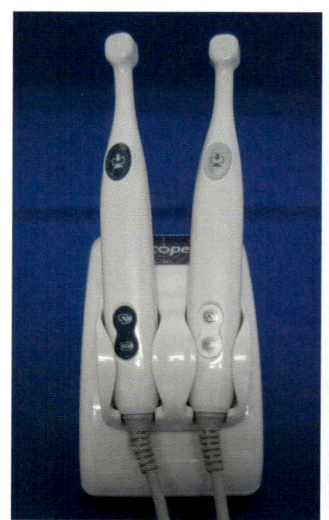

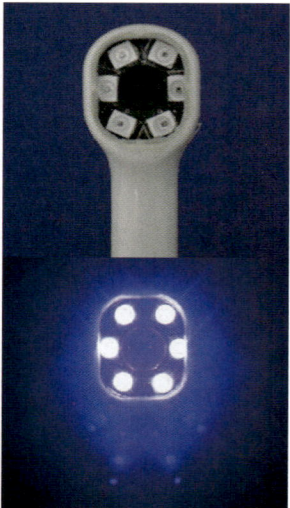

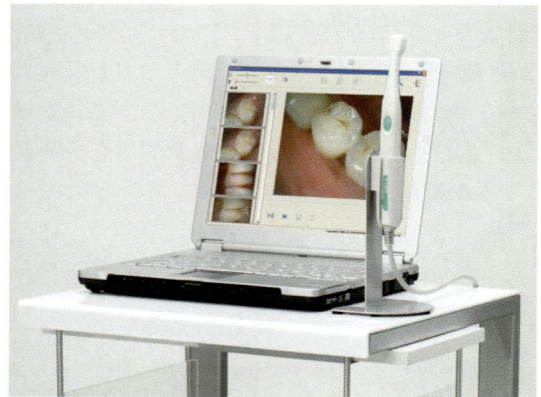

図2　ペンスコープ（モリタ製作所）。右下は発光時

図3　G-CAM（ジーシー）

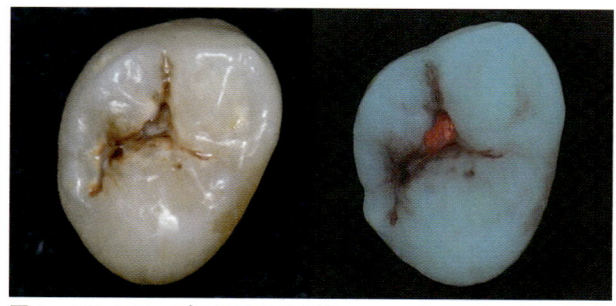

図4　ペンスコープによるう蝕診断
　（a）大臼歯の咬合面う蝕を肉眼で観察
　（b）同一歯面のペンスコープ画像。う蝕病巣が赤く検出される。

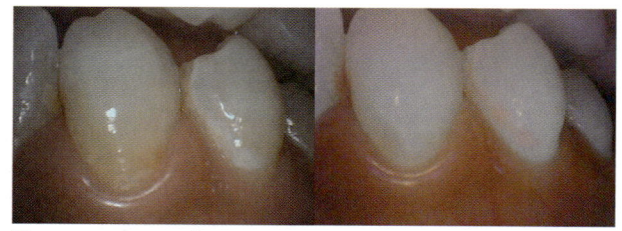

図5　ペンスコープによるう蝕診断
　（a）￣4の近心面に白斑（エナメル質の初期う蝕病変）が帯状に肉眼で観察できる。
　（b）同一部位のペンスコープ画像。プラークが赤く検出される。

（田上順次）

第3章 う蝕の予防法（セルフケア）

1．ブラッシング

　ブラッシングは、う蝕や歯周疾患などの歯科疾患を予防するセルフケアである。さらに、最近では口腔清掃の不良や唾液分泌の抑制などによって起こる口腔清掃状態の不良が、呼吸器系や消化器系の疾患の原因となることが示されているので、全身疾患の予防方法としての意義も高い。ブラッシングでは、歯ブラシ（電動ブラシや義歯用ブラシを含める）を用い、歯磨剤を同時に使用すると良い。歯ブラシ以外にも状況に応じてデンタルフロスや歯間ブラシを用い、舌苔の除去には舌ブラシを用いる。

　歯ブラシによって可能な限度までの、歯の表面（歯肉溝も含めて）におけるプラークの形成の阻止と形成されたプラークの除去（プラーク、歯石などの付着状態が高度の場合は機械的清掃を受けてから後）と、年齢に応じ歯周組織の物理的刺激（マッサージ）、さらには、歯周疾患の治療行為と組み合わせた医療的な目標、の二つがブラッシングの目標であり、いずれの場合も誤った方法や、過度の使用による害を起こさないことが重要である。

1）歯ブラシ、電動ブラシ

（1）歯ブラシの種類と使い方

　歯ブラシは、刷毛、植毛部（刷毛が植えてある部分）、把柄部（グリップまたはハンドル、握る部分）と頸部（ネックまたはシャンク、植毛部と把柄部をつなぐ部分）の四つからなっている（図1）。刷毛と植毛部を併せて頭部（ヘッド）と呼んでいる。歯ブラシには四つの部分の形状等で多くの種類がある。刷毛部の形では、直線型、凹彎型、凸彎型があり、頭部の形状だけでも11程の種類がある。また、植毛状態で多数列、4、3、2、1列のものがある。毛先の形態にも円形、テーパード、先端極細、水平、球形などがある。把柄部の形状も4種類程ある[1]。

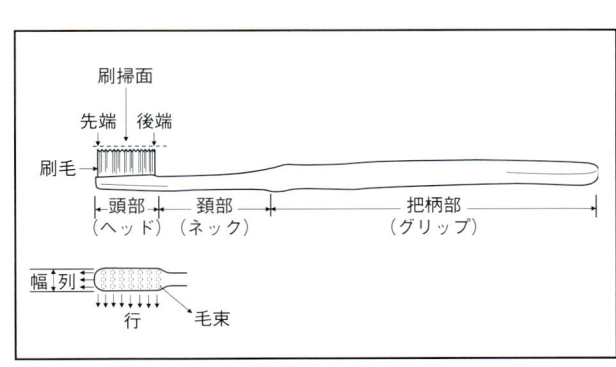

図1　手用歯ブラシの各部名称

　一般的な歯ブラシの選び方は、植毛部の形と大きさが最も大切で、短辺が10 mm、長辺が30 mm以下で下顎の前歯の裏側（舌側）に楽に入るぐらいのものが良いとされている。毛先は丸く処理されているがテーパーカットのものが良い。また、毛の

硬さも重要で、ブラッシング方法が毛の脇腹を使用するブラッシング法（ローリング法など）であれば歯ブラシの毛の長さが10〜12 mmで毛の硬いものを選ぶ。毛先を用いる方法（バス法やスクラッビング法など）では長さが10 mm以下で軟らかいものを用いる。

　口腔内の状態によって形状の異なる歯ブラシを組み合わせて使用したほうが良い場合があり、ブラッシングの指導時に歯ブラシの選択指導をすることも大切である。

（2）電動歯ブラシの種類

　電動歯ブラシは、自分でブラシを動かす必要がなく、適切に歯面に当たっていれば手用歯ブラシに比較して短時間で同程度の刷掃効果が得られるなどの長所がある。電動ブラシによる歯の磨耗が指摘されているので歯ブラシの正しい使用法を身につけておくことが重要である。現在3種類のものが市販されている。

- 電動歯ブラシ：ヘッド振動数は、毎分3,000〜10,000回、往復、回転、楕円、毛先のみの反転運動などがある。
- 音波歯ブラシ：ヘッド振動数は、毎秒の振動数が100以上のものをいう。200〜300 Hzのものが市販されている。
- 超音波歯ブラシ：歯ブラシのヘッド部分に超音波発生装置が内蔵されており、それにより超音波を発生させる。

（3）歯ブラシの扱い方

a. 歯ブラシの持ち方

　パームグリップ（5本の手指と手掌で把持する）とペングリップ（ペンを持つ持ち方）がある。前者は歯ブラシの脇腹を用いる方法に、後者は毛先を用いる方法に適している。

b. 歯ブラシの管理

　使用後は多数の口腔細菌が歯ブラシに付着しているので流水下で十分に洗う。保管は頭部を上にて乾燥しやすい場所にする。歯ブラシの刷掃効果は、新しいものほど高いので、交換は1か月に1回を目安とする。

（4）歯ブラシの使用法（操作法）

　年齢（幼児期、学齢期、成人等）と口腔内の状態（喪失歯、補綴物等）によって異なるが、特に、歯ブラシ圧を約200〜500 gにすることが重要である。

　歯ブラシの使用方法は、公衆衛生的に、歯科専門家でない教員などが集団的に指導を行う場合と、個人衛生的に歯科専門家が、個人に応じて指導する場合とがある。

　集団的に指導する場合には、一定のパターンの訓練、すなわち、レディメイドメソッドにとどまるが、患者への指導は、その状況に応じて行う。例えば、第一大臼歯が萌出し始めたら、歯肉弁近くまでの咬合面、萌出半ばになったら頬面小窩の部分、といったように、オーダーメイドメソッドまで行って初めて、歯ブラシによる清掃の効果が、その可能性の限度まで発揮される。

　歯ブラシの使用法は、種々パターン化されており、集団指導では、これらの中から、適切なパターンを採用する。個人指導の場合にも、パターンで指導することは便利であるが、さらに、その時点での個人の状況に応じた指導を加えるべきである。う蝕予防に効果的なブラッシング法を図2にまとめて示した。

> 歯周病予防に効果のあるブラッシング法としては、バス法（Bass technique）、スティルマン改良法（Modified Stillman method）、チャーターズ法（Charter's method）、ゴットリーブの垂直法（Gottlieb vertical method）がある。

ブラッシング法	歯ブラシの当て方と動かし方		
	唇・頬用	舌・口蓋側	
		前歯部	臼歯部
スクラッビング法	a 毛先を歯面に直角に当て、弱く加圧し、近遠心的に小刻みに動かす	b 歯ブラシを縦に入れ、1歯ずつ小刻みに動かす	c 毛先を歯面に45度に当て、弱く加圧し、近遠心的に小刻みに動かす
フォーンズ法	d 上下の歯を咬頭対咬頭で咬合し、毛先を歯面に直角に当て、上下の頬唇面、歯肉を含んで円形運動しながら刷掃する	e 毛先を歯面に当て、1歯ずつ往復運動する	f 毛先を歯面に当て、1歯ずつ往復運動する
IVM法	g 歯ブラシの長軸と歯軸を平行にし、毛先を歯面に当て、近心部、歯冠中央部、遠心部を順次刷掃する	h 唇・頬側と同様に行う	i 歯ブラシをやや斜めにして、唇・頬側と同様に行う

図2　う蝕予防に効果のあるブラッシング法（文献1より引用改変）

う蝕予防に効果のあるブラッシング法（主に毛先を使用する方法[1]）

①スクラッビング法（scrubbing method, scrub method）：毛先を使うブラッシング法の主流である。操作が簡単なことからすべての年齢層に適している。刷毛を歯面に直角に当て、近遠心的に歯ブラシ全体を数ミリ動かす程度の微振動で行う。大きく運動すると近遠心的横磨き法の欠点につながる。

②フォーンズ法（描円法 Circular method, Fone's method）：操作が比較的容易であるため幼児や児童に適しているが、歯間部の清掃効果が低い。指導してから時間が経過すると、近遠心的横磨き法に移行してしまう欠点がある。

③IVM法（Individual vertical methods、1歯づつの縦磨き）：長軸的に上下に行う。歯肉を刺激しやすいから上下顎を別に、毛先を順次、近心部、中央部、遠心部に当てて行う。上顎は上から下にやや力を入れ、下顎は下から上に力を抜くように行えばその欠点を防げる。

2）プラーク染色液の利用

ヨードを主成分とするものと色素を主成分とするものとがあるが、市販品は色素を主成分とする。色素としてエリスロシン（食用赤色3号）とプロキシン（食用赤色104号）が主に用いられている。プロキシンとブリリアントブルー（食用青色1号）の二つを含む二色性プラーク染色液もある。

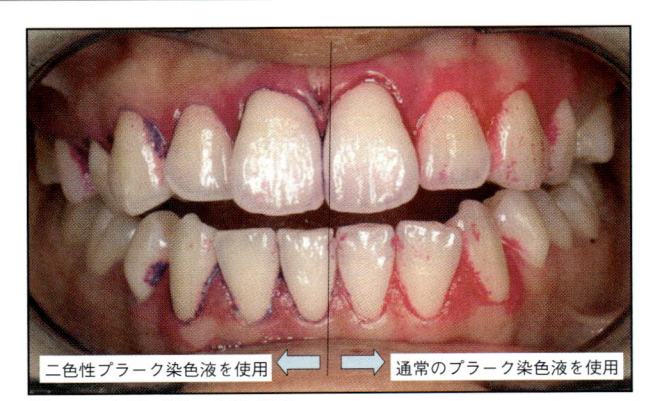

二色性プラーク染色液は、新しいプラークを赤く、古いプラークを青く染め分ける特徴を持っている。このため通常のプラーク染色液では判断できない情報が得られる。この染色剤を用いることによって、叢生などの歯列状態で患者の口腔清掃状態が良好でない場合、いつも磨き残す部分が青いプラークとして観察される。

図3は、右側を二色性プラーク染色液で、左側を通常のプラーク染色液を用いてプラークを染め出した所見である。右側上下顎犬歯小臼歯歯頸部に青く染め出され

図3　二色性プラーク染色液

たプラークが観察される。左右を比較すると得られる情報の違いは明確であり、患者にとっても磨きにくい部分の把握が容易である。また、青染プラークの存在によって、スクロース（ショ糖）を含む間食の摂取の頻度が高いことが推測できる。咬合面においては深い裂溝を染め出すことが特徴である。

3）その他の清掃法

（1）隣接面の清掃法

デンタルフロス、デンタルテープ、歯間ブラシやトゥースピックなどを用いる。

（2）舌苔の除去法

舌は口腔内で最も表面積が大きく、レンサ球菌を主体とする固有の細菌叢を形成している。この部の清掃によって細菌レベルを低下させることはプラーク形成を遅らせたり、唾液中の細菌数を低下させ、口臭の予防になる。舌ヘラや舌ブラシを用いて舌苔を除去する。

（3）義歯の清掃法

口腔軟組織への刺激除去、口臭防止、義歯の維持、残存歯のう蝕予防のために行う。流水下で行う、義歯用ブラシでブラッシングする、浸漬洗浄剤へ浸漬する、などがある。浸漬洗浄剤は、5～10％次亜塩素酸ナトリウム溶液、3％過酸化水素水、酵素などが用いられる。歯ブラシによる清掃は毎食後行う。清掃剤への浸漬は1～2週間に1回程度行い、浸漬後はよく水で洗う。殺菌剤の応用や超音波による清掃器具の使用が望まれる。

●デンタルフロスの使い方

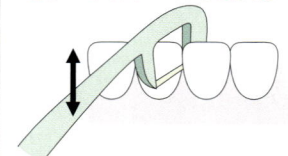

歯と歯の間に糸をあてる。僅かに前後に動かしながらゆっくりと挿入。歯と歯茎が接する部分まで入れる。歯の隣接面に沿って、上下に数回ずつ動かして磨く。

●歯間ブラシの使い方

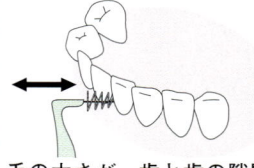

毛の太さが、歯と歯の隙間に合ったものを、歯の表側からゆっくりと隙間に挿入。前後に数回動かして磨く。奥歯は、内側からも歯間ブラシを入れて同様に磨く。

● **Column** ● 　行動科学に基づく口腔清掃行動を促す条件
　　　　　　　　　　（生活習慣の改善のポイント）

宗像、中野は（1998）[2]、行動科学に基づく保健行動を促す条件を口腔清掃指導に応用し、口腔清掃行動における動機づけを次のようにまとめている。

● 人が動機づくためには
　①保健行動をとらないことが不安化する（例：う蝕にかかる、歯を失う不安）。
　②保健行動をとることが利得化する（例：口臭がなくなる、歯が美しい、気持ちが良い）。
　③何のために保健行動をとるかが目的化する（例：パートナーの好意を得たい）。
　④保健行動をとることが他者から一般的に求められるように規範化している（例：口腔清潔感が求められている）。
　⑤保健行動によって自己成長できたり、心の仲間ができたり、人の役に立ってその行動自体が生き甲斐化する（例：プラークコントロールを極めることで自信につながり、パートナーとの関係も良好で幸せ）。
　⑥保健行動の仕方が評価化される（例：職場や歯科医院で良い評価を得る）。
● 負担を軽減する方法として
　①保健行動に伴う犠牲や負担が最低下する（例：風呂に入りながら、ブラッシングする）。
　②保健行動をとることが支援化される（例：周りの協力）。
● 自己決定心が高まるには
　①保健行動をとる隠れた本当の気持ちを意識化する。
　②保健行動をうまくとれる自信のある方法を学習する。

行動科学に基づいた口腔清掃行動を促すような指導が行われ、前述のように同時にフッ化物歯面塗布を併用したPMTCによってその快適さも体験してもらうことが、セルフケアとして有効な口腔清掃の定着につながることが多い。

2．フッ化物洗口

1）フッ化物洗口とは

フッ化物洗口は学校などで集団的に応用されている。フッ化物洗口を実施している学校はこの2～3年で大きく増加している。

→ 第Ⅳ部第3章 192ページ

フッ化物洗口には「毎日法」と「週1回法」があり、毎日法は0.05% NaF溶液を用いて毎日1回行う。週1回法は0.2% NaF溶液を用いる。0.1% NaF溶液を用いて週1～3回洗口する方法もある。

（1）フッ化物洗口剤の種類

セルフケアとしてフッ化物洗口を患者にしてもらう場合は、市販のフッ化物洗口剤を処方することが多い。現在わが国で市販されているフッ化物洗口剤はミラノール（ビーブランド・メディコーデンタル）とオラブリス（昭和薬品化工業）、バトラーF洗口（サンスター）の3種がある。いずれもフッ素濃度として250 ppm（0.2% NaF溶液）と450 ppm（0.1% NaF溶液）の2種類の溶液を調製できるようになっている。

（2）洗口の方法と注意事項

a. 方法

洗口時間は、30秒から1分間で、5～10 mLの洗口液でブクブクうがいを行う。洗口中は座って下を向いた姿勢で行い、口腔内のすべての歯にまんべんなくいきわたるように行う。吐き出した洗口液はそのまま排水口に流してよい。

b. 洗口後の注意

洗口後30分間ぐらいは口をゆすいだり、飲食をさせないように指導する。洗口用の専用ビン（200～250 mL）は一人当たり約1か月洗口できる分量である。

c. 薬剤の保管

溶液は子どもの手に届かないところに保管し、責任ある保護者が管理する必要がある。

d. 口腔内残留率

フッ化物洗口後のフッ化物残留率は3歳で15%、5歳で10%、8歳で11%であると報告されている[3]。0.05% NaF溶液5～10 mLで洗口した場合は多くても0.2 mgである。

（3）フッ化物洗口の開始年齢

WHOは、1994年にテクニカルレポートNo.846で6歳未満の就学前児童を対象としたフッ化物洗口は禁忌であるとの見解を示した[4]。この見解は、正しくフッ化物洗口を行っている場合にはフッ化物の残留量は少量であるので歯のフッ素症の原因にはならないが、他のフッ化物応用から摂取されるフッ化物（上水道フッ化物添加、フッ化物錠剤、フッ化物添加食塩など）によって摂取される総量が歯のフッ素症を発現する危険性を増加させることを危惧して発表されたものである。しかしながら、わが国においては上述の全身的応用は行われていないことからWHOが危惧する状態ではなく、わが国においては6歳未満（4歳以上）であっても洗口ができる対象者であればフッ化物洗口を開始しても良いとされている[5]。

（松久保　隆）

3．食品によるう蝕予防

1）ガムの効用と問題点

　チューインガムにはスクロース（ショ糖）を含有する通常のシュガータイプのガム、糖質濃度が規程量以下のシュガーレスタイプのガム、そして近年注目を集めている機能性ガムなどがある。機能性ガムは公的機関によってその機能が科学的に立証されたガムを指し、すべてシュガーレスタイプである。これ以後シュガータイプのガムをスクロースガム、シュガーレスタイプのガムをシュガーレスガムと表すこととする。

　ガムによるう蝕予防を考えるとき、スクロースガムはう蝕誘発性のスクロースを持続的に供給することになるため、特に食間には控えなければならないガムである。一方、発酵性の糖質含量が0.5％以下のシュガーレスガムはスクロースガムに比べればう蝕誘発性は低いといえるが、成分によっては問題も発生する。機能性ガムには厚生労働省許可の特定保健用食品（トクホ）としてのガムと日本トゥースフレンドリー協会認定食品としてのガムが存在する。

　一般にガムの効用としては咀嚼による唾液分泌の促進とそれに伴う消化酵素や抗菌物質の増加、口臭の低減、緩衝作用や浄化作用の向上等が挙げられ、また精神作用として眠気防止、気分転換、精神安定等が挙げられる。口腔保健の立場からはやはり唾液分泌の促進が重要である。口腔内環境、特に歯表面のプラークpHが酸性に傾いているときに唾液はその緩衝作用によってpHを中性域まで回復させる働きを持つ。また、唾液中には種々の抗菌物質も存在し、口腔内環境を正常に保っている。

　一方、ガムの問題点は糖アルコールの取り過ぎによる一過性の下痢である。パッケージには摂取をする上での注意事項と1日摂取目安量が記載されているので、その範囲内で利用するように心がけたい。また、強いて言えばガムに対する過信も問題かもしれない。ガムを噛むことによってプラークが除去されることはあるが、その割合は10〜20％程度で決してブラッシングの代わりにはならない。「歯磨き」や「ブラッシング」を想起させる製品もあるが、その効果は限定的であることを認識しておく必要がある。とはいえ、食後にブラッシングのできない状況ではガムを噛むことは前述のように多くの効用をもたらすので、機能性ガム、なければ次善の策としてシュガーレスガムを噛むことを薦めたい。

2）シュガーレスガム

　表1は栄養表示基準で定められている栄養成分の基準値を示している。「無」「ゼロ」「ノン」あるいは「低」「軽」「低減」などと表示する場合の食品100g当たりの熱量、脂質、飽和脂肪酸、糖類、ナトリウムの量が定められている。ここでいう糖類とは単糖、二糖を指していて糖アルコールは含まれていない。従って対象となるのはグルコース（ブドウ糖）、フルクトース（果糖）、スクロース、マルトース（麦芽糖）などであり、いずれもう蝕細菌によって代謝されて乳酸、ギ酸、酢酸などに変えられる。う蝕原性細菌以外の口腔内細菌のなかにもこれらの糖類を利用できる細菌は非常に多い。栄養表示基準では糖類が0.5％未満であれば「無」「ゼロ」「ノン」などと表示できる。表にはないが「シュガーレス」という表示も糖類含量が0.5％未満でないと使えない。なお、糖類が5％未満であれば「低」「軽」「低減」「カット」「オフ」などと表示できる。

　図1はトゥースフレンドリー協会が認定に用いている電極内蔵法を用いて、各濃度のスクロース溶液によるうがい後にヒト・プラークのpHを連続的に記録したpH

表1　栄養成分の表示基準

栄養成分	無、ゼロ、ノンなどの表示は次の基準値に満たないこと 食品100g当たり （飲用に供する食品にあたっては100mL当たり）	低、軽、ひかえめ、低減、カット、オフなどの表示は次の基準値以下であること 食品100g当たり （　）内は飲用に供する食品100mL当たり	
熱量	5kcal	40kcal	(20kcal)
脂質	0.5g	3g	(1.5g)
飽和脂肪酸	0.1g	1.5g かつ飽和脂肪酸由来エネルギーが全エネルギーの10%	(0.75g) かつ飽和脂肪酸由来エネルギーが全エネルギーの10%
糖類	0.5g	5g	(2.5g)
ナトリウム	5mg	120mg	(120mg)

曲線である[1]。0.1から5％までのスクロース溶液によるうがいの後に1分以内でいずれもエナメル質脱灰の危険域であるpH5.5以下になり、2分後には最低pHに達している。スクロース濃度が低いほどpH低下は鈍く、唾液の緩衝作用によるpHの回復も早い。0.5％スクロースの場合、4.5まで下がったpHは15分で元の中性域まで戻っている。1％スクロースの場合でもpHは20分でほぼ中性域まで回復している。1％スクロースくらいまでなら10分程度で危険域を脱しているので、実際上エナメル質脱灰までの危惧はないと考えられている。スクロース濃度が高くなるほどプラークpHの回復が遅れるので、間食によって頻繁にスクロースや発酵性糖類を摂取するとプラークpHは危険域に長くとどまり、脱灰の危険性が高まる。

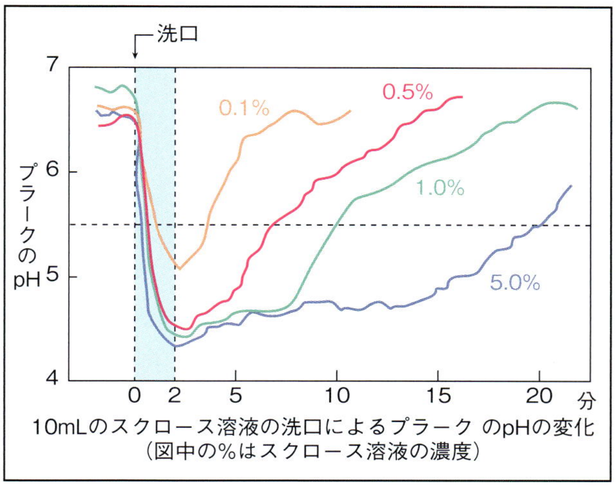

歯の健康にとっては「シュガーレス」「ノンシュガー」と表示してあってもデンプンなどの多糖類やクエン酸、アスコルビン酸などの酸が含有されている場合は必ずしも安心できないので注意が必要である。デンプンや酸がない限り「シュガーレス」「ノンシュガー」と表示されたガムはスクロースガムに比べて歯に安心と考えてよい。

真に歯に安心なガムを選ぶなら、やはり科学的根拠が立証されて公的機関によって認可されている特定保健用食品やトゥースフレンドリー協会認定食品を推薦したい。これらの機能試験は最終形態の食品で行われるので、素材として好ましくないものが含まれていても見逃すことはない。

図1　電極内蔵法（プラークpHテレメトリー法）によるプラークpH曲線（文献1より引用改変）

3）機能性ガム

（1）う蝕になりにくいガム

本書第Ⅳ部第6章に2007年6月現在の歯科関連のトクホを示しており、その数は48品目に達している（トクホ全体687品目の7.0％に相当）。トクホ制度の発足当時はう蝕になりにくいガム、チョコレート、キャンデーが許可され、パッケージ上への許可マークとヘルスクレーム（健康表示）の表示が許された。そのガムの許可表

➡ 第Ⅳ部第7章217ページ

示は「虫歯の原因とならないマルチトール、還元パラチノース、エリスリトールと茶ポリフェノール（サンフェノン）を原料素材に使用していますので虫歯の原因になりにくいガムです」というものであった。

また、日本トゥースフレンドリー協会は試験食品を摂取後に電極内蔵法でヒト口腔内のプラークpHを測定して、30分以内にpHが5.7以下にならなければ虫歯になる心配が無いと認定し、"歯に信頼"マークの表示を認めた。現在、認定されている全16品目のうちキャンデー・キャラメルが6品目、シュガーレスガムが10品目である。この10品目のうち3品目はトクホとしても許可されていて、パッケージ上には二つのマークが表示されている。なお、日本トゥースフレンドリー協会は世界のほかの9か国と共に国際トゥースフレンドリー協会に属しており、10か国で認定された食品は世界60か国で売られている。

●国際トゥースフレンドリー協会
http://www.toothfriendly.ch/
（2007年12月15日取得）

（2）再石灰化を促進するガム

う蝕になりにくいシュガーレスガムであることに加え、さらに再石灰化促進機能を併せ持つガムが近年注目を集めて主流になってきている。現在、機能素材の異なる3種の再石灰化作用を促進するガムが市販されている[2]。それぞれ2000年、2001年、2003年にトクホとして許可されたリカルデント、キシリトールガムおよびポスカムである。許可理由となった機能の表示には"再石灰化を増強する"とか"再石灰化しやすい環境に整える"などの文言が使われている（表2）。

表3に現在トクホに使われている再石灰化促進物質の性質を示した。オーストラリアで開発されたCPP-ACPは牛乳中のカゼインというタンパク質の分解物（カゼインホスフォペプチド）と非結晶性リン酸カルシウムの複合体であり、リカルデントに使われている。CPP-ACPはまたトクホの錠菓（タブレット状の菓子）にも使われている。日本で開発された機能性食品素材であり、紅藻類フクロノリから抽出されたフノランは硫酸多糖であり、リン酸一水素カルシウムと併用すると再石灰化作用を発揮する。キシリトールガムと錠菓に使われている。また、ポスカムに使われ

➡ 第Ⅳ部第7章223ページ

表2　再石灰化機能を持つ3種のガムの性状

商品名 （名称・内容量）	関与する成分	甘味料	許可を受けた表示内容	摂取をする上での注意事項	1日摂取目安量
リカルデント （シュガーレス板ガム・10枚、25g、キャドバリージャパン）	CPP-ACP （乳たんぱく分解物）	キシリトール（35.6%）アスパルテーム・L・フェニルアラニン化合物	歯の脱灰を抑制するだけでなく再石灰化を増強するCPP-ACPを配合しているので歯を丈夫で健康にします。	一度に多量に食べると体質によりお腹がゆるくなる事があります。	1日に4枚を、1枚あたり20分間を目安に2週間噛むと効果的です。
キシリトールガム （チューインガム・14粒、21g、ロッテ）	キシリトール マルチトール リン酸一水素カルシウム フクロノリ抽出物（フノラン）	キシリトール（42.9%）アスパルテーム・L・フェニルアラニン化合物	このガムは、虫歯の原因にならない甘味料（キシリトールおよびマルチトール）を使用しています。また、歯の再石灰化を増強するキシリトール、フクロノリ抽出物（フノラン）、リン酸一水素カルシウムを配合しているので、歯を丈夫で健康に保ちます。	一度に多量に食べると、体質によりお腹がゆるくなる場合があります。	1回に2粒を5分噛み、1日7回を目安にお召し上がりください。
ポスカム （チューインガム・14粒、20g、グリコ）	リン酸化オリゴ糖カルシウム（POs-Ca）	キシリトール（42.5%）アスパルテーム・L・フェニルアラニン化合物	本品は、リン酸化オリゴ糖カルシウム（POs-Ca）を配合しているので、口内を歯が再石灰化しやすい環境に整え、歯を丈夫で健康にします。	一度に多量に食べると、体質によりお腹がゆるくなる場合があります。	1回に2粒を20分噛み、1日4回を目安に1週間続けると効果的です。

表3　特定保健用食品に使われている再石灰化促進物質の性質

	再石灰化促進物質	由来	化学物質名	構造	作用	使用商品
1	CPP-ACP	牛乳	カゼインホスフォペプチド-非結晶性リン酸カルシウム複合体	アミノ酸残基21〜25個にリン酸基4〜5個結合	カルシウム吸収促進 カルシウム可溶化 エナメル質再石灰化	リカルデント
2	フクロノリ抽出物リン酸一水素カルシウム	紅藻類フクロノリ	フノラン リン酸一水素カルシウム	硫酸多糖	う蝕抑制 カルシウム可溶化 エナメル質再石灰化	キシリトールガム
3	POs-Ca	馬鈴薯デンプン	リン酸化オリゴ糖カルシウム	グルコース残基3〜7個のマルトオリゴ糖にリン酸基1〜2個結合	カルシウム可溶化 エナメル質再石灰化 pH緩衝作用	ポスカム

ているPOs-Caは馬鈴薯デンプンから調製されたリン酸化オリゴ糖のカルシウムで再石灰化作用に加えてpH緩衝作用も示す。いずれも甘味料にキシリトールとアスパルテーム・L・フェニルアラニン化合物を用いている。これら3種のガムの再石灰化作用のメカニズムはまだ十分に解明されていないが、いずれもカルシウム可溶化作用を持つので、それぞれの機能性素材はカルシウムイオンと結合することにより、カルシウムがリン酸と沈殿物を形成してしまうのを防ぎ、脱灰部位へカルシウムを運ぶ役割を持つと推定されている。

以上述べてきたようにチューインガムを噛むことには多くの効用があるのでう蝕予防のためのホームケアに是非利用したいところである。ガムを噛むことにより唾液分泌が促進されれば口腔内環境はう蝕を起こしにくい方向へシフトしていく。もちろんどんなガムでも良い訳ではなく、なるべくトクホとして許可されたガム、トゥースフレンドリー協会で認定されたガムで、再石灰化作用のあるガムならなおよい。再石灰化作用を持つガムは白斑の初期う蝕を回復させることが知られているので、単にう蝕予防だけでなく回復を目指した利用が可能である。現在までに再石灰化を促進する物質として3種の素材が開発されたが、いずれも異なる化合物である。従って今後さらに異なる構造の再石灰化促進物質の開発が期待できる。また、そうした機能性素材を含んだ機能性食品がさらに増えていくことを期待したい。

（今井　奨）

4. 歯磨剤

1）歯磨剤の組成

歯磨剤の種類を剤型別に分類すると6種類（ペースト、潤性、粉状、液状など）存在するが、現在日本を含めた欧米で最も多く使用されている歯磨剤は、ほとんどペースト状である。表1にペースト状の歯磨剤の成分とおおよその配合量を示した[1]。

歯磨剤の組成は大別して薬用成分と基本成分からなる（表1）。薬用成分としては、フッ化物、抗炎症剤（歯周疾患予防）、酵素（主にう蝕予防）、殺菌剤（う蝕／歯周疾患予防）などが配合されている。フッ化物については主にフッ化ナトリウムとモノフルオロリン酸ナトリウムが使用されているが、外国ではフッ化第一スズやアミンフッ化物も使用されている。

表1　ペーストタイプ歯磨剤の成分と配合量

成分		作用	配合量（%）
薬用成分			
フッ化物、抗炎症剤、酵素、殺菌剤など		薬用成分の個別機能による効能効果の発揮	適量
基本成分			
研磨剤	リン酸水素カルシウム、水酸化アルミニウム、無水ケイ酸、炭酸カルシウム など	歯の表面を傷つけず、歯垢やステインなど歯の表面の汚れを落とす	10～60
湿潤剤	ソルビトール、グリセリン など	歯磨剤に適度の湿り気と可塑性を付与	10～70
発泡剤	ラウリル硫酸ナトリウム など	口中に歯磨剤を拡散させ、口中の汚れを洗浄	0.5～2.0
粘結剤	カルボキシメチルセルロースナトリウム、アルギン酸ナトリウム、カラギナン など	粉体と液体成分を結合させ、保型性を与え、適度の粘性を付与	0.5～2.0
香味剤	サッカリンナトリウム、メントール、ミント類 など	香味の調和 爽快感と香りづけ	0.1～1.5
保存料	パラベン類、安息香酸ナトリウム など	変質の防止	～1
着色剤	法定色素	歯磨剤の外観の調整	～0.1

（文献1のデータをもとに作成）

2）歯磨剤の薬事的分類と訴求[※1]機能

歯磨剤は薬事法で化粧品と医薬部外品に分類されている。化粧品歯磨剤は、表1で示した基本成分だけで構成された製剤であり、表2に示した効能を宣伝広告することができる。一方、医薬部外品歯磨剤には、上述した薬用成分（厚労省が承認）の一つまたは複数が配合され、同成分による効能・効果を宣伝広告することができる[1]。医薬部外品の場合、歯磨剤の名称、成分、分量、用法・用量、効能・効果、安全性などについて審査が行われ、あらかじめ承認を得たものが市場に流通されている。もし医薬部外品歯磨剤として新たな効能効果を宣伝広告しようとした場合、新薬と同様に中央薬事審議会の各調査会審議により、薬効成分の臨床試験成績、安全性、品質規格などの審査を受け、承認を得なければならない。表2に示してある「その他厚生労働大臣の承認を受けた事項」はその例である。

化粧品に分類される歯磨剤については、平成13年4月から全成分表示制度の導入に伴い、承認制度が原則として廃止され、企業の自己責任において化粧品としての効能（表2）や安全性などが保証されたものが販売されている。

表2　歯磨剤の効能・効果の範囲

歯磨剤の効能・効果の範囲	
化粧品	医薬部外品
・プラークを除去する ・歯石の沈着を防ぐ ・う蝕を防ぐ ・口臭を防ぐ ・歯のヤニを取る ・歯を白くする ・口中を浄化する	・歯周炎（歯槽膿漏）の予防 ・歯肉（齦）炎の予防 ・歯石の沈着を防ぐ ・う蝕を防ぐ、またはう蝕の発生および進行の予防 ・口臭の防止 ・タバコのヤニの除去 ○ その他厚生労働大臣の承認を受けた事項 ・プラークの沈着の予防および除去 ・出血を防ぐ ・歯がしみるのを防ぐ

（文献1より引用改変）

[※1] 訴求とは宣伝・広告によって買い手の欲求にはたらきかけることをいう。

3）フッ化物配合歯磨剤の国際基準

一般にフッ化物配合歯磨剤（以下、F歯磨剤）は、その組成により有効性は同じとは限らない。特に研磨剤とフッ化物との相容性が重要視されている。すな

わち水に抽出されるフッ化物イオンが十分量存在し、脱灰・再石灰化に一定の有効性を示すことが求められている。これに関連して、FDI（Federation Dentaire Internationale、国際歯科連盟）、ADA（American Dental Association、米国歯科医師会）、FDA（Food and Drug Administration、米国食品医薬品局）などの公的機関は、F歯磨剤について、訴求された有効性を評価するためのガイドラインを公表している。例えば表3に示したFDIガイドライン（1999年）では、①フッ化物が新規なものであるかどうか、②以前に有効性が証明されたF歯磨剤と比べて研磨剤が異なっているかどうかに層別して種々のレベルの試験を要求している。ADAのガイドラインもおおむね同様な内容となっている[2]。ちなみにISO（国際標準化機構）は歯磨剤の安全性についてのガイドライン（ISO-11609、1995）を提示している。

表3 う蝕予防歯磨剤の有効性立証試験法の要約（○は必要を意味する）

	新規開発の う蝕予防歯磨剤		以前に有効性が 立証されている歯磨剤	
	新規フッ化 物を配合	有効成分が 非フッ化物	類似の研磨剤 を使用[*1]	異なった研磨 剤を使用[*2]
臨床試験[*3]	○	○		
＜試験するサンプル＞				
＊試験歯磨剤	○	○	○	○
＊対照歯磨剤（Fあり）[*4]	○	○	○	○
モデル試験[*5]				
＜試験するサンプル＞				
＊試験歯磨剤	○		○	○
＊対照歯磨剤	○		○	○
＊非F歯磨剤	○		○	○
化学的試験				
・Fの活性（水抽出性）	○		○	○
・Fの経時安定性（水抽出性）	○		○	○
生物学的試験				
・脱灰エナメル質へのF取り込み またはエナメル質の脱灰抵抗性			○	○
・in vitro試験（脱灰／再石灰化） ＜片方、または両方＞			○	○
・in situ試験（脱灰／再石灰化） ＜片方、または両方＞				○[*6]
・ラット動物試験				○[*6]

*1：組成物や物理的性質との相互作用がない場合
*2：組成物や物理的性質との相互作用が潜在的にある場合
*3：独立した二つの臨床試験が必要。臨床期間は2年が妥当、ただしハイリスク被験者では1年間も可能。診査回数は3回（初回、中間、最終）
*4：場合によっては、他の歯磨剤の使用も可能
*5：妥当性が確立された実験室試験法（化学的および生物学的試験）や前臨床試験法にて、臨床的に有効性が確認された歯磨剤との同等性を立証（統計的有意差がないことは、必ずしも同等性を示したことにならないことに注意）
*6：いずれか一方を実施

4）フッ化物配合歯磨剤の有効性

F歯磨剤のう蝕予防効果（抑制％、増加指数の減少）は、それぞれの臨床試験でかなり異なっている。予防効果の違いは被験者の年齢層、臨床試験の期間、被験者のう蝕リスクの程度、国あるいは地域の生活習慣などに起因すると思われる。さらに臨床試験が実施された地区での水道水のフッ素化の有無なども影響していると考えられる。近年、諸外国ではフッ化物濃度が1,500 ppmまたはそれ以上の高濃度の歯磨剤（例：5,000 ppm、医薬品）が発売され、それより低濃度のF歯磨剤より効果が高いとされている。

最近、EBD（Evidence Based Dentistry）という視点で有効性を判断すべきだとする考えが広がりつつある。フッ化物製剤（歯磨剤、洗口剤、塗布剤、バーニッシュなど）については過去に幾つかの臨床試験が実施されており、その試験で得られた成績について"エビデンス"の確認のため専門家による臨床論文の系統的なレビュー（例：The Cochrane Database of Systematic Reviews 2005）が行われている。それによると、F歯磨剤の有効性は50年以上にわたって質の高い臨床試験で評価され、明確な予防効果を有することが確認されている。上述のCochraneのレビューによると、16歳までの年齢層においてDFSとして予防効果はプラセボ歯磨剤（フッ化物無配合）と比較して平均24％であるという。さらに次の点が明らかにされている。予防効果は、①被験者のDFSスコアーが高い程、②歯磨剤のフッ化物濃度が高い程、③歯磨剤の使用回数が多い程、④ブラッシングが管理された場合において高かった。⑤水道水のフッ素化の影響はなかった。⑥乳歯における予防効果については十分な情報は得られなかった。

一方、米国ではCDC（Center for Disease Control and Prevention）も同様なレビューを行い、F歯磨剤の有効性はレベル1（5ランク中の最上位）であり、使用の推奨についてもランクA（5ランク中の最上位）としている。そしてすべての人にF歯磨剤の使用を推奨している（ただし低年齢での使用には注意を促している）。

F歯磨剤についての有効性に関連して、Bratthallは日本を含む欧米での近年のう蝕罹患率の低下要因（F歯磨剤、砂糖の使用量・摂取回数、学校でのフッ素洗口、プラークの減少など）について世界の著名な研究者にアンケート調査を行っている[3]。それによると、F歯磨剤の使用は非常に重要（63％）または重要（33％）な要因であると評価されている。それに対しF歯磨剤以外の要因は、寄与率は比較的小さいとの評価が示されている。

● Column ● F歯磨剤の今後の課題

近年、臨床試験の実施が極端に減少している。その理由の一つとして、倫理的理由によりフッ化物無配合の歯磨剤を臨床試験で使用できないことがあげられる。それに加えて、表4に示したように様々な問題点が浮上してきた。しかしF歯磨剤の有効性が時代とともに変化する可能性があること、科学技術の進歩によりさらに予防効果の高いフッ化物製剤の開発が期待できること、種々のフッ化物予防製剤（塗布剤、洗口剤など）と併用した場合の予防効果を確認する必要が出てくることなどを考えると、これらの問題点を世界共通の認識として克服しなければならない。

表4　臨床試験の実施が困難な背景要因

背景要因	臨床試験の実施上の問題点
う蝕に至る期間の長期化（1年程度から数年に）	・被験者の協力難 ・ドロップアウトの増加 ・臨床試験全体の管理難 ・臨床実施費用の増加
う蝕保有指数の偏り	・被験者数の増加 ・臨床試験全体の管理難 ・臨床実施費用の増加
治験（臨床試験）への協力難	・被験者の確保難
臨床実施費用の増加	・臨床試験の敬遠

世界のう蝕学研究者はその克服のため様々な研究を精力的に行っている。特に初期う蝕の検出・評価に多くの興味が払われている。2002年には、ICW-CCT（International Consensus Work for Caries Clinical Trial）が開催された[4]。ORCAでは毎年、機器による初期う蝕の検出・評価システム（例：QLF法、DIAGNOdent、ECM＜電気抵抗値による診断＞、DIFOTIなど）の開発のため、多くの研究報告が見られる。

神原らはQLF法を用いてF歯磨剤の初期う蝕再石灰化促進効果を評価するための臨床試験を実施した（第Ⅲ部第二章参照）。この臨床試験では、①エンドポイントを「う窩」ではなく「初期う蝕」としたこと、②臨床試験期間を1年間と短くしたこと、③中間診査を増やしたことで早期に「う窩」の発見ができ、フッ化物無配合歯磨剤との比較を行ったこと、④診査の定量性・客観性に優れたQLF法を採用したことで、被験者数を最終的に総数で132人と少なく設定したことなど、上記の問題の克服に対しひとつの試みを示したといえよう[5]。

（中嶋省志）

第4章 う蝕の予防法（プロフェッショナルケア）

1．PMTC

1）PMTCとは

　PMTC（Professional Mechanical Tooth Cleaning）とは専門家による機械的な口腔清掃であり、自分自身では清掃困難な部位を清掃してもらうことで、う蝕の原因となるプラークをできるだけ除去することが目的である。最近では、プラークに関連した遺伝子発現の研究から、細菌がある程度の密度で集合体を形成した場合の細菌間の伝達情報や病原性についてクォーラムセンシングという概念も打ち出され、プラークに関しても、う蝕の発生等への関与が明らかにされつつある。これらの観点からも、プラークを除去することの重要性が、今後はさらに認識されるようになるものと思われる。

　周知のように、う蝕の病原菌と考えられている Streptococcus mutans や Streptococcus sobrinus は、歯の萌出後に口腔内に出現してくるとされており、歯の主成分であるハイドロキシアパタイトに吸着する性質を有している。そして、プラークを形成し、う蝕が発症する。特に、歯間隣接面部のプラークは通常の歯ブラシでは除去しにくく、隣接面専用のチップを使用して機械的に除去する必要がある（図1、2）。

　PMTCは細菌学的なう蝕予防としての位置づけだけでなく、患者のう蝕予防に対する動機づけとしても重要な意味を持つものと考えられる。そして、半年あるいは1年ごとの定期的な歯科への通院は、歯の硬組織疾患の早期発見と痛みを伴わない早期治療が可能となり、国民の口腔健康増進に役立つものとなる。

2）3DSとは

　3DS（Dental Drug Delivery System）とは、口腔内において、ドラッグリテーナーを用い、歯面等に薬剤を局所的に一定時間保持して、薬の効果を発揮させるための方法で、PMTCからさらにもう一歩進めて、う蝕予防を確実なものとするために、う蝕細菌を徹底して除去することを目的としている。

　PMTCでプラークのほとんどを機械的に除去できるが、歯面に付着している細菌を含めてすべてを除去できるものではなく、S. mutans や S. sobrinus 等のう蝕細菌が歯面にある程度残存すると考えられる。残存した細菌は、再び増殖してプラークを形成するようになる。そこで、PMTCによりプラークが除去されたあるいは薄くなって表在化した細菌に対して、3DSを応用すると、薬剤の効果を充分に発揮させて殺菌することができる（図3）。

第Ⅲ部　臨床を支える知識と技術編

3) PMTC のステップと器材

(1) PMTC のステップ（図1）

① 口腔内検査

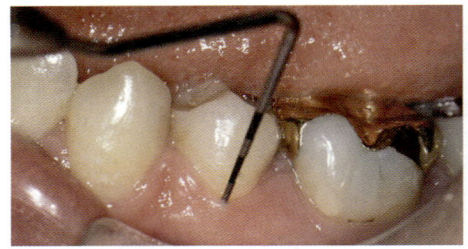

歯石除去。歯周疾患治療を事前に行う。
3DS まで行う場合は、使用する抗菌薬含有ペーストを歯肉に少量塗布して、アレルギー等の有無についてチェックする。

② 歯科衛生士によるブラッシング（上）
　ハンドクリーニング（下）

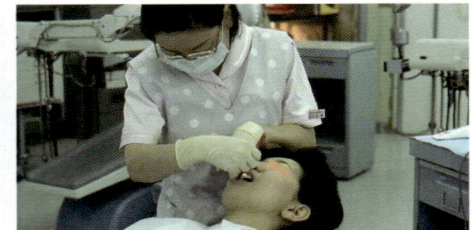

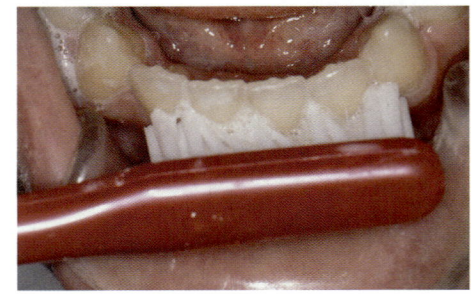

③ フロスによる隣接面の清掃

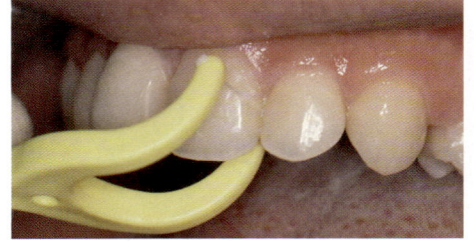

④ フッ化物含有研磨材の歯面塗布

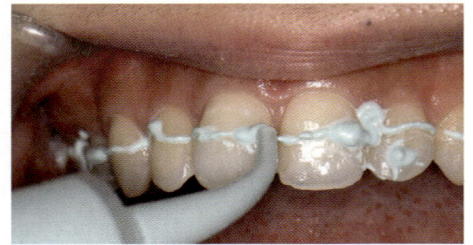

⑤ ブラシによる清掃

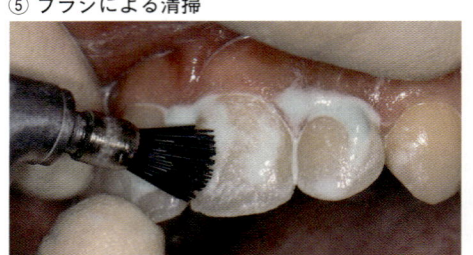

⑥ チップによる隣接面の清掃

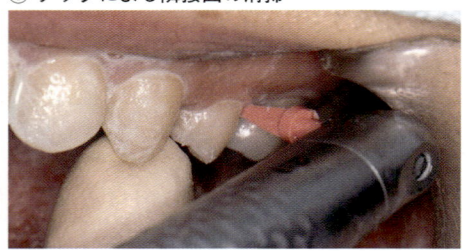

⑦ カップによる研磨

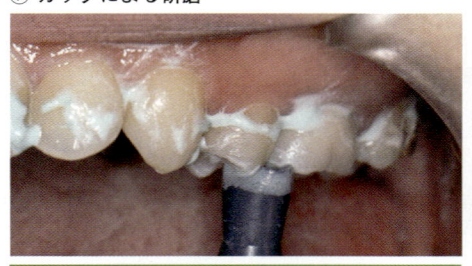

⑧ 水洗

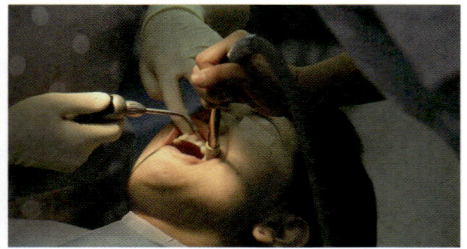

（図1は文献1より転載）

カップによる研磨ではナノ粒子ハイドロキシアパタイト配合の研磨剤（下）にて歯面を滑沢にする。

第4章 う蝕の予防法（プロフェッショナルケア）

（2）PMTCの器材（図2）

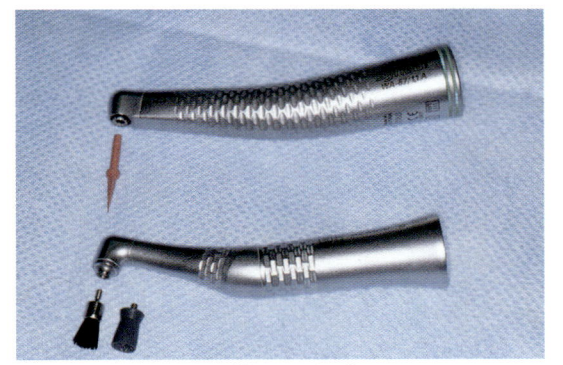

PMTC用コントラアングルハンドピース

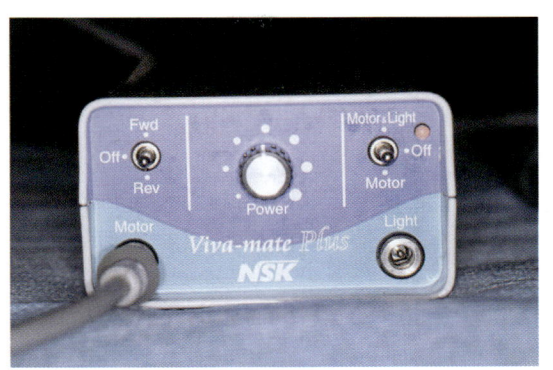

PMTC用電気エンジン（回転数 1,000～1,500 rpm）

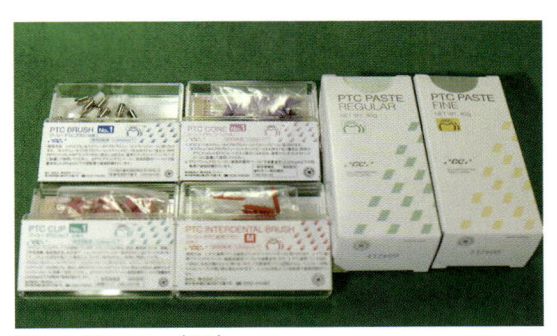

PMTC用セット（GC）

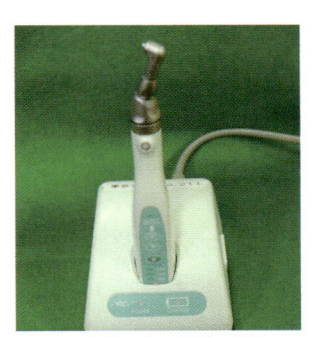

PMTC専用の低速回転器具

PMTC用セット（松風）

（図2は文献1より転載）

PMTC用セット（モリタ）

（3）PMTC+3DSのスケジュール（図3）

　診療室におけるPMTCと3DSならびに自宅での3DSのスケジュールを図3に示す。PMTC+3DSは1週間以内で終了させることが望ましい。

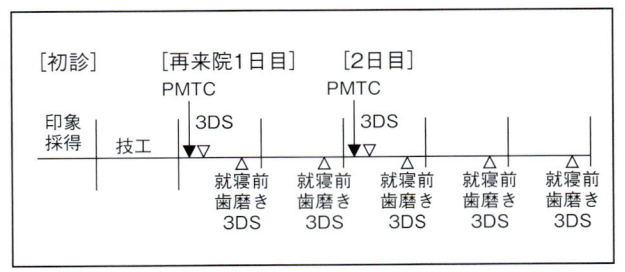

図3　PMTC＋3DSのスケジュール
　　　PMTC：診療室で約40分間
　　　3DS：自宅で10分間

（池見宅司）

第Ⅲ部　臨床を支える知識と技術編

2．口腔細菌の制御技術－う蝕予防における Dental Drug Delivery System（3DS）の役割－

1）う蝕の治療からリスク低減治療へ

　う蝕は細菌感染症であると同時に、生活習慣など種々の従たる因子が複合的に関与し成立する、多因子性疾患の性質を合わせ持つ。種々のリスク因子が相互に作用した結果、エナメル質の脱灰と再石灰化を示す化学平衡反応が、右辺あるいは左辺に進行するかが決まる。

　従って、う蝕細菌の制御が即DMF歯抑制に直結する程単純ではないが、介入するその他のリスク因子を均等な条件に割り付けられるランダム化比較試験では、単一リスク因子の抑制がDMF歯抑制に効果的なことがわかっている。う蝕予防における細菌の制御は、そのように位置づけられる。う蝕予防は主に生活習慣指導が中心であり、病原体を直接対象にした診断や制御は、永年放置されてきた。90年代後半より、ようやく口腔細菌叢（フローラ）のモニタリング（細菌検査の環境）が整備され、う蝕細菌、歯周病関連菌などを対象とした臨床検査がオーダー可能となった。明らかになった細菌学的リスクに対し、直接その制御法が求められたのは自然な流れといえよう。

　従来から実施されているう蝕の診査は、視診や形態検査であり、疾患が進行し形成された状態での"疾病発見"（case finding）が目的であり、治療が前提の検査である。これに対し、疾患形成過程の要因を検査する歯科臨床検査は、歯面の形態的変化に先行する"リスク発見"（risk finding）を目的とし、その低減治療（予防治療）の指標となり得る。Dental Drug Delivery System（3DS）は、化学療法による細菌のリスク低減処置であり、専門的なプラークコントロール法である[1-5]（図1）。本法は、Streptococcus mutans に対するモノクローナル抗体を使った受動免疫療法（虫歯ワクチン）の臨床研究[6,7]から派生した技術である。病原性の強い口腔細菌叢を健全な菌叢に戻す技術は、新しい予防歯科医療技術として重要な役割を担うであろう。

●プラークとバイオフィルム
　デンタル・プラーク（Dental plaque：歯垢）とは歯面のペリクル上に付着した粘着性の有機物を指す。その有機物の大半は細菌体とその代謝産物である多糖体である。歯面の清掃不良のためデンタル・プラークが成熟し細菌代謝産物である多糖体が異常に増加した状態をバイオフィルムという場合が多い。

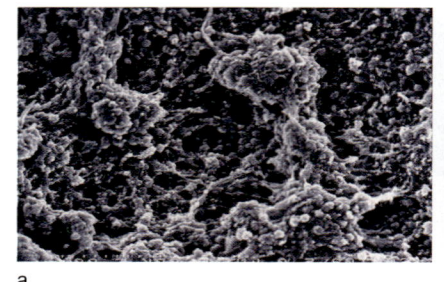

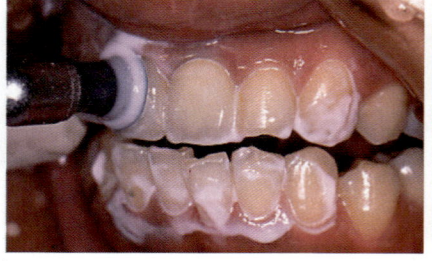

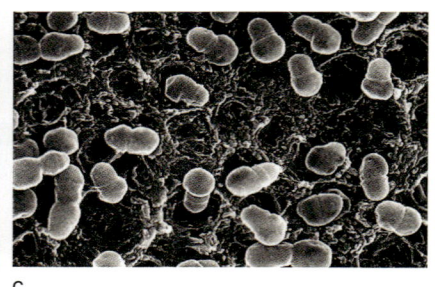

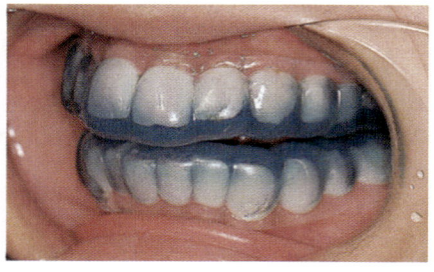

図1　3DSの全容
a: プラークの質（MS菌および総レンサ球菌の量・比率）を評価する。
b: プラークの機械的除去を行う。
c: 機械的操作により浮遊細菌となったMS菌。この状態が化学療法の対象である。
d: 歯列型カスタムメードのトレー（ドラッグリテーナー）に除菌ペーストを注入する。
e: 薬剤を歯の表面に局所的に作用させる。

2）Dental Drug Delivery System（3DS）の細菌学的機序

　う蝕の主たる原因菌、ミュータンスレンサ球菌（mutans streptococci：MS菌）[8]は、①PAc（protein antigen c）[9]を介した歯面への初期付着能、②GTF（glucosyl transferase）によるスクロース（ショ糖）を基質とする不溶性グルカンの合成能、③有機酸産生とそのプラーク中への貯留、の三つの性質が大きな特徴である。

　歯のエナメル質表面には、唾液由来糖タンパク質の無構造被膜（ペリクル）が生成しており、Streptococcus mitis, Streptococcus oralis, Streptococcus salivariusなどの口腔常在性レンサ球菌が、優位に定着している。これらのグループは、プラーク形成初期に見られる初期定着菌群と呼ばれる細菌叢（フローラ）で、唾液成分であるペリクルの構成分子に親和性を有し、歯面にも口腔粘膜にも定着可能な性質を持ち、乳歯萌出前の小児の口腔から検出される。MS菌は、このグループに入らず、乳歯萌出前の小児からの検出が非常に困難なことから、主に歯面上で増殖すると考えられる[10]。3DSでは、こうしたMS菌の生態学的局在性を利用し、歯面のみ除菌することで、MS菌だけを選択的に減じる一方、除菌の影響を逃れた粘膜から、上記の初期定着菌群が歯面に供給され、フローラを再形成すると考えられる[7]。

　3DSにより、MS菌優勢なプラークに占拠された歯面が、口腔常在性レンサ球菌などの健全な菌叢のプラークに置き換わる過程を図2に示す。

　3DSは、プラークが歯面に付着、増殖している状態を極めて短時間に除菌し、排除することが可能である。一般に、バイオフィルム感染症の根治が極めて困難な理由は、残存したバイオフィルムと浮遊細菌から再び同じものが生じるためである。

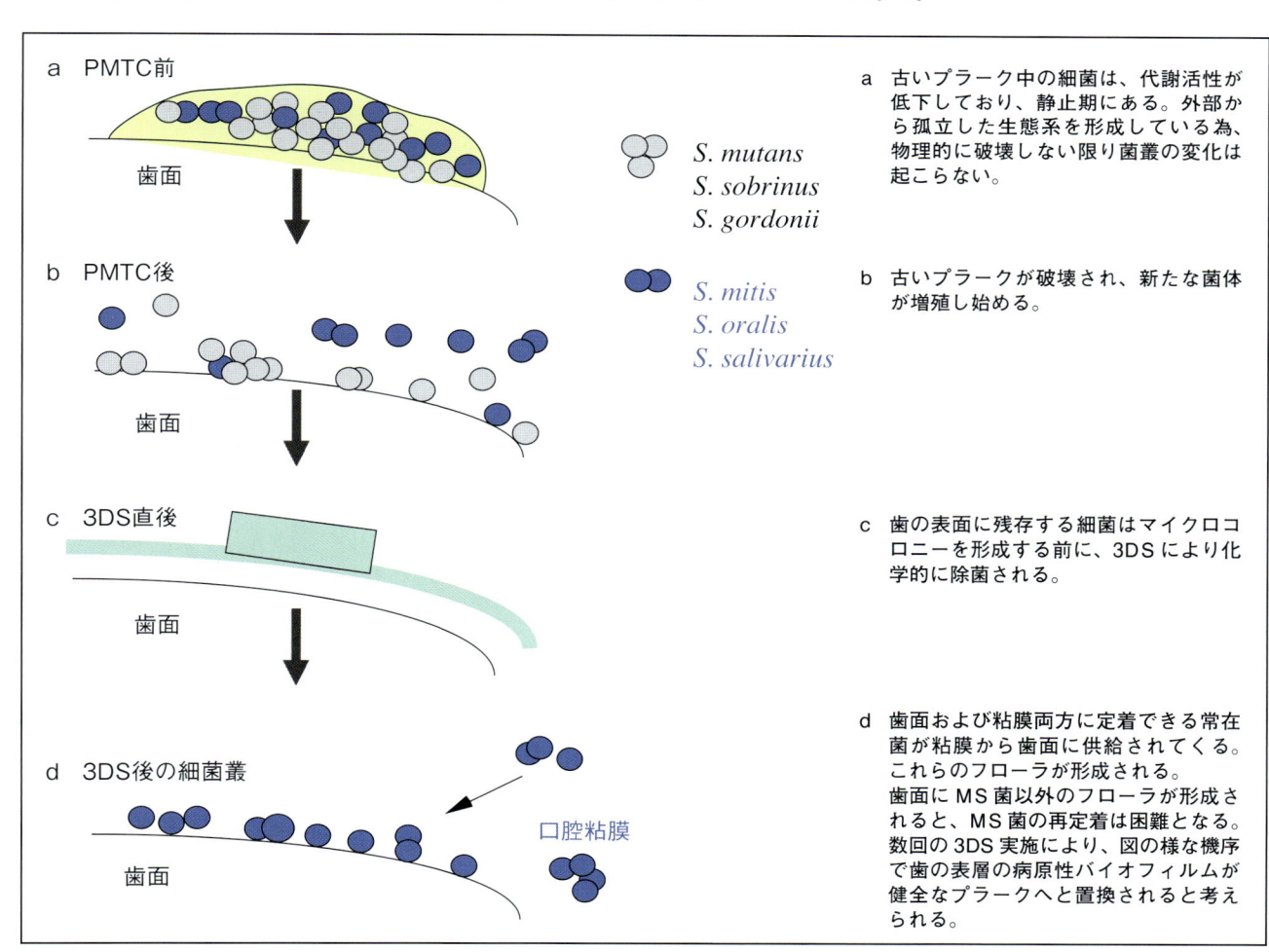

図2　3DSによる歯面細菌叢推移の概念図

ある特定のバイオフィルムを完全に除去するには、それが破壊されて生じる同種の浮遊細菌をバイオフィルムの再生時間よりも短時間に一斉に除去する必要がある[11]。

バイオフィルム再形成の効率的阻害には、それらを機械的に破壊した後、薬剤感受性が高い浮遊細菌を対象に化学的除菌を行うと良い。3DSは①バイオフィルムの機械的な破壊・減量、②ドラッグリテーナー（個人トレー）を使用して最適濃度薬剤を歯面へ局所集中輸送する化学療法、の2ステップから成り立っている。

3DSは、処置前後のMS菌比率の比較から、う蝕や歯周疾患の病原性細菌主体のバイオフィルムを、口腔常在レンサ球菌主体の健全なプラークへと短期間に移行させることを可能にした、特殊なプラークコントロール法ということもできる（図3）。

3）3DSの臨床フローチャート（図3）

以下に示す順で3DSを行う。実際の臨床に即し図3と対比し説明する。

（1）初診：初期診査（図3-1）

う蝕予防の初期診査では、う蝕傾向の有無について、プラークの評価項目を参考に診断しておく（表1）。それに従ってう蝕細菌検査の必要性を決定すると合理的である。う蝕多発者とカリエスフリー者では、プラークの量ばかりでなく、プラークを構成する多糖や細菌が異なる。プラークの付着量と並んで、プラークの質が臨床的に重要である。3DSの実施は、細菌検査の値に従って決定する。3DSは、あくまで歯面上プラークを細菌レベルで除去する処置であり、MS菌や歯周病関連菌などを選択的に除菌するものではない。従ってMS菌の値が低いケースでは、PMTCなどで十分メンテナンスが可能である。

表1　う蝕原性、非う蝕原性プラークの臨床的比較、およびう蝕傾向型口腔の評価項目

	う蝕リスクの高いプラーク（不溶性グルカン）	う蝕リスクの低いプラーク（水溶性グルカン）
染色性	難染色性	良好な染色性
歯面固着性	歯ブラシ等での除去は困難	容易に除去
スクロース摂取頻度	高い	低い
厚さ	薄く皮膜様	厚い
MS菌構成比率	高い	低い

（2）細菌検査（図3-2）

細菌検査の実施時期は、う窩の処置、TBI、生活習慣の指導を含む初期治療終了時に設定している。初期治療終了後も残留している細菌のリスクを3DSでコントロールする考え方である。ここでは、う蝕菌数に加えてう蝕菌比率が得られるBMLの検査（完全外注検査）を提示する。う蝕菌比率とは、唾液検体中の口腔総レンサ球菌数に対するMS菌数の割合（MS菌比率/%）であり、検査の再現性は菌数（CFU/mL）より安定している。一般に、抗菌薬服用中は検査ができないこと、唾液採取の2時間前より歯ブラシ、飲食を控えること、検査前日に殺菌性の含嗽剤等を使わないよう指導したうえで、唾液サンプルを検体として検査を実施する。検査時に、あらかじめ検査結果の判定基準と細菌コントロールの意義などについて十分説明しておく。

➡ 巻末附録241ページ

（3）検査結果の解釈（図3-3）

う蝕細菌検査の判定には、図3-3の表を基準としてMS菌レベルを診断する（同基準値は今後変更される可能性がある）。3DS開始条件は、MS菌数：1×10^5 CFU/mL（BMLの報告書 10^4 CFU/0.1 mL）以上、MS菌比率：2.0%以上、終了条件は、MS菌数：1×10^4 CFU/mL（BMLの報告書 10^3 CFU/0.1 mL）以下、MS菌比率：0.2%以下として運用する。

第4章 う蝕の予防法（プロフェッショナルケア）

フローチャート（左側ステップ）:
- 初診：初期診査
- 生活習慣の改善を含めたう蝕初期治療後に残存するリスクを細菌検査で評価
- う蝕初期治療終了時 細菌検査
- 検査結果の解釈
- 3DSについてインフォームド・コンセントを得る

1回目初日
- ドラッグリテーナーの印象と作製
- プラークの染色

3-1 どのような細菌主体のバイオフィルムなのか？プラークの質も考慮すべき項目である。

プラークの量と質の評価　　修復歴が多い　　幼児の場合、母親のDMF値が高い（6以上）

3-2 唾液検査の注意事項：① 唾液採取2時間前よりブラッシング、飲食を控える。② 検査前日は殺菌性の含嗽剤などの使用禁止、③ 抗菌薬の服用中は検査不可となる。

唾液採取　　唾液検体　　外注検査

3-3 う蝕細菌検査の評価基準：唾液検体によるう蝕細菌の量および比率：学齢期のデータである。現在これらの値をもってリスク判定基準としている（提供：新潟大予防歯科金子昇先生）。

	総レンサ球菌数	MS菌比率	判定
ハイリスク者	10^6 CFU/mL以上	2.0%以上	3DS実施
中リスク者	$10^5 \sim 10^6$ CFU/mL	0.2〜2.0%	矯正治療予定者／唾液の緩衝能、分泌量の低い人／糖質摂取頻度の高い人／DMFTの高い人　　唾液の緩衝能、分泌量の高い人／糖質摂取頻度の低い人／DMFTの低い人
ローリスク者	10^4 CFU/mL以下	0.2%以下	3DS終了

3-4 ドラッグリテーナー。歯の周囲にバブル型に薬剤貯留スペースが設けてある。

ドラッグリテーナー　　プラークの染色

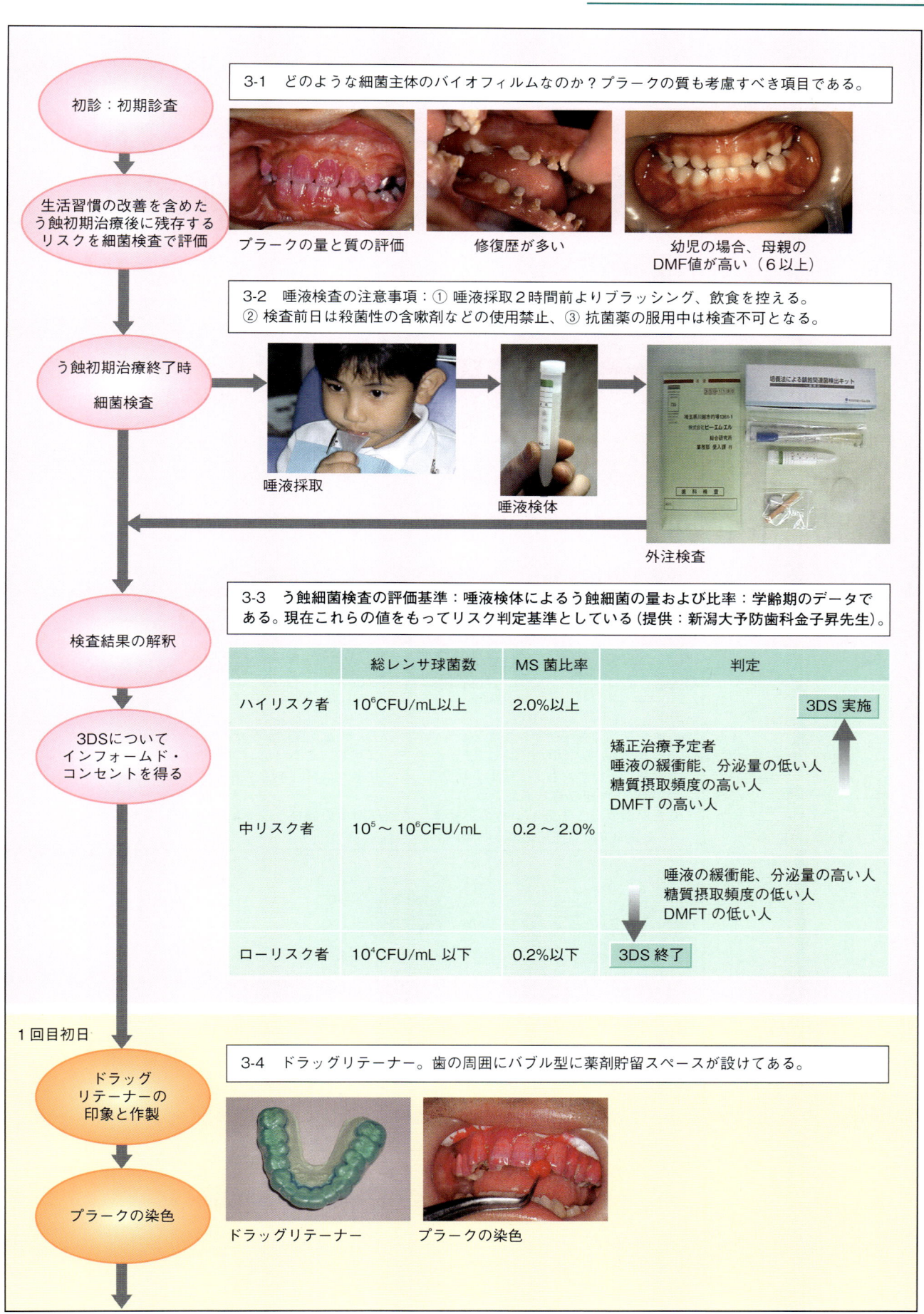

図3　3DSのMS菌除菌フローチャート

第Ⅲ部 臨床を支える知識と技術編

3-5 プラークの機械的除去

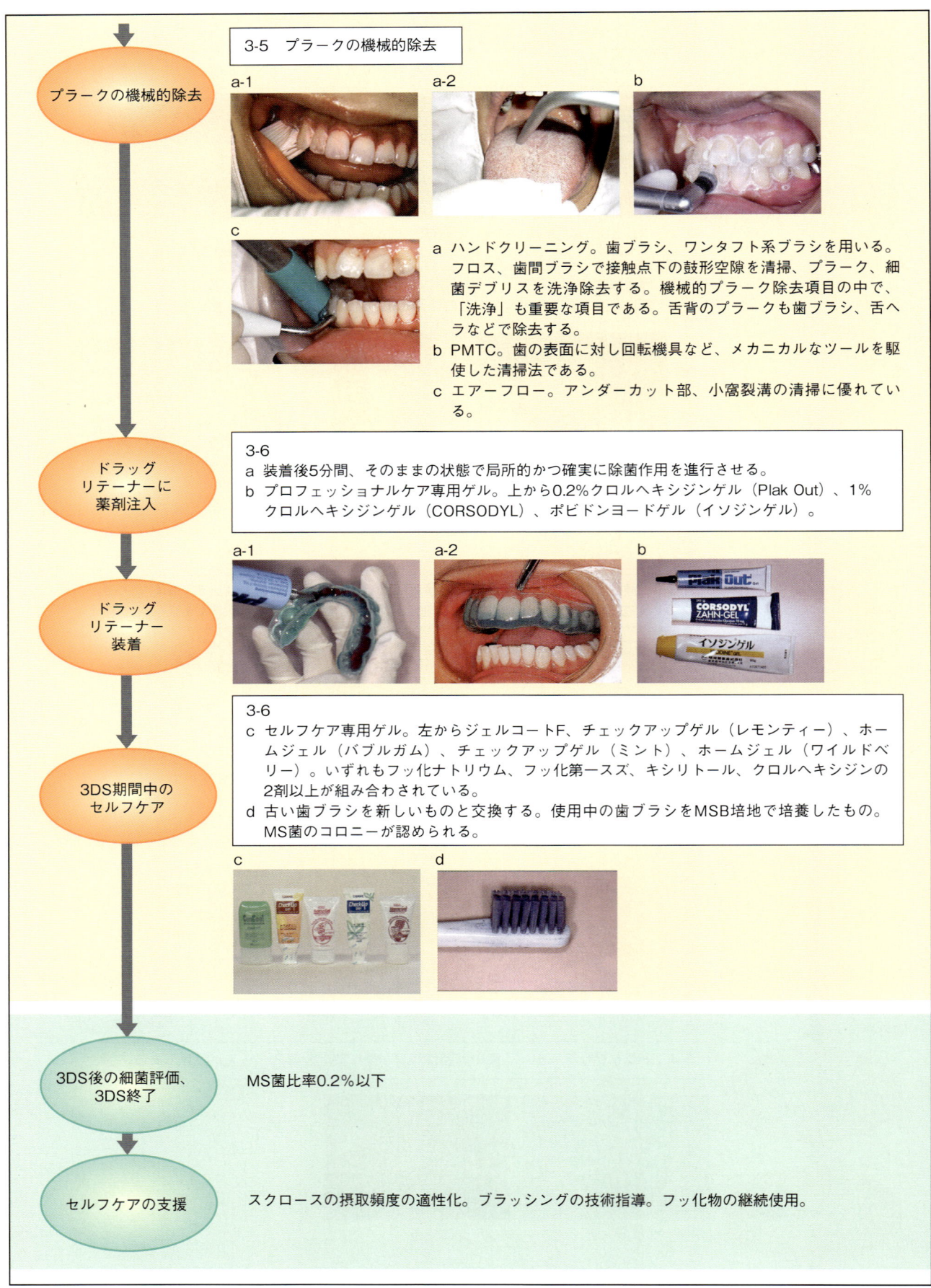

a ハンドクリーニング。歯ブラシ、ワンタフト系ブラシを用いる。フロス、歯間ブラシで接触点下の鼓形空隙を清掃、プラーク、細菌デブリスを洗浄除去する。機械的プラーク除去項目の中で、「洗浄」も重要な項目である。舌背のプラークも歯ブラシ、舌ヘラなどで除去する。
b PMTC。歯の表面に対し回転機具など、メカニカルなツールを駆使した清掃法である。
c エアーフロー。アンダーカット部、小窩裂溝の清掃に優れている。

3-6
a 装着後5分間、そのままの状態で局所的かつ確実に除菌作用を進行させる。
b プロフェッショナルケア専用ゲル。上から0.2%クロルヘキシジンゲル（Plak Out）、1%クロルヘキシジンゲル（CORSODYL）、ポビドンヨードゲル（イソジンゲル）。

3-6
c セルフケア専用ゲル。左からジェルコートF、チェックアップゲル（レモンティー）、ホームジェル（バブルガム）、チェックアップゲル（ミント）、ホームジェル（ワイルドベリー）。いずれもフッ化ナトリウム、フッ化第一スズ、キシリトール、クロルヘキシジンの2剤以上が組み合わされている。
d 古い歯ブラシを新しいものと交換する。使用中の歯ブラシをMSB培地で培養したもの。MS菌のコロニーが認められる。

3DS後の細菌評価、3DS終了：MS菌比率0.2%以下

セルフケアの支援：スクロースの摂取頻度の適性化。ブラッシングの技術指導。フッ化物の継続使用。

図3 3DSのMS菌除菌フローチャート

表2　3DSの適応症例

① 重度う蝕症のコントロール
② 小児ランパント・カリエスからの健全永久歯列への感染防止
③ う蝕リスクの高いケースの矯正術前、術中コントロール
④ MS菌の母子感染防止
　いわゆる「感染の窓」の時期*に母親に対し除菌処置を行う。ブラッシング単独より効果的に感染を防止する
⑤ 唾液分泌量が減少しているケースでの根面う蝕防止
⑥ 歯周病関連プラークの抑制
⑦ 要介護者、コンプロマイズド・ホスト（易感染性宿主）の口腔内管理

* 第Ⅱ部第1章（22ページ）、2章（28ページ）参照

表3　プラーク染色を確実に行う手順

❶ アングルワイダー、ロールワッテなどで歯列を防湿
❷ プラークを乾燥させる。
❸ 染色液の濃度を維持（唾液で希釈させない）
❹ 十分量の染色液を使用
❺ 一次染色し、プラーク除去、二次染色でエラーを確認

　終了日から約2か月後の術後細菌検査で、MS菌数および比率が基準値以下であることを確認して3DSを終了する[11,12]。検査結果が境界値の場合、臨床的診断基準（唾液の性状、多数の2級充填の存在、う蝕罹患歴、口腔清掃状態）と細菌学的診断基準（MS菌比率、定着数）の二つのカテゴリーを総合して除菌の必要性を判定する。3DSの適応症例を表に示す（表2）。

（4）プラークの染色（図3-4）

　う蝕の原因であるプラークは、通常染色液で取り残しがないように確実に検出する（図3-4）。表3に示す要領で実施する。

➡ 第Ⅲ部第3章123ページ

（5）プラークの機械的除去（図3-5）

　3DSでは、まずプラークの機械的除去を実施する。肉眼でプラークが確認できない状態になるまで、以下の3項目に区分した方法を状況に応じ使い分け、繰り返し行う。セルフケアも同時に行い、化学的除菌に見合うレベルまで数日かけてプラークを減量する。

a．ハンドクリーニング

　補助的清掃用具を用いて歯間部、隣接面、歯周ポケット、舌背など、軟組織と歯の周辺のプラーク除去を目的とする。

b．PMTCなど機械的クリーニング

　歯面に特化した徹底したプラーク除去、ならびに粗糙な歯面の滑沢化を目的とする。

c．エアーフロー

　エナメル質小窩裂溝、アンダーカット部、修復物の間隙など、PMTCでは対応できないプラークの除去を目的とする（図3-5c）。プラーク除去用ペーストに関して、研磨材の使用をめぐり肯定派、否定派と見解が分かれているが、これは研磨材がエナメル質より硬いために起こる議論である。エナメル質より硬度の低い素材を加工した研磨材が推奨される。

| 第Ⅲ部　臨床を支える知識と技術編

（6）ドラッグリテーナーの作製（図3－4）

　ドラッグリテーナーは薬剤を歯面に輸送すると共に、薬剤の口腔内への拡散、唾液での希釈を防止する装置である。歯の周囲にバブル型に薬剤貯留スペースが設けてある。歯列を完全に覆い、薬剤濃度、作用時間などの条件を確保して、反応を局所的かつ確実に進行させる。これにより歯面が選択的に除菌される一方、口腔粘膜組織や正常細菌叢は保護される。詳しい作製法は文献を参照されたい[2、13-15]。

（7）ドラッグリテーナー装着（除菌処置）（図3－6）

　除菌処置は、プラーク除去を行った直後に実施する。

　まず、ドラッグリテーナーに除菌ペーストを注入しておく。アングルワイダー（開口器）を装着して上下顎歯列を孤立させ、適度に唾液を排除しておく。咬合面にペーストを載せ、デンタルフロスで隣接面の鼓形空隙にペーストを送り込む。ドラッグリテーナーを装着し、余剰な薬剤を外科用サクションで吸引する。5分間除菌後ドラッグリテーナーを外し、同様に薬剤を吸引、その後十分含嗽させる。

（8）3DSによる化学的除菌用薬剤（図3－6）

　歯面は体外であるので、薬物を短時間塗布する時は、抗菌薬ではなく即効性のある殺菌薬を選択する。歯周炎では歯周組織に創傷面があるので、粘膜の創傷部位への適用が認められた殺菌薬（ヨウ素剤など）か抗菌薬を選択する（図4）。抗菌薬を選択した場合は、選択毒性が発揮される長時間の塗布が必要である。

　クロルヘキシジン製剤は、MS菌除菌に関する数多くの論文が存在し、第一選択薬剤として用いられた経緯がある。臨床では、Plak out（0.2％クロルヘキシジンゲル）や、Corsodyl（1％クロルヘキシジンゲル）が用いられている[16]。ポビドンヨードでは、イソジンガーグル（明治製菓）を用いる（図3－6）。いずれも3DS専用薬剤ではなく適用外使用に当たる為、歯科医師の裁量権で使用することを患者に説明する。3DSの実施に際しクロルヘキシジン、ヨードに対する過敏症には、十分注意が必要である。近年フッ化物、キシリトール、クロルヘキシジンの組み合わせでセルフケア専用ゲルが供給されており、抗菌薬濃度は低い設定だが、3DSで用いることも可能である（図3－6）。上記除菌処置を3日ないし1週間程度の間隔で2回以上実施し1クールとする。

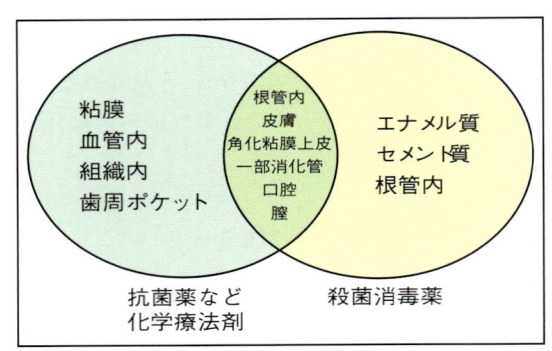

図4　生体における薬剤の適応
口腔の薬剤適応部位には、硬組織などの外用部分と角化粘膜などの準外用部分、歯周ポケット深部などの体内部分があり、殺菌薬と抗菌薬とは区別して運用すべきである。

（9）3DS期間中のセルフケア（図3－6）

　除菌当日は、歯面が一時的にバイオフィルムフリーとなるため、MS菌の再定着・再感染防止の目的で新しい歯ブラシと交換し、スクロースの摂取を控えるよう指示する。次の除菌日まで、ブラッシング後に、セルフケア専用のゲルなどを1日1回ドラッグリテーナーに入れて5分間塗布してもらう。

　除菌終了後も3DSのドラッグリテーナーを用いてブラッシングの後、950 ppmのフッ化ナトリウムゲルや0.4％フッ化第一スズゲルなどを数分間、歯列に輸送塗布するとフッ化物の薬理効果が大変向上するし、細菌のマイクロコロニー形成も阻止される。

第4章　う蝕の予防法（プロフェッショナルケア）

（10）3DSの終了と確認検査

3DS後、良好な検査値（MS菌比率0.2％以下）が得られた時点で終了する。除菌後は、セルフケアおよび生活習慣が適切であればその状態を持続できると考えられる。ただし、宿主の微生物に対する免疫学的素因（唾液中抗菌因子の量、濃度、誘導されているsIgAなど）を考慮しなければならない。また、3DSはすべての症例に定期的に実施するわけではない。

4）3DSの臨床成績

前述の3DSプロトコールを用いたMS菌除菌の臨床成績を示す。細菌検査はう蝕初期治療終了後のメインテナンス時としているため、3DS実施に対するコントロール値は、細菌検査初期値をもって代用した。対象者は、3DSの実施ならびにデータ公表に同意の得られた群（n=68）である。

3DSによる口腔総菌数、口腔総レンサ球菌数、MS菌比率の変動を図5に示す。3DSを行うと、口腔総菌数は変動・減少せずに、口腔総レンサ球菌量に対するMS菌の占める割合が著しく減少することが確認された。3DSで除菌した時にみられる典型的なグラフである。除菌後のMS菌比率（％）は、図6に示すように減少した[7]。除菌の難易度とMS菌の再定着する早さは一般に、DMF値の大きさ（不適合修復物、補綴物接合部内部または隣接部の未検出う窩等）に依存するようである。3DSによる口腔不快症状等は、少なくとも本全症例で認められなかった。

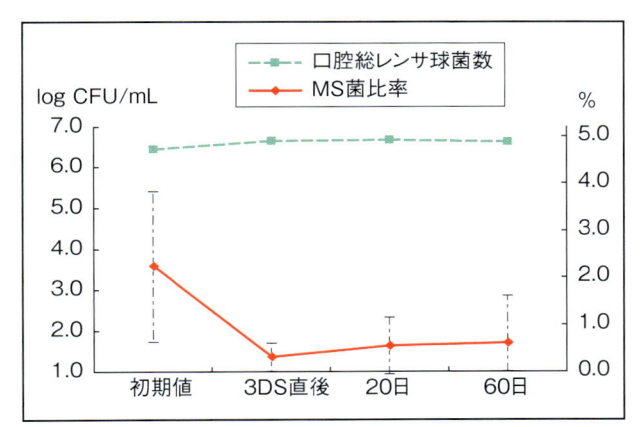

図5　3DSで除菌を行うと口腔総レンサ球菌数は処置前後で変化せず（n=68）、一方でMS菌比率は処置後著しく低下した後、そのレベルが持続している。持続期間は修復物の多さ、唾液、生活習慣の影響を受ける。

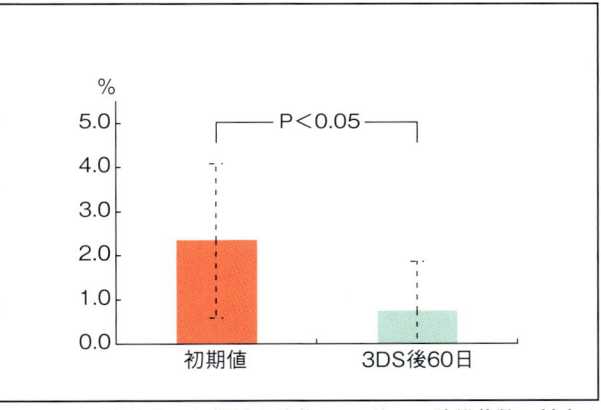

図6　3DS実施後、初期値と除菌60日後の口腔総菌数に対するMS菌比率の推移を示す（m±SD、n=68）。

5）予防歯科の運用における3DSが担うステージと意義

3DSは、付着している病原性バイオフィルムを極めて短時間に制御することが可能であり、大変合理的である。しかし、他の部位から浮遊MS菌が再び歯面に初期付着し、マイクロコロニーを経由してバイオフィルムを再形成する過程、唾液中の抗MS菌特異的阻害抗体（sIgA）と口腔清掃によって抑制される。唾液中に有効な抗体が存在する場合には、MS菌由来のバイオフィルムは形成され難い。また日々の口腔清掃は、初期定着菌群の付着とマイクロコロニー形成過程を往復し、強固な病原性バイオフィルム形成を防ぐのが、本来の守備範囲である。しかしながら、スクロースの高頻度な摂取などによりいったんバイオフィルムが形成された後には、唾液中の阻害抗体（sIgA）は無力である。

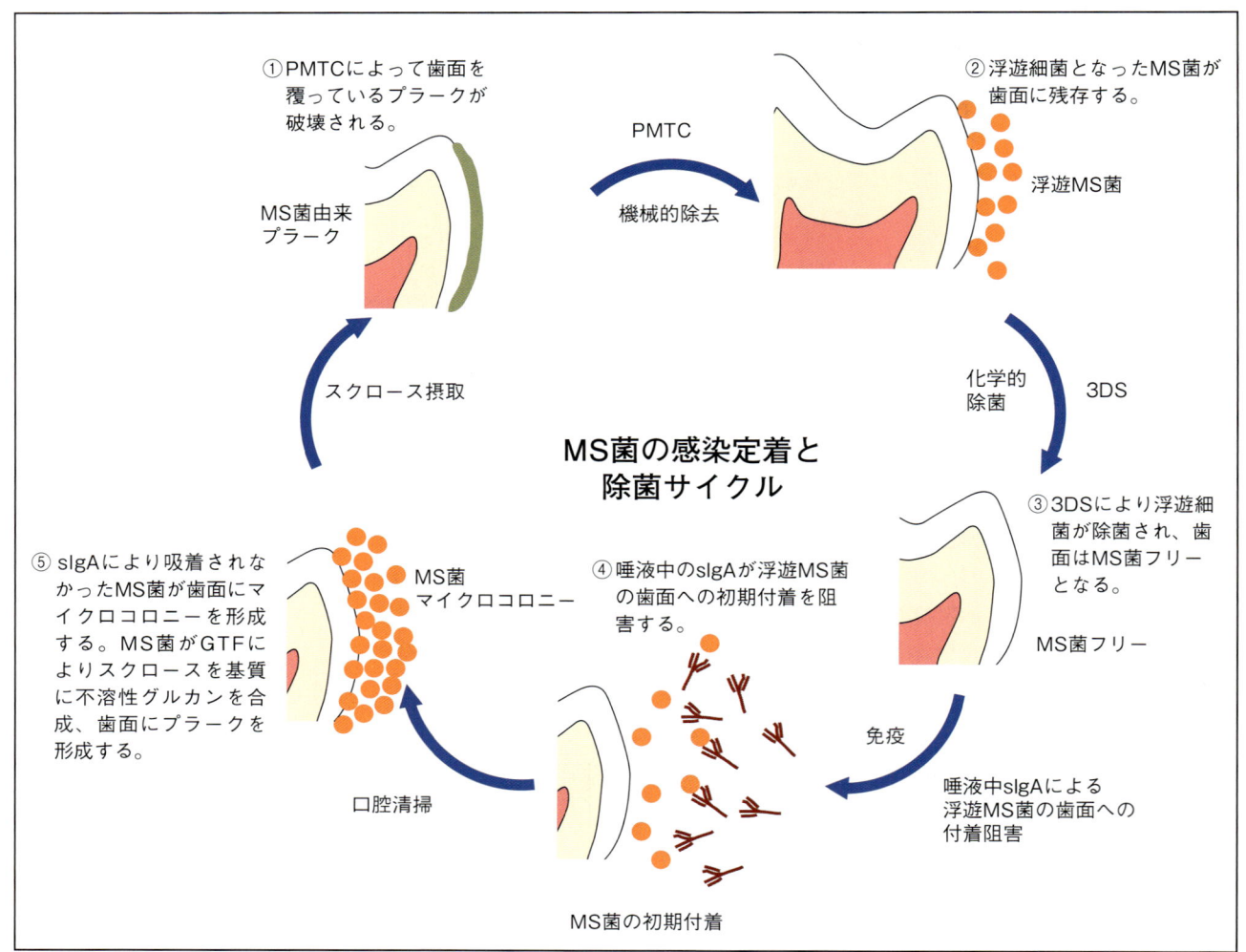

第Ⅲ部 臨床を支える知識と技術編

図7 MS菌の歯面への感染定着と除菌のサイクル

　図7は、数々の因子がMS菌の初期付着、バイオフィルムの形成と抑制に働く過程をそれぞれのステージで表したものである。MS菌の除菌サイクルの完成には、唾液中の有効な抗MS菌阻害抗体が必要であり、能動免疫の手法は、依然不可欠である[17-19]。勿論これらの条件には、宿主唾液中の抗菌成分の濃度、および唾液分泌量等の条件があり、それらが安定して定着すべき口腔内微生物叢を規定している。

●能動免疫
体内の免疫系を刺激・活性化すること
●受動免疫
体内に直接抗体を注入すること

6）3DSの担うステージ

　一般に、生活習慣指導のみで病原性バイオフィルムに対処した場合、制御までの時間が長く、う蝕が進行したり、新たに形成される可能性もある。それゆえ、3DSなどで短期間に疾患リスクを取り除くべきであろう。3DSは、病原性バイオフィルムを安全なプラークに変換する現症の治療と考え、予防プログラムの中に組み込むとよい。セルフケアは、健康を損ねるプロセス（病原性バイオフィルムが生成する過程）の改善といえる。セルフケアとプロフェッショナルケアは、バランスよく、しかも合理的配分で投入して行くべきである。これからの予防歯科では、集団を対象とした一次予防に加え、個人を対象とした二次予防との有効な組み合わせが充実していくことが期待される。

（武内博朗）

3. シーラント

小窩裂溝填塞材（以下シーラントと略す）によるう蝕予防法は、わが国においては竹内ら（1966）[1]によって報告され、ほぼ時を同じくしてアメリカのBuonocoreら（1965）[2]によって報告されて以来、小窩裂溝う蝕の予防手段として注目されるようになった。初期のシーラントは、いずれもシアノアクリレートモノマーとメチルメタクリレートを主材としたものであった。

その後、Bis-GMAやポリウレタンのレジンを主材としたシーラントや感光重合触媒の開発と共に、リン酸による歯面処理法も確立されて、シーラントの接着性も向上した[3-7]。1978年にはシーラントがわが国の健康保険歯科医療に組み込まれ、う蝕進行抑制法として広く歯科医療に用いられるようになった（表1）。

1）レジンによるシーラント填塞法[8]

（1）シーラントの選択

現在は光重合型のフッ化物徐放性シーラント[9,10]が乳歯や幼若永久歯の小窩裂溝う蝕の抑制手段として多用されている。

シーラントの色調には無色、歯冠色（オペーク）、ピンク色などがあるが、色調の選択は基本的には自由である。一般に無色のシーラントは健全な永久歯に、歯冠色は健全歯あるいは初期小窩裂溝う蝕罹患歯に用いられている。ピンク色はシーラントの保持状態が見分けやすく、母親による監視も容易なので、健常児の乳歯や、心身障害児の歯に用いられている。

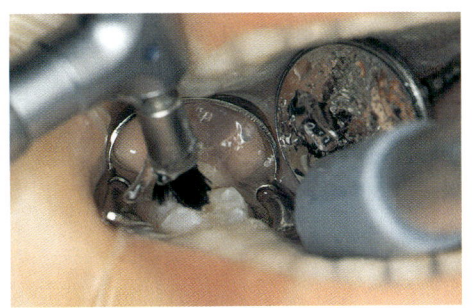

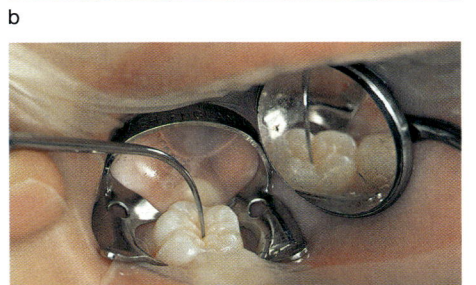

表1 シーラント材の開発過程[1〜7]

報告者	主材	観察期間	う蝕抑制率／シーラント保持率
竹内光春ほか（1966）[1]	シアノアクリレート MMA	9か月	100%
Buonocore, M.G. et al,（1965）[2]	シアノアクリレート MMA	1年	86.30%
Buonocore, M.G. et al,（1971）[3]	Bis-GMA MMA	2年	99%
Lee, H.L. et al（1971）[4]	ポリウレタン樹脂	6か月	54%
大森郁朗ほか（1976）[5]	MMA HNPM TBB	2年	57.10%
国本洋志ほか（1978）[6]	Bis-GMA 3G	8.2か月	95.80%（シーラント保持率）
中島由美子ほか（2001）[7]	MMA-F MDP	1年1か月	83.50%（シーラント保持率）

図1
a ドライフィールドの確保：乳臼歯にシーラントを填塞した症例、クランプはNo.26が適している。
b クランプNo.Aは萌出が不充分な第一大臼歯の把持にも有効である（ミラー使用）。
c 注水下に歯面清掃を行う。
d 探針で小窩裂溝の清掃を行う。

（2）填塞法の実際

a．ラバーダム防湿

シーラント填塞の成否は処置歯の防湿にかかっているといっても過言ではない。ラバーダム防湿を確実に行うことで、確実な接着が容易に行えるし、事故も防止できる。歯頸部歯肉に表面麻酔剤を塗布しておくと、クランプによる歯肉への刺激も緩和される（図1a、b）。

b．歯面清掃

まず、注水下に歯面清掃を行うが、この場合、歯面研磨材は使用しない。研磨材の微粒子が小窩裂溝に詰まることを避けるためである（図1c）。

健全歯の場合は、探針によって小窩裂溝を清掃する（図1d）。

視診、触診によって、C_0あるいはC_1と診断されたものについては、ADゲル（次亜塩素酸ナトリウムのゲル、クラレメディカル）とスクラッチポイント（図2）あるいは先端の尖った探針などを用いて、小窩裂溝の物理化学的洗浄を実施する[11]。

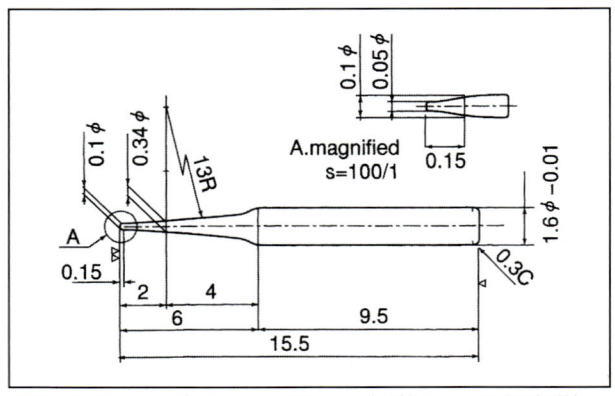

図2　スクラッチポイント、単位mm（文献11より引用転載）

c．エッチング

エッチングはシーラントを填塞する範囲を越えて行う。これはシーラントの辺縁の剝離や破折を防止するためである。

50％リン酸溶液を使用する場合のエッチング時間は指示書に忠実に従う（図3a）。エッチング後の水洗は充分に行い、リン酸溶液が歯面に残らないようにする（図3b）。水洗後、歯面を気銃で充分に乾燥させる。

歯面が充分に乾燥していると、エッチングされたエナメル質が白濁した歯面として、小窩裂溝周辺に認められる（図3c）。

シーラントを填塞、硬化させるまで、この白濁した歯面に唾液などが触れないようにする。

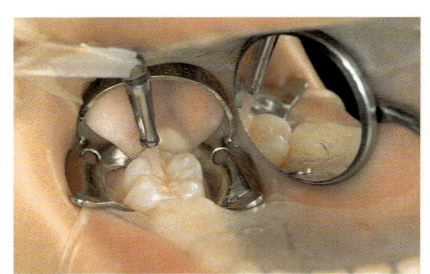

図3a　シーラントの剝離や破折を防止するために、エッチングはシーラントの塗布範囲を越えて行うのが肝要である。

図3b　エッチング後の水洗は充分に行う。

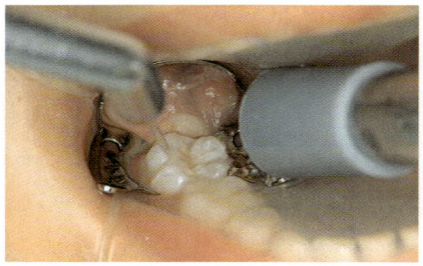

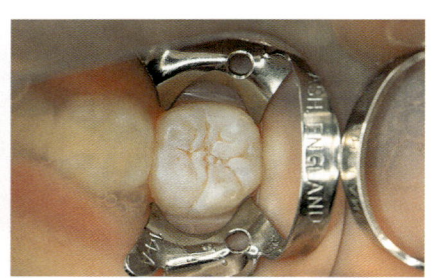

図3c　小窩裂溝周辺の白濁歯面を確認する（ミラー使用）。

d. 填塞、硬化

この症例では、エッチングした歯面の範囲と、シーラントの塗布範囲を明示するためにピンク色のシーラントを用いている（図4a）。

填塞したシーラントが過不足なく小窩裂溝部に行きわたっているのを確認して、光照射器でシーラントを硬化させる（図4b）。

アプリケーターのノズルは細いものが、使いやすい（図4c）。

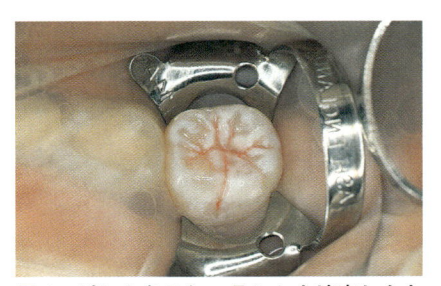

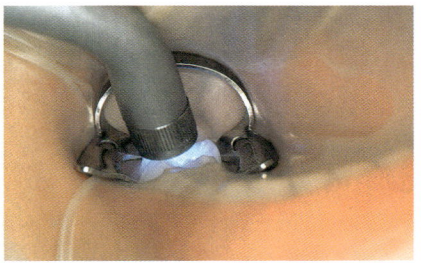

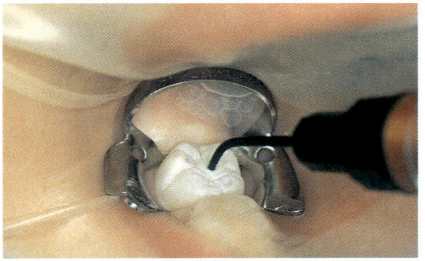

図4a ピンク色のシーラントを填塞したところ（ミラー使用）。

図4b 青色光線を1歯面について20秒間光照射する。

図4c フッ素徐放性シーラントの填塞例。アプリケーターのノズルが細く、使いやすい。

2）幼若永久歯のコンビネーション修復法[8]

幼若永久歯の歯冠修復を行うにあたって注意する必要があるのは、①咬合面の小窩裂溝の咬耗が少なく、咬合面形態が複雑であること、②歯質が乳歯に近い物理化学的性状を示し、環境の影響を受けやすいこと、③①と②の条件が複合して二次う蝕を誘発しやすいこと、の3点である。

これらの観点から、幼若永久歯の歯冠修復は、乳歯と同様に、対応する。

図5aに示す症例は12歳1か月の女子で、|5 6|の咬合面に小窩裂溝う蝕を認めた症例である。

C_2と診断した|5の遠心小窩と|6の近心小窩には、それらの小窩に限局した窩洞形成を行い、光重合型コンポジットレジンによる修復を実施する。その後、C_0と診断した|5の近心小窩と中心溝の部分、および|6の遠心小窩から口蓋面溝にわたってシーラント填塞を行う。一面ずつ光を照射して材料を硬化させる（図5b）。

このような修復法をコンビネーション修復法と呼んでいるが、幼若永久歯の歯冠修復にあたっては、常に、歯質の削除量を最小限に抑える配慮が必要である。

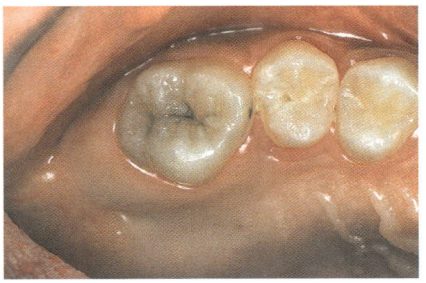

図5a 12歳1か月女子（術前）

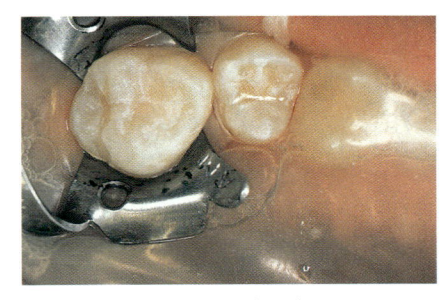

図5b 12歳1か月女子（術後）

● Column ● 5～10年後のシーラントはどうなる[12]

シーラント填塞を行った後、長期間の観察を行った結果を表2に示す。填塞後10年以上経過しているものもあったが、平均経過期間は6年0か月であった。この期間に行われたシーラントの再填塞回数は平均1.6回であった。診査した164歯のうち、シーラントが咬合面に接着しており、う蝕予防ないしう蝕進行抑制の役割を果たしていたものは130歯（79.3%）であった。

表2 シーラントの長期観察結果[12]

シーラント材	填塞歯数	咬合面保護効果（%）
デルトン	32	65.6
ティースメイトS	11	91.0
ティースメイトA	107	80.4
ティースメイトF	14	92.9
計	164	79.3

デルトン（デンツプライ）、ティースメイトS、A、F（クラレメディカル）
平均経過年数6年（1999年）

> ● Column ●　**Bis-GMA と環境ホルモン**
>
> 　ビスフェノールAは生体内で女性ホルモンのエストロゲンに類似した作用を示す環境ホルモンの一つである。
> 　一般に、環境ホルモンと呼ばれている物質は、胎生期や出生直後の発育期に特に影響しやすいものといわれている。
> 　Nicolas Oleaら（1996）[13]は、Bis-GMAを主材としたシーラント50 mgを複数歯の大臼歯に填塞して、1時間後に採取した唾液中に3〜31 μg/mLのビスフェノールA（Bis-GMAはビスフェノールAを原材料として合成される）が認められたと報告した。小児に対してシーラントを行うことの危険性を指摘し、大きな社会問題となった。
> 　しかし、この研究に対しては様々な誤りが指摘され、実験や分析に対する信頼性も議論された。
> 　その後、米国歯科医師会（以下ADAと略す）をはじめ多くの研究者たちが、この研究報告に深い関心をもって研究し、その結果を報告した。ウェブサイトに掲載された（1998）[14] ADA声明によると、ADAが承認している12種類のシーラントのうち11種類については、ビスフェノールAの溶出は見られなかった。1種に微量の溶出を認めたが、処方の変更後は溶出を認めなかった。
> 　さらに、Nathannsonらの研究[15]や、Soderholmらの報告[16]ではBis-DMAのような不純物の溶出を指摘しているが、シーラントやコンポジットレジンの使用を否定するものは認められない。

3）レジンコート材による隣接面う蝕の予防

（1）レジンコート材の開発と臨床的意義

　10歳未満の小児のうち乳歯にう蝕が見られない小児が60％にも達している米国における全国調査の結果[17]でも、乳歯のう蝕罹患歯面の1/3以上が隣接面であることが指摘されている。このような観点から、う蝕感受性の高い乳臼歯や幼若大臼歯の隣接面をレジンにより保護する手段として開発[18-20]されたのが、レジンコート材である。

（2）クリアシールFの特徴

a．クリアシールFからのフッ化物の供給と歯質の再石灰化

　酸処理エナメル質にクリアシールF（クラレメディカル）を塗布して再石灰化液に浸漬すると、クリアシールFから溶出したフッ化物がエナメル質に取り込まれ、歯質の耐酸性が有意に高くなり、健全エナメル質と同じ程度までに回復することが確認されている[21-24]。

（3）クリアシールFの隣接歯面塗布法

a．相接する隣接面への塗布方法

　第一乳臼歯遠心面と第二乳臼歯近心面のように相接している隣接面にクリアシールFを塗布する場合には、隣接面の間に100 μm前後の間隔をあけ、それぞれの隣接面にコート材を塗布する方法と、その間に"ウエッジマトリックス"を挿入して、相接する歯面に別々にコート材を塗布する方法がある（図6）。

b．直視直達が可能な隣接面への塗布

　例えば第二乳臼歯が脱落して、第二小臼歯が未萌出かあるいは萌出を始めたばかりのような時期の第一大臼歯近心面では、歯間離開を行わなくても、直接歯面にクリアシールFを塗布できる。特に第一大臼歯近心面に認められる白斑やC_1程度の初期う蝕病巣に対するタイミングの良い処置法として、利用価値が高い方法である。

（4）クリアシールFの臨床例

【症例】歯齢ⅢA女児

初診時 ED̄| はそれぞれ健全歯と診断され、ウエッジマトリックスを用いて、それぞれの隣接面にクリアシールFを塗布した。2年後もそれぞれInと診断された症例である。術前と2年後に撮影された咬翼エックス線写真によっても健全歯と診断された（図7a、b）。

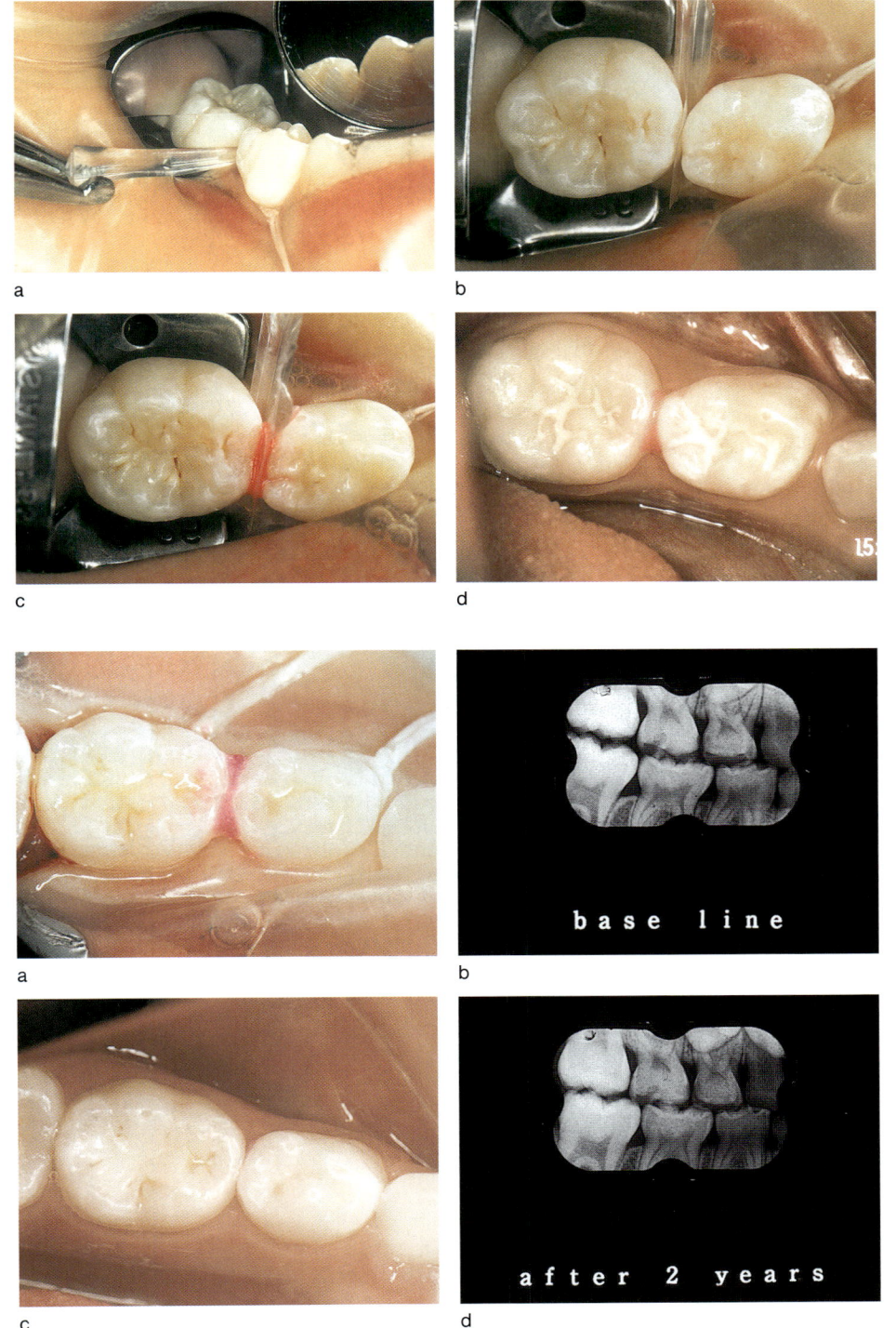

図6
a ウエッジマトリックスはホーのプライヤーで把持して、ゆっくりと ED̄| の歯間に挿入する。
b ウエッジマトリックスを挿入したところ（咬合面観・ミラー使用）
c クリアシールFを D̄| の遠心面と Ē| の近心面に別々に塗布し、可視光線を照射して硬化させた後、ウエッジマトリックスを撤去する。塗布したクリアシールFの辺縁を削整して処置を終わる。
d 1か月後の検診時の状態を示す。

図7
a, b 歯齢ⅢA女児のクリアシール塗布時の所見（ミラー使用）とエックス線写真
c, d 2年後の所見とエックス線写真

（大森郁朗）

4）グラスアイオノマーセメントによるシーラント填塞

　フィッシャーシーラントにはレジン系とグラスアイオノマー系の材料がある。グラスアイオノマーセメントは、歯質の無機質と化学的に接着する。当初は酸−塩基反応のみの従来型が用いられていたが、後に光硬化型（レジン添加型）も開発された。粉末はフッ化アルミノシリケートグラス、液はポリカルボン酸水溶液からなるが、光硬化型ではレジン成分（HEMA、UDMA、機能性モノマー、重合開始剤など）が添加されている。光硬化型はレジン成分が入っているために歯面処理が必須であるが、強度と接着力が改善された。

　レジンシーラントがラバーダム防湿下で応用されるのに対して、グラスアイオノマーセメントはラバーダム防湿がまだ不可能な時期、すなわち裂溝萌出初期から、半萌出の第一大臼歯などのう蝕予防に用いられてきた。脱落率はレジン系シーラントよりも高いことが報告されていた[1]ことから、歯の萌出後まもなく応用する一時的なシーラントとして扱われたが、3〜6年にわたり機能することも報告されている[2,3]。また、長期にわたり処置後のう蝕発生率は低く、小窩裂溝を填塞していたセメントの大部分が脱離した歯でも、保持された歯同様に、う蝕の発生は少なかった[2]。その理由としては、セメントが脱離したように見える小窩裂溝でも、その深部にはセメントが残っているのが観察されており[1,4]、これがう蝕の発生を阻止したことや、セメントからフッ素が持続的に供給されて、歯の耐酸性が向上したことが、う蝕を予防した可能性がある。

　さらに、光硬化型グラスアイオノマーセメントを使用して、3年以上の経過観察を行った報告では、再填塞を約25％に行う必要があったが、う蝕抑制率は6か月以上で90〜98％であったと報告されている[5,6]。

　このように、グラスアイオノマーセメント系小窩裂溝填塞材は、萌出直後の小窩裂溝の保護が可能で、定期的な観察と管理を行えば、長期的にも高い確率でう蝕抑制が可能である。ただし、う蝕の新生は、第一大臼歯の場合、新たな萌出部位（遠心溝や下顎の頰側溝）や近心隣接面などに起こるため[6]、脱離の監視と填塞の補填とともに、口腔衛生指導やフッ素塗布などを併用することが望まれる（図1）。

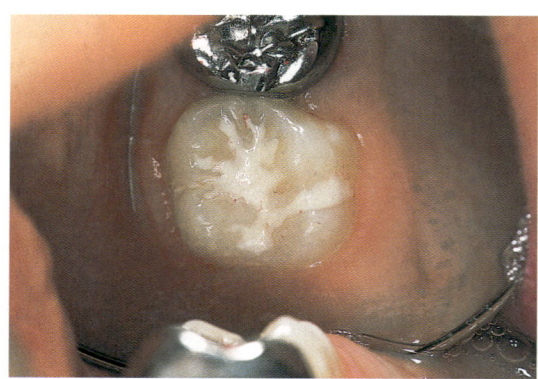

図1 シーラントを目的に |6 にグラスアイオノマーセメントを塗布したところ。
萌出途上は、舌が触れやすいので、填塞後は速やかにココアバターやバーニッシュなどを塗布し感水を避ける。余剰のセメントは強い咬合力が働いた時点で破折する恐れがあるので、硬化終了後に咬合調整を行い、狭い幅に仕上げる。すべての歯科治療と同様に、定期的観察を薦め、必要に応じて追加充填する。

（宮新美智世、高木裕三）

第5章 再石灰化療法

1. 歯質の再石灰化とその機序

　歯を構成する硬組織はエナメル質、象牙質、セメント質であるが、エナメル質を除いた後者は形成後も細胞が組織内に象牙芽細胞、セメント芽細胞として残存するため石灰化（calcification）に関与する。エナメル質は細胞が関与しないが、同様にリン酸カルシウムを形成する。この過程は再石灰化（remineralization）と呼ばれている。2000年に提唱された必要最小限の侵襲を意図した歯科医療（Minimal Intervention Dentistry、第Ⅰ部第1章16ページ参照）としても取り上げられ、初期う蝕に対して第一に再石灰化処置を選択することの必要性が指摘された。進行抑制が不可能な場合でも、必要最小限の切削と補修（つぎはぎ）修復を心がける治療ステップが提唱されている[1]。ここでは、主にエナメル質の再石灰化について詳述する。
　再石灰化は一度脱灰によりミネラルが失われた後、脱灰で失われたミネラルが回復する現象である。以下では脱灰－再石灰化の特徴を化学反応論、結晶論、平衡関係論の視点から理解し全体像を把握する。

calcificationの類似語としてmineralizationという用語が用いられるが、細胞関与の石灰化の場合はcalcificationが、その他の場合はmineralizationが主に使用される。

1）化学反応論

　再石灰化を理解するには、エナメル質が脱灰する過程を知らなければならない。エナメル質が脱灰を開始する臨界pHは5.5である[2]。脱灰によって歯質ミネラルのハイドロキシアパタイト[$(Ca_{10}(PO_4)_6(OH)_2)$]はイオンとして溶出する。その結果、表層下脱灰病変（subsurface lesion）が形成される（図1）。脱灰はH$^+$イオンの消費、pHの改善により停止する。その後、Ca^{2+}、HPO_4^{2-}イオンが高濃度に供給されると反応式は次式の左矢印のように進行し、再びハイドロキシアパタイトやその他の結晶が形成される。脱灰で失われたミネラルが回復する現象が再石灰化である。脱灰－再石灰化は化学反応論的に次式のように両方向性となる。脱灰は各イオン化への反応（右向き矢印）、再石灰化はイオン結晶化（左向き矢印）の反応である。

$$Ca_{10}(PO_4)_6(OH)_2 + 8H^+ \underset{\text{再石灰化}}{\overset{\text{脱灰}}{\rightleftarrows}} 10Ca^{2+} + 6HPO_4^{2-} + 2H_2O$$

　再石灰化は、既存の結晶を核に唾液由来や脱灰エナメル質由来のCa^{2+}、HPO_4^{2-}、OHイオンや微量元素のFイオン濃度上昇により、再びハイドロキシアパタイトやその他の結晶が形成される反応である。脱灰－再石灰化の両方向性と同様に、初期う蝕病変も両方向性を示すことから可逆的う蝕（reversible caries、図2）とも呼ばれる[3]。

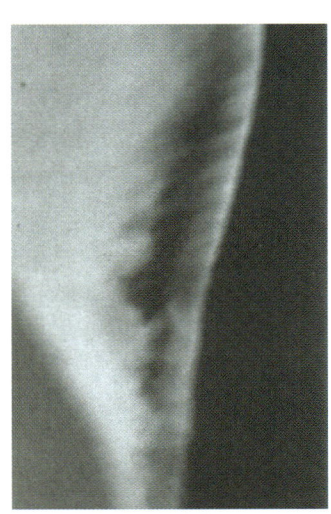

図1　表層下脱灰病変
エナメル質表面は連続性を有し、う窩を形成していない。表層よりも内層のミネラルが選択的に溶出している。

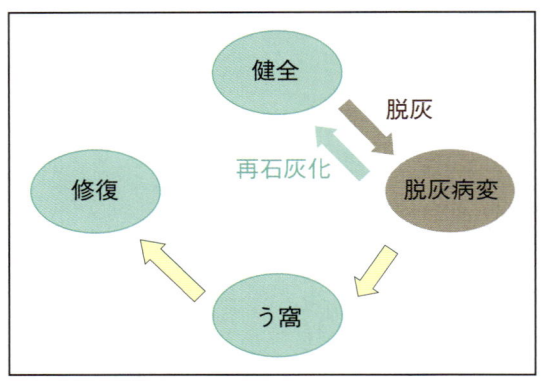

図2　初期脱灰病変の可逆性
脱灰病変はう蝕の全プロセスからは初期の段階にあたることから初期う蝕であり、表層よりも内層のミネラルが選択的に溶出した表層下脱灰病変の状態である（文献4より引用改変）。

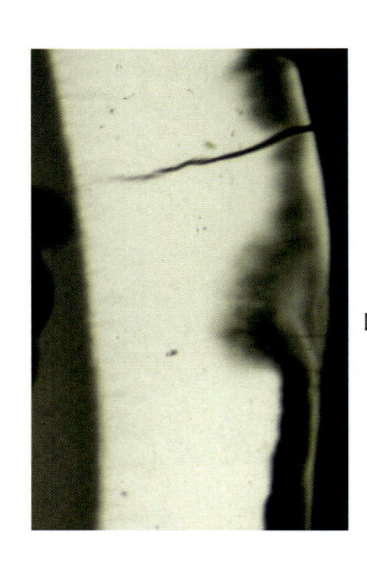

図3　再石灰化エナメル質の像
再石灰化ミネラルは結晶サイズが大きく、F^-イオン濃度は多く Mg^{2+}、CO_3^{2-} イオン濃度が低い結晶として存在するが、再石灰化の内部にはまだ脱灰病変が潜在している状態であり、物理的には脆弱な構造である。

2）結晶論

結晶レベルでは脱灰－再石灰化過程で形態的・化学的変化が認められる。

（1）脱灰

脱灰によりハイドロキシアパタイトに由来する Ca^{2+}、HPO_4^{2-}、OH^-、さらには Mg^{2+}、CO_3^{2-} が選択的に溶出する[5]。表層のエナメル質結晶は脱灰によりサイズは小さく、エナメル質表面は電子顕微鏡下では多孔質となる。

（2）再石灰化エナメル質

再石灰化ミネラルは元のハイドロキシアパタイトと異なる。Mg^{2+}、CO_3^{2-} は低濃度、唾液や歯に由来する F^- や応用された F^- イオンは吸着・置換し高濃度で、結晶サイズは大きくなる（図3）。

3）平衡関係論

脱灰－再石灰化の両方向性を視覚化したのが平衡関係論である。脱灰－再石灰化の頻度・期間・強度の優勢関係で決まる三つの状態は臨床症状と関連する。

①脱灰が再石灰化よりも優勢関係にある：酸侵襲により病変が進行する。臨床的には健全から脱灰病変の形成、既存の脱灰病変の進行、再石灰化部への酸侵襲が起きる。
②再石灰が脱灰よりも優勢関係にある：酸侵襲がなくなり病変が回復する。臨床的には健全状態の維持、脱灰病変から健全への回復、再石灰化の促進が起きる。
③脱灰と再石灰化が平衡関係にある：酸の産生と消費のバランスがとれている。臨床的には健全状態が維持され、脱灰病変の進行が停止する（図4）。

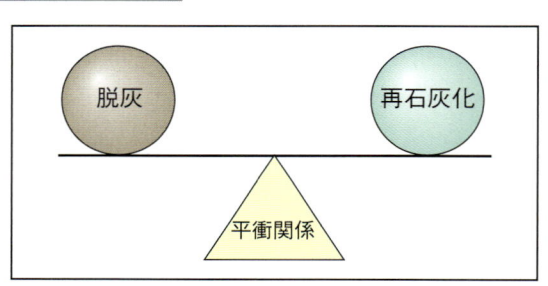

図4　脱灰と再石灰化の平衡関係
脱灰－再石灰化の優劣関係により、進行停止や回復あるいは進行が決まる。この図のように脱灰と再石灰化が平衡関係にあり酸の産生と消費のバランスがとれている場合、臨床的には健全状態が維持され、脱灰病変の進行が停止する（文献4より引用改変）。

2．初期エナメル質病変の再石灰化

1）う窩を形成していない病変

　プラークの有機酸によりエナメル質のハイドロキシアパタイトは溶出し、脱灰病変が形成される。脱灰病変は脱灰と再石灰化の平衡関係が逸脱した過程で発現し、脱灰－再石灰化のバランスが欠如し、ミネラル喪失が続くことでう蝕は進行する。脱灰病変はう蝕の全プロセスからは初期の段階にあたることから初期エナメル質う蝕とも呼ばれる。

　初期エナメル質う蝕の特徴は、エナメル質表面は連続性を有しう窩を形成しない。表層よりも内層のミネラルが選択的に溶出する。この状態が表層下脱灰病変である。表面はう窩がないため酸産生菌は病変内部に侵入しないが、酸がエナメル質の内部に浸透しミネラルを溶出した結果である。細菌の侵入による病変内部からの継続的な酸産生はない。既存のエナメル質結晶は不可逆的な程度には破壊されない。これらの病変は以上の好条件のため、後述する再石灰化処置によってpH条件の改善やミネラルの供給とフッ化物応用により、脱灰せずに残った既存のミネラルを核に再石灰化現象が発現しやすくなる（図5）。

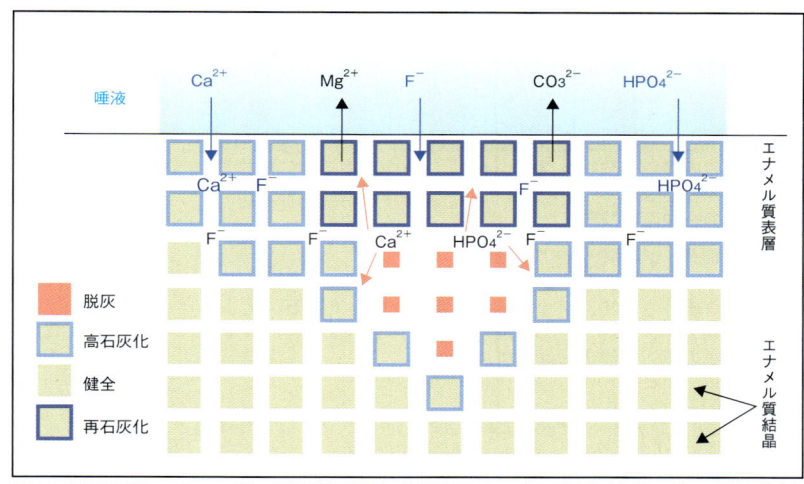

図5　再石灰化エナメル質の構造模式図と各種ミネラルとの関連（文献4より引用改変）
再石灰化ミネラルは元のハイドロキシアパタイトと同一ではない。
再石灰化の内部にまだ脱灰病変が潜在している状態。
再石灰化ミネラルの特徴
1．Mg^{2+}やCO_3^{2-}イオンが少ない
2．F^-が多い
3．結晶構造やサイズも異なる

2）う窩を形成している病変

　エナメル質表面の連続性が失われう窩を形成している場合、う窩内部に細菌が侵入する。発酵性糖質の供給があるとエナメル質内部で酸が産生され続ける。その結果、結晶は破壊され進行を繰り返しう窩は拡大の一途をたどり、エナメル－象牙境を越えて象牙質までう蝕が進行する。

　脱灰要因の減少と再石灰化要因の増加によって、前記の平衡関係が、②再石灰が脱灰よりも優勢となった場合、③脱灰と再石灰化が平衡となった場合、う窩はそれ以上に拡大せず進行を停止する。う窩を形成していた軟化歯質は硬く、歯面は滑沢となり、進行停止したう蝕（arrested caries）となる。う窩を形成するう蝕が進行停止するには、う窩内部のプラークの酸産生能が低く、う窩内部に唾液が十分に浸潤する必要がある。好条件が整えばう窩内部でも再石灰化は発現する（表1）。

表1　う窩内部の再石灰化発現過程

1. う窩内部にあるプラークへの唾液の循環・浸潤
2. プラーク内部のpHの改善（pH低下が停止、臨界pH以上へ上昇）
3. う窩内部のpHの改善
4. う窩内部における軟化歯質と唾液やプラーク溶液中の共通イオン（Ca^{2+}、HPO_4^{2-}、F^-）との反応
5. う窩内部での再石灰化の発現

3）再石灰化ミネラルの耐酸性と保護

　日常的にエナメル質は脱灰するが、再石灰化ミネラルは耐酸性能を有し歯質を保護する。脱灰－再石灰化により結晶サイズは異なり、イオン構成が変化し、結晶の

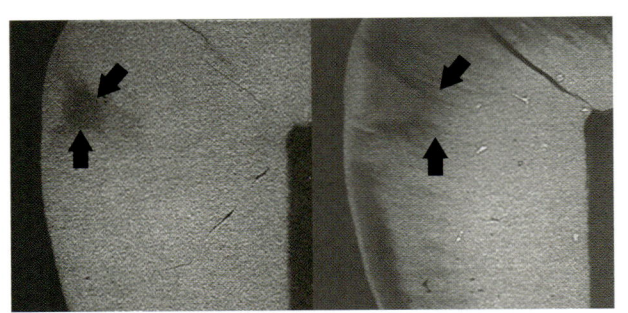

第Ⅲ部　臨床を支える知識と技術編

（a）　口腔内環境の酸に曝露前
矢印は初期エナメル質う蝕の表層下脱灰部

（b）　口腔内環境の酸に曝露後
矢印は、溶けた健全部

図6　初期エナメル質う蝕の耐酸性
（a）口腔内環境で産生された酸に対して表層下脱灰の状態が維持されて、フッ化物が作用した条件で再石灰化した初期エナメル質う蝕の耐酸性が示されている。（b）表層下脱灰の下方の健全部は溶解している。

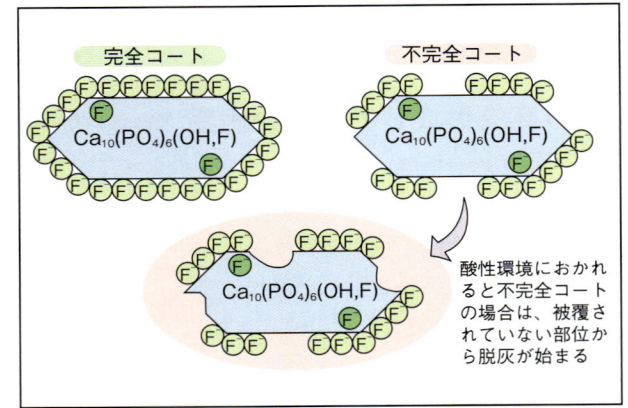

図7　再石灰化ミネラルの耐酸性メカニズムの模式図
歯の表面あるいは結晶周囲に低濃度のフッ化物イオンが吸着し、歯の表面や内部の結晶を水素イオンから防護することによって、耐酸性が発現する（文献4より引用改変）。

安定性が向上する。その結果、酸に溶解しにくい耐酸性を有する。フッ化物の有無は耐酸性の程度に影響を与える。耐酸性ミネラルの形成にはフッ化物イオンの存在は重要であるが、再石灰化反応それ自体はフッ化物がなくても発現する。フッ化物の存在下で再石灰化した初期エナメル質う蝕（臨床的にはエナメル白斑）は耐酸性があり、口腔内環境で産生された酸に対して表層下脱灰の状態を保持したまま維持される[6]（図6）。耐酸性の程度は健全エナメル質の2倍である。

フッ化物イオンがハイドロキシアパタイト結晶内のOH^-と置換することで耐酸性効果の永続性が期待されるが、結晶内部に取り込まれたフッ化物はエナメル質が脱灰しなければフッ化物イオンとして作用しない。再石灰化現象において、口腔内環境に存在するエナメル質表面のフッ化物イオン、結晶周囲に吸着している低濃度のフッ化物イオンの重要性が再確認されることになった。低濃度のフッ化物イオンが歯の表面あるいは結晶周囲にイオンコート状に被覆するように吸着し、水素イオンから歯の表面や内部の結晶を防護し（図7）、耐酸性能を発揮している。再石灰化エナメル質は化学的に耐酸性であるが、内部に脱灰病変が潜在し物理的には脆弱な構造である。表面の連続性がある初期エナメル質う蝕を鋭利な探針で破壊しないことや耐酸性の再石灰化ミネラルを破壊しないよう注意が必要である[7]。

3．再石灰化処置の臨床的アプローチ

臨床における再石灰化処置法は、非侵襲的な歯質保護処置の中心であり、同時に可逆的な反応による回復を意図した処置である。臨床的に行う再石灰化処置の基本は、脱灰抑制－再石灰化促進の機能を有する唾液の利点を最大限に活用し、その欠点を補う点にある。唾液は脱灰抑制－再石灰化促進に有益な各種イオンに富み、フッ化物を含めた各種イオンが化学的に介入することにより生体防護作用を果している。

1）化学的介入としての再石灰化処置

唾液の五つの機能が再石灰化処置に関与する（表2）。歯質と共通のCa/Pイオンを過飽和に含んだ唾液によるミネラルの提供、唾液に含まれる重炭酸イオンの緩衝作用によるpHの改善、唾液という溶液による水洗作用の3項目は利点、夜間分泌量の減少と低いフッ化物イオン濃度の2項目は欠点である。利点を活かし、欠点を臨床的に補うことで再石灰化の処置効果を最大限に発揮させる。再石灰化処置の理論

表2 脱灰抑制－再石灰化促進にとって必要不可欠な唾液の主な機能（文献17より引用改変）

利点	1. 唾液は液体エナメル質と呼ばれ，Ca/Pイオンの過飽和溶液。 2. 唾液は口腔内pHを一定に保つ作用を有する緩衝溶液。 　特に刺激唾液ではpHの改善効果が著しい。 3. 唾液は溶液であり、水洗作用があり口腔内いたるところに分布。
欠点	4. 口腔内では分布に偏りがある。夜間は安静唾液となり唾液分泌量が減少。 5. 唾液中に含まれる通常のフッ化物イオンは低濃度（0.1 ppm未満）で不十分。

表3 プロフェッショナルケアとセルフケアの両面から実施する再石灰化促進処置

再石灰化処置	プロフェッショナルケア	セルフケア
脱灰抑制	PMTC+専門的フッ化物応用（溶液・ゲル・バーニッシュ）	定期管理の励行 口腔清掃の励行
	PMTC+重炭酸・フッ化物配合ペーストの使用	咀嚼の励行 （刺激唾液の分泌）
	エナメル白斑の水洗／乾燥の反復（pHの改善）	間食の規則性・甘味濃度制限
	セルフケアのための保健教育	特定保健用食品利用 （非発酵性糖質含有）
再石灰化促進	PMTC+専門的フッ化物応用（溶液・ゲル・バーニッシュ）	定期管理の励行
	PMTC+重炭酸・フッ化物配合ペーストの使用	口腔清掃＋フッ化物配合歯磨剤の併用 口腔清掃後のフッ化物洗口の励行
	人工唾液の処方 （口腔乾燥症のある高齢者）	特定保健用食品利用 （再石灰化成分含有） 人工唾液の応用

的ポイントは以下の3点である。
①表層下脱灰病変内部あるいはう窩内部のpHの改善
②共通イオン（Ca/P/F）の供給
③長期再石灰化期間の確保

共通イオンとはエナメル質結晶を構成する主要なイオンである Ca^{2+}、PO_4^{3-}、OH^-、F^- は唾液中にも同じく存在することから共通イオンと呼ばれる。唾液はこれら共通イオンを F^- を除いて過飽和に含むことから、液体エナメル質とも呼ばれる。

臨床的には脱灰抑制と再石灰化促進処置を、プロフェッショナルケアとセルフケアの両面から実施する（表3）。再石灰化処置法は歯を切削する機械的介入ではなく、再石灰化に有益な各種イオンによる化学的介入による非侵襲的な歯質保護処置である。主な臨床的アプローチは以下の通りである。

（1）プロフェッショナルケアとセルフケアの連携

バイオフィルムであるプラークを専門的機械的に除去し、フッ化物配合ペーストを用いて歯面清掃するPMTC（professional mechanical tooth cleaning）[8]は、セルフケアの場面ではフッ化物配合歯磨剤と歯ブラシを用いての口腔清掃である。手段や頻度は異なるが意図している目的は同じである。フッ化物配合歯磨剤の効果的な応用法は、1日2回フッ化物配合歯磨剤を用いてブラッシングを行い、その後「少しの水で長くうがい」をすることである。この応用法によるう蝕予防効果が実証されている[9]。

→ 第Ⅲ部第3章133ページ

再石灰化に必要な期間は、実験室データの検討では脱灰期間の3倍以上である。1日の中で、飲食や間食による脱灰機会のない、継続した再石灰化期間を確保できるのは、就寝期間中である。この時期は最も適した長期再石灰化期間である。従って、就寝前のフッ化物配合歯磨剤の上手な使い方を健康教育の一環として指導する。これによって就寝中には安静唾液の共通イオンが供給され、フッ化物は急激に濃度が低下することなく、有効濃度を保ったまま再石灰化に有利に作用する。

脱灰の抑制を目的に、発酵性甘味飲料や甘味食品の摂取制限を主体とした保健指導を行うが、早期発見した初期エナメル質う蝕に対しては、病変内部に浸透した酸を緩衝する必要がある。重炭酸イオン配合の歯磨剤を用いて歯面清掃を実施し、病変内部のpHを改善した後、フッ化物を応用する。重炭酸イオンをフッ化物と併用した場合、フッ化物単独応用に比較して再石灰促進効果や耐酸性付与効果が高い[10]。

高齢者の根面のう蝕予防（露出根面、口腔乾燥を伴いう蝕リスクが高い場合）には人工唾液を処方する（根面う蝕については第Ⅱ部第5、6章参照）。フッ化物とその他の無機成分（Ca/P）組成は唾液に近い構成である[11]。露出根面の表面は本来セメント質であるが、露出によって歯根膜からの栄養供給がなくなると同時に、ルートプレーニングによる処置等でセメント質が剥離し、象牙質となっている。象牙質はエナメル質に比較して、臨界pHが高いため脱灰しやすい一方で、結晶サイズは微小であり、フッ化物との反応性に富んでいる点で再石灰化に有利という特徴を有する。生活歯の場合、象牙細管内の歯髄内液は再石灰化能をするので、歯質内部からも、また唾液を通じて外部からも再石灰化を起こすことが可能である（表4）。

表4　エナメル質と象牙質の脱灰・再石灰化の特徴

	エナメル質	象牙質
臨界pH*	pH 5.5 [2]	pH 6.7 [12]
結晶サイズ	L: 0.1-1μm W: 0.03-0.06μm H: 0.01-0.04μm	L: 0.03-0.05μm W: 0.01-0.03μm H: 0.002-0.005μm
Mg/CO$_3$	0.2/4.0%	1.2/6.2%
再石灰化	外から	内外から
成分/構造	無機/小柱	無機・有機/細管

L：長さ、W：幅、H：高さ
*臨界pHについては第Ⅳ部第2章188ページ参照

プロフェッショナルケアとセルフケアの両面から再石灰化処置を乳歯列（初診年齢1〜3歳）の時期から実施した結果、この集団の永久歯列のカリエスフリー者率（年齢11±3、Mean±SD）は84％以上であった[13]。

（2）唾液による共通イオンの供給と脱灰抑制

唾液は主要な共通イオンとしてCa、Pを過飽和に含むので、分泌量が不足する以外は補足する必要はない。また、エナメル質表面は唾液成分に由来するペリクル（acquired pellicle：獲得皮膜）に覆われる。プラークはペリクルを介してエナメル質表面と連絡する。ペリクル内で脱灰抑制作用を発揮する以下のような機序が確認されている[14]。

炭酸脱水素酵素はペリクル中に局在し、唾液緩衝能の主役であるHCO$_3^-$（重炭酸イオン）がプラーク由来の水素イオンと反応し、生成された炭酸をペリクル中で水と二酸化炭素に分解する（図8）。

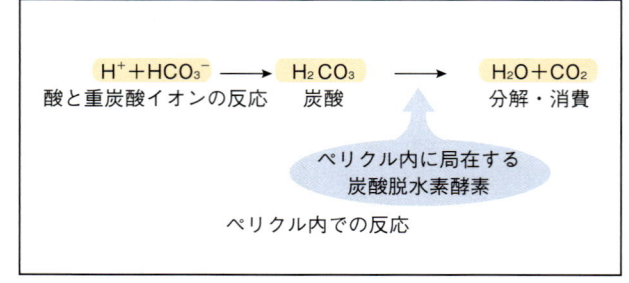

図8　ペリクル内の脱灰抑制機序（文献4より引用改変）

以上のように、共通イオンの供給源として、唾液は常に脱灰抑制と再石灰化促進の両面に作用する重要なう蝕抑制因子である。

（3）再石灰化を促進する化学物質

フッ化物には脱灰抑制と再石灰化促進効果がある。各種歯科材料にも再石灰化促進や二次う蝕予防を意図しフッ化物が配合される。また、特定保健用食品の分野ではフッ化物以外で再石灰化促進物質あるいは耐酸性を有する食品が開発・利用されている（表5）。患者の負担がほとんどなくMIの概念に即したセルフケアの一環として、食間に特定保健用食品を上手に使うことを保健教育としても指導する。

表5　特定保健用食品の再石灰化あるいは耐酸性に関与する成分（文献4より引用改変）

再石灰化関与成分	食品形態	文献
CPP-ACP （乳タンパク分解物－非結晶性リン酸カルシウム）	ガム	15
CaHPO$_4$－2H$_2$O （第二リン酸カルシウム） フノラン（フクロノリ抽出物）	ガム	16
POs-Ca （リン酸化オリゴ糖カルシウム）	ガム	17
お茶の葉（緑茶フッ化物）	ガム	18

（飯島洋一）

第6章 ドライマウスへの対応

1. ドライマウス患者に見られるう蝕への対応

　ドライマウスは、そのほとんどが唾液腺の分泌低下と関連しており、口腔の健康に大きな影響を与えている[1]。また、全身疾患の初発症状として生じることもある。口腔乾燥の影響は、口腔の硬組織や軟組織にも見られ、種々の口腔症状を引き起こす。口腔乾燥のほとんどは、唾液分泌量の低下によって引き起こされる場合が多いが、唾液量が多くても口呼吸や口腔機能低下などがあると、口蓋や舌などの粘膜乾燥が見られる。いずれの場合でも、唾液による自浄作用が低下するために、う蝕をはじめとした歯科口腔疾患が増加しやすい。

➡ 第Ⅳ部第1章173ページ

　唾液分泌低下や口腔乾燥に関連したう蝕として多く見られるのが、根面う蝕であろう。根面う蝕は、う蝕の大部分が象牙質に存在し、歯冠部う蝕とは組織学的にも臨床的にも性質を異にしている。また、口腔乾燥の症状に伴う生活習慣の変化によるう蝕症状も見られる[2]。

➡ 第Ⅱ部第5章69ページ

1）口腔乾燥と関連するう蝕

　口腔乾燥と関連するう蝕の発症要因として、まず、注意しなければならないのは、唾液分泌を低下させる薬剤である。そのほかの薬剤として、自浄作用を低下させる薬剤、口腔内の酸性化を促す薬剤、口腔機能を低下させる薬剤、清掃困難と関連する薬剤等が考えられる。

　唾液分泌を低下させる薬剤は、600剤以上の薬剤が知られており、自浄作用の低下や口腔機能の低下、意欲の低下とも関連し、筋弛緩作用のある薬剤や向精神薬、催眠剤などの影響も考えられる。さらに、全身機能の低下をきたす薬剤では、清掃行動や意欲に影響を及ぼし、自浄作用低下や咀嚼嚥下機能低下にも影響する。

　唾液分泌を促進させる目的や口腔内清涼感のための酸性食品や酸性飲料水も口腔内の酸性化を促進する。薬剤としては、アスコルビン酸など酸性の薬剤もあり、健康食品として、酢の飲用も影響が大きい。このような症例では、根面だけでなく歯冠部にも酸蝕症が生じ、二次的にう蝕を発症する症例もある。

　口腔乾燥症状に付随する因子としては、口腔乾燥による症状を軽減させる目的で口に含むのど飴やキャンディーによる影響、スポーツドリンクや清涼飲料水による影響も見逃せない。これらは、健康に良いと思いこんでいる場合が多いので、通常の問診では、浮かび上がってこないことも多いので注意すべきである。

　作用機序として、口腔内の酸性化を促進させる薬剤は、直接、歯根面に作用する。

また、口腔乾燥と関連して摂取する飲料水などに含まれる糖分が細菌叢に作用する（図1）。

口腔乾燥と関連したう蝕では、口腔乾燥の原因となる薬剤のほか、全身疾患の種類と有無、体質、生活環境、生活習慣、常用食品などについての十分な問診と情報収集が必要である。これらの因子が関連しあって生じている場合が多いので、う蝕の治療方針や修復の予後を考慮する上で大切である。

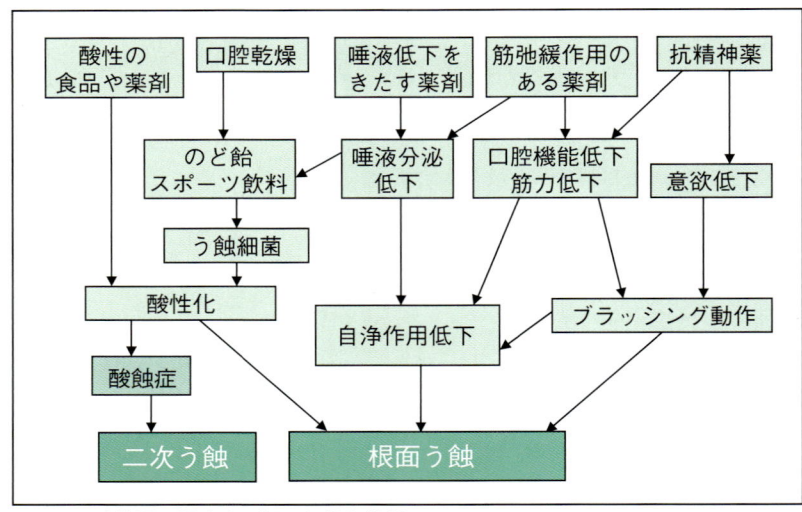

図1　口腔乾燥に関連する根面う蝕と薬剤

2）予防を重視した治療

原因として、口腔乾燥症状や口腔機能障害、意欲低下、口腔内の酸性化があれば、その改善を行う。生活習慣や食習慣として、のど飴やキャンディー、清涼飲料水の摂取があれば、ノンシュガーのものに変更したり、摂取しなくてもよい口腔状態や環境を整える。日常の清掃が最も大切であり、自分自身での清掃困難な場合には、口腔ケアを実施する。

臨床上の対応としては、プラーク除去が予防の基本で、フッ化物配合歯磨剤の使用が効果的である。特に、専門家によるケアを行いながら、フッ化物配合の歯磨剤を毎日使用することで、ほぼ完全に根面う蝕の発病が予防できるとされている[4]。しかし、全身疾患や全身状態、薬剤などの影響で、十分な清掃ができない場合は、プラーク除去だけでなく、唾液分泌、食習慣、口腔機能などの問題も合わせて考慮すべきである。

原因となる薬剤があれば、副作用の少ない薬剤への変更や不要な薬剤の服用中止が必要となる。しかし、実際には、主治医の治療方針上の問題などから、中止できないことや減量できないことが多い。その場合は、口腔乾燥を改善する漢方薬の投与や洗口液絹水（サンスター）やオーラルウェット（ヨシダ）（図2）などによる保湿を試みる[3-5]。

口腔機能のリハビリも効果的である。あまり咀嚼しなくてもよい食物形態を摂取している患者では、積極的な咀嚼訓練などを取り入れたり、義歯不適合が原因の場合には、義歯治療などを行う[6]。

清潔を保てない根面う蝕の患者では、適合の悪い辺縁部からのう蝕再発が生じやすいので、むやみな修復は避けたいが、深部まで進行したう蝕病巣などでは、修復処置が必要となる。う窩の辺縁封鎖が不良であると、辺縁部に沿って汚れがたまる部位ができ、二次う蝕の可能性を高めるからである。

治療用材料としては、フッ化物徐放性グラスアイオノマーセメントの市販品なども増加しているので、根面う蝕のタイプによっては最適の充填材料といえる。

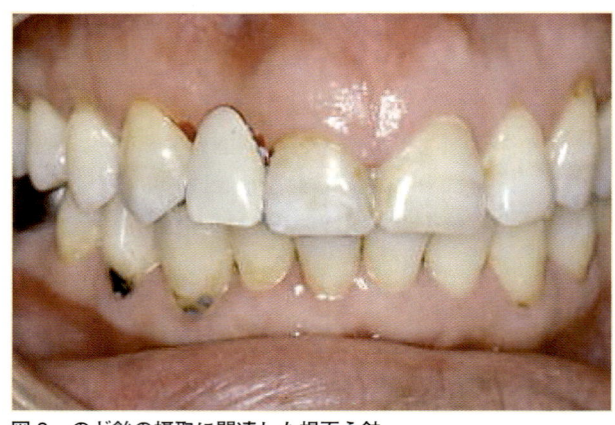

図2　のど飴の摂取に関連した根面う蝕
38歳女性。抗アレルギー剤の服用による口腔乾燥が見られ、口腔乾燥改善の目的でのど飴を常時摂取していた。4 3|の歯頸部にう蝕が見られた。
フッ素徐放性のレジン重合型グラスアイオノマーによる修復治療と共に、漢方製剤（白虎加人参湯＜ツムラ＞）による口腔乾燥の改善と洗口液絹水（サンスター）を用いた保湿のほか、のど飴の摂取制限の指導を行った。

口腔乾燥に伴ううう蝕としては、高齢者における根面う蝕や酸蝕症の二次う蝕が見られる。これらのう蝕に対しては、単なるう蝕としてではなく、その背景因子を考慮した対応が重要である。特に、唾液分泌低下や口腔乾燥、口腔機能低下、嗜好物の影響などが考えられる場合には、服用薬剤や全身状態への対応、口腔リハビリテーション、生活指導などが必要となる。

　高齢社会の到来で、ますます根面う蝕を目にする機会は増えると思われるが、残存歯の保存のためにも、また、口から食べる機能を確保・維持する意味でも、う蝕としての対応だけでなく、口腔環境の改善、口腔機能の改善の観点から、全身状態や生活習慣、体質などを考慮した全人的な治療を心がけたいものである。

（柿木保明）

第III部　文献

第1章　う蝕のリスク評価
1　う蝕のリスク要因（鶴本明久）p.p.102-105
1) Fletcher R.H. et al.（福井次矢監訳）：臨床疫学―EBM 実践のための必須知識―．メディカル・サイエンス・インターナショナル，東京，1999.
2) Geoffrey R.（曽田研二，田中平三 監訳）：予防医学のストラテジー－生活習慣病対策と健康増進－．医学書院，東京，1998.
3) Larmas N. A.: Simple tests for caries susceotibility. Int Dent J 35 : 109-117, 1985.
4) The ADA Council on Access, Orevention and Interprofessional Relations: Caries diagnosis and Risk assessment. JADA (special supplement) 126 : 1S-24S, 1995.
5) Axelsson P.（高江洲義矩 監訳）：リスクに応じた予防歯科学入門―入門編―．クインテッセンス出版，東京，2001.

2　チェアサイドにおける唾液検査の位置づけとその活用　（西川原総生、玉置 洋、野村義明、花田信弘）p.p.105-111
1) 西川原総生 他：サリバテストを理解するための基礎知識．いま注目の歯科器材・薬剤 歯界展望別冊．147-151，2001.
2) Klock B. and Krasse B.: A comparison between different methods for prediction of caries activity. Scand J Dent Res., 87: 129~139, 1979.
3) Zickert I., Emilson C. G. and Krasse B.: The effect of caries preventive measures in children highly infected with the bacterium *Streptococcus mutans*. Arch Oral Biol 27: 861-868, 1982.
4) 花田信弘 他：ミュータンスレンサ球菌の検出技術　ミュータンスレンサ球菌の臨床生物学．クインテッセンス出版，74-105, 2003.
5) 武内博朗 他：遺伝子工学的技術 1PCR を利用した診断法．デンタルダイヤモンド 27：52-57，2002.
6) 西川原総生 他：内科的歯科治療"薬の時間です"．デンタルダイヤモンド別冊 54-65：2005.

3　生活習慣調査（鶴本明久）p.p.111-112
1) Carmichael C. et al.: The relationship between social class and caries experience in five-year-old children in Newcastle and Northumberland after twelve years of fluoridation. Commnity Dental Health 1: 47-54, 1984.
2) 鶴本明久：行動科学と歯科疾患．米満正美 他編：新予防科学（第3版）．医歯薬出版，東京，2003.
3) NPO 法人ウェルビーング：明日からできる地域での予防歯科．医歯薬出版，東京，2003.
4) Green, L.W. and kreuter, M.W.（神馬征峰 他訳）：ヘルスプロモーション PRECEDE–PROCEED モデルによる活動の展開．医学書院，東京，1997.
5) 鶴本明久 他：う蝕ハイリスク幼児判定票の作成に関する研究．口腔衛生会誌 47：438-439，1997.

4　口腔内状態からのリスク評価（鶴本明久、野村義明）p.p.113-115
1) 島田義弘 編：予防歯科学．66-75，医歯薬出版，東京，1983.
2) Li Y. and Wang W.: Predicting caries in permanent teeth from caries in primary teeth: an eight-year cohort study. J Dent Res 81(8): 5561-6, 2002.
3) 島田義弘：集団における齲蝕検出状の諸問題．口腔衛生会誌 20：257-271，1971.
4) Rationale and Evidence for the International Caries Detection and Assesment System (ICDAS II). (http://www.icdas.org　2007年12月8日取得)

第2章　初期う蝕診断の新技術
1　QLF 初期う蝕検出システム（川崎弘二、神原正樹）p.p.116-119
1) de Josselin de Jong E ., Sundstorm F. and Westerling H et al.: A new methd for in vivo quantification of changes in initial enamel caries with laser fluorescence. Caries Res 29: 2-7, 1995.
2) Heinrich-Weltzien R., Kuehnisch J. and van der Veen M. et al.: Quantitative light-induced fluorescence (QLF) A potential method for the dental practitioner. Quintessence International 34: 181-188, 2003.
3) ten Bosch J.J.: Summary of research of quantitative light-induced fluorescence. Stookey G.K. (ed.): Early Detection of Dental Caries II. 261-277, Indiana University, Indianapolis, 2000.
4) Kambara M., Uemura M. and Izu M. et al.: Effect of dentifrice containing fluoride on incipient caries using QLF method. Dentistry in Japan 40: 83-84, 2004.
5) Dirks O.B.: Posteruptive changes in dental enamel. J Dent Res 45: 503-511; 1966.

2　レーザーを用いたう蝕検知機器（田上順次）p.p.119-120
1) Lussi A：新しい咬合面齲蝕検出法．歯界展望，95(6): 1285-1295，2000.

第3章　う蝕の予防法（セルフケア）
1　ブラッシング、2　フッ化物洗口（松久保 隆）p.p.121-125
1) 大谷広明 他：新歯ブラシ事典．学建書院，東京，1998.
2) フッ化物応用研究会 編：厚生労働化学研究「フッ化物応用に関する総合的研究」班：う蝕予防の為のフッ化物洗口実施マニュアル．2003.
3) 日本口腔衛生学会フッ化物研究委員会編：フッ化物局所応用に関するガイドブック．44-47，口腔保健協会，東京，1985.
4) WHO: Fluoride and oral health, Report of a WHO Expert Commitee on Oral Health Status and Fluoride Use. WHO Technical report series 846, Geneva, 1994.（高江洲義矩 監修：フッ化物と口腔保健―WHO のフッ化物応用と口腔保健に関する新しい見解―．一世出版，東京，1995.）
5) Sakuma S., Ikeda S., Miyazaki H. and Kobayashi S.: Fluoride mouth rinsing proficiency of Japanese preschool-aged children. Int Dent J 54: 126-130, 2004.

3　食品によるう蝕（今井 奨）p.p.126-129
1) 日本トゥースフレンドリー協 HP「歯に信頼」マークの科学的根拠（http://www.toothfriendly-sweets.jp/science/index.html　2008年2月5日取得）
2) 今井 奨：キシリトールなどの効果は？ 日本歯科評論 63(9): 13-15, 2003.

4　歯磨剤（中嶋省志）p.p.129-132
1) 飯塚喜一ら：歯磨剤を科学する（日本歯磨工業会集）、歯磨剤の法規制と種類．8-9. 学建書院，東京，1994.
2) ADA Council on Dental Therapeutics: Guidelines for the acceptance of fluoride-containing dentifrices. JADA 110: 545-547, 1985 (Revised in 1988 and 1989).
3) Bratthall D. et al.: Reasons for the caries decline: What do the experts believe ?. Eur J Oral Sci 104, 416-422, 1996.

4) Pitts N.B and Stamm J.W.: Proceedings from the International Consensus Workshop on Caries Clinical Trails. J Dent Res 83 (Special Issue C), 2004.
5) Kambara M. et al.: Early Detection of Dental Caries III (Proceedings of the 6th Indiana Conference), Results of clinical trial of fluoride dentifrice using QLF. 229-235, Indiana University School of Dentistry, Indiana, 2003.

第4章
1 PMTC（池見宅司）p.p.133-135

1) 池見宅司：歯科医療を変える齲蝕予防のシステム化と無痛修復．日歯保存誌 49(6)：711-715，2006．
2) Axelsson P. and Lindhe J.: The effect of a preventive programme on dental plaque, gingivitis and caries in schoolchildren. Results after one and two years. J Clin Periodont 1: 126-138, 1974.
3) Axelsson P. and Odont D.: Concept and practice of plaque-control. Pediatric Dent 3: 101-113, 1981.
4) Bellini H.T., Arneberg P. and von der Fehr F.R.: Oral hygiene and caries. A review. Acta. Odontol Scand 39: 257-265, 1981.
5) Caufield P.W. and Walker T.M.: Genetic diversity within *Streptococcus mutans* evident from chromosomal DNA restriction fragment polymorphisms. J Clin Microbiol 27: 274-278, 1989.
6) Costerton J.W., Cheng K.-J., Geesey G.G., Ladd Y.I., Nickel J.C., Dasgupta M. and Marrie T.J.: Bacterial biofilms in nature and desease. Annu Rev Microbiol 41: 435-464, 1987.
7) Costerton J.W., Lewandowski Z., Caldwell D.E., Korber D.R. and Lappin-Scott H.M.: Microbial biofilms Annu Rev Microbiol 49: 711-745, 1995.
8) de Kievit T.R. and Iglewski B.H.: Bacterial Quorum Sensing in Pathogenic Relationships. Infect Immun 68: 4839-4849, 2000.
9) 恵比須繁之：現代臨床におけるプラーク・コントロールの考え方．the Quintessence 16(12)：34-40，1997．
10) Emilson C.G.: Effect of chlorhexidine gel treatment on Streptococcus mutans population in human saliva and dental plaque. J Dent Res 89: 239-246, 1981.
11) 花田信弘：わが国におけるう蝕の現況と今日のう蝕原因菌研究の到達点．歯界展望．88(2)：305-327，1996．
12) 花田信弘，武内博朗，井田博久，由川英二，熊谷　崇：ミュータンスレンサ球菌の臨床的除菌法の検討―PMTC法とドラッグリテイナーの併用効果―．日本口腔衛生学会雑誌 50：582-583，2000．
13) 花田信弘：う蝕と歯周病を予防するくすりの導入、特別企画／効果的な予防歯科システム構築に向けて．日本歯科評論 692：98～103，2000．
14) 花田信弘，今井　奨，西沢俊樹，福島和雄，武笠英彦 他：ミュータンスレンサ球菌の臨床生物学（第1版）．1-97，クインテッセンス出版，東京，2003．
15) 早川浩生：3DSシステムに用いるドラッグ・リテイナーの作製法、特別企画／効果的な予防歯科システム構築に向けて．日本歯科評論 692：127-133，2000．
16) Klimek J., Prinz H. and Hellwig E. and Ahrens G.: Effect of a preventive program based on professional toothcleaning and fluoride application on caries and gingivitis. Community Dent Oral Epidemiol 13: 295-298, 1985.
17) Li Y.H., Hanna M.N., Svensater G., Ellen R.P. and Cvitkovitch D.G.: Cell density modulates acid adaptation in *Streptococcus mutans*: Implication for survival in Biofilms. J Bacteriology 183: 6875-6884, 2001.
18) Kristffersson K. and Bratthall D.: Transient Reduction of *Streptcoccus mutans* Interdentally by Chlorhexidine Gel. Scand J Dent Res 90: 417～422, 1982.
19) Kristoffersson K., Axelsson P. and Bratthall D.：Effect of a Professional Tooth Cleaning Program on Interdentally Localized *Streptococcus mutans*. Caries Res 18: 385-390, 1984.
20) 熊谷　崇：カリオロジーの臨床実践、特別企画／効果的な予防歯科システム構築に向けて．日本歯科評論 692：104-118，2000．
21) Maltz M., Zickert I. and Krasse B.: Effect of intensive treatment with chlorhexidine on number of Streptococcus mutans in saliva. J Dent Res 89: 445-449, 1981.
22) Sandham H.J., Brown J., Phillips H.I., and Chan K.H.: A preliminary report of long-term elimination of detectable mutans streptococci in man. J Dent Res 67: 9-14, 1988.
23) 泉福英信，由川英二，花田信弘：う蝕予防のIT革命．the Quintessence 19(10)：77，2000．
24) Takeuchi H., Senpuku H., Matin K., Kaneko N., Yusa N., Yoshikawa E., Ida H., Imai S., Nishizawa T., Abei Y., Kono Y., Ikemi T., Toyoshima Y., Fukushima K. and Hanada N.: New Dental Drug Delivery System for Removing Mutans Streptococci from the Oral Cavity: Effect on Oral Microbial Flora. Jpn J Infect Dis 53(5): 211-212, 2000.
25) 武内博朗：クロルヘキシジンを用いた3DS法によるミュータンスレンサ球菌除菌試験の概要、特別企画／効果的な予防歯科システム構築に向けて．日本歯科評論 692：119-126，2000．
26) Takeuchi H., Fukushima K., Senpuku H., Nomura Y., Kaneko N., Yano A., Morita E., Imai S., Nishizawa T., Kono Y., Ikemi T., Toyoshima Y. and Hanada N.: Clinical study of mutans streptococci using 3DS and monoclonal antibodies. Jpn J Infect Dis 54: 34-36, 2001.

2 3DS（武内博朗）p.p.136-144

1) Takeuchi H., Senpuku H. et al.：New dental drug delivery system for removing mutans streptococci from the oral cavity, effect on oral microbial flora. Japanese Journal of Infectious Diseases 53：211-212，2000．
2) 武内博朗，早川浩生：チェアーサイドの3DSってなに？ガイドブック．デンタルダイヤモンド社，東京，2002．
3) 武内博朗，西沢俊樹：ミュータンスレンサ球菌の臨床生物学．166-174，クインテッセンス出版，東京，2003．
4) Quirynen M., Mongardini C. and van Steenberghe D.: The effect of a 1-stage full-mouth disinfection on oral malodor and microbial colonization of the tongue in periodontitis. A pilot study. J Periodontol 69(3): 374-82, 1998.
5) 池見宅司：歯科医療を変える齲蝕予防のシステム化と無痛修復．日歯保存誌，49(6)：711-715，2006．
6) Takeuchi H., Fukushima K. et al.: Clinical study of mutans streptococci using 3DS and monoclonal antibodies. Japanese Journal of Infectious Diseases 54:34-36, 2001.
7) Takeuchi H. and Hanada N.：Physicochemical and Immunological Research to the Dental Caries Epidemic ―A Paradigm Shift in the Role of Caries Vaccine―. Journal of Oral Biosciences 47 (3): 243-252, 2005.
8) Hanada N.: Current Understanding of Cause of Dental Caries. Journal of Infectious Diseases. 53:1-5, 2000.

9) Okahashi N., Sasakawa C., Yoshikawa M., Hamada M., and Koga T.: Cloning of a surface protein antigen gene from serotype C *Streptococcus mutans*. Molecular Microbiology 3:221-228, 1989.
10) 武内博朗, 西沢俊樹：ミュータンスレンサ球菌の臨床生物学. 166-174, クインテッセンス出版, 東京, 2003.
11) Quirynen M., Mongardini C. and van Steenberghe D.: The effect of a 1-stage full-mouth disinfection on oral malodor and microbial colonization of the tongue in periodontitis. A pilot study. J Periodontol 69(3): 374-82, 1998.
12) Iijima Y. and Koulourides T.: Mineral density and fluoride content of in vitro. Remineralized lesions. J Dental Reserch 67:577-581, 1988.
13) 武内博朗, 早川浩生：いま注目の歯科器材・薬剤 2002 3DS 関連器材. 薬剤. 歯界展望別冊. 175-180, 医歯薬出版, 東京, 2001.
14) 早川浩生, 武内博朗, 泉福秀信, 日高陸代, 川司良一, 花田信弘：新しい3DSのためのドラッグ・リテーナーの簡便な作製法（抄）. 日本歯科技工学会雑誌 23（2）：315, 2002.
15) 早川浩生：3DSシステムに用いるドラッグ・リテーナーの作製法. 日本歯科評論 692：127-133, 2000.
16) Emilson C.G.: Potential efficacy of chlorhexidine against mutans streptococci and human dental caries. Journal of Dental Research 63: 682-691, 1994.
17) Smith D. J.: Caries Vaccines for the Twenty-First Century. Journal of Dental Education 67 (10)：1130-39, 2003.
18) Russell M. W., Childers N. K., Michalek S. M., Smith D. J. and Taubman A.: A Caries Vaccine? —The State of the Science of Immunization against Dental Caries—. Caries Res 38: 230-235, 2004.
19) Michalek S. M., MacGhee J. R., Mestecky J., and Bozzo L.: Ingestion of Streptococcus mutans induces secretory immunoglobulin A and caries immunity Science 192(4245): 1238-1240, 1976.

3　シーラント
1）〜3）（大森郁朗）p.p.145-149
1) Takeuchi M. et al.: Sealing of the pit and fissure with resin adhesive. II Result of nine month's field work, an investigation of electric conductivity of teeth. Bull Tokyo Dent Coll 7: 60-71, 1966.
2) Buonocore M.G. et al.: Adhesive sealing of pits and fissures for caries prevention. Abst. 43rd IADR General Meeting ,July, 1965.
3) Buonocore M.G. et al.: Adhesive sealing of pits and fissures for caries prevention with use of ultraviolet light. JADA 80:324-328,1970.
4) Lee H. L. et al.: Sealing of developmental pits and fissures, Iin vitro study, J Dent Res 50:133, 1971.
5) Ohmori I. et al.: Effect of the methyl methacrylate-tributylborane sealant in preventing occlusal caries. Bull Tokyo Med & Dent Univ, 23:149-155, 1976.
6) 國本洋志, 大森郁朗：二種のシーラントの保持率とう蝕予防効果, 小児歯誌, 16:209-215,1978.
7) 中島由美子, 伊平弥生, 永井華子, 池田幸代, 大森郁朗：フッ素徐放性シーント（Teethmate F-1）の臨床成績, 小児歯誌, 39: 103-109,2001.
8) 大森郁朗：シーラントとコート材の臨床テクニック, pp.22-26, 36-37, クインテッセンス出版, 東京, 2002.
9) Mizuno, Y. and Ohmori, I.: An in vitro study on the fluoride releasing resin sealant. Ped Dent J 1: 89-93, 1991.
10) クラレ社資料, 2000.
11) 竹内京子：GK-101による小窩裂溝清掃に関する基礎的研究. 小児歯誌 21:768-781, 1983.
12) 伊平弥生：各種シーラントの適応と効果. Dental Diamond 24:50-53, 1999.
13) Olea, N. et al.: Estrogenecity of resin-based composites and sealants used in dentistry. Environ Health Perspect 104: 298-305, 1996.
14) ADA position statement: Updated statement on estrogenic potential of dental sealant, 1998.
15) Nathanson, D. et al.: In vitro elution of leachable components from denal sealants JADA 128:1517-1523, 1997.
16) Soderholm K.-J. et al.: Bis-GMA-based resins in dentistry: Are they safe?. JADA 130: 201-209, 1999.
17) Brown L.J., Selwitz R.H. and Furman L.J: Dental caries and sealant the sealant usage in U.S. children, 1988-1991. JADA 127：335-343, 1996.
18) クラレ・メディカル研究開発室試料, 1991.
19) 大森郁朗, 伊平弥生, 中島由美子, 鈴木さち代, 小野博志, 田中光郎, 八尾和彦, 神原修：フッ素徐放性レジンコート材（KFC-510システム）による隣接面齲蝕抑制法に関する臨床的研究. 小児歯誌 32：955-971, 1994.
20) 大森郁朗, 伊平弥生, 守安克也, 中島由美子, 高見沢さち代：フッ素徐放性レジンコート材による隣接面保護に関する研究. 小児歯誌 34：47-59, 1994.
21) Mizuno Y. and Ohmori I.: Chemical effect of fluoride releasing resin coating material on acid-etched surface enamel. Ped Dent J 3：59-64, 1993.
22) Idaira Y., Nakajima, Y. and Ohmori I.: EPMA observation of the acid-etched enamel covered by F-coating material. Ped Dent J 7：73-79, 1997.
23) Idaira Y. and Ohmori I.: EPMA evaluation of the proximal surface of the primary molars covered by the fluoride releasing resin coating material. Ped Dent J 10：161-166, 2000 .
24) Takamizawa Y., Idaira Y. and Ohmori I.: HREM observation of the proximal surface of the primary molars covered by the fluoride releasing resin coating material. Ped Dent J 10: 167-171, 2000.

4）（宮新美智世、高木裕三）p.150
1) Majàre I. and Mijör I.A.: Glassionomer and resin-based fissure sealants; a clinical study. Scand J Dent Res 98:345-350, 1990.
2) Karlzén-Reuterving G. and van Dijken J.W.V.: A three-year follow-up of glass ionomer cement an resin fissure sealatnts. JDC March-April:108-110, 1995.
3) Arrow P. and Riordan P.J.: Retentionand caries preventive effects of a GIC and resin-based fissure sealant. Community Dent Oral Epidemiol 23:282-285, 1995.
4) Övrebö R.C. and Raadal M.: Microleakage in fissures sealed with resin or glass ionomer cement. Scand J Dent Res 98:66-69, 1990.
5) 山本健也, 佐々木恵, 小島寛, 三浦真理, 松塚育子, 小口晴久：幼若第一大臼歯に対する光硬化型グラスアイオノマーセメント系小窩裂溝填塞材の臨床評価. 小児歯誌 41：105-110, 2003.
6) 小野義晃, 鈴木　昭, 南　真紀, 筋原陽也, 白　正華, 中川貴美子, 角田智也, 掛川達彦, 波部　剛, 岡本三千代, 小松太一, 渡部　茂：簡易防湿下で行った簡易防湿下で行った幼若第一第臼歯に対する光硬化型グラスアイオノマーセメント小窩裂溝填塞の臨床成績. 小児歯誌, 43：53-57, 2005.

第5章 再石灰化 (飯島洋一) p.151-156

1) Tyas M.J., Mount G.J., Anusavice K.J. and Frencken J.E. : Minimal intervention dentistry-a review. FDI Commission Project 1-97, Int Dent J 50: 1-12, 2000.
2) Ericsson Y. : Enamel-apatite solubility. Acta Odontologica Scandinavica 8 Supp.3: 76, 1949.
3) Biesbrock A.R., Faller R.V., Bartizek R.D., Court L.K. and McClanahan S.F. : Reversal of incipient and radiographic caries through the use of sodium and stannous fluoride dentifrices in a clinical trial. J Clin Dent 9(1):5-10, 1998.
4) 林　義彦, 飯島洋一：第2章 齲蝕　1 齲蝕. 田上順次 他監修：保存修復学21（第三版）. 31-43, 永末書店, 京都, 2006.
5) Johansen E. : Comparison of the ultrastructure and chemical composition of sound and caries enamel from human permanent teeth; in Stack, Fearnhead, Tooth Enamel. 177-181, Wright & Sons, Bristol, 1965.
6) Iijima Y. and Takagi O. : In situ acid resistance of in vivo formed white spot lesions. Caries Res. 34: 388-394, 2000.
7) 「初期う蝕診断」における探針の意義に関する作業検討部会：望ましい初期う蝕の診断法. 口腔衛生会誌 50(1)：137-152, 2000.
8) 内山　茂, 波多野映子：PMTC2 月刊歯界展望MOOK. 医歯薬出版, 東京, 2003.
9) Ashley P.F., Attrill D.C., Ellwood R.P., Worthington H.V. and Davies R.M. : Tooth brushing habits and caries experience. Caries Res 33: 401-402. 1999.
10) Tanaka K. and Iijima Y. : Acid resistance of human enamel in vitro after bicarbonate application during remineralization. J Dentistry 29: 421-426, 2001.
11) 飯島洋一：再石灰化液の局所応用. 43-46, 予防歯科臨床教育協議会 編：実践予防歯科. 医歯薬出版, 東京, 1999.
12) Hoppenbrouwers P.M., Driessens F.C. and Borggreven J.M.. : The mineral solubility of human tooth roots. Arch Oral Biol. 32(5):319-322, 1987.
13) 北村 雅保, 福本 恵美子, 古堅 麗子, 林田 秀明, 川崎 浩二, 飯島 洋一, 新庄 文明：歯科診療室における長期予防管理下の小児の永久歯う蝕発病要因について. 口腔衛生会誌 55：625, 2005.
14) Leinonen J. et al.: Salivary carbonic anhydrase isoenzyme VI is located in the human enamel pellicle. Caries Res 33: 185-190, 1999.
15) Reynolds E.C.: Advances in enamel remineralization: Casein phosphopeputide-Amorphous calcium phosphate. J Clin Dent 10(2)：86-88, 1999.
16) 佐伯洋二 他：フノリ抽出物と第2リン酸カルシウムを配合したキシリトールチューインガムの実験的初期う蝕エナメル質に及ぼす再石灰化効果. 歯科基礎誌 42:590-600, 2000.
17) 稲葉大輔 他：エナメル質う蝕病巣の再石灰化に及ぼすリン酸オリゴ糖の口腔内における効果. 口腔衛生会誌 53：8-12, 2003.
18) 須山英悟, 宇都宮洋之, 伊藤紀子, 大森俊昭, 五十嵐　進, 千馬充裕, 飯島洋一：歯の耐酸性獲得に寄与する緑茶抽出物「カメリアMJ」中の成分. 日本食品新素材研究会誌 8：17-24, 2005.

第6章 ドライマウスへの対応 (柿木保明) p.157-159
1 ドライマウス患者におけるう蝕治療の対応

1) 中川洋一、斎藤一郎：唾液が出ないとどうなる？―ドライマウスの原因と診査・診断― 日本歯科評論増刊, 18-28, ヒョーロンパブリッシャーズ, 東京, 2005.
2) 柿木保明：口腔領域に症状を現す常用薬とその臨床対応, 根面う蝕. 歯界展望 98(4)：734-737, 2001.
3) 柿木保明：湿潤剤配合洗口液. 歯界展望別冊／いま注目の歯科器材・薬剤 2002, 170-174, 医歯薬, 東京, 2001.
4) 柿木保明：口腔乾燥症の現状と口腔湿潤剤（オーラルウェット）の効果. デンタルダイヤモンド 127-371：138-141, 2002.
5) 柿木保明：歯科漢方ハンドブック. 15-46, KISOサイエンス, 横浜, 2005.
6) 柿木保明：毎日の口腔ケア：第3回高齢者の口腔機能改善・維持につながる正しい義歯ケアの方法. 臨床老年看護 7：102-107, 2000.

第Ⅳ部
基礎編

第1章 歯と唾液

1. 永久歯の構造と組成

1) 歯の発生と形成異常

　歯は胎生6～7週に口腔上皮の一部がシグナルセンターとなりBMP4、FGF8を分泌すると、神経堤由来の間葉組織に作用し、転写因子であるMSX1、PAX9などの発現を介して歯原性間葉を誘導し、歯堤が形成される。その後、歯堤の一部が間葉組織に向かい大きく増殖を開始し、球形の結節を上下の歯堤自由縁に乳歯の数だけ歯蕾を形成する。歯原性間葉は転写因子の作用によりBMP4などの分泌性因子を合成し、歯蕾に作用するとLef1、MSX2、p21などの発現が誘導されることになる。ついで、上皮の一部にはエナメル結節が形成され、ここはシグナルセンターとなる。先に分泌されたMSX2、p21の作用により結節の中心部ではアポトーシスにより細胞の増殖が抑えられ、周辺部ではFGFのシグナルにより、盛んに細胞が分裂増殖を開始し、上皮は鐘状となりエナメル器を形成し、内部に包み込まれた歯原性間葉は歯乳頭に、外部の歯原性間葉は歯小嚢となる。エナメル結節の数は咬頭の数と一致して発生する。このように上皮・間葉の相互作用が繰り返されて歯の形成が起こるが、この調和の乱れが歯の形成異常となる。先天的な遺伝子異常では発生段階での歯の形成が停止することになる。

● **Column** ● 無歯症と遺伝子

　MSX1（遺伝子名で転写因子）のホメオドメイン内のミスセンス変異により、第二小臼歯と第三大臼歯の欠除が好発する家系があり、無歯症は、EDA/ED1（遺伝子名でコードするタンパクはTNFファミリー）が原因遺伝子といわれている。またPAX9（遺伝子名で転写因子）やPITX2/RIEG（遺伝子名で転写因子）は多数歯の欠除、DLX3（遺伝子名で転写因子）はタウロドンティズムやエナメル質形成不全を起こす。AMGX/AMELS（遺伝子名でコードするタンパクはアメロゲニン）は伴成遺伝するエナメル質形成不全症Ⅰ型の原因遺伝子で、乳歯の萌出遅延や晩期残存、永久歯の萌出遅延、埋伏にはRUNX2/CBFA1（遺伝子名で転写因子）が関与している。また病変との関連が強く示唆されているものに、ALPL（遺伝子名でコードするタンパクはアルカリホスファターゼ）はセメント質形成、エナメル質形成の異常、乳歯の萌出遅延や早期う蝕が関連し、DSPP（遺伝子名でコードするタンパクは象牙質シアロインタンパク）はコラーゲンの異常を伴わない象牙質の形成異常である象牙質形成不全症Ⅰ型およびⅡ型の原因遺伝子と考えられている。さらにAMBN（遺伝子名でコードするタンパクはシースリン）およびENAM（遺伝子名でコードするタンパクはエナメリン）は常染色体性劣性エナメル質形成不全症Ⅱ型の原因遺伝子と考えられている。

2）エナメル質

人のエナメル質は 96（重量）％がハイドロキシアパタイトを主成分とする無機質から成り、残り 4 ％程度が水分と有機物である。

（1）エナメル質の萌出後の成熟
a．エナメル質の構造
a) 有機質含量が高い部位：小柱鞘、エナメル葉、エナメル叢、エナメル紡錘

- 小柱鞘（sheath of rod）：エナメル小柱の結晶とエナメル柱間質の境界でヘマトキシリンに濃染する。有機質を多く含む。
- エナメル葉（enamel lamellae）：主として有機質で、エナメル質表面からエナメル－象牙境へ伸びる基質の薄板からなる。
- エナメル叢（enamel tufts）：エナメル－象牙境から始まる有機質構造物でエナメル質の厚さの約 1/3 までに伸長する。エナメル葉と同じ方向に列をなして形成される。
- エナメル紡錘（enamel spindle）：エナメル－象牙境に関連した構造で、周囲のエナメル質よりも多くの有機質を含む。発生学的には象牙質に由来し、象牙芽細胞がエナメル－象牙境を突き抜けた突起として認められる。

b) 成長増加に関連した構造：横紋、レッチウスの線条、新産線、周波条

- 横紋（cross striations）：エナメル小柱に対して直角に走行し、エナメル小柱が横断された切片上で観察される。横紋はエナメル質の 1 日ずつの成長が記録されたもので、約 4 μm の間隔がある。横紋には多量の有機質があると考えられる。
- レッチウスの線条（lines of Retzius）：歯冠の横断で、木の年輪状に見られる。この線条はエナメル質の成長における変化（病気や栄養状態）で強調された変化とされている。
- 新産線（neonatal line）：レッチウスの線条は、出生前のエナメル質には見られないが、新産線は出生後には明瞭に強調された線として見られるようになる。これは、出生後の栄養上の変化と一時的な成長の減少の結果見られる。
- 周波条（perikymata）：レッチウス線条のエナメル質表面への反映である。

c) 小柱の配列転移の結果としての構造：ハンターシュレーゲル条および捻転エナメル質

- ハンターシュレーゲル条（Hunter-Schreger bands）
歯冠の縦断で、エナメル質の中で隣接する明帯および暗帯として見られる。これは小柱の集団がエナメル・象牙境から外側に互いに異なった方向に屈曲することに起因している。この条は、エナメル質の厚さの約 1/2 で生じ、それ以降小柱集団はエナメル質の表面で互いに平行となる。
- 捻転エナメル質（gnarled enamel）：エナメル小柱の方向が咬頭部において著しく不規則になり、捻れるようになったとき、捻転エナメル質と呼ばれる。

（2）エナメル質の萌出後の成熟と加齢変化

エナメル質の萌出後の成熟現象は、主に表層付近の無柱エナメル質結晶に起こる変化で、一言で言えば石灰化の亢進現象である。これは、既存結晶の成長と新生結晶の出現および結晶性の改善現象で、これにより耐酸性の向上が見られることになる。この結晶成長は、唾液や食物中のカルシウム、リンイオンが結晶間隙に侵入して起こるもので、これにフッ素が加わると結晶成長が促進されたり、新生結晶の核形成が促進

> 総括すると、エナメル質の基本構造単位は、エナメル小柱であり、それはエナメル芽細胞の石灰化分泌物として形成される。エナメル小柱の横断面は鍵穴状を呈し、結晶の長軸は小柱の長軸と平行であることが基本である。結晶の間の空隙は水分と有機質で満たされている。

される。また、フッ素が結晶中に1個でも入ると、その周囲のOHの配列が安定し、耐酸性が向上する。

エナメル質の初期う蝕病変部（白斑）では、エナメル質のエックス線密度がう窩の形成なしに失われるという。不完全に脱灰された多量のエナメル質が初期う蝕病変部には存在し、この部は再石灰化するという報告が増えている。電子顕微鏡では、脱灰によりハイドロキシアパタイト結晶は、中心部または芯が結晶の長軸またはC軸に沿って溶け、横断像ではドーナツ状となる。次に結晶の長さの著しい短縮が起こる。白斑やエッチング処理でも同様の結果となる。この結晶の短縮はエナメル質の崩壊に関連する。

3）セメント質

セメント質は歯根表面を覆い、約60（重量）％がハイドロキシアパタイトを主成分とする無機質で、残りの25％が有機物、15％が水分である。

セメント質の厚さは、セメント－エナメル境で20～50μmで根尖付近では150～200μmにもなる。一般にセメント質は60％でエナメル質を覆い、30％でエナメル質と接し、残りはエナメル質との間に間隙を持つと考えられている。

また、加齢に伴う歯肉の退縮により露出するセメント質は変性に陥り、やがて剥離することがある。その部の象牙質では石灰脱出を認めるものが多いという。

> ● Column ● セメント質の再生
>
> 歯冠形成が終わると、内エナメル上皮と外エナメル上皮は歯根の外形を決定すべく、根尖方向へ増殖を開始し、ヘルトヴィッヒの上皮鞘と呼ばれるようになる。歯乳頭の細胞は、ヘルトヴィッヒの上皮鞘から分泌される上皮性タンパク質に誘導され、象牙芽細胞に分化し歯根象牙質を沈着する。その後ヘルトヴィッヒの上皮鞘は分断され、歯小嚢の細胞がその間を移動し、形成された歯根象牙質に接触することでセメント芽細胞に分化し、セメント質を歯根象牙質上に沈着する。断裂された上皮鞘は、一部は歯根膜内セメント質寄りに残り、マラッセの残存上皮となり、一部はセメント質内に取り込まれることになる。
>
> セメント質の再生はこの現象が、成熟個体において起こることを意味する。歯周治療後に露出した象牙質上にセメント質を再生させるなら、象牙質上に歯根膜細胞（本来は歯小嚢細胞がベスト）が移動し、象牙質上のエナメルタンパク質に接触することでセメント質ができることになる。しかし、実際象牙質内にセメント質はなく、エナメルタンパク質などを塗布する必要がある。一方、歯根面にセメント質が残っているような場合には、セメント質内に残るエナメルタンパクがあるために、発生期のようなセメント質形成が起こる可能性はある。つまり、歯周治療後にセメント質ができたような発表は枚挙に暇がないが、実は真のセメント質とは異なり、歯根膜細胞が骨様セメント芽細胞に分化して作った、骨様セメント質と言うべきであろう。根管充填後にできるセメント質橋も同様である。

4）象牙質・歯髄複合体（dentin/pulp complex）の理解

（1）象牙質・歯髄複合体

象牙質と歯髄は教科書や歯科組織学の中で別々の範疇でとりあつかわれてきた。それは、象牙質は硬組織で、歯髄は軟組織だからである。しかし、象牙質と歯髄は

セメント質の発生は、初期には上皮細胞が関連するが、その後は結合組織に由来して形成される。セメント質は骨や象牙質よりもミネラルが少なく、小腔内には細胞を含み、成長線を有することでは骨に類似している。しかし、骨に存在するハバース管や基質中に血管・神経を含まないことを特徴とする。

● 中間セメント質 (intermediate cementum)

歯根の表面のセメント質に中間層の薄い層が見られる。この層はトームス顆粒層と原性セメント質の外表象牙質を覆う厚さ10nm程度の無小柱エナメル質に類似する、コラーゲン線維も含まない均質無構造層である。それゆえ、ヘルトヴィッヒの上皮鞘に関連する可能性も示唆され、歯根象牙質ができて、そこから離れる短期間に作られると考えられるが詳細は不明である。

● 有細胞セメント質 (cellular cementum) と無細胞セメント質 (acellular cementum)

中間セメント質の表面に形成されるのは、無細胞性のセメント質でこの層の表面に続いて有細胞性のセメント質または無細胞性のセメント質が形成され、高度に石灰化した成長線を形成しながら付加成長を行う。セメント質が厚くなれば、セメント細胞を含むことが多くなる。根尖部で特に顕著となる。セメント質内の細胞は、セメント細管内に長い突起を伸ばし、お互い隣接する細胞と結合を形成している。表層に比べると深層の細胞は変性傾向が強く、小腔内に細胞がないものも見られる。

発生学上双方とも歯原性間葉組織であり、組織学上は歯髄が象牙質を作る、機能的には象牙質に障害が加わると歯髄側に第三象牙質ができるので同じ組織として考えるべきである。象牙質橋、補綴象牙質という言葉は第二象牙質（発生後にできるもの）と扱う場合もあるが、発生組織学的には第三象牙質である。

（2）象牙質の構造

象牙質は、歯の主体をなす硬組織で、約70（重量）％がハイドロキシアパタイトを主成分とする無機質で、残りの20％が有機物、10％が水分である。真正象牙質と呼ばれるものは、細胞を含まない石灰化組織で、象牙細管を含み象牙芽細胞により組織化されている。

（3）象牙質の分類

a. 位置による分類

①管間象牙質：象牙細管の周囲および細管と細管との間に見られる。
②管内象牙質：象牙細管内に形成されるもので、管周象牙質とも呼ばれる。
③外套象牙質：歯冠で最初に形成されるもので外表歯冠象牙質と呼ばれる。
④髄周象牙質：歯髄に近く、歯冠では外套象牙質の形成の後に作られる。

b. 石灰化パターンによる分類

①球状象牙質：石灰化球により形成される。
②球間象牙質：外套象牙質と髄周象牙質との間の低石灰化象牙質（歯冠部のみ）
③トームス顆粒：歯根象牙質の低石灰化部で歯冠の球間象牙質に類似
④硬化象牙質：象牙細管内を無機質の結晶が埋め尽くし、高度に石灰化した象牙質

c. 発生様式

①第一象牙質：萌出以前または萌出中に形成されるもの
②第二象牙質：萌出後に形成される
③第三象牙質：病的な反応の結果形成される。

（4）象牙質・歯髄複合体の加齢変化

発生期に、エナメル器の内エナメル上皮より分泌されたエナメルタンパクの誘導により象牙芽細胞に分化した歯乳頭は歯冠象牙質を作る。その後前述のように歯根の象牙質も形成され、やがて閉じ込められた歯乳頭は歯髄となる（図1）。発生期につくられた象牙質を原生象牙質（第一象牙質）と呼び、加齢と共にその厚さを増し、歯髄腔を狭めていく象牙質を第二象牙質と呼ぶ。つまり、加齢変化とは、発生期にできあがった歯の象牙質が厚くなる現象と考えられる。このときの象牙芽細胞は、発生時に分化したものが生涯を通じて象牙質を沈着し続けることになる。さらに、加齢変化により歯髄内の細胞は独自に象牙芽細胞（本来は骨様象牙芽細胞）に分化すると、象牙質瘤の形成も増加することになる。また、外傷、窩洞形成、咬耗、摩耗、移植など様々な障害性刺激により形成される象牙質は第三象牙質と呼ばれ区別される。

歯髄の細胞は、本来線維芽細胞であるが、発生期からすでに硬組織を作る能力を持つ骨形成細胞として認知されている。

一般臨床において、最も苦慮する点は、温水痛、自発痛を訴える患者の歯髄組織の保存である。保存が可能かどうか診断するのは、歯科医師である。歯髄診断が難しいが故、患者の苦痛を軽減させるため抜髄への道を取らざるを得なかった20世紀であった。歯髄存在の意義は直接的には歯の感覚、防御、象牙質沈着、歯の硬組織成熟機能等を維持することで、間接的には象牙質に栄養を送ることで機械的弱化を防止する。抜髄され、根充された歯牙は破折の危険性と根尖部への炎症波及というリスクを負うことになる。

●透明層（transparent zone）
象牙質のう蝕円錐に見られるもので、表層から崩壊層、細菌感染層、脱灰層、そして透明層、さらに不透明層の5層に分けられる。最初の三つは臨床的に軟化象牙質と呼ばれる部位。透明層は脱灰により遊離したカルシウム塩が象牙細管内に均一に沈着したためにできる。不透明層はそれが均一でなく、粗に沈着するためにできる層であり、後二者は硬化象牙質と呼ばれる。

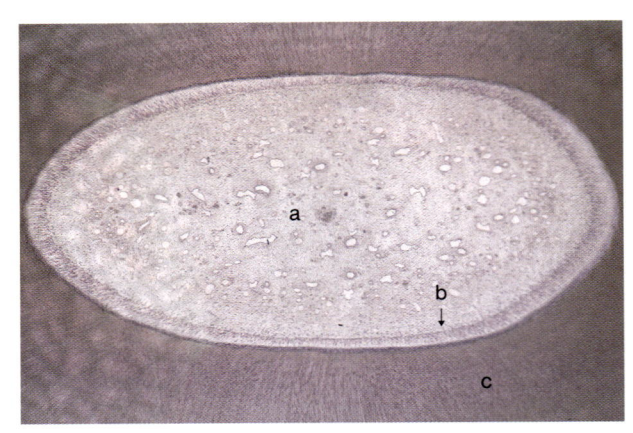

図1 象牙質・歯髄複合体の研磨標本（トルイジンブルー染色、イヌ）　a：歯髄、b：象牙芽細胞、c：象牙質

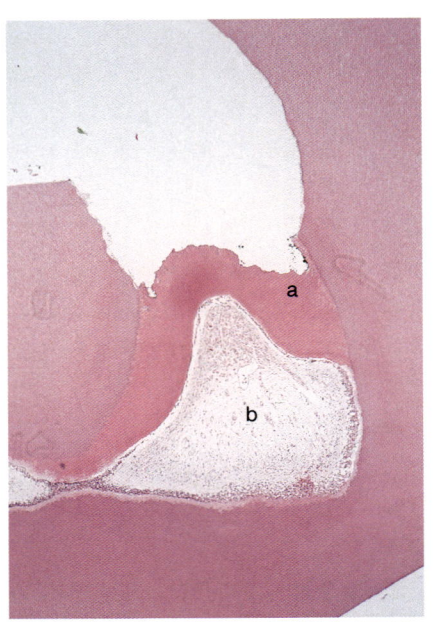

図2 生活歯髄切断後に見られた第三象牙質（HE染色、ヒト）　a：第三象牙質、b：歯髄

● Column ●　象牙質の再生

　象牙質の発生は、歯乳頭の細胞が象牙芽細胞に分化することに始まる。エナメル器が形成される胎生第6週頃になると、エナメル器の内側が歯乳頭、外側は歯小嚢と区別されるようになる。エナメル器は内エナメル上皮と外エナメル上皮およびその間のエナメル髄よりなり、内エナメル上皮に接触した歯乳頭の細胞はエナメルタンパク質の誘導により、象牙芽細胞に分化し、その後象牙質を沈着することになる。象牙質の再生はこの現象が、成熟個体において起こることを意味する。つまり、象牙質の再生には、歯髄細胞（本来は歯乳頭細胞がベスト）に対してエナメルタンパク質の関与が必要条件となる。しかし実際には、う蝕に罹患した歯髄を保存するために行われる生活歯髄切断や直接歯髄覆髄では、現在水酸化カルシウムやMTA (mineral trioxide aggregate) などが使われているが、この場合には歯髄細胞が骨様象牙芽細胞に分化し、第三象牙質と称する骨様象牙質を沈着することになる。そのため、第三象牙質の特徴は、原生象牙質や第二象牙質とは異なり、基質が多く象牙細管が少なく細く、その方向は不規則な波状となる（図2）。

5）歯の痛み

　痛みは、生体に加わる侵襲に対する五つの応答の一つとして現れる。通常、炎症の5大徴候は、循環障害と滲出の結果起こり、腫脹、発赤、発熱、疼痛そして後に機能障害が起こることをいう。歯髄の場合には、歯髄腔という硬組織に囲まれた状態であるために、これら腫脹、発赤、発熱、疼痛の症状はすべて疼痛として現れることが示唆される。

　歯髄の神経は根尖から歯髄に入る神経はAδ線維（全体の30％前後）とC線維（全体の70％前後）の二つで、いずれも知覚神経である。Aδ線維は歯髄と象牙質の境領域に終末を分布させ窩洞形成による刺激、エアーシリンジによる刺激、深針による擦過刺激などによる鋭い痛みを伝える。この神経は有髄神経で跳躍伝導を行ない無髄神経の10〜60倍も速く痛みを伝え象牙質の痛みと考えられる。

　一方、C線維は歯髄深部に終末を持ち、極端な温度刺激や組織破壊に伴う刺激を伝え、鈍い歯髄の痛みを起こす。

（井上　孝）

2．唾液の基礎

1）唾液の分泌機構

（1）唾液腺における自律神経支配

　唾液分泌は自律神経によって調節されている。交感神経と副交感神経は相反する作用を持っていて、心、肺、胃などほとんどの臓器は交感神経と副交感神経によって正と負の拮抗的な調節がなされている。

　唾液腺では、交感神経刺激も副交感神経刺激も唾液分泌を促進する方向に働いており、唾液分泌を止めるように働く神経は知られていない。また、分泌抑制に働く細胞伝達のメカニズムもいまのところ認められていない。自律神経のうち、交感神経刺激は水分量が少なくタンパク質の多い唾液を分泌し、副交感神経刺激では水分が多くタンパク質が少ない唾液を分泌する。

　緊張してストレスがかかっているときは交感神経優位な状態であり、くつろいでリラックスしているときは副交感神経が優位な状態になる。例えば、手術のような大きなストレスがかかると交感神経が強く働き、唾液量が減りタンパク質濃度が上昇する[1]。緊張したときにのどがカラカラになるのもこの状態である。

2）唾液の役割

（1）浄化作用

　浄化作用とは口腔内の物質を唾液の水分によって洗い流す働きである。細菌、食物中の炭水化物、プラークが産生する酸などを浄化することによって、う蝕発生に抵抗する。

（2）緩衝作用

　口腔内のpHを中性に維持する働きが緩衝作用である。細菌が炭水化物を代謝して産生した酸を中和することによって脱灰を防ぎ、う蝕へ進行しないようにする。

　唾液の緩衝能は、主に炭酸－重炭酸塩系による。刺激唾液では重炭酸塩が多く、これが酸に対して効果的な緩衝液になっている（表1）。もう一つの緩衝系として、リン酸塩による緩衝システムがある。これは主に安静時唾液において働いている。また、唾液中のアミノ酸とペプチドから産生される塩基は、プラーク中の酸を中和する働きを持っている。

表1　唾液の緩衝システム

炭酸－重炭酸塩系	$H_2CO_3 \rightleftarrows HCO_3^- + H^+$	刺激唾液
リン酸塩系	$H_2PO_4^- \rightleftarrows HPO_4^{2-} + H^+$	安静時唾液

（3）抗菌作用

　唾液には多くの抗微生物物質が含まれており、外来の病原微生物の進入を防御する。唾液の最も基本的な防御機構は微生物を洗い流す浄化作用であるが、唾液中の抗微生物物質の果たす役割は少なくない。

　Streptococcus mutans の定着と増殖も、唾液中抗菌物質によって抑制される。唾液中抗菌物質は免疫グロブリンと非免疫グロブリン物質に大きく分けることができ、さらに非免疫グロブリン物質には、酵素タンパク質とその他の高分子タンパク質がある。唾液酵素は、単独ではなく他の高分子物質と協調して働くという考え方が一般的である。

a. 分泌型免疫グロブリン sIgA

口腔における sIgA（secretory immunoglobulin A）の役割は、粘膜ならびに歯の保護である。sIgA は、抗原に対して特異的抗体を産生することによって抗菌性を発揮する。

b. リゾチーム

唾液リゾチーム（lysozyme）はペリクルやプラークにも存在し、S. mutans のグルコース取り込みや酸産生を抑制する[2]。

c. ペルオキシダーゼ

唾液ペルオキシダーゼ（peroxidase）は、歯の表面や細菌に吸着し抗菌性を発揮し、S. mutans の成長を抑制する[3]。

d. アミラーゼ

アミラーゼ（amylase）は消化酵素であるが、消化管以外にも局在することから抗微生物物質としての役割を有する可能性が指摘されていた。その主なメカニズムは凝集能であり、S. mutans のコロニー形成に関与する glucosyltransferase 活性を、アミラーゼと他の糖タンパクとの高分子複合体が抑制することによって、抗菌性を発揮することが示唆されている[4]。

e. ラクトフェリン

ラクトフェリン（lactoferrin）の抗菌作用は、細菌が必要とする鉄を利用できないようにすることのほか、S. mutans の歯面への吸着を防ぐメカニズムが示唆されている。

f. ヒスタチン

ヒスタチン（histatin）はヒスチジンリッチプロテインであり、Candida albicans や S. mutans に対する増殖抑制作用がある。

g. シスタチン

シスタチン（cystatin）はシステインプロテアーゼ阻害物質であり、細菌のタンパク分解酵素などによる不要なタンパク分解を阻害する役目があると考えられている。

h. ディフェンシン

α-ディフェンシン（defensin）は唾液腺と白血球から産生され、う蝕抵抗性の高い子どもはう蝕抵抗性の低い子どもに比較して唾液中の α-ディフェンシンレベルが高い[5]。

i. 唾液凝集素

唾液凝集素（salivary agglutinin：SAG）は S. mutans に吸着される耳下腺唾液成分として見つかったもので、歯面への微生物の付着と増殖を制御している可能性があると考えられる[6]。

（4）再石灰化作用

人工的に作成した石灰化部を有する歯を、唾液に浸漬した場合と $CaCl_2$、KH_2PO_4、NaF、NaCl など無機質のみで作成した再石灰化溶液に浸漬した場合とを比較すると、唾液の方が良好な結晶成長が得られる[7]。これは唾液中の無機質の構成成分の相違のほか、唾液タンパク質が再石灰化に大きく影響することを示唆している。

a. スタセリン、プロリンリッチプロテイン

スタセリン（statherin）やプロリンリッチプロテイン（proline-rich protein：PRP）は、リン酸カルシウムの沈着やハイドロキシアパタイトの結晶成長を阻害する唾液タンパクである。

b. ヒスタチン

ヒスタチン（histatin）はヒスチジンリッチプロテインであり、う蝕抑制との間には強い相関関係が認められている[8]。

c. シスタチン

シスタチン（cystatin）は上述のリンタンパクと同様にペリクルを形成する分子の一つであり、ハイドロキシアパタイトとの結合能ならびにリン酸カルシウムの歯の表面への沈着抑制能を有する[9]。

(5) その他の唾液の作用

その他の唾液の作用に潤滑作用、消化作用、味覚作用がある。

潤滑作用は物理的ならびに化学的な機械的刺激から口腔粘膜を保護する作用で、唾液の水分とムチンならびにプロリンリッチプロテイン（PRP）によってなされる。潤滑作用は安静時唾液の性質が大きく関与している。

消化作用には消化酵素のアミラーゼによるデンプンの分解作用、リパーゼの脂肪分解作用がある。アミラーゼは口腔の食物残渣の排除に働いており、その意味ではう蝕発生抑制に関連する酵素といえる。

味覚作用は、食品の成分が唾液の水分に溶解することによって味蕾との反応を向上させる作用を指す。

（中川洋一）

3．ドライマウスの疫学と原因

1）求められる新たな診療分野

欧米の疫学調査では人口の約25％がドライマウス（口腔乾燥症）に罹患しているとの報告があり、これをわが国に換算すると本症の潜在患者は約3,000万人と推定されるが、その受け皿となる医療機関は少なく、どの診療科を受診すべきか知られていないのが現状である。ドライマウスは全身疾患や様々な要因の一徴候として口腔に症状が認められることから、本来その専門家である歯科医の対応が望まれるが本症の診断法や対処法も普及しておらず、限られた施設でしか対応を行っていない。しかしながら、ドライマウスは歯科医療従事者が適切な処置を行うことによって症状を緩和し、進行を止めることが可能である。

一方、少子高齢化が進み2050年には国民の約3割が高齢者となる超高齢社会に突入することやう蝕、歯周病の罹患率の減少傾向から従来型の歯科医療の転換が迫られており、新たな診療分野を担うことができる歯科医療従事者が求められている。すなわち、「歯科医から口腔科医へ」という歯科医療の将来的な社会的ニーズの変貌は自明であることからその変換が模索されており、歯から口腔へ、そして口腔から全身へと、全身の器官の一つとしての口腔を専門とする歯科医療のスペシャリスト

第Ⅳ部　基礎編

の育成が急務である。本項ではう蝕、歯周病の誘因の一つとなるドライマウスの病因とその対応の現況について概説する。

2）ドライマウスのサポート体制

日々本症と対峙する医療従事者の対応は様々であり、ドライマウスの正しい理解や診断法ならびに治療法のガイドラインの確立が求められていることから、2002年に筆者はドライマウス研究会を主宰している

●ドライマウス研究会
http://www.drymouth-society.com/（2007年12月8日取得）

3）ドライマウス専門外来からの知見

著者が所属する病院におけるドライマウス専門外来の初診患者数は2600名を超えており、その統計学的解析から、後述する本症の原因の一つであるSjögren症候群と確定診断され、ドライマウスを訴える患者は1割弱に過ぎないことが明らかとなった[1]。また、残りの圧倒的多数には唾液腺の器質的な障害は認められず、薬剤の副作用、ストレス、筋力の低下等、何らかの全身的な病因で分泌機能が低下しドライマウスを発症することが明らかとなった。

さらに本症の多くに、唾液量が著しく減少した症例では口腔内のカンジダの増殖が見られた。カンジダは粘膜に存在する常在菌である。従来、ステロイド剤などある種の薬剤の長期使用や、免疫力が低下することで増殖することが知られている。本症においても、このカンジダの増殖が、口腔の不快感をはじめ舌痛症や粘膜疾患など様々な病態をもたらしている一因であることが改めて確認され、このような症状を抑えるには、抗真菌剤の有効性も明らかとなってきた。

以上のことから、ドライマウスも歯周病などと同様、生活習慣病の一つとしてとらえる必要があるのはないかと筆者は考えている。

生活習慣から高血圧になり降圧薬を服用し、薬剤の副作用でドライマウスを発症する症例や、本症の多くが様々なストレスを抱えており、精神的ストレスによるドライマウスも少なくないのがその理由である。さらに糖尿病、動脈硬化、高脂血症等、生活習慣病を介して発症するケースが多く、様々な要因が重複して発症することが明らかとなった（図1）。

このことから食生活を含めたライフスタイルの改善が、ドライマウスの対処に不可欠であり、これらを今後歯科医療従事者の職域とすべきだろうと考えている。

現在の医療の主流はEBMである。EBMとはevidence based medicine、すなわち「エビデンス（科学的根拠）に基づいた医療を行うこと」である。では、ＥＢＭにおけるエビデンス（科学的根拠）とは何を指しているのか。それは科学的証明力の高い情報のことである。特にClinical Evidenceとは「特定の偏りのない方法で人を対象として行なわれた臨床試験データを、適切な方法で統計学に分析して得られた結果」ということになる。従って、あくまでも実際の臨床の現場で検証し、そこで得られたデータを解析することで成立する。当然、症例数が多ければ多いほど信頼度は高くなるとされている。

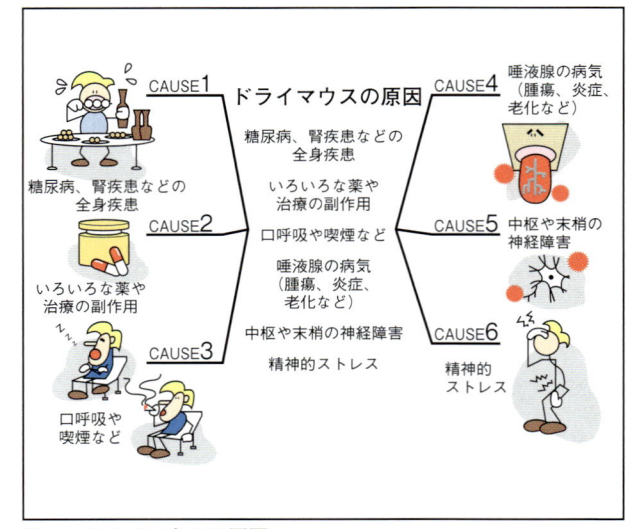

図1　ドライマウスの原因
　　　（ドライマウス研究会ウェブサイトより引用）

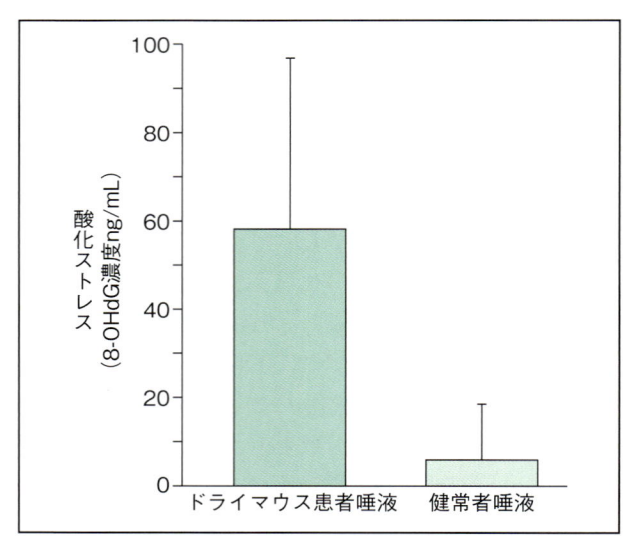

図2　ドライマウス患者唾液中の酸化ストレス度

このような生活習慣病とも大きく関係する事柄として、ドライマウスの病態の成立機序における酸化ストレスの関与も明らかとなってきた。活性酸素とは酸素の一種であり、酸素が活性化されるとスーパーオキサイド、過酸化水素、ヒドロキシラジカル、一重項酸素といった活性酸素が連鎖的に反応し、ペルオキシラジカル、ヒドロペルオキシド、ペルオキシナイトライト等を発生し、これらは活性酸素種（reactive oxygen species：ROS）と呼ばれ、反応性が非常に強く生体の構造や機能に重要なタンパク質、脂質、酵素、DNAを酸化させ障害する。このような酸化ストレスにより様々な器官が損傷されると当該臓器の機能不全が生じ、老化の促進や癌など種々の疾患の原因となることが知られている。

筆者らの解析では、本症の患者唾液中の酸化ストレス度が正常な人と比較して高いという結果も得られている（図2）。加えて実験的なエビデンスとして、スーパーオキシドの除去能を有するSOD1を遺伝子工学的に欠失させたマウスでの解析では、唾液・涙液の分泌量が低下する結果も得ており、このことから、ドライマウスと活性酸素・フリーラジカルとの強い関連性を現在検討している。

4）ドライマウスの主な原因

ドライマウスの原因は唾液分泌量の低下や唾液の質的異常ならびに水分の過蒸発に大別することができるが、本症の原因は複合的であり以下に記述する要因が単独で関与することは少ない。

（1）唾液分泌低下による口腔乾燥

唾液分泌低下は、体液、電解質の異常によるものと唾液分泌機能障害（唾液腺の器質的ならびに唾液分泌神経の障害）によるものとに大きく分けられる。

後者の唾液分泌機能障害は、唾液腺の組織破壊によるものと唾液腺の分泌刺激を行う神経伝達の障害によるものがある。唾液腺の組織障害には後述するSjögren症候群や放射線治療に後遺して生じ、分泌刺激の神経伝達の障害には薬物の副作用によるものが代表的である（表1）。

（2）保湿不良による口腔乾燥

明らかな唾液分泌低下はなくとも、口腔からの唾液の過蒸発があれば口腔乾燥を生じる。

a. 口呼吸や口唇の閉鎖不全

鼻閉塞などの鼻疾患、歯列不正による閉鎖不全、寝たきりの状態、高齢者での口腔周囲筋の弛緩が口呼吸の原因となる。

b. 夜間口腔乾燥

睡眠中の口呼吸、いびきなどでは夜間や起床時の乾燥を訴える。また、噛みしめや歯ぎしりがあれば咀嚼筋に負担がかかりその反動で口が開いた状態になることが多い。また睡眠時無呼吸症候群でも見られる。一方、総義歯の患者では夜間義歯を外して就寝するが、無歯顎のため就寝中に顎位が安定せず開口状態になることも少なくない。

表1　ドライマウスを引き起こす薬剤

抗うつ薬	クロミプラミン、イミプラミン、フルボキサミン　等
抗不安薬	ジアゼパム、アルプラゾラム、ヒドロキシジン　等
向精神病薬	ハロペリドール、リチウム　等
抗パーキンソン薬	ビペリデン、トリヘキシフェニジル、レボドパ　等
抗高血圧薬	カプトプリル、クロニジン、カルベジロール　等
抗ヒスタミン薬	ジフェンヒドラミン、アステミゾール、クロルフェニラミン　等
利尿薬	クロロチアジド、クロルタリドン　等
抗コリン作用薬	アトロピン、スコポラミン　等
抗痙攣剤	カルバマゼピン　等
鎮痛薬	イブプロフェン、フェノプロフェン、ナプロキセン　等
気管支拡張薬	アルプテロール、イソプロテレノール、イプラトロピウム　等

c. 自覚的な乾燥感の訴え

口腔乾燥感を訴えるが、唾液の分泌低下が明確でなく唾液の過蒸発も認められない症例。

a）口腔粘膜疾患

口腔粘膜疾患は疼痛を引き起こすものが多いが、なかに粘膜疾患によって口腔乾燥感が生じる場合がある。

b）精神科的疾患による口腔乾燥症

身体表現性障害などの神経科的疾患と考えられる口腔乾燥症患者が存在する。口腔乾燥症では自律神経が関与する症状を愁訴としているため、身体表現性自律神経機能不全と考えられる。

5）ドライマウスの成立機序

（1）体液、電解質の異常による唾液分泌低下

血漿浸透圧の上昇、体液量の減少、血圧の下降などによって、唾液分泌低下が起こることが知られている。塩分過量に伴い浸透圧は上昇し、嘔吐、下痢、発汗過多による脱水によっても浸透圧上昇は生じる。その他、口渇中枢が刺激される状態には糖尿病、尿崩症などがある。このような病的変化による唾液分泌量低下は必ずしも多くない。しかしながら、高齢者では一般に体内の細胞内水分量は減少し、口渇中枢の機能も低下しており脱水に陥りやすい。

（2）唾液腺の組織障害による唾液分泌低下

後述するSjögren症候群による腺房細胞の破壊、頭頸部の腫瘍に対する放射線治療による唾液腺実質の破壊、唾液腺腫瘍に対する切除手術や唾液腺組織への外傷、加齢による唾液腺組織の変性は唾液を分泌する腺細胞が減少することによって唾液分泌量が減少する。

一方、明らかな疾病の存在や加齢現象とは別に、咀嚼回数の減少が唾液腺の萎縮をもたらすことが知られている。唾液腺の萎縮に伴い唾液中のタンパク成分の合成と分泌の低下が生じる。

（3）唾液腺に分泌刺激を与える神経への損傷による唾液分泌低下

腫瘍、手術、外傷による侵襲が直接に脳、顔面神経、舌咽神経など神経組織に及んだ場合は、唾液分泌機能が障害される。その他、脳梗塞などの脳血管障害に後遺する唾液分泌量減少の可能性がある。

大唾液腺など腺実質への手術侵襲は唾液腺機能が著しく障害され、唾液腺以外の口腔腫瘍手術後患者でも唾液分泌低下を示すという報告がある。

（4）神経と唾液腺細胞の間の伝達障害による唾液分泌低下

薬物性唾液分泌低下の多くは神経と唾液腺細胞の間の伝達障害が原因で生じる。このメカニズムは唾液の分泌細胞の表面にあるムスカリン受容体を薬剤の代謝物が阻害するために、神経伝達物質が受容体を介したシグナル伝達を阻害し唾液分泌を抑制する。この他には薬剤の抗コリン作用によるものが多いが、カルシウム拮抗薬など細胞内伝達を阻害する薬剤もある。

（5）尿崩症

抗利尿ホルモン（ADH）の作用不全によって尿濃縮ができずに多尿を来たす疾患である。尿崩症は著しい多尿と低張尿ならびに口渇を生じる。本症は突然発症し、昼夜を問わず多飲と多尿がある。

（6）腎不全

腎機能が障害されている状態、すなわち、ナトリウムと水の再吸収、排泄能力が落ちている状態である。慢性腎不全は、初期には保存療法を行う。保存療法はナトリウム、タンパク質の摂取制限、水分摂取量の調節、降圧療法などである。保存療法でコントロールできない場合、最終的には血液透析を行うことになり現在32万人の透析患者がいる。血液透析療法は、ダイアライザーに血液を送り、血液中の老廃物を取り除き、余分な水分を除去し、電解質濃度を調節する治療法であることから著しい口渇を呈する。この口渇の原因として尿素窒素、尿毒症物質の蓄積による血症浸透圧の増加アンジオテンシンⅡの増加、ADHの増加などが知られており、さらに、水分摂取制限による心理的因子も関与している。このように口渇には複雑なメカニズムが働き病的状態を引き起こしている。

（7）糖尿病患者

糖尿病患者には唾液腺機能低下が生じる率が高い。その一方で、糖尿病患者と対象被験者との間に唾液分泌量の差がなかったという報告もある。これは唾液分泌低下を認めず「口渇」を示す例が多いことに起因する。この口渇が出現するメカニズムは血液の浸透圧の上昇によるものである。また、高血圧症を合併すると口腔乾燥症の出現率が上昇するという。

（8）Sjögren 症候群

Sjögren 症候群は臓器特異的自己免疫疾患の一つであり、唾液腺や涙腺などの外分泌腺の慢性炎症性疾患である。本症の大半は更年期以降の女性に発症し、外分泌腺の破壊によって著しい乾燥症状が発現する。Sjögren 症候群の典型的な症候は、ドライマウス、ドライアイである。

Sjögren 症候群の病型は、慢性関節リウマチやエリテマトーデスなどの膠原病に合併する二次性（続発性）Sjögren 症候群と、これらの合併のない一次性（原発性）Sjögren 症候群に大別され、一次性 Sjögren 症候群は涙腺、唾液腺などの腺症状のみの腺型と、腺以外の臓器に病変が見られる腺外型に分けられる。

唾液腺の組織学的変化の特徴は、リンパ球浸潤、腺細胞の萎縮と消失であり、リンパ球浸潤は小葉内の導管周囲に始まり、次第に腺組織内にびまん性に広がり腺組織の破壊を起こす。この唾液腺組織の破壊によって唾液分泌量が減少する。腺外症状としては、関節炎、間質性肺炎、間質性腎炎、悪性リンパ腫などがある。

（斎藤一郎）

4. ドライマウスの診断と治療

1) 診断法

(1) 医療面接

　ドライマウスの診断において最も重要で基本的なことは問診である。このことは他の疾患においても同様であるが、本疾患の特徴から見て、医療面接のプロセスは特に重要である。すなわち良好なコミュニケーション構築を試みず、単に病歴を聴取するだけの問診を目的とすると、診断のための重要な情報が得られないばかりでなく、検査や治療への協力に支障をきたす。

　問診の内容は、全身疾患の既往、その病気の現在の状態、服用中の薬剤などを詳しく聞く。特に、「放射線性唾液分泌低下」「損傷による唾液分泌低下」「全身疾患に起因する唾液分泌低下」「神経性唾液分泌低下」の診断には既往歴を中心とした問診が重要である。また、「神経性唾液分泌低下」や「神経科的疾患によるドライマウス」には、"心理テスト"や"不安・うつ尺度"などの問診表が有用なこともある。

(2) 唾液分泌検査

　唾液分泌検査には、"安静時唾液量"と"刺激唾液分泌量（ガムテスト、サクソンテスト）"がある。これらの方法はスタンダードなやり方として認められており、Sjögren症候群の診断基準にも取り入れられている。ヨーロッパのSjögren症候群の診断基準[1]では安静時唾液で1.5 mL/15分以下、日本のSjögren症候群の診断基準[2]ではガムテストで10 mL/10分以下を分泌量減少の基準としている。

　ガムテストは、ガムを噛んでいる10分間にどのくらい唾液が分泌するかを測定する方法であるが、安静時唾液測定と同様に口腔内に溜まった唾液をカップに吐き出すという方法でその量を測定する。サクソンテストは、口のなかにガーゼを入れて噛み、ガーゼに吸収された唾液量をガーゼの重さを量ることによって知る方法である。2 g/2分が基準値となっている。

　安静時唾液量と刺激唾液分泌量のどちらを行っても良いが、唾液分泌量は、日内差があるので、経過を追う場合はできるかぎり時間を決めて測定したほうが良い。

(3) 血液検査

　Sjögren症候群は診断基準があり、この検査項目に、血液検査、唾液腺検査、病理組織検査、眼検査などがある[1, 2]。血液検査では、Sjögren症候群診断のための検査項目に加えて、唾液分泌低下が全身疾患に起因しているかどうかを合わせて検査する。糖尿病ではブドウ糖、ヘモグロビンA1cなどの検査を行なう。

(4) 画像検査

a. 唾液腺造影検査

　検査の行いやすさ、像の見やすさから耳下腺造影を行うのが一般的である。方法は、耳下腺の開口部から細いチューブを挿入し、そのチューブから造影剤を注入し、エックス線写真撮影を行う[3]。

b. 唾液腺シンチグラフィ

　唾液腺疾患の診断に用いられる放射線同位元素には^{67}Gaと^{99m}TCがある。^{67}Gaシ

　唾液腺造影検査では、画像から主導管ならびに末梢唾液腺導管の拡張や狭窄が判断できる。Sjögren症候群では特有の末梢導管拡張象が見られ、診断基準では直径1 mm以上の点状陰影がある場合を陽性としている。この検査法は腺細胞の破壊が推定できるため、Sjögren症候群以外のドライマウス患者にも有用な検査方法である。

ンチグラフィは悪性の鑑別、転移巣の発見に適している。$^{99m}TCO_4^-$は唾液腺に集積される性質があり、その集積の増加と減少、実質欠損、排泄の遅れなどが観察できることから、唾液腺疾患の診断と唾液腺機能の診断に適している。

$^{99m}TCO_4^-$は、静脈内へ投与した2〜3分後から、唾液腺への取り込みが始まり、20〜30分で最高値に達する。その後$^{99m}TCO_4^-$は導管から排泄されるが、その様相が唾液腺機能を反映している。

c. MRI

MRI（磁気共鳴画像診断）は、磁場と電波を与えて体内の水素原子核の動きを見るものであり、放射線被爆や造影剤注入の必要性がないことから、唾液腺機能障害における応用が期待され研究が進んでいる。しかしながら、現時点では必ずしも一般的に普及した方法とはいえず、Sjögren症候群の診断基準には含まれていない。

（5）生検

Sjögren症候群の診断基準の一つの項目である。下唇内側に切開を加え、小唾液腺（口唇腺）を採取し、顕微鏡で観察して診断する。

> Sjögren症候群では、導管周囲のリンパ球浸潤と腺房細胞の萎縮が特徴的な所見である。また、加齢により唾液腺組織は脂肪変性や線維化を起こす。リンパ球浸潤の観察によってSjögren症候群の診断を行うだけではなく、加齢変化を含めた腺細胞の障害程度を把握できるところに口唇生検の有用性がある。

（6）ドライマウスの診断

ドライマウスにおける診断とは、原因疾患が何であるかを診断することである。問診結果、常用薬の内容、口腔内所見、検査データを総合して診断する[3]（図1）。

「放射線治療に後遺する唾液分泌低下」「損傷による唾液分泌低下」は、顎顔面領域の腫瘍に対する放射線治療の既往や腫瘍、手術、外傷、脳血管障害などの既往歴から診断が可能である。

「Sjögren症候群による唾液分泌低下」は、Sjögren症候群の診断基準[1,2]を参考にして、検査結果から診断する。

「糖尿病に起因する唾液分泌低下」は、糖尿病の既往歴ならびに血液・尿検査によって推定する。

「薬物性唾液分泌低下」は、常用薬の調査によって推定し、薬剤の変更や減量による唾液分泌量の回復状態によって診断する。薬物服用開始と口腔乾燥感出現の時間的関連性は多くの場合有用な情報となるが、以前から服用していた薬剤の影響が数か月してから出現するという場合もある。

「神経性唾液分泌低下」は、社会的ならびに身体的な原因のストレスやうつ病などに関連するものである。また、口腔乾燥感、口腔異常感、歯科治療などがストレスとなって神経性唾液分泌低下を起こすこともある。うつ病など精神科的疾患の診断と治療は、専門医に依頼すべきであるが、患者は口腔の症状を有しているため歯科での治療を希望する。その場合はカウンセリングや薬物療法を行い、その治療に対する反応から原因疾患を推定し診断につなげていく必要がある。

「生理的唾液分泌低下」は、加齢による変化と、顎運動を行わなくなったことによるもの（咀嚼筋の衰え）を指すが、その診断は患者のしゃべりかた、しゃべっているときの顎や表情の使い方などから推定する。また、口腔内の状態は、歯の欠損状態、不適切な歯科治療の有無などを観察する。問診による食事の内容や咀嚼状況の変化などは有用な情報となる。

唾液分泌低下を認めず唾液の過蒸散が原因となっている「夜間口腔乾燥」は、問診によって推定する。昼間は何ともないのに、夜中に口が乾いて目が覚めるとか、朝起きたときに口が乾いているという自覚症状から推定できる。

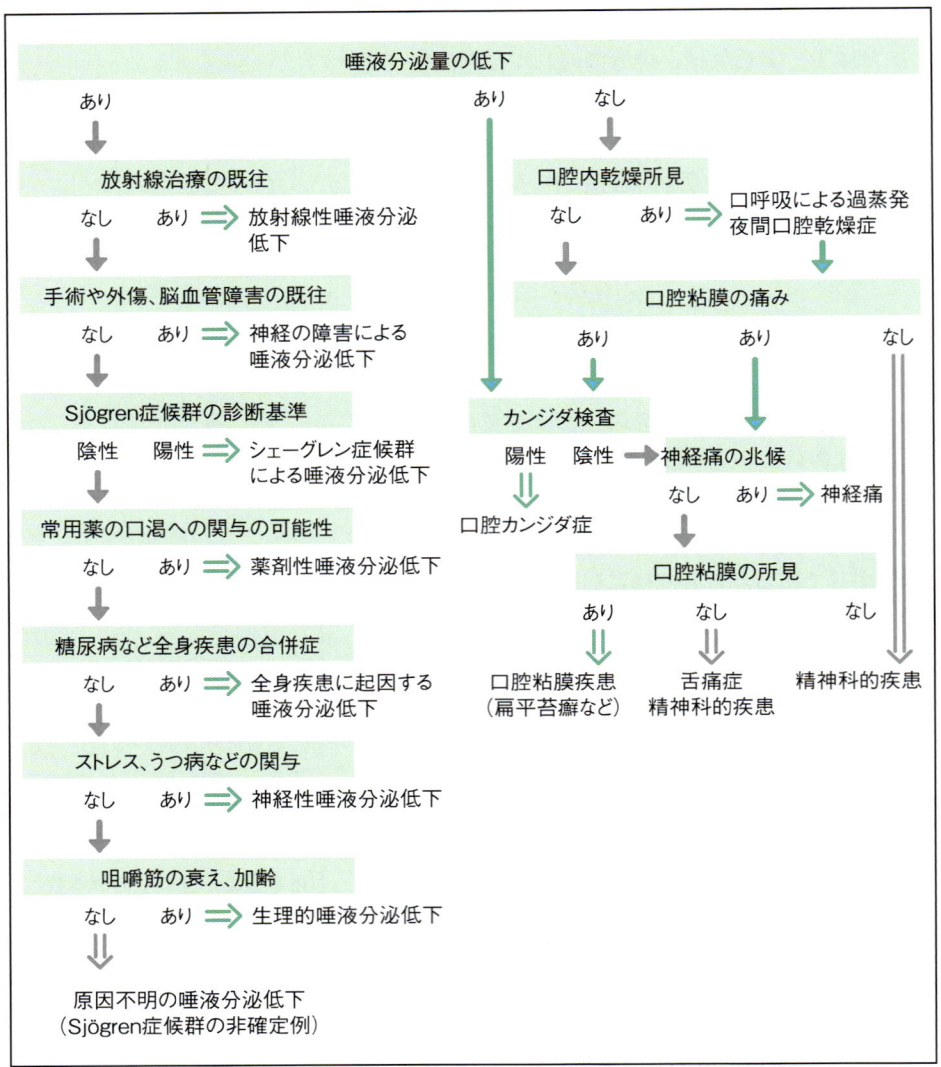

図1 ドライマウスの診断手順（文献3より転載）

（7）細菌検査

　細菌検査によってドライマウスの原因を診断しようという試みはないが、ドライマウスにおいて細菌検査は重要である。唾液分泌低下や唾液成分の変化の結果として口腔細菌叢が変化するため、う蝕、歯周病、口腔カンジダ症などの発症リスクが高まるからである。

　ドライマウス患者では口腔カンジダ症が高率に発症する。カンジダ症診断において、カンジダ培養検査が手助けになる。そもそもカンジダは口腔常在菌であり、口腔カンジダ症は宿主の抵抗性減弱によって生じる日和見感染である。従って、カンジダ数の増加が診断の決め手になるのではなく、カンジダの組織への進入の確認によって診断が確定される。これは病理組織検査によってなされる。しかしながら、生検は侵襲的であるため、カンジダ培養検査によって口腔カンジダ症の可能性を推定しているのが現状である。

　カンジダ培養検査では、口腔内を綿棒で拭うか洗口によって検体を採取し、これを培養してカンジダ数を確認する。

2）治療法

（1）ドライマウスへの対応の考えかた

　ドライマウスの治療においては診断が大切である。ドライマウスは原因疾患によって対処方法が異なるためである。ドライマウスの対処法は大きく"原因療法"と"対症療法"の二つに分けられる。

　糖尿病や腎疾患などの基礎疾患が原因である場合はその疾患の治療、「薬物の副作用」によるものは薬剤の変更や減量などを行なう。これが原因療法である。また、カウンセリングや心身医学的アプローチは、うつ病やストレスによる神経性唾液分泌低下や、身体化障害などの神経科的疾患に起因して口腔乾燥を訴える患者に対して有用である。さらに、歯の欠損や歯周病によって咀嚼能率が悪くなったために生じるドライマウスは、歯科治療によって咀嚼力を回復し、その結果として唾液分泌量の上昇を期待する。このような対処法も原因療法といえる。

　一方、放射線治療に後遺する唾液分泌低下やSjögren症候群による唾液分泌低下は、現時点では原因療法が確立されていない疾患である。このような唾液腺の不可逆的変化に対しては対症療法に主眼を置くしかない。以下に口腔乾燥に対する対症療法について記載する。

（2）唾液分泌促進薬

　唾液分泌促進薬では、ムスカリン受容体刺激薬のピロカルピンが代表的なものであり、欧米ではこれがしばしば用いられているが、本邦においては適応がない。

a. 塩酸セビメリン（サリグレン＜日本化薬＞、エボザック＜第一製薬＞）

　塩酸セビメリンは、Sjögren症候群患者の口腔乾燥症状に対して適応があるムスカリン受容体（M3）刺激薬であり、破壊されずに残存している唾液腺を刺激することによって唾液分泌促進を期待する。

　本剤は、服用後1～2時間で唾液分泌効果が現れ、即効的である。しかしながら、この唾液分泌刺激効果は投与時の一時的なものだけではなく、長期間継続して投与した時点での唾液分泌量が投与開始前の唾液分泌量に比較して有意に増加する[4,5]。また、塩酸セビメリン投与後の口腔乾燥感、飲水切望感などの自覚症状改善度は、投与開始後28週後からほぼ最大の改善率を示している[4]。従って、本剤は長期投与によって有用性が得られる薬剤であると考えられる。

　投与禁忌は、重篤な虚血性心疾患のある患者、気管支喘息および慢性閉塞性肺疾患の患者、消化器および膀胱頚部に閉塞のある患者、てんかんのある患者、パーキンソニズムまたはパーキンソン病の患者、虹彩炎のある患者などである。

　副作用は、消化器障害、皮膚・皮膚付属器障害（多汗など）、泌尿器系障害（頻尿など）、頭痛であり、消化器症状の出現率が比較的高い。しかしながら、それらはいずれも重篤ではない[4]。消化器症状は嘔気、下痢、嘔吐、腹痛、腹部不快感、食欲不振などである。副作用発現時期は比較的早く、多くは1週間以内で全副作用のうち約7割が4週目までに発現している。

　投与量は1回30 mgを1日3回投与となっているが、始めからこの量を投与すると副作用発現率が高くなる。我々は最初の2週間は1日1カプセル、次の2週間は同量に維持するか1日2カプセルに増量、次からは効果と副作用をみながら減量、同量、増量を決めている。このような低容量から始める投与法は副作用が出にくい。

b. アネトールトリチオン（フェルビテン＜日本新薬＞）

胆汁酸，胆汁色素の分泌を促進する薬剤であるが、Sjögren症候群に伴う唾液分泌減少の改善に対して適応がある。

投与禁忌は、胆道閉塞、急性期の肝・胆道疾患、重篤な肝障害であり、副作用として、消化器、肝臓への障害がある。

副作用発現は、塩酸セビメリンに比較するとその頻度は少ないようである。しかしながら、塩酸セビメリンほどの強い口腔乾燥症状の改善効果は期待できない。

c. 漢方薬（麦門冬湯、白虎加人参湯＜ツムラ＞）

漢方薬の唾液腺賦活剤の有用性が、麦門冬湯[6,7]、白虎加人参湯[8,9]で認められている。Sjögren症候群、薬物性唾液分泌低下症などに対して唾液分泌促進効果が報告されており、上述のような薬剤が投与禁忌である場合に試みるべき薬剤と考えられる。

（3）唾液腺刺激療法

唾液分泌促進薬の長期投与効果と同様に、長期間の唾液腺に対する刺激は唾液分泌量を上昇させる効果があると考えられる。

a. 咀嚼による刺激

ガム、ワックス、アメ、食事などによる咀嚼運動には唾液分泌刺激効果がある。咀嚼運動による一時的な唾液分泌刺激によって口腔を湿潤させると共に、習慣的に唾液腺を刺激することによる唾液腺機能賦活効果を期待する。

b. 味覚による刺激

レモンやアメなどの味覚刺激は、咀嚼による唾液分泌と同様の効果がある。しかしながら、習慣的かつ過剰な口腔粘膜への味覚刺激によって口腔粘膜に感覚異常を来すことは臨床でときおり経験する。味覚刺激による唾液腺刺激療法を行う際には、口腔清掃も含め、患者への指導には注意を要する。

c. 筋機能療法

口腔周囲の表情筋や咀嚼筋を賦活させること、姿勢を矯正することなどによって、唾液分泌促進効果や口裂閉鎖による口腔からの水分蒸発予防効果が期待できる。

（4）口腔清掃状態の改善

唾液分泌量が低下すると、唾液による自浄作用の低下にともない齲蝕や歯周病が発生しやすくなるので、口腔を清潔に保つことはその予防のうえで重要である。

その一方で、歯周疾患や口腔カンジダ症がみられるような口腔の状態では、炎症による組織滲出液、口腔粘膜の粗造感、唾液の粘稠感などが原因となって、口腔乾燥感を惹起する可能性がある。このことから、口腔乾燥症状の緩和のために口腔衛生状態の改善をはかることは有用である。

（5）保湿剤（湿潤剤）

水分を保持する性質を有する物質、粘膜を覆う効果のある物質、唾液分泌刺激をする物質などを配合して保湿効果を狙ったドライマウス用品とよばれる製品がいくつかある。これらの多くは医薬品や医薬部外品ではなく、口腔化粧品や食品に分類されるものである。

a. 保湿剤配合の洗口液（オーラルウエット＜ヨシダ＞、絹水＜サンスター＞、バイオティーンマウスウォッシュ＜ティーアンドケー＞）

ヒアルロン酸が多量の水分を保持する性質を利用した洗口液である。バイオティーンマウスウォッシュはプロピレングリコールによる保湿を期待したものであり、ラクトフェリンなどの抗菌酵素を含有している。

b. 保湿ゲル（オーラルバランス＜ティーアンドケー＞、バイオエクストラ ＜ウェルテック＞）

口腔内を湿潤させるゼリーであり、ポリグリセリルメタクリレートが湿潤効果を有するとされている。本製品はリゾチーム、ラクトフェリン、グルコースオキシダーゼ、ラクトパーオキシダーゼが含有され抗菌効果が期待されている。

使用方法は、チューブから約1cm指先に出し、指先あるいは舌によって口腔内にまんべんなく行き渡らせる。義歯を使っている患者は義歯の裏側に塗って使うこともできる。夜間口腔乾燥に対しては、口唇と歯肉の間の歯肉頬移行部を中心にゲルを置いておくと効果的な場合があり、保湿装置の保湿剤としも用いることもできる。

c. 保湿スプレー（ウエットケア＜キッセイ薬品工業＞）

保湿スプレーはのどが渇いたと感じる時に、水を飲むかわりに口の中に数回スプレーして使用するもので、うがいができない状況において便利である。

ヒアルロン酸の保湿効果を期待しているが、甘味、酸味の刺激による一時的な唾液分泌刺激効果が期待できる。

d. 口腔浄化スプレー（カテキンオラル＜昭和薬品化工＞）

カテキンオラルは緑茶カテキンを高濃度に配合した口腔ケア製品であり、カテキンの抗菌作用と酸味による唾液分泌刺激効果が期待できるという。

（6）人工唾液（サリベート＜帝人ファーマー＞）

本剤は唾液の代用で口内を潤すものであり、口腔粘膜上皮細胞の乾燥を防ぎ、かつ正常な細胞機能を保持することを目的として使用されている医薬品である。Sjögren症候群による口腔乾燥症、ならびに頭頸部の放射線照射による唾液腺障害に基づく口腔乾燥症に対する諸症状の寛解に適応がある。

（7）含嗽剤

ポビドンヨード（イソジンガーグル＜明治製菓＞）、塩化ベンゼトニウム（ネオステリングリーン＜日本歯科薬品＞）などの消毒薬含有の含嗽剤は毎食後のブラッシングの後に行う。アルコール等を含有する含嗽剤は粘膜病変を有する患者には刺激が強いので、低刺激の含嗽剤が望ましい。

（8）保湿装置（モイスチャープレート）

モイスチャープレートは義歯に水分を含ませる部分を設けた装置である（図1）。義歯の形態でも良いし、ナイトガードのように歯にかぶせるような形態でも良い。この装置に保湿ゲルを塗布して使用すると効果的である。

第Ⅳ部　基礎編

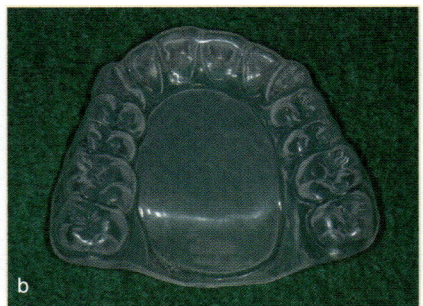

図1　モイスチャープレート
　　a：ハードタイプ、b：ソフトタイプ、c：ソフトタイプに保湿ゲルを併用

（中川洋一）

第2章 永久歯う蝕の病態と診断

1. う蝕の原因

1）口腔細菌

ヒトの口腔内には350種以上、推定1000億程度の細菌が生息していると考えられている。生息部位としては、歯面、歯肉溝、舌背および唾液中が挙げられる。口腔内に住み着いている細菌は、宿主と共生・定住している常在細菌である。一方、口腔は消化管の入り口であり、常に病原菌による感染の機会がある。皮膚および腸内と同様に、口腔内常在細菌の重要性は、ヒトに感染症を引き起こす病原菌が口腔へ侵入後、定着、増殖を起こさないようにする拮抗作用である。この拮抗作用は、プラーク内細菌が産生するペプチドなどの抗菌性物質であるバクテリオシンによって発現している。

口腔環境の違い、例えば酸素濃度、酸化還元電位、平滑面の生化学的性状、栄養源など相違は細菌叢に影響する。う蝕病変部でも部位によって環境が異なるため、分離される細菌種も異なる[1,2]（表1）。平滑面と異なり、小窩裂溝う蝕病変部では乳酸桿菌（lactobacilli）のような付着性の弱い菌でも酸を産生することが可能である。根面う蝕病変でよく観察される細菌は、ミュータンスレンサ球菌（mutans streptococci：MS菌）である。不溶性グルカン産生能を有するミュータンスレンサ球菌は、酸性・嫌気的環境下で、さらに体内に栄養を蓄えることが可能で、周囲に栄養源のない状態でも酸を産生する。

2）プラーク

う蝕の原因であるプラークは、嫌気性菌の集合した典型的なバイオフィルムである[3]。エナメル質表面には、唾液由来の糖タンパク質を主体とした有機質であるペリクルが吸着・被覆される。次に、細菌がこのペリクルに吸着する（初期付着）。その後、細菌は唾液中の物質を使って代謝反応を起こす。特に、スクロース（ショ糖）の存在下で、付着因子である不溶性グルカンが産生され、付着能の弱い細菌の足場として接着が容易となる。同時に歯面へ強固に付着するようになる（固着）[4]（図1）。このような細菌の生育・成長にとって好都合な有機性集合体としてのプラークが形

表1 種々なう蝕病変部で分離される代表的菌種

部位	菌種
平滑面	ミュータンスレンサ球菌 Streptococcus salivarius
小窩裂溝	ミュータンスレンサ球菌 Streptococcus sanguis Streptococcus mitis 乳酸桿菌 放線菌
象牙質	ミュータンスレンサ球菌 Actinomyces viscosus Actinomyces naeslundii 線状微生物
根面	ミュータンスレンサ球菌 Actinomyces viscosus Actinomyces naeslundii Streptococcus sanguis Streptococcus salivarius 乳酸桿菌

（文献1、2を引用改変）

成されることによって、抗菌薬から細菌が守られ、また産生された酸は、局所に停滞することで拡散・緩衝作用に抵抗し、その結果歯質に脱灰が生じる。

プラーク内に細菌の集積が進みすぎると、プラーク内の生活環境が悪化し、個々の細菌の離脱現象が生じる。この現象を円滑に行うための特殊な細菌細胞表面酵素の存在がある種のミュータンスレンサ球菌で証明されている[5]。細菌は、プラークから離脱することで、新しい部位へと移動が可能となる。このように、プラーク形成は、う蝕の発症に不可欠であると同時に、細菌がプラーク内で生活する上においても必須の合目的的な構造物である。

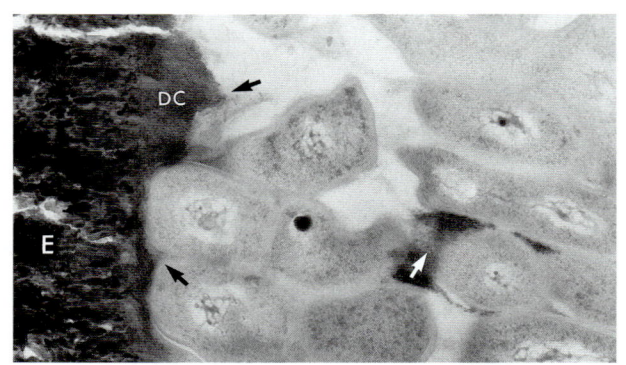

図1　エナメル質（E）表面のプラーク（透過電子顕微鏡写真）。DC：初期歯石。矢印は歯石の石灰化前線部を示す。

3）生活習慣

生活習慣とは、食事、運動、睡眠、労働、住居などを通して人が社会生活を行う上で、意識、無意識にかかわらず身につけている「ならわし」と定義できる。このような生活習慣によって生じる疾病は、「生活習慣病」と呼ばれている。

生活習慣病を発症させ、その進行に影響を及ぼす生活習慣として、特に「食習慣」「運動不足」「ストレス」「喫煙」「飲酒」の五つが注目されている。すなわち、偏った食事の内容と不規則な食事時間、運動不足、ストレス、さらに喫煙と過度な飲酒は確実に生活習慣病の予備軍を作る。これらの生活習慣とう蝕の関連で重要なことは、次に述べるように咀嚼によって期待される自浄作用の減弱化、唾液分泌の減少およびブラッシング習慣の不徹底さにより、う蝕発生のリスクが高まる点にある。

食に関しては、ファーストフードの大量消費に代表される軟食化、脂肪と砂糖の過剰摂取および咀嚼回数の減少は、食生活習慣病の原因と考えられている。さらには季節感、地域性のない効率化を追求した食材の提供という高度成長経済期のスタイルが続いているのが現状である。わが国では、食を通した健康政策や教育が、家庭と学校において充分機能しておらず、小児期から生活習慣病が増加傾向にある。従って、十分な口腔清掃を心がけない限り、いつでも口腔環境が悪化する社会環境は整っているといえる。

このように、国民的な健康増進運動の中で生活習慣の改善は重要な課題である。食生活パターンの変化および日常生活での精神的緊張の持続によって、口腔環境は悪化しやすい状況にあり、う蝕の発生リスクは高まっているのである。

ストレスに関しては、現代社会の複雑化と効率化の追求によって、多くの人は精神的緊張の続く生活を余儀なくされている。「病は気から」といわれるように、過度のストレスは神経症、うつ病、心身症を誘発するのみならず、慢性的な体の不快感、異常感をもたらす。口腔内への直接的影響としては、自律神経系のバランスが不調となる結果、唾液分泌の減少が生じる。また、神経症、うつ病、心身症への治療目的で処方される薬剤の内服も、唾液分泌の抑制に関与する。このことは歯質にとっても極めて不都合なことであり、う蝕の発症と再石灰化現象の抑制が生じる。さらに、長引くストレスによって、口腔清掃への熱意の減少も口腔環境の悪化に拍車をかける。

「生活習慣病」は、以前は加齢と関連して、「成人病」と呼ばれていた。平成8年の公衆衛生審議会を経て、発病の原因が上記のように日常生活の様々な部分に潜んでいるので生活習慣病と呼ばれるようになった。さらに、最近は、肥満患者の中で過食や運動不足で起こる内蔵型肥満が原因で糖尿病、高血圧、高脂血症などが重なり動脈硬化症となった状態を、新たに「メタボリックシンドローム」と呼ぶようになっている。また、過食による肥満と発ガンとの関連も疑われている。厚生労働省は生活習慣病対策として、平成17年度から「健康フロンティア戦略」をスタートさせた。さらに、平成18年度から新たに①メタボリックシンドロームに着目した健診・保健指導の重点化、②若年者からの肥満予防対策、に取り組むこととなっている。

21世紀に入り、食生活習慣改善のため、わが国でもファーストフードに対するスローフード運動、「医食同源」や「身土不二」といった概念が見直されるようになってきている。

2．う蝕の病態

う蝕の臨床的分類には以下のものがある。

①活動期う蝕：う窩は軟化しており、明るい褐色ないし黄色を呈している。局所環境としては、食物残渣やプラークが停滞していることが多い。

②休止期う蝕：う窩が開放されたままで、食物残渣やプラークが堆積しない状態が続くと、う窩は硬さを増し、暗褐色でいくぶん光沢感を呈するようになる。

③急性う蝕（表1）

④慢性う蝕（表1）

表1　急性・慢性う蝕の比較　　　　（文献6より引用転載）

	急性う蝕	慢性う蝕
好発時期	若年者、特に学童期	壮年・中年期
好発部位	小窩裂溝	小窩裂溝、隣接面
進行速度・形態	早い、穿通性	遅い、穿下性
軟化象牙質	多い、黄灰色	比較的少ない、黒褐色
象牙細管内防御反応	ほとんどない	明瞭
修復象牙質形成	ほとんどない	明瞭

1）エナメル質う蝕

エナメル質う蝕のうち、注目されている初期う蝕病変として、歯面に生じる白斑（図2、3）、褐色斑（図2、3）および着色した小窩裂溝（図4）が代表的である。いずれも、肉眼的に歯面の実質欠損は認められない。歯表面の粗糙感は、20倍以上の実体顕微鏡観察で直接確認できる（図5）。白斑は石灰化不良部で、褐色斑は白斑に色素が沈着したものである。小窩裂溝の初期う蝕病変は、すでに述べたようにプラークがバイオフィルム状に歯面に一定期間付着し、最表層のハイドロキシアパタイトの溶解が始まるpH5.5以下となったことの結果である。しかし、定期的な口腔管理と唾液中のミネラルの歯面への析出・沈着による再石灰化現象によって、自然回復が可能である。また、初期う蝕の特徴の一つとして、表層下脱灰現象が挙げられる。成因としては、酸によってエナメル質の表層および内部に脱灰が生じカルシウムやリンイオンが遊離し、これらのイオンはプラークに含まれているイオンと共に、再びエナメル質表層に析出・沈着を起こす。すなわち、エナメル質初期う蝕はその経過中、表層下脱灰部の歯表面において再石灰化現象が生じている。条件が整えば、表層下脱灰部も再石灰化によって修復・回復される。

エナメル質の初期病変と関連して、特記すべき事項は平成7年4月1日から学校保健法改正（第Ⅱ部第3章55ページ）で、口腔集団健診にCO（questionable caries under observation、要観察歯）判定が導入されたことがあげられる。この政策によって、従来の健全歯か要処置歯かという治療中心の二者択一方式から、再石灰化現象を期待した適切な管理・予防体制によって歯質を保存するという体制が実現した。

エナメル質う蝕において、エナメル質（第Ⅳ部第1章167ページ）全体に分布する網目状連絡微小構造物である、エナメル上皮、エナメル葉、エナメル小柱鞘、結晶間隙（円柱状と層板状の2種類が考えられている[7]）、エナメル叢などを

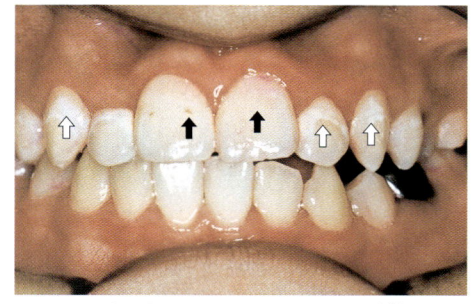

図2　11歳男児、上顎前歯部の白斑（⇧）と褐色斑（⬆）

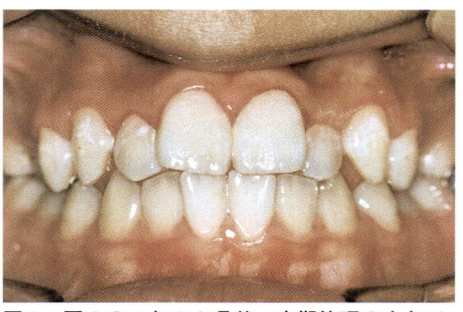

図3　図2の1年6か月後。定期管理のもとで、白斑、褐色斑が共に改善されている。

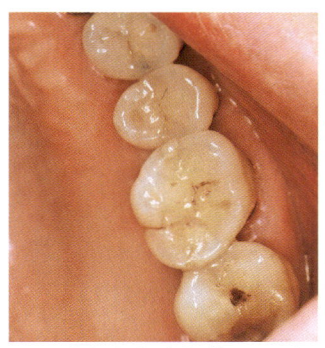

図4　着色小窩裂溝（|6、61歳女性、ミラー使用）

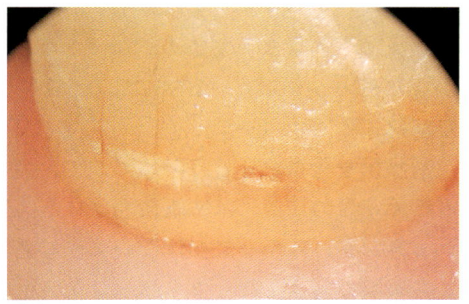

図5　歯頸部白斑の実体顕微鏡写真（原寸：x25）

第IV部　基礎編

介して、細菌の産生した酸が拡散することで病変は進行する。う蝕病変部の偏光顕微鏡による観察から、病変部は表層、病変体部、暗影層、透明層の4層に分けられ、続いて正常エナメル質へと移行する。表層20～30 mmはフッ素イオン濃度が高く、上述したように再石灰化を生じる。一般に、エナメル質う蝕は象牙質方向へ進行しても、咬合圧、咀嚼圧が直接加わらない限り、自然に表層の崩壊が起こることは少ない。従って、エナメル質う蝕において、種々の診査で明らかに細菌感染による脱灰が象牙質表層に達していると判断された場合が、処置の対象となる。

2）根面う蝕

　歯肉の生理的・病的退縮あるいは歯周ポケット形成に伴い根面に発症するう蝕（図6）で、Blackの窩洞分類にないのが特徴の一つである。Blackが活躍した20世紀初頭は、現在と異なり人生40～50年代の時代であり、70歳以上の高齢者は少なく歯肉退縮に伴う根面露出は問題となっていなかった。根面う蝕は、高齢化社会と密接に関連している。根面う蝕の臨床実地に関して、2004年に米国保存修復学アカデミーから出されたガイドライン[8]が参考となる。一般的に、根面う蝕は、頬側と隣接面の歯肉縁部あるいはわずかに咬合面よりの根面セメント質から始まり、歯肉溝方向へあるいはエナメル質を下掘れ状態で進行する。しかし、根面のスケーリング、ルートプレーニングによって、はじめから象牙質う蝕として開始される場合も多い。また、根面の修復物辺縁も好発部位である（図7）。活動期の根面う蝕は、側方へ拡大し、処置されない場合は根面全周が病変となる。新たなう蝕は、黄色から明るい褐色の小さな境界明瞭な病変として見られる。軽圧でのプロービングで、活動性象牙質う蝕部は罹患していないセメント質や象牙質と比べて軟化していることがわかる。う蝕の進行によって、病変の表面は、鋭利なエキスカベータで容易に剥ぐことが可能な皮様観を呈するようになる。進行した病変は、暗褐色から黒色を帯び、正常の歯根に比べて硬くなる。病変は色によって（明るい色の病変はより活動性で、暗い色は非活動性となる）、また歯質の性状によって（病変が硬化していくと、非活動性となる）分類することもできるが、必ずしも臨床において適応しない症例もある。

　根面う蝕に特別な細菌は認められておらず、露出根面に、ミュータンスレンサ球菌、乳酸桿菌、*Actinomyces viscosus* などのう蝕細菌からなるプラークが付着することによって発症する。咬合面う蝕と異なりエナメル質が存在しないので、薄いセメント質の崩壊後は、象牙質へう蝕が進行する。エナメル質う蝕との大きな違いは、無機質と有機質の溶解が同時に進行することである。また、無機質はハイドロキシアパタイトに比べて、溶解しやすいウイットロカイトも含まれており、エナメル質う蝕（pH5.5）に比べてかなり高い pH6.4[9]～pH6.7[10] のpH範囲から脱灰が始まる（第III部第5章156ページ）。

　有機質を含む象牙質う蝕において、従来からコラーゲンなどの有機性基質の崩壊には、細菌性プロテアーゼが関与すると考えられてきたが、確かな証拠はないようである。最近、骨吸収においても重要な働きを行うマトリックスメタロプロテアーゼ（MMP）の象牙質う蝕への関与が注目されている[11]。

　う蝕の発症と関係する歯面のpHの低下とその後の唾液の緩衝

→ 第II部5章69ページ

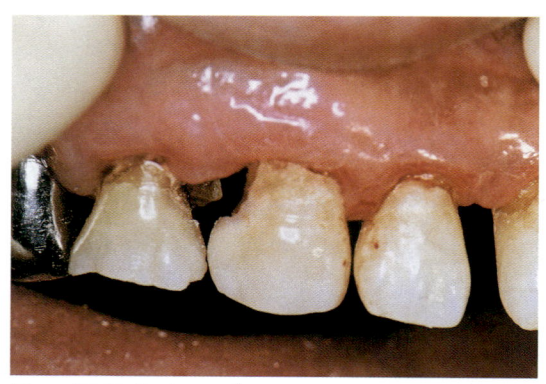

図6　根面う蝕（<u>4 3 2</u>、65歳男性）

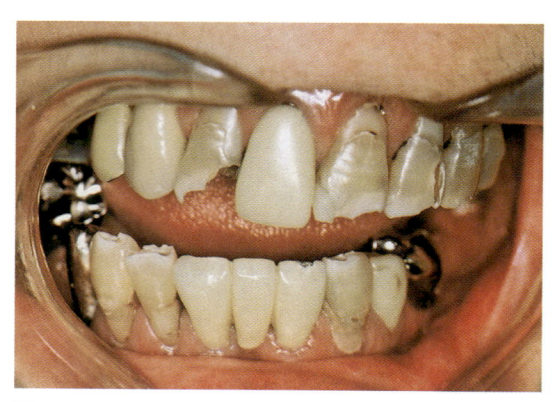

図7　上下顎前歯部の修復物辺縁の根面う蝕（73歳女性）

能によるpHの回復は、根面う蝕においては重要である。う蝕象牙質中においても、唾液由来のMMP（コラーゲン溶解能を有するのはMMP-8）が証明されている。さらに、MMPがpHの低下とその後の唾液の緩衝能によるpHの回復という2相性変化に際して活性化されることも証明されている。従って、根面う蝕に対しては、酸への対応と同時に、口腔内のpH変化と有機質溶解性酵素との関係も念頭においた予防・管理法の開発が不可欠となる。

3）修復物辺縁のう蝕

　修復物の辺縁部はう蝕の好発部位の一つである（図8）。修復物辺縁う蝕は、その成因から大きく2種類に分けられる。すなわち、初発う蝕病変の除去が不十分なために生じる再発う蝕と、修復物の辺縁部に発症する辺縁性二次う蝕とである。しかし、臨床的に明瞭に区別することが困難な場合も多い。特に、再発う蝕は、覆髄処置後に臨床症状の発現によって修復物を除去時、窩底部などに限局して軟化う蝕病変の存在が確認できる場合、診断可能となる。一方、辺縁性二次う蝕は、治療時に生じた修復物と歯質との段差・間隙、治療後に発生する修復物辺縁部の破損あるいは辺縁歯質の破折などによって、窩壁と修復物との境界の空隙に唾液、細菌、毒素などが侵入し辺縁漏洩が起こることによって、う蝕が発症する。う蝕の発症・進行過程は、一般のエナメル質う蝕、象牙質う蝕の場合と同様である。

　冷水痛、温水痛、食片嵌入、食片圧入などの自覚症状で自発的に受診する場合と、自覚症状はないが口腔診査時に偶然発見される場合とがある。特に、隣接面における修復物と歯質との適合状態の変化は、日頃のデンタルフロス使用時に患者自身で確認が可能である。清掃不良のため、う蝕病変部に食物残渣が認められるのが一般的であるので、深在性う蝕へと進行しやすいことも特徴である。

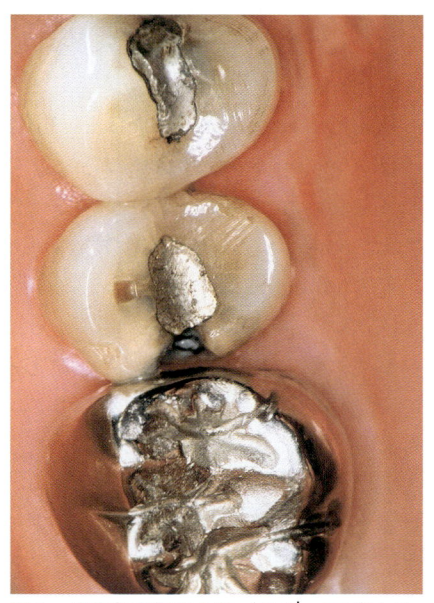

図8　修復物辺縁のう蝕（５４、58歳女性、ミラー使用）

3．基本的なう蝕の診査法

1）主観的な診査

　問診が主観的な診査に該当する。具体的な内容として、主訴、現病歴、既往歴、薬歴、アレルギー、家族歴などの聞き取りを行うものである。このような従来からの問診の特徴は、診断の目的に自覚症状を含めた詳細な病歴を「はい、いいえ」で答える閉鎖型質問を主体として行うという科学的な面を重視している。反面、患者の気持ち（心配、不安感、疑念）や検査や治療への要望は聞き取りにくい。近年の患者中心の医療では、このような従来型の問診に加えて医師と患者との信頼関係を作りながら診査・診断を行う「医療面接」という手法が一般化している。

　それでは、理想的な医療面接とはどのようなものであろうか。第一に、患者の話をよく傾聴すること（受容）である。相槌を打つ、患者の発言を要約して復唱するなど、医師が患者の話に共感し、支持を表明していくことは、患者に話やすい雰囲気を作る上で重要である。これは、一般社会でのコミュニケーション能力といわれている技能に相当する。

①主訴

「今日は、どこがどのように痛いですか」というように、来院理由を尋ねる。はじめは、回答の方法を患者に任せる開放型質問を心掛ける。次第に、自発痛、誘発痛の有無など「痛いですか？」という質問に対して、「はい」「いいえ」で答える閉鎖型質問へと移行する。この間、医療面接の原則どおり、患者に受容、共感、支持を示すような対応をとる。

②現病歴

詳細な主訴に対する病歴を得ることが適切な診断のための前提である。現病歴の確認には、3W（Where, When, What）1H（How）のほか、次のような「OPQRST」と連続したアルファベットの頭文字を利用した問いかけは便利である[12]。

  O：onset　いつから
  P：provocative or palliative　悪化あるいは緩解因子
  Q：quality　性状（症状の特徴）
  R：region　部位
  S：severity　重症度（症状の激しさや程度）
  T：temporal characteristics　随伴症状

③既往歴

過去、現在を問わず、罹患したあるいは治療中の疾患、外傷、入院・手術歴について聴取する。抜歯の既往があれば、局所麻酔の効果、止血状態、術後の疼痛なども記録する。

④薬歴、アレルギー

服用している薬剤名、用法と用量を確認する。さらに、食品、化粧品、薬剤への反応を記載する。

⑤家族歴

家族構成のほか、循環器疾患、腫瘍、感染症などへの罹患状況を、患者のプライバシーに十分配慮した上で可能な限り収集する。

2）客観的な診査

具体的には現症を客観的に診査することにある。診査の順番として、全身、口腔外、口腔内となるが、ここでは口腔内、特にう蝕を対象とした他覚症状を的確に把握するための診査法を、上記3種のう蝕を例として説明する。う蝕の診査としては、視診、触診、打診、動揺度診査、エックス線検査、電気歯髄診、電気抵抗値測定検査、温度診、透照診が一般的である。

（1）エナメル質う蝕

初期う蝕を視診で確認するために、実体顕微鏡（手術用顕微鏡）（図9）の利用は有効である。触診の一つである探針の無配慮な使用は、プラークの内部への圧入の原因となるので、使用時は軽圧で慎重に歯質と接触させるよう心がける（できればブローチの使用が好ましい）。「カリエスメーター」を使った患歯の電気抵抗値測定は、エナメル質初期う蝕とエナメル質実質う蝕の大まかな区別を可能とする（表2）。エックス線診査として、エナメル質にある程度欠損が生じている場合、特に隣接面においては、咬翼撮影法が有効である。なお、カリエスメーターは現在製造されていないので、診査の優先順位はエックス線のほうが上である。

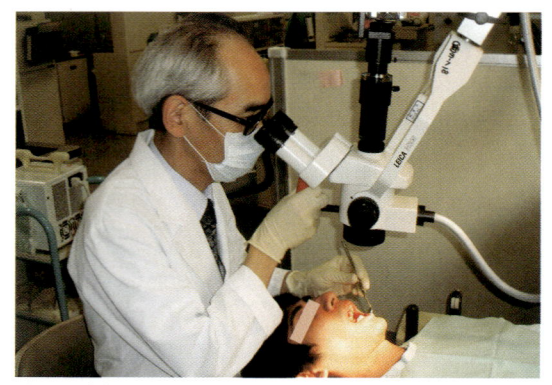

図9　手術用顕微鏡による歯面診査

（2）根面う蝕

頰側根面のう蝕で、多少歯肉縁下に及んでいる場合は、ガムリトラクターなどを利用して歯肉を少し押し下げることで直接確認できる。探針の使用は、軽圧で慎重に歯質と接触させるよう心がける（できればブローチの使用が好ましい）。

隣接面の歯頸部根面う蝕の発見には、トランスイルミネーター（図10）による透照診、およびエックス線検査、特に咬翼撮影法が有効となる。最近では、DIAGNOdentTM というレーザー光線を照射することによって発する蛍光スペクトルの違いを検出し、う蝕の進行状況の大まかな判定が可能な装置も利用できる。また、う蝕病変部の色の変化を客観的に評価するためには、色彩計（図11）が使われることもある。

一方、露髄が疑われる時は、電気抵抗値測定検査を行い、15 kΩ以下（周波数 400 Hz 時）の場合は露髄と判定することが可能である（表2）。

表2 カリエスメーターの判定規準

測定値（kΩ）	判定
600 以上	健全またはエナメル質初期う蝕
250-600	エナメル質う蝕
250 以下	象牙質う蝕
15 以下	露髄

➡ 第Ⅲ部2章119ページ

図10 透照診用トランスイルミネーター

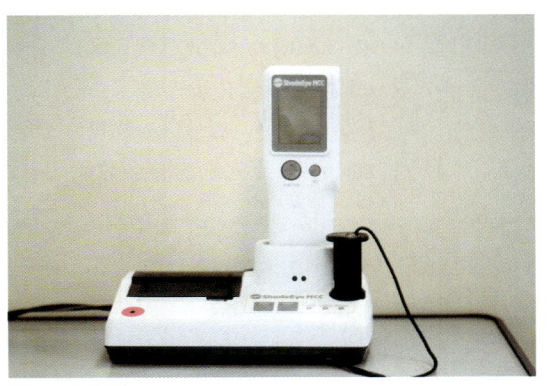

図11 色彩計

（3）修復物辺縁のう蝕

修復物と歯質との境界部の適合状態、空隙形成は、エナメル質初期う蝕の確認と同様に拡大鏡や手術用顕微鏡（図9）を使って明瞭に観察することが可能である。探針は、触診としてではなく、修復物と歯質との間隙内の汚物除去のために使用する。一方、隣接面部のう蝕に対しては、触診の一つとしてデンタルフロスの使用で、修復物との適合状態はある程度確認できる。透照診とエックス線検査（特に咬翼撮影法）は、隣接面う蝕の広がりを客観的に判定するために有効である。深在性う蝕で露髄が疑われる時は、修復物を慎重に除去したのち、根面う蝕の場合と同様に電気抵抗値測定検査を行うこともある。

（林　善彦）

第3章　う蝕とフッ化物

1. 歯のフッ素症とその原因解明

歯とフッ化物との関係は米国の検疫官、Eagerが1901年に害作用を発見報告したことに始まる。しかし、害作用とフッ化物との関連が明らかになったのは1930年代に入ってからであり、フッ化物濃度と歯のフッ素症の症度発現の解明に向けた実験疫学が実施された。Sebrellらは歯のフッ素症が発現している地区の飲料水中フッ化物濃度6 ppmの水を実験動物に与え、ヒトと同様の症状発現を1933年に確認した[1]。

● Column ●　疫学調査の全盛期（1933～1945）安全性レベルの追求

歯のフッ素症発現の原因が判明すると、全米に及ぶ広範囲な疫学調査が実施された。歯のフッ素症の症度分類（正常～重度の6度分類）や、症度分類を考慮した地域フッ素症指数（community fluorosis index）が整備され、フッ化物濃度と歯のフッ素症の症度発現との量（濃度）－反応関係（dose-response relationship）、因果関連を推論するためメカニズム解明に向けた準備が整った。

疫学調査を実施したDean[2]は、飲料水中のフッ化物濃度と歯のフッ素症発現ならびにDMFT指数との因果関連を解明し、1942年に報告した。原因である飲料水中のフッ化物濃度が増加すると歯のフッ素症発現は正の相関を示す。う蝕の指標は負の相関を示す（図1）。飲料水中の高濃度フッ化物は歯のフッ素症発現という害作用だけでなく、う蝕予防という有益な作用をあわせ持つことを疫学的に実証した。高濃度フッ化物地域でう蝕が少ないことが注目された理由は、当時のう蝕有病状況や程度が劣悪な状態にあったからである。多くの一般的な地域での12歳児のDMFT指数は、1942年当時は7～9本と著しく高い状況であった。

害作用と効果作用のバランス探求が次の疫学的課題である。害作用を発現させないこと、発現の可能性を小さくすることは安全性の確保に関連する。歯のフッ素症発現を少なくし、同時にDMFT Indexを低い水準に維持する飲料水中のフッ化物濃度を決定する必要がある。安全性を確保するため歯のフッ素症発現を最小限に抑制し、明らかなう蝕予防効果が認められる濃度とした。1.0 ppmが安全性基準の目安とされ、歯のフッ素症（VM以上、表3参照）の発現を被験者全体の10％以下に抑える[3]ことを基準とした。安全性の確保を最優先に両作用のバランスを求めたのが当時の判断であった。

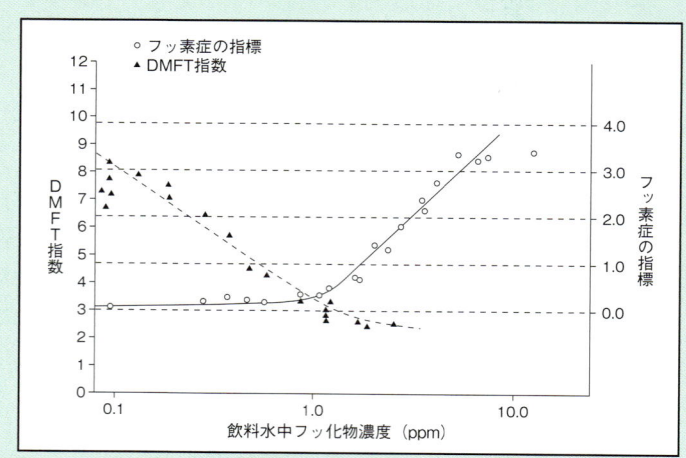

図1　飲料水中のフッ化物濃度と正の相関を示す歯のフッ素症発現と負の相関を示すう蝕の指数との関係図（Dean；1942、Striftler；1958のデータを用いて作成）

2．フッ化物応用の安全性

化学物質全般の安全性を考慮する際に重要な視点は、次の3点である。
　①どの量あるいは濃度からが有害量・有害濃度であるか把握されている。
　②有害量・有害濃度未満に量・濃度をコントロールできる。
　③害作用のメカニズムが解明されている。

以上の各項目にすべて「はい」と明確に回答できる化学物質は安全性が高いと判断できる。フッ化物応用の際にも同様である。使用するフッ化物の量・濃度が有害量・有害濃度を超えない管理がされている。急性中毒・慢性中毒の発現機序がわかり、特定の量・濃度や時期を避ける配慮がされていれば安心である。

化学物質の安全性に関し、量が多くなると害作用である過剰症があるから化学物質は安全でないという一般論がある。例えば生体に有益な化学物質であるビタミンAやDにも過剰症はある[4]。これらは決して有害物質ではない。有益な化学物質であっても量が多くなれば急性毒性がある。どの量と条件で毒性が発現するかを十分理解し、安全に配慮して応用することが大切である。

1）急性毒性

急性中毒では、一般に偶発事故・誤った使用・自殺目的などで体内に入った物質が中枢神経系に影響を及ぼし、重篤な場合は意識障害などの症状が出現する。

（1）急性中毒発現量

フッ化物については急性中毒発現量の算出根拠となったデータは、該当するケースが少なかったことを反映して少ない。成人の場合、嘔気と流涎症状の認められた急性中毒発現量は NaF として 250 mg、フッ素単独量は分子量の割合から 113 mg（250 × F/NaF）、成人体重を 55 kg と仮定すると体重 1 kg 当たりフッ素量として約 2 mg/kg である[5]。この結果は、空腹 2 日後であり、体重は記載されていないので推定量である。この算出根拠はケース報告に由来し、エビデンスが重視される今日の根拠レベルとしては低い位置づけであり[6]、一般化には難点がある。

フッ化物の過剰摂取の際、救急処置を実施するかどうかの基準をフッ素単独量として 5 mgF/kg とした報告がある（表1）。軽度の胃腸症状が発現する通常量を 5 mg/kg と掲載しているが、その根拠は示されていない[7]。

表1　急性中毒発現時の救急処置内容

Fmg/kg として	処置内容
5 mg/kg 未満	胃腸症状を軽減するため経口的にカルシウム（牛乳）を与える。嘔吐誘発の必要はない。
5 mg/kg 以上	催吐薬を用いて胃洗浄し、胃の内容物を空にする。ただし、嘔吐誘発の際、知的障害者等には注意が必要。経口的にカルシウム（牛乳）、5％グルコン酸カルシウム、5％乳酸カルシウムのいずれかを与え、入院させて経過を観察する。
15 mg/kg 以上	直ちに入院させ、心電図を観察しながら処置を行う。胃洗浄、10mL の 10％グルコン酸カルシウム液をゆっくり静脈注射する。ショック症状の発現に注意し、必要があればグルコン酸カルシウム液の静注を追加する。尿の排泄に注意し、必要があれば利尿薬を投与する。

（2）急性中毒症状

広範な 112 症例を網羅・整理した Roholm（1937）[8] は、症状として多い順に嘔吐、腹痛、下痢の三つの胃腸症状であることを指摘している。

（3）急性中毒発現時の救急処置内容

処置の前提として摂取量の把握が必要である。フッ素はカルシウムと結合しやすく、CaF_2 は NaF よりも毒性が低いことを処置の基本に応用する。一般にフッ化物は低分子・水に溶けやすいため胃から吸収される。生体内での吸収・排泄は早く、短

第Ⅳ部　基礎編

時間で快方に向かうことが多い。摂取見込み量が少ない場合の一般的な処置内容は、カルシウムを経口的に与えることが胃内容物を吐き出させるよりも優先される。日常的には乳製品（牛乳・ヨーグルト・アイスクリーム等）を与えることは第一選択肢である。量に応じた救急処置内容は表1が参考となる。

2）慢性毒性

慢性中毒では、過量の物質が長期間にわたって体内に入り、親和性の高い器官や臓器に影響を及ぼし、障害などの全身症状が出現する。

（1）慢性中毒症状と量

フッ化物はカルシウムと親和性が高く、生体では主に歯や骨に慢性中毒症状を発現する。歯の慢性中毒症状は、歯のフッ素症（dental fluorosis）と定義される[9]。フッ化物以外が原因でエナメル質石灰化に影響する結果、症状としては斑状様を呈することがある。原因がフッ化物由来であるか、非フッ化物由来であるかの鑑別は歯のフッ素症の症状と疫学的な特徴（表2）を理解し、さらに既往歴や飲水歴等を参考に判断する。歯の石灰化中に飲料水由来のフッ化物による高濃度暴露の既往が確認されれば因果関係が確定する。歯のフッ素症は歯が形成されている時期に飲料水中のフッ化物濃度が2 ppmを超え、過量のフッ化物が摂取された時に発現する可能性がある。

表2　歯のフッ素症の症状と疫学的な特徴

① 飲料水中フッ化物濃度1 ppmを超える地域で生まれ育った人、出生から歯の石灰化期間6～8年間の一時期、高濃度地域に居住歴のある人に発現する。
② 高濃度地域に限局的、集団的に発現する。
③ 症状は歯面の境界不明瞭な白濁、歯の発育線に一致するように水平の縞模様を特徴とする。高濃度暴露が長期に及ぶ場合は、全身的作用なので歯の成長発育時期が同じ歯には同時に多数認められる。従って左右対称的、上下対称的にも発現する。
④ 主に永久歯に発現するが、高濃度暴露の場合、乳歯にも発現する。
⑤ う蝕有病率や発症率が低い。

（2）歯のフッ素症（dental fluorosis）の分類

主に疫学的研究に際して使用されてきた。Deanによる歯のフッ素症の分類は今日においても使用されている。Deanの分類のVMの症例を参考に示す（図2）。わが国には調査を目的に当時の厚生省が独自の分類基準を提唱している。厚生省の分類基準はDeanの分類基準を一部簡略化している（表3）。

骨の慢性中毒症状は、骨硬化症（osteo sclerosis）あるいは骨フッ素症（osteo fluorosis）と定義される。症状としてはエックス線像で骨密度が増加するため陰影が濃くなり、進行すると腱や靱帯中にも病的石灰化が、骨隆起も認められるようになる。

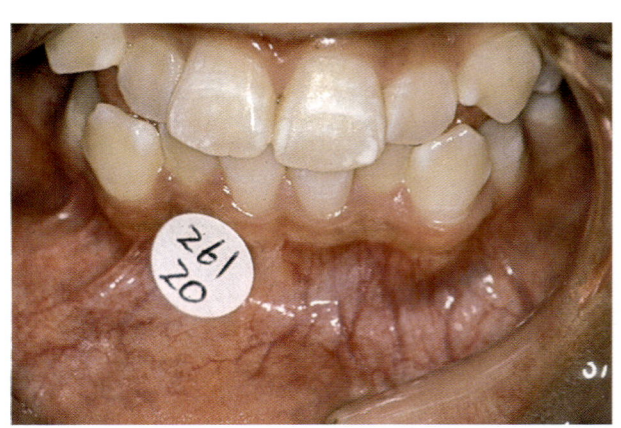

前歯全体に及ぶ隅角の白濁ならびに上顎中切歯の中央部の白濁が特徴。

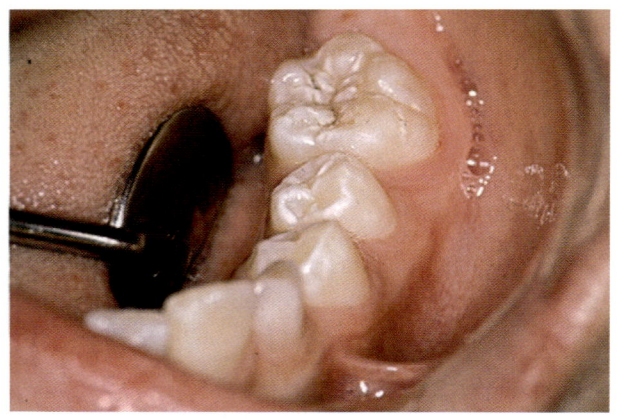

咬合面の咬頭から辺縁に及ぶ白濁が特徴。

図2　Deanの分類のVMの症例
　　　白濁部が歯面の25％以下。着色は見られない。

表3 歯のフッ素症の分類

コード　　Dean の分類	コード　　厚生省の分類
N: Normal（正常） Q: Questionable 疑問型 　少数の白い斑点、直径 1〜2 mm の白斑 　Normal か very mild にするか迷う場合。 VM: Very mild（軽微） 　白濁部が歯面の 25％以下。着色は見られない。 M: Mild（軽度） 　白濁部が少なくとも歯面の 50％前後を占める。着色が見られることがある。 MO: Moderate（中等度） 　白濁部が歯面のほとんどに及ぶ。小さな pitting（陥凹部）や着色が見られることがある。 S: Severe（重度） 　不連続あるいは融合した pitting 形成。エナメル質形成不全著明。	M_0（M±）：疑問型 M_1 　白濁部が全歯面にまでいたらないもの。着色が見られることがある（M_1-B）。 M_2 　白濁部がほぼ全歯面に及んでいるもの。着色が見られることがある（M_2-B）。 M_3 　M_2 の変化に pitting 形成が加わる。高度の実質欠損を示すものもある。着色も著明（M_3-B）。

　これまでの調査から、歯のフッ素症が広範囲に発現している地域では、食品や飲料水中由来の摂取がフッ化物として 8 mg/day を超えることが一般的である。骨のフッ素症は 8 mg/day を超える過量のフッ化物を長期間（数年以上）摂取した成人に多く観察される[10]。

3．う蝕予防のメカニズム

1）フッ化物応用法の場面とフッ化物濃度の特徴

　フッ化物応用の場面は、わが国では専門家が特定個人の患者一人一人を対象に臨床応用する診療室から、学校や地方自治体の組織が特定多数の児童・生徒を対象とする学校、地域住民という不特定多数までを対象に応用する公衆衛生の場面まで多岐にわたる。応用法とフッ化物濃度の特徴は、実施主体と受益者との関係から把握すると理解しやすい。1対1の関係が不特定多数の関係になると応用濃度は高濃度から低濃度にシフトし、安全性が優先される（表4）。専門家が臨床応用する場合、フッ化物濃度は 9,000 ppm と高濃度である。

表4　フッ化物応用の代表的場面とフッ化物の種類と濃度

応用場面	フッ化物応用の一般的な名称	フッ化物の種類	主なフッ化物濃度
専門的応用	APF ゲル＊ （2% NaF ＋リン酸）	NaF	9,000 ppm
専門的応用	2% NaF 溶液	NaF	9,000 ppm
家庭的応用	フッ化物配合歯磨剤	Na_2PO_3F、NaF	1,000 ppm
家庭的応用 公衆衛生的応用	フッ化物洗口剤 （毎日法）	NaF	約 225 ppm
公衆衛生的応用	フッ化物洗口剤 （週1回法）	NaF	約 900 ppm
公衆衛生的応用	水道水フッ化物濃度調整法	NaF、Na_2SiF_6、H_2SiF_6	0.7〜1.2 ppm の範囲

＊APF：Acidulated Phosphate Fluoride（酸性フッ素リン酸）の略でリン酸で酸性にしたフッ化物

一方、各個人が自己応用するフッ化物配合歯磨剤は1,000 ppm以下、フッ化物洗口法は週一回法と頻度が少ない場合は約900 ppm、頻度が多い毎日法は約225 ppm、乳幼児から高齢者まで不特定多数を対象とする水道水フッ化物濃度調整法（water fluoridation）の場合はフッ化物濃度で1 ppm前後と低濃度である。

> ● **Column** ● 濃度％とppmの関係
>
> 　両者共に濃度を表す単位である。％は生活実感を伴う数値であるが、ppmは微量濃度を表現している。フッ化物1％濃度といえば100 mLの水にフッ化物1 gが存在している濃度（weight/volume）である。1 ppm濃度といえば1,000 mLの水にフッ化物1 mg（ミリグラム）が存在している濃度である。従って水の量によってフッ化物の量も変わる。1 mL中には1 μg（マイクログラム）、1 L（リットル）中には1 mg（ミリグラム）、1 t（トン：1,000L）中には1 gのフッ化物が存在している場合、濃度は同じ1 ppmである。この関係から1％をppmで表すことも可能である。1％は10,000 ppmと同じである。

2）フッ化物のう蝕予防機序

　フッ化物のう蝕予防機序には、歯質と口腔細菌に対する作用がある。歯質への作用は永続的であるが、口腔細菌に対する抗酵素作用あるいは抗菌作用は一時的である。歯質に対する主なう蝕予防機序はフッ化物が高濃度・低濃度に関わらず、最終的にフルオロアパタイト［$Ca_{10}(PO_4)_6F_2$］の形成、結晶の安定化、酸に対する溶解度の低下であると解説してきた。近年のう蝕学研究は、脱灰－再石灰化プロセスに作用する低濃度フッ化物イオンの重要性を明確にした[11]（表5）。

表5　フッ化物のう蝕予防機序

	歯質	口腔細菌
フッ化物の存在部位	○ 歯の表面 ◎ 結晶周囲 △ 結晶内部	菌体内部
存在様式	○◎ F^-, △ $Ca_{10}(PO_4)_6(OH,F)$	HF, F^-
作用機序	脱灰抑制と再石灰化促進	抗酵素作用と抗菌作用
作用の特徴	永続性の作用	一過性の作用

（1）低濃度フッ化物イオンの作用機序

　F^-イオンがハイドロキシアパタイト結晶内のOH^-と置換し、耐酸性効果の永続性が期待されてきた。しかし歯質結晶内に取り込まれたフッ化物の役割は、実際の口腔環境では重要でなかった[12]。

　結晶内部に取り込まれたフッ化物はエナメル質が脱灰しなければフッ化物イオンとして作用しない。口腔内環境中にあってエナメル質表面に存在するフッ化物イオンや結晶周囲に吸着している低濃度フッ化物イオンの作用が注目された。低濃度フッ化物イオンの存在様式は、歯質あるいは結晶周囲を全面コーティングし被覆することで、プラーク由来の水素イオンから歯の表面や内部の結晶を防護し、耐酸性能を発揮する[13]。

> どのppmから低濃度・高濃度フッ化物イオンというか、明確な基準濃度はない。一般的には、フッ化物とエナメル質との反応系が異なる1,000 ppm以上を高濃度フッ化物、1,000 ppm未満を低濃度フッ化物という。口腔内で低濃度フッ化物という場合、今日では1 ppm前後の濃度を表すことがある。

➡ 第Ⅲ部第5章図7、155ページ

（2）高濃度フッ化物イオンの作用機序

　専門的に応用されるフッ化物製剤の多くは高濃度フッ化物製剤である。高濃度フッ化物の場合、反応生成物として主にフッ化カルシウム（CaF_2）が生成される。反応生成物としてのCaF_2は最終的反応生成物ではない。口腔内環境ではHPO_4^{2-}さらには唾液に由来するタンパク質を吸着し、口腔内環境により変化するCaF_2様物質として存在する。CaF_2様物質はエナメル表面がpH 5以下に低下すると溶解し、低濃度ながら長期間にわたってCa^{2+}やF^-イオンの供給源となる[14]。中間反応生成物としてCaF_2を生成する高濃度フッ化物は、最終的には低濃度F^-イオンとしてう蝕予防機序に関与する。低濃度F^-イオンとして作用するには周囲環境が酸性状態となる必要がある。プラークによる酸性状態が優勢な環境であれば歯質の脱灰が発現することにもなる（図3）。

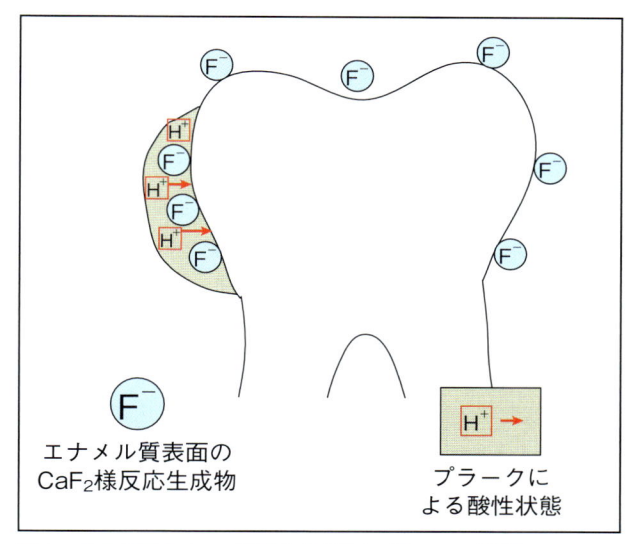

図3　歯の表面のCaF_2様反応生成物とプラークの関係
　　　プラークによる酸性状態と反応生成物であるCaF_2様物質周囲の酸性環境はどちらも歯質表面で発現する。

4．専門的応用法

1）フッ化物歯面塗布法

　歯科の専門家である歯科医師や歯科衛生士が、萌出している歯にフッ化物を直接作用させる方法で、1人の専門家が来院する対象者1人1人に対応する。最も多用されるのはフッ化物歯面塗布法である。使用されるフッ化物にはそれぞれに特徴（濃度、安定性、性状・味、着色性、歯肉為害性）がある（表6）。

　主にう蝕の進行抑制に使用されるフッ化ジアンミン銀製剤は塗布部位が黒く着色するので、事前に説明・納得を得て実施する。

　対象者個人の特性（家庭背景、食生活習慣、リスク要因、受容の程度、口腔内状況、口腔清掃習慣、定期健診の既往等）を考慮しながら応用できる特徴がある。

表6　専門的に応用されるフッ化物の性状

フッ化物の種類	F単独濃度	化学的安定性	性状・味	着色性	歯肉為害性
2% NaF溶液	9,000 ppm	安定	中性・無味	なし	なし
APF溶液	9,000 ppm	安定	酸性・酸味	なし	なし
APFゲル	9,000 ppm	安定	酸性・酸味	なし	なし
4% SnF_2溶液	9,700 ppm	不安定	酸性・金属味	あり	あり
フッ化物配合バーニッシュ	25 mg/1g 25,000 ppm	安定	粘着性・無味	なし	なし
フッ化ジアンミン銀溶液*	$Ag(NH_3)_2F$ 45,000 ppm	安定	アルカリ性・苦味	あり	あり

＊進行抑制剤として用いられる。

2）応用法（手法、作用時間）の特徴

最も一般的な手法としては、綿球に製剤をつけて歯面に塗布する綿球塗布法、既製あるいは個別のトレーを用いるトレー法、さらにはゲル剤の場合は歯ブラシにゲル剤をつけて塗布することもある。

作用時間は通常4分間であるが、対象者の年齢、協力の程度、口腔内状況によっては短くなることが多い。実際の場面では最短時間で1分間程度ということもある。その場合は次回応用までの間隔を短くして対応することになる。

3）う蝕予防効果の特徴

専門的なフッ化物応用による効果は、臨床試験研究の結果を集約し20〜30%である[15]。最近の報告では使用される薬剤はゲル剤やフッ化物バーニッシュであるが20〜40%の効果である。これらの効果は歯の萌出時期に会うように来院し、応用したわけではない。高リスク児でなければ通常は年2〜4回の応用頻度であることを考慮すると一般的に期待されるう蝕予防効果の程度であると考えられる。

4）安全性を配慮した使用量

事前に適正な使用薬剤量を取り応用する。溶液（ゲル）の場合、1回当たり2 mL（ゲル2 g）が目安である。全量を誤飲しても入院させ経過観察する必要のある急性中毒発現域ではない（表1参照）。

> **例と解説**
>
> 3歳児（体重15 kg）がAPF溶液2 mLを誤飲した。体重1 kgあたりフッ素単独の摂取量はいくらになるか？
>
> APF溶液中に溶けているのはNaF、濃度は2%である。2 mLのAPF溶液中のNaF量は2g/100 mL × 2 mL=0.04 g=40 mg
>
> フッ素単独量は 40 mg × 19（フッ素の分子量）/42（NaFの分子量）≒ 18 mgF
>
> 体重1 kg当たりのフッ素単独量は 18 mgF/15 kg=1.2 mgF/kg である。この量は入院させ経過観察する必要のない量である。

5）劇薬・普通薬・医薬部外品とフッ化ナトリウム

う蝕予防に使用されるNaF配合製剤は濃度によってその区分は異なる。フッ素単独の濃度が1%（10,000 ppm）以下の場合は「普通薬」である。歯面塗布溶液は0.9%F濃度で普通薬である。歯磨剤は医薬部外品である。洗口剤の場合、水に溶かす以前の顆粒状洗口剤は「劇薬」である。用法・用量に準じて調整した洗口液は「普通薬」である。

第3章 う蝕とフッ化物

5. 自己応用法

1) フッ化物配合歯磨剤やフッ化物洗口法

う蝕予防を意図して実践する場として家庭がある。日常生活習慣として家庭で実施される最も一般的なフッ化応用法は、フッ化物配合歯磨剤の使用である。実際の使用割合ではないが、フッ化物配合歯磨剤の最近の市場占有率は90％台近くになった（図4）。フッ化物洗口法は家庭でも推奨される。ただし、家庭におけるフッ化物洗口法は、継続的に実施されないことが多い。フッ化物洗口法については公衆衛生的応用法の項で詳述する。

歯磨剤に配合されているフッ化物の種類は主にNaF、MFP、SnF_2の3種類、フッ化物濃度はいずれの種類、子ども向け共に1000 ppm以下である（表4）。MFPはモノフルオロリン酸ナトリウム（Na_2PO_3F）で歯磨剤にはフッ化物濃度として最終的に1000 ppmになるよう、0.76％加えられている。

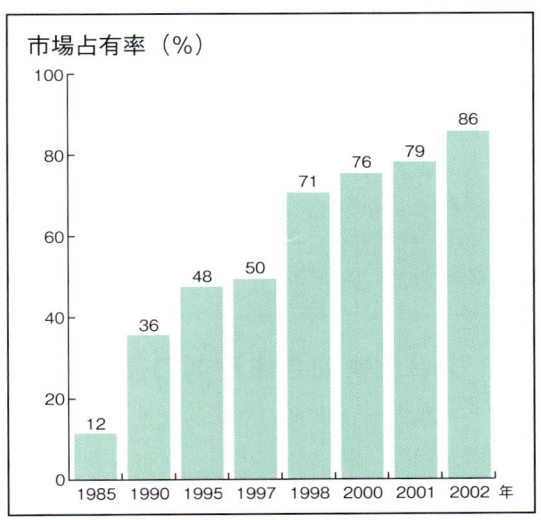

図4 フッ化物配合歯磨剤の市場占有率
（ライオン歯科衛生研究所　2003年調査）

2) 上手な応用法（時期）

フッ化物配合歯磨剤の効果的な応用法は、1日2回フッ化物配合歯磨剤を用いてブラッシングを行い、その後「少しの水でうがい」をする[16]。この方法は、フッ化物洗口剤の家庭における長期使用に対する応諾性（コンプライアンス）の低さの欠点を補い、フッ化物配合歯磨剤の高い普及性の長所を引き出す方法である。就寝期間中は最も適した長期再石灰化期間であり、就寝前には必ず使用する[17]。

一般向けに市販されている歯磨剤の多くはペーストあるいはゲル状である。最近はスプレータイプや歯科医院専売としてフォーム（泡）状のものがある。スプレータイプのフッ化物濃度は100 ppmと低い濃度であり、漱ぎが上手でない幼児向けである。フォーム（泡）状のものはフッ化物濃度950 ppmであるが、1回の使用量が少なくなることから、漱ぎが上手でない幼児のみでなく、障害者（児）にも安心して使用できる特徴がある。

3) う蝕予防効果の特徴

3種のうち、NaFとMFPについてはランダム比較試験やメタアナリシスが行われている[18, 19]。両者に差は認められていない。SnF_2フッ化物配合歯磨剤については単にう蝕予防効果だけでなく、Sn^{2+}イオンに由来するプラークの生成・付着抑制による歯肉炎の予防効果がある。

フッ化物濃度1000 ppmのフッ化物配合歯磨剤を1日2回使用し、歯みがき後は「少しの水」でうがいをした場合の永久歯（15〜16歳児）のう蝕予防効果は27％であった[16]。

4) 安全性を配慮した使用量

うがいができるようになったらフッ化物配合歯磨剤の使用を勧める。歯磨剤の量は年齢に応じた歯ブラシのサイズに半分程度が目安である4〜5歳児ではエンドウ豆大（0.25 g程度）が目安である。

> **例と解説**
>
> 　3 歳児（体重 15 kg）がフッ化物配合歯磨剤 5 g を誤って摂取した。体重 1 kg あたりフッ素単独の摂取量はいくらになるか？
> 　フッ化物配合歯磨剤に使用されるフッ化物は NaF、Na_2PO_3F、SnF_2 などである。いずれの場合でもフッ素単独濃度は 1000 ppm 以下に調整されている。1000 ppm の歯磨剤 1 kg には 1000 mg のフッ素量が含まれる。
> 　1000 mg/1000g × 5 g=5 mg
> 　体重 1 kg 当たりのフッ素単独量は 5 mg/15 kg ≒ 0.3mgF/kg である。この量は入院させ経過観察する必要のない量である。歯磨剤の場合は摂取量（g）が、フッ素単独の摂取量（mg）に相当する。

5）フッ化物配合歯磨剤の使い方

　フッ化物配合歯磨剤の効果的な使用法は、有効濃度を長期維持する観点から以下が望ましい。
　①歯磨剤を適正量とる。
　②ブラッシングを十分に行う。
　③ブラッシング後のうがいは水量、回数を控え、飲食も控える。

6．公衆衛生的応用法

1）水道水フッ化物濃度調整法やフッ化物洗口法

　公衆衛生的アプローチの特徴は、不特定大多数あるいは特定多数を対象とした組織的活動にある。多数の対象者が居住する場はコミュニティであり、構成単位は大きな場合は行政的な管轄である地域（市町村）である。最小構成単位は、園や学校、職場であり、施設等で集団を対象に組織的に実施される活動も含まれる。市町村単位の規模で実施されるフッ化物応用法は、水道水フッ化物濃度調整法や食塩へのフッ化物添加（salt fluoridation）である。水や食塩は地域に住む、乳幼児から高齢者、健常者も病人もすべての人達が日常的に利用する。両者は従来の分類では全身的応用法である。それだけに安全性に対する配慮が不可欠となる。この応用法によるフッ化物の総摂取量は、摂取する水や食塩の量に依存するので、フッ化物濃度は低く設定されている。水道水フッ化物濃度調整法は、規模の大きさや影響の範囲において地域の保健施策課題の中心である。

　幼稚園・保育園や学校・職場の小コミュニティ単位の規模で実施されるフッ化応用法は、フッ化物洗口法である。国は平成 18 年 1 月「フッ化物洗口ガイドライン」を定め、普及を図る方向にある[20]。平成 18 年 3 月末、47 都道府県で 49 万人以上の子ども達がフッ化物洗口法を実施している（図 5）。

口腔清掃を行い…　　　　　　　　　　　　　　　　　　　　30秒から1分間ブクブクうがいを行う。

図5　集団的に実施するフッ化物洗口法
　　　基本的な応用法の手順は、①口腔清掃を行う②調整された5〜10mLの洗口液で30秒〜1分間ブクブクうがいを行う③洗口後は溶液を十分に吐き出す④洗口後30分程度は口をゆすいだり飲食をしたりしない。

2）応用法の特徴

　水道水フッ化物濃度調整法は、利用者は調整した水を飲用し、調理等に使用するだけでう蝕予防効果の恩恵を受けることができる。恩恵を受けることができるのは利用者だけに限られない。調整した水を利用して製造した清涼飲料等を調整していない地域の人達が利用することがある。この場合、う蝕予防効果の恩恵は非調整地域にも波及する。このことは拡散効果として知られている。

　水道水フッ化物濃度が地域の至適フッ化物濃度を越える場合、フッ化物を徐くこともフッ化物濃度調整法である。水道水フッ化物濃度調整法は経済的に最も優れ、人口規模が多い地域ほど1人当たりのコストが低くなる。

　フッ化物洗口法には毎日法と週1回法がある。フッ化物洗口法の濃度は、毎日実施する場合、週1回法に比較し低い濃度である。洗口液は吐き出すのが原則であるが、口腔内残留量として10〜15％口の中に残ることがある。開始にあたっては水で十分練習を行い上達してから実施するとよい。集団的に実施する場合であっても、基本的応用法は個別の場合と違いはない。次の手順で実施する。

➡ 第Ⅲ部第3章125ページ

　　①口腔清掃を行う。
　　②調整された5〜10 mLの洗口液で30秒〜1分間ブクブクうがいを行う。
　　③洗口後は溶液を十分に吐き出す。
　　④洗口後30分程度は口をゆすいだり飲食をしたりしない。

　留意点は「ブクブクうがい」の仕方である。座って少し下を向いた姿勢で、溶液がすべての歯面に行きわたるよう口を閉じ勢いよく頬を動かしながら行うのがポイントである（図5）。

3）う蝕予防効果の特徴

　低濃度のフッ化物イオンが飲食のたびに頻繁に直接歯面に作用する水道水フッ化物濃度調整法とフッ化物洗口法のう蝕予防効果は相互に類似している。また、フッ化物洗口法の毎日法は低濃度・高頻度応用である点も類似しており、両者は他の応用法に比較して効果も高い特徴がある。

4）安全性を配慮した使用量

　園児や小学校低学年で口腔内の容量が小さい場合、5 mL の洗口液から開始する配慮が必要である。洗口液を多量に保管している場合は鍵のかかる冷暗所（冷蔵庫等）に保存し、洗口時に適量を分注して使用するよう安全性に配慮する。

例と解説

　6歳児（体重20kg）が毎日法である 0.05％ NaF 溶液 90mL（9人分相当）を誤飲した。体重 1kg あたりフッ素単独の摂取量はいくらになるか？
　90 mL に含まれる NaF 量ならびにフッ素単独量は次式のように求められる。
　NaF 量は 0.05g/100mL × 90 mL＝0.045 g＝45 mg
　フッ素単独量は 45 mg × 19（フッ素の分子量）/42（NaF の分子量） ≒ 20 mgF
　体重 1 kg 当たりのフッ素単独量は 20 mg/20 kg ＝ 1 mg/kg である。この量は入院させ経過観察する必要のない量である。

● Column ●　フッ化物洗口と歯のフッ素症発現

　フッ化物洗口の開始は4歳以降の早期から実施することがある。しかも口腔内残留量を考慮すると歯のフッ素症発現との関連を懸念する声がある。問題はないがその理由は次の通りである。歯のフッ素症発現には二つの大前提が必要である。歯は形成期にあること。この形成期間中に過量のフッ化物が継続して摂取されること。これらの条件が重なった時にはじめて発現の心配がある。

　まず歯の形成は4歳までに永久歯の歯冠部の形成は前歯部でほぼ終了していること。小臼歯や第二大臼歯は途中である。次に疫学的事実から推論すると、フッ化物濃度 2 ppm の水を1日1リットル飲用すると摂取フッ化物量は 2 mgF/day となる。この量を超える過量を摂取しなければならない。毎日法である 0.05％ NaF 溶液 10mL の口腔内残留量を最大の 15％と仮定すると、フッ化物洗口によるフッ素単独量は次式のように求められる。NaF 量は 0.05g/100 mL × 10mL＝0.005 g＝5 mg。フッ素単独量は 5 mg × 19（フッ素の分子量）/42（NaF の分子量）≒ 2.3 mgF。この 15％が口腔内に残留する。最終的には 2.3 mgF × 15/100 ≒ 0.035 mgF/day となる。この量は 2 mgF/day の 50 分の 1 量である。

　骨フッ素症はさらに過量のフッ化物を数 10 年単位の長期間にわたって摂取した場合に発現する可能性のある症状であり、フッ化物洗口の残留量によって発現することはない。

（飯島洋一）

第4章 乳歯う蝕の特徴と病態

1．乳歯う蝕の特徴

1）小児のう蝕と社会環境

　小児のう蝕は、社会環境と密接な関連を持っているのが特徴である。

　終戦直後の貧しい社会環境では、歯科医師も保護者も、う蝕予防などにはあまり関心がなかったにもかかわらず、5歳児のう蝕罹患状態は一人平均3.72歯という調査結果（1949）[1]から推測しても、1950年代以降の、5歳児一人平均10歯前後といったう蝕暴発は見られなかった。そしてこれは1940年代の主要食材の欠乏と、スクロース（ショ糖）の欠如がもたらしたものといえる。

　1950年以降は、わが国の社会環境の改善と共に、食生活も改善されたものの、小児の口腔保健医療への理解は依然として歯科医師も保護者も「乳歯はいずれ抜け替わる歯だから……」程度の曖昧なもので、小児の口腔内はう蝕の大群で満たされたままの状態であった（図1、2）。

　1956年に小児歯科学講座が東京医科歯科大学歯学部に開設されるなど、小児歯科保健医療の重要性は理解され始めたが、需給のアンバランスが著しく、小児の歯科保健医療の要望に適切に対応し得るまでには、なお30年の年月が必要であった。

　この間、1977年には**1歳6か月児健康診査**[2]が市町村単位で実施されたが、1歳6か月児健康診査の優れた点は、健康診査と保健指導の重点項目の一つにう蝕予防が挙げられたことであった。3歳児健康診査に比べて、1歳6か月児健康診査が「歩ける」「言葉が使える」「コップで水が飲める」など行動・言語発達や食事動作の診査

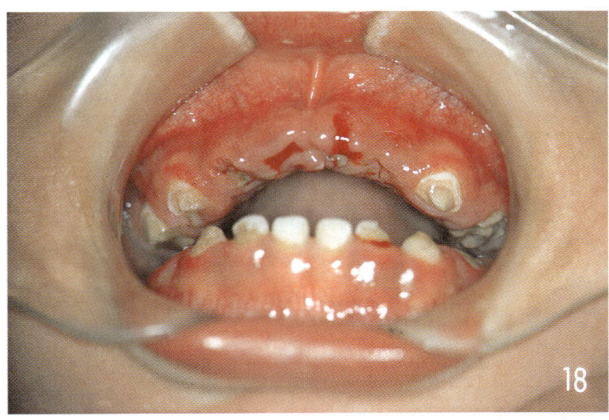

図1　1970年代に多く見られた乳歯の広範性う蝕（ランパントカリエス）

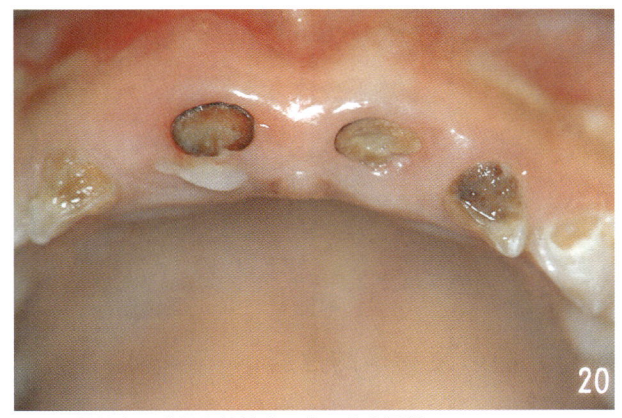

図2　乳前歯の残根と後継中切歯の萌出異常

に明瞭な指標があることはよく知られているが、歯科の健診についても、プラークスコアの判定要員の標準に歯科衛生士を指定して指導に当てることなど、地域化に伴って保健要員の質にも配慮がなされている。

翌年の1978年には社会の要望にこたえるべく、小児歯科と矯正歯科の**標榜医制度**が実施され、それまでは疎外され勝ちであった小児の歯科保健医療に対する地域社会の関心も高まりを見せてきた。そのうえ、この頃から見られるようになってきた社会の少子化傾向は、わが子の健康への親の関心を一層高める結果となった。

過去30年間を振り返ってみると、子ども達の歯科保健医療環境の改善は、歯科保健医療担当者すなわち"プロフェッショナル"と、子どものむし歯予防の大切さに気が付いた親たち、そしてマスコミや地域社会が一丸となって取り組んできた結果、もたらされたものと考えている。

この経過は、かって結核専門医たちが社会組織と力を合せて、半世紀にわたる努力の結果、1940〜1950年代には、わが国の死亡主因の疾患であった結核を克服したのにも似ている。

国民のための、組織だった良質な保健医療は、その病気を克服できる証拠であると考えることができる。

小児のう蝕の場合、予防接種や特効薬の開発といった手段なしに克服されつつあるのは、Keyes（1969）[3]の三つの輪（第Ⅰ部第1章15ページ）に示されているように、う蝕が多因子性疾患であることが、かえって幸いしているのであろう。

う蝕感受性の高い幼児期から、母親たちが乳歯のプラーク除去に取り組み、社会が歯質の強化と再石灰化に威力を発揮するフッ化物の役割への理解を深め、フッ化物配合歯磨剤のグローバルな普及とあいまって、小窩裂溝填塞法（図3）など[4-8]、いろいろなう蝕予防手段に社会が理解を示したことが、大きな力を発揮しているものと思う。

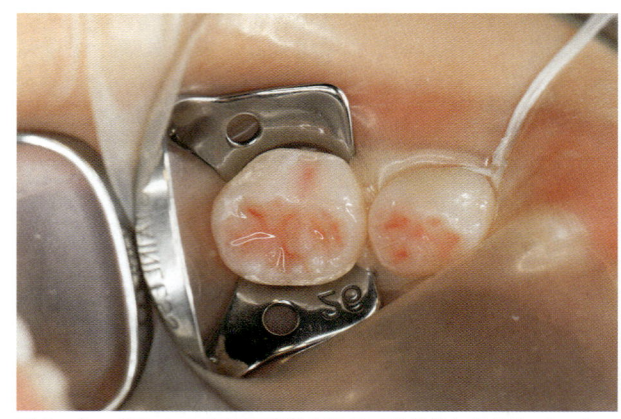

図3　シーラントの臨床応用は小児の口腔保健に貢献している。

2）乳歯う蝕の病態

小児う蝕、とりわけ乳歯う蝕の特徴は前項に述べたように、社会環境と密接な関連があるのが特徴であって、それが小児の口腔内の健康状態に直接反映されている。

すなわち、小児歯科保健医療の需給に著しいアンバランスが見られた1970年代の調査で、特にう蝕感受性が高いとされていた低年齢児のう蝕罹患率は、需給のアンバランスに改善が見られるようになった1990年代には著しく低下している。

乳歯う蝕の病態の変化も、このようなう蝕感受性の著しい変化と無関係ではない。

2．永久歯との違い[4]

大きな影響力を持っている社会環境という因子以外に認められる、う蝕とその処置に関連する乳歯と永久歯の基本的な違いを列挙するならば、以下の通りである。

1）乳歯の生物学的意義

①咀嚼器官として、子どもの発育のために重要な役割を果たす。
②咀嚼運動は顎、顔面を含めた口腔領域の発育刺激となる。

③永久歯咬合の完成のために、時間的・機能的調整を行う。
　　　④言語発達を助成する。

2）乳歯歯冠の組織・形態学的特徴と乳歯の保健医療

　以下に列挙する乳歯の組織、形態の特徴は、う蝕の予防法や、歯冠修復技術、歯髄処置法と密接に関連するものが多い。
　①大きさは全体的に小さい。
　　　これは歯冠修復技術の基本となるハンドピースの把持法と関連する。永久歯の歯冠形成などでは、ハンドピースの把持は中指固定が一般的であるが、乳歯の歯冠修復では示指固定が適切である。一般に、ハンドピースの示指固定は仰臥位診療にも適している。
　②歯冠の色は白色ないし青白色である。
　　　コンポジットレジンによる歯冠修復材の色調は一般にA2が適切である。ちなみに乳歯歯冠の色調に比べると、永久歯歯冠の色調は黄色ないし黄白色である（A3～3.5）。
　③外形は基本的にはそれぞれの後継永久歯に似ているが、乳臼歯は大臼歯の形態に類似している。
　④歯頚部の近くに帯状の豊隆があるため、歯頚部が狭窄している。
　　　プラークは特に歯頚部に付着しやすい。
　⑤隣接面は面接触している。
　　　隣接面う蝕ができやすい。対策としてラバーダム防湿下に、フッ化物徐放性レジンコート材[8]の塗布が望ましい。
　⑥咬合面の小窩裂溝は比較的浅い。
　　　小窩裂溝う蝕の予防や初期う蝕の進行抑制にはラバーダム防湿下に、フッ化物徐放性シーラントの塗布が望ましい。シーラントの利用は、歯質の削除を最小限に抑えることができる。
　⑦咬耗しやすい。
　　　発育に伴う咬合高径の変化は、やがて萌出する永久歯が関与するので、混合歯列期まで経過を観察する。
　⑧エナメル質、象牙質の厚径は永久歯の1/2程度である。
　　　歯冠修復処置を要する場合に、髄角の露出などに注意が必要である（項目9、11参照）。子どもが痛みを訴えないからといって、う蝕罹患に無関心でいると、歯髄感染をきたしやすいので、歯髄処置を要することとなる。
　⑨第二象牙質の形成速度は早く、形成量も多いが、形成状態は不規則である。
　⑩歯髄腔は大きく、根管も太い。これは幼若な歯ほど大きい。
　　　乳歯の外傷は脱臼が多いが、歯冠破折と露髄をきたす場合もある。歯冠破折が見られない場合でも、歯髄壊死をきたすことがあるので、経過観察を要する。
　⑪乳臼歯の髄角は咬頭下の象牙質に深く突出している。殊に近心髄角の突出が著明である。

3）歯質の化学組成

　古くは乳歯が永久歯に比べてう蝕感受性が高いのは、乳歯のエナメル質はカルシウム含有量が少ないためであって、カルシウムが少ないから簡単にう蝕になり、歯質の崩壊や歯髄への侵襲が速く起こりやすいのではないかと思われていた。

表1[8]は乳歯と永久歯のカルシウムとリンの含有量を定量分析した結果であって、乳歯と永久歯の無機質の含有量には著しい差は認められない。歯髄への侵襲が速いのは、乳歯歯冠の組織構造など、他の因子が関連しているものであろう（表1）。

乳歯のエナメル質と永久歯のエナメル質にフッ化物（酸性フッ素リン酸溶液）を作用させたものと、フッ化物を作用させなかたもの（対照）を、EDTAの希薄溶液で脱灰してみると、乳歯エナメル質の方が永久歯エナメル質よりもフッ化物の影響を大きく受けることが明らかであった（図4）[9]。

表1 乳歯と永久歯のカルシウム、リン含有率（%）

	乳歯		永久歯	
	エナメル質	象牙質	エナメル質	象牙質
カルシウム リン	37.0 17.3	25.4 10.8	35.7 16.5	26.6 11.8
カルシウム／リン	2.14	2.35	2.16	2.25

（1962、文献9より引用改変）

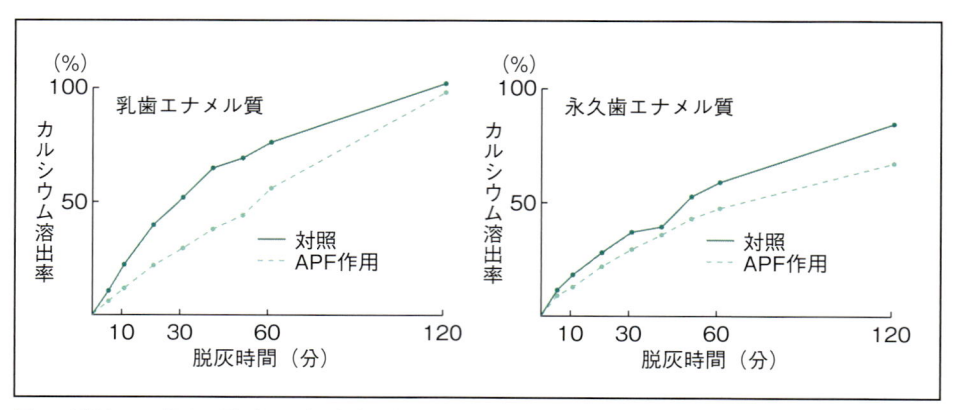

図4 酸性フッ素リン酸（APF）溶液を作用させた乳歯エナメル質、永久歯エナメル質をEDTAで脱灰した際のカルシウム溶出率曲線（1962、文献9より引用改変）

すなわち、EDTAの希薄溶液（M/200、pH=7.0）でエナメル質粉末を脱灰すると、その化学反応は一次反応様式をとるので、それぞれの反応速度常数を求めて比較してみると、表2に示すように、対照の乳歯エナメル質の反応速度常数は永久歯エナメル質のそれに比べて著しく大きいが、酸性フッ素リン酸溶液を作用させた乳歯エナメル質の反応速度常数は対照と比べて有意（$p < 0.01$）に小さく、同じように酸性フッ素リン酸溶液を作用させた永久歯エナメル質の反応速度常数と同程度となっている（表2）。

表2 反応速度常数（一次反応）（$\times 10^{-2}$）

	乳歯 エナメル質	永久歯 エナメル質
対　照	2.30 ± 0.08	1.48 ± 0.15
酸性フッ素リン酸（APF） 溶液作用	1.14 ± 0.07	1.05 ± 0.04

（1962、文献9より引用改変）

このことは、乳歯エナメル質に酸性フッ素リン酸溶液を作用させると、同様な処置を施した永久歯エナメル質と同じ程度に、EDTAによる脱灰作用を受けにくくなることを意味しているのであり、乳歯エナメル質の方が、フッ化物のような化学物質の作用を受け易いことを示している。

乳歯エナメル質と永久歯エナメル質の化学的性状を比較してみると、化学物質に対する反応性の違いが特徴であると考えられる。

そして化学的反応性の違いは歯質の結晶構造と無関係ではないと考えている。

（大森郁朗）

第5章 う蝕とミュータンスレンサ球菌

1. ミュータンスレンサ球菌の自然史

1) *Streptococcus mutans* からミュータンスレンサ球菌へ
── 血清学的分類と遺伝子学的分類 ──

　1924年、J. Kilian Clark（英国）はヒトう蝕病巣深部から未知のレンサ球菌を分離し、*Streptococcus mutans* と名づけた。この菌はグルコース（ブドウ糖）、乳糖、マンニトールなどから酸を産生し *in vitro* で抜去歯にう蝕様病変を生ずる能力を持つことから、う蝕との関連が示唆された。しかし、乳酸桿菌（lactobacilli）をう蝕の原因菌とする当時の学説とは相容れず、*Streptococcus mutans* が再び「う蝕細菌」として研究対象となったのは1960年代も後半になってからである。

　ヒト口腔から *Streptococcus mutans* は、その細胞壁に含まれる多糖抗原の糖鎖配列の免疫学的特異性（血清型）によって a～h 型の8型に細分されている。日本人には c 型が最も多く、次いで d、e 型が、まれに f、g 型が分離される。a、b、h 型はほとんど分離されない。

　これら8つの血清型は遺伝子の類似性から再編され、現在では、*Streptococcus cricetus*（a）、*Streptococcus rattus*（b）、*Streptococcus mutans*（c／e／f）、*Streptococcus sobrinus*（d／g）、*Streptococcus ferus*（c）、*Streptococcus macacae*（c）、および *Streptococcus downei*（c）の7菌種に分類されている。混乱を防ぐために、これら7菌種の口腔レンサ球菌を総称して、ミュータンスレンサ球菌（mutans streptococci：MS菌）と呼び、個々の菌種名は上記の遺伝子学的分類名を用いている（表1）。

表1　ミュータンスレンサ球菌（群）を構成する菌種名とその血清型

菌種名（遺伝子型）	血清型
S. mutans	c、e、f
S. rattus	b
S. cricetus	a
S. sobrinus	d、g
S. ferus	c
S. macacae	c
S. downei	h

2) ミュータンスレンサ球菌の分離・同定

　臨床においてミュータンスレンサ球菌を分離・同定する場合、スクロース（ショ糖）を含む寒天培地に亜テルル酸カリウム（K_2TeO_3）とバシトラシンを加えたものを使用することが多い（※1）。亜テルル酸カリウムは主にレンサ球菌以外のグラム陽性菌の増殖を阻害し、バシトラシンは S. mutans、S. sobrinus 以外のレンサ球菌の増殖を阻害することから、S. mutans と S. sobrinus だけを選択的に増殖させることができる。

※1　ミュータンスレンサ球菌選択用 Mitis Salivarius Bacitracine 培地（MSB培地）として使用される。現在市販されているミュータンスレンサ球菌をカウントするキットはこの方法を用いていることが多い。

第Ⅳ部　基礎編

さらに、S. mutans と S. sobrinus は培地に含まれるスクロースからグルカンを産生し独特のコロニー形態を作り出し、容易に判別しうる。ただし、S. rattus や S. sobrinus の一部の菌株はバシトラシン耐性を持たないことから、この方法では、バシトラシン耐性のないミュータンスレンサ球菌株はすべて見逃していることに留意する必要がある。近年では、菌種に特異的な遺伝子を標的とし、PCR法を応用した簡便で鋭敏な同定法が開発されつつある。

2．ミュータンスレンサ球菌のう蝕病原性

プラーク細菌の持つう蝕病原性は、「歯面付着能」「酸産生能」「耐酸性能」に大別される。これらのう蝕病原性はミュータンスレンサ球菌のみが持つ性質ではない。ミュータンスレンサ球菌は他のプラーク細菌に比較してこれらのう蝕病原性が強いが、糖から酸を産生する能力を持つほとんどの口腔レンサ球菌、アクチノマイセス、乳酸桿菌に共通する性質である。

1）歯表面付着能

歯表面は、どれだけきれいに清掃しても直ちに唾液に含まれるタンパク質や糖タンパク質からなるペリクル（第Ⅲ部第5章156ページ）で覆われる。ペリクルは口腔細菌の付着を促すが、この時、ファンデルワールス力や静電的相互作用、疎水的相互作用などの非特異的な付着に加え、細菌表層のタンパク質との特異的な付着機構が働く（図1）。細菌表層にはアドヘシン（adhesin）と呼ばれるレクチン様の糖結合タンパク質があり、ペリクルに含まれる唾液成分や細菌由来成分をレセプターとして結合することで、細菌は特異的に付着する。

さらに細菌表層の糖鎖は他の細菌表層のアドヘシンのレセプターとなることで、細菌同士が共凝集することができる。このとき細菌は、菌体間にマトリックスと呼ばれる菌体外多糖を主体とした高分子重合体（ポリマー）を産生し菌体間を埋めて行く。このような構造体をバイオフィルムと呼び、プラークもその一種と捉えられる。

菌体外多糖の中でよく研究されてきたものが、スクロースから産生されるグルカンである。細菌の表面に存在する酵素グルコシルトランスフェラーゼ（glucosyltransferase：GTF）によってグルカンが合成される。これらの多糖はスクロースを唯一の材料として合成され、スクロースの加水分解エネルギーを用いてグルコースの重合を行う。

グルカンはグルコースのα-1,6結合構造を持ち、水溶性であるため水溶性グルカンと呼ばれる。さらに、ミュータンスレンサ球菌は、菌体表面に存在する複数種のGTFの共同作業によって、水溶性グルカンに加え、α-1,6結合にα-1,3結合の枝分かれ構造を持つ不溶性グルカンを合成する（表2）。不溶性グルカンは、その粘着性によって細菌

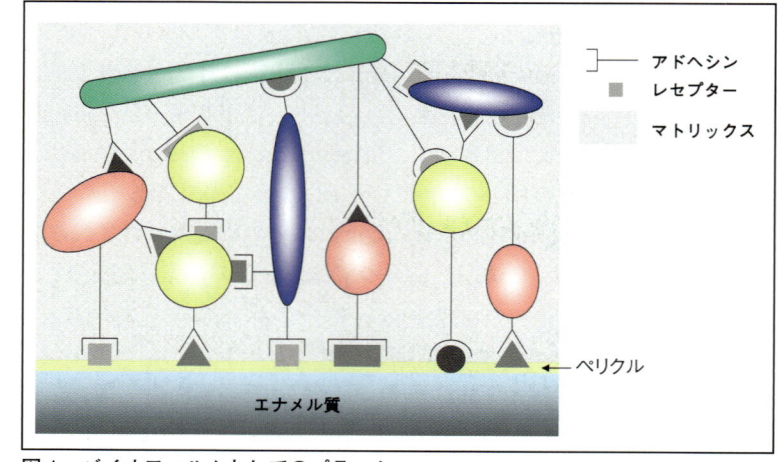

図1　バイオフィルムとしてのプラーク

表2　S. mutans と S. sobrinus が持つGTFと産生するグルカン

菌種名	GTF名	gtf遺伝子	グルカンの性質
S. mutans	GTF-I	gtfB	不溶性
	GTF-SI	gtfC	不溶性
	GTF-S	gtfD	水溶性
S. sobrinus	GTF-I	gtfI	不溶性
	GTF-S1	gtfU	水溶性
	GTF-S2	gtfT	水溶性
	GTF-S3	gtfS	水溶性

を凝集させ菌表面へ付着させる作用があること、細菌による分解にも強い抵抗性を示すことから、プラークの形成に重要な役割を果たしていると考えられている。しかし、プラークの形成には上記のように様々な仕組みが関与しており、不溶性グルカンはその中の一因子であることに留意しなければならない。

2）酸産生能（図2）

ミュータンスレンサ球菌をはじめとする口腔に生息する細菌の多くは、糖を取り込み解糖系で分解し最終的に乳酸、ギ酸、酢酸などの有機酸を産生する酸産生能を持ち、最終的にプラークpHを4～4.5程度に低下させる。ミュータンスレンサ球菌は他の口腔細菌に比べ高い酸産生能を持つ[1]。

（1）糖の取り込み

糖は水溶性の比較的大きな分子であり、細菌の持つ細胞膜という脂溶性の膜を容易に通り抜けることはできない。このため、細胞膜には少なくとも2種類の糖輸送系、ホスホエノールピルビン酸依存ホスホトランスフェラーゼ輸送系（phosphoenol pyruvate-dependent phosphotransferase system：PEP-PTS）と糖結合タンパク質依存輸送系（binding protein-dependent transport system：BPTS）が存在する。

PEP-PTSは、エムデン・マイヤホフ（EM、第Ⅳ部第7章217ページ参照）の解糖系の代謝中間体であるホスホエノールピルビン酸（PEP）を利用して、主に単糖や二糖を菌体内に輸送しリン酸化する。糖に対する親和性は高く低濃度の糖を輸送できる。ミュータンスレンサ球菌は、スクロース以外に、グルコース、フルクトース（果糖）、マンノース、マンニトール、ソルビトール、ラクトース、マルトース（麦芽糖）、トレハロース等をPEP-PTSで取り込むことができる。

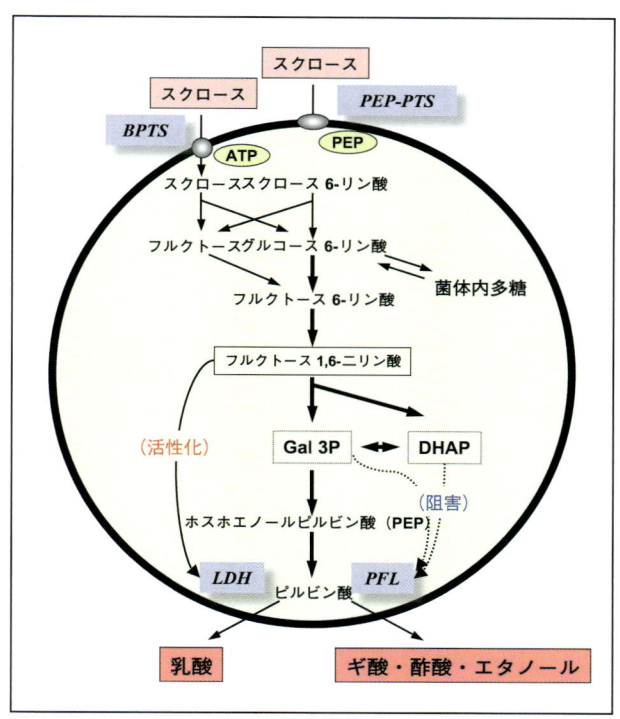

図2　ミュータンスレンサ球菌の糖代謝経路とその活性調節メカニズム
PEP-PTS：ホスホエノールピルビン酸依存ホスホトランスフェラーゼ輸送系、BPTS：糖結合タンパク質依存輸送系、Gal 3P：グリセルアルデヒド3リン酸、DHAP：ジヒドロキシアセトンリン酸、LDH：乳酸脱水素酵素、PFL：ピルビン酸ギ酸リアーゼ

一方、BPTSは特異性が低く複数種の糖を輸送することができる。また、分子量の大きい三糖類をそのまま取り込むことができる。BPTSは糖結合タンパク質等の輸送タンパク質複合体からなり、ATP分解エネルギーを利用して糖を菌体内に取り込む。輸送された二糖や三糖は菌体内の加水分解酵素で分解される。ミュータンスレンサ球菌は、スクロース以外に、メリビオース、ラフィノース、イソマルトース、パノース、スクロース、グルコース、フルクトース、ガラクトース等をBPTSで取り込むことができる。

（2）糖の分解と酸の産生

取り込まれた糖は解糖系で分解されピルビン酸となり、ピルビン酸は、乳酸脱水素酵素（lactate dehydrogenase：LDH）によって乳酸に、ピルビン酸ギ酸リアーゼ（pyruvate formate-lyase：PFL）によってギ酸、酢酸、エタノールとなる。この過程で細菌はATPを得る。解糖系ではATPに加えNADHも得られるが、NADHの一部はNADHオキシダーゼ（NADH oxidase）という酵素によってプラーク中の酸素を消費し、プラーク環境を酸素のない嫌気条件に変えることができる。PFLは酸素

によって容易にその活性を失うが、糖代謝に伴って嫌気的環境が整うことで機能することができる。

糖が十分に供給される場合には、菌体内に高濃度に存在するフルクトース1,6-ビスリン酸がLDHを活性化し、主に乳酸が生成される。このとき、PFLは菌体内に高濃度に存在するジヒドロキシアセトンリン酸およびグリセルアルデヒド3-リン酸で阻害される。さらに、過剰な糖の一部は菌体内多糖として蓄えられる。菌体内多糖は、ミュータンスレンサ球菌をはじめほとんどの口腔細菌内に見られ、グリコゲンに類似したアミロペクチン型のグルコース重合体（α-1,4結合）からなり、多くの枝分かれ構造（α-1,6結合）を持つ。

一方、糖の供給が少ない場合では、菌体内のフルクトース1,6-ビスリン酸、ジヒドロキシアセトンリン酸、グリセルアルデヒド3-リン酸はいずれも低濃度となり、LDHは活性化されず、またPFLは阻害や不活性化を受けないため、最終産物は主にギ酸、酢酸、エタノールとなる。さらに糖の供給が極端に低下すると、菌体内多糖をエネルギー源として利用し酸を生成する。また菌体外多糖もエネルギー源として利用されると考えられる。

糖の供給濃度はプラークの部位によって異なり、表層よりも深層部で、平滑面よりも歯間部や裂溝部で低くなることが予測される。また、酸素濃度も同様と考えられる。すなわち、プラーク深層部や歯間部、裂溝部などう蝕発症に最も関係する部位は、糖の供給が比較的制限され、かつ高度に嫌気的な環境であることが予測される。このような環境ではLDHによる乳酸産出に加えPFLによってギ酸や酢酸が比較的多く産生されると考えられる。ギ酸は乳酸よりも強い酸であることから、乳酸による歯表面脱灰併用に加え、ギ酸の作用も考慮する必要がある。

3) 耐酸性能

プラーク細菌の糖代謝によって生じた酸性pHはハイドロキシアパタイトの臨界pHを下回りエナメル質の脱灰をもたらすが、同時に多くのプラーク細菌にとっても好ましくない作用を持つ。低pH環境は細菌内部の酸性化をもたらし、代謝酵素の阻害や変性などの酸傷害を生じ、やがては酸性死をもたらす。そこで細菌は、H^+-ATPaseと呼ばれるプロトンポンプによる菌体内からの酸排出、菌体内でのアルカリ性物質の産生、細胞膜の酸不透過性の増加などによって菌体内の酸性化を防いでいる[1]（図3）。また菌体内タンパク質やDNAを変性から防いだり、変性したタンパク質やDNAを再生したりするストレスタンパク質を誘導することも知られている。

このように低pH環境で生存し続ける能力を耐酸性能というが、酸産生能だけではなく耐酸性能の高い細菌が、う蝕病原性の高い細菌である。耐酸性能は糖代謝能を持つ口腔細菌のほとんどが有するが、ミュータンスレンサ球菌は他の口腔細菌に比べ耐酸性能が高い[1]。

3. 生態学的視点から見た、う蝕とミュータンスレンサ球菌

1) プラークエコシステムのダイナミクス

これまで述べてきたように、プラーク細菌は固有の酸産生能と耐酸性能を持ち、ミュータンスレンサ球菌はその他の口腔レンサ球菌よりも酸産生能、耐酸性能が高く、う蝕病原性が高いと考えられる。しかし酸産生能と耐酸性能は細菌の生息する環境によって容易に変化し、例えばpH 5.5というやや酸性条件に数十分さらされる

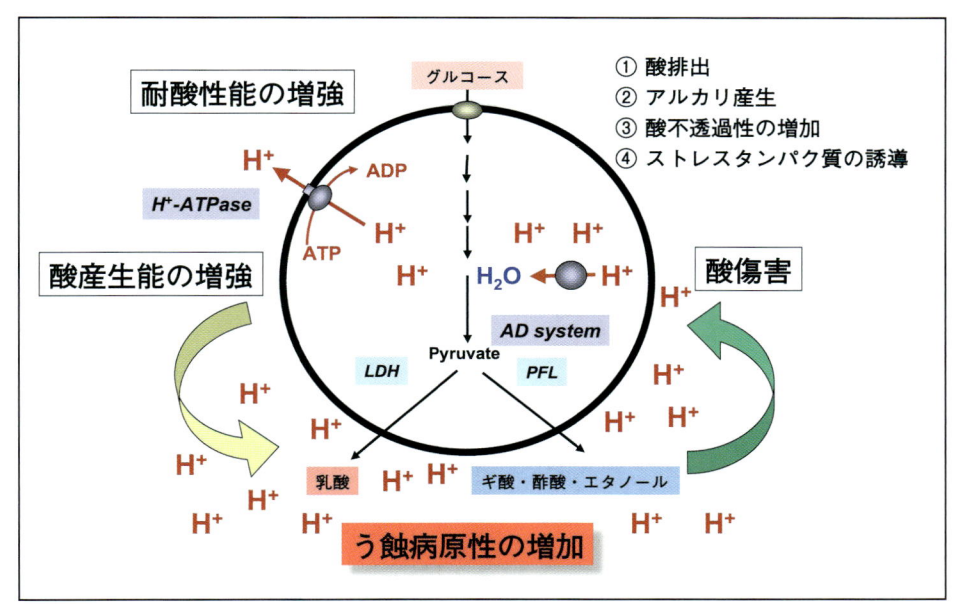

図3 ミュータンスレンサ球菌をはじめとする口腔細菌の耐酸性能とその増強（文献2 p. 245より引用改変）
①酸排出：H^+-ATPaseは細胞膜に存在する酵素であり、ATP水解エネルギーを利用して細胞膜内側から外側へH^+を輸送する。
②アルカリ産生：口腔レンサ球菌の多くはアルギニンデイミナーゼ系（AD system）を持ち、アルギニンからアンモニアを産生し菌体内の酸性化を防ぐ。ミュータンスレンサ球菌では *S. rattus* がこの活性を持つ。*Streptococcus salivarius* はウレアーゼ（urease）活性を持ち、尿素を分解することでアルカリを産生することができるが、ミュータンスレンサ球菌にはない。
③酸不透過性：細胞膜の酸不透過性によって菌体内の酸性化を防ぐ。ミュータンスレンサ球菌の細胞膜酸不透過性は *Streptococcus sanguinis* よりも高いといわれている。
④ストレスタンパク質の誘導：温度、pH、塩濃度などの環境ストレスに反応して合成される一群のタンパク質であり、タンパク質を変成から保護する機能や変成したタンパク質の高次構造を修復する機能を持つ。ミュータンスレンサ球菌をはじめとする口腔レンサ球菌は、Hsp60（GroEL）やHsp70（DnaK）と呼ばれるストレスタンパク質を持つ。また、DNAの保護と修復に関するタンパク質としては、いわゆるSOS responseを制御するRecA、異常なプリンやピリミジンを除去修復するAP endonucleaseなどが報告されている。

と、耐酸性能（図3①〜④）は増強し酸傷害を避けることができるようになる。その結果、pHが低い環境でも糖を代謝し酸を産生し続けることができるようになる。すなわちプラークpHが頻繁に低下する環境はそこに生息する細菌のう蝕病原性を増強させる原動力となる（図3）。このように細菌が環境の変化に応じてその能力を変えることを細菌の適応と呼ぶ。

　細菌の適応を経てプラークpHがより低下しやすくなると、やがてその環境に適した細菌、すなわち耐酸性が高い細菌が選択的に増殖しプラーク細菌叢の主体を占めるようになる。このように細菌叢が環境の変化に応じて菌叢の構成を変えることを細菌叢の遷移（シフト）と呼ぶ。

　細菌の適応と細菌叢のシフトによる耐酸性能の強い菌の増加は、その環境pHをより酸性に傾けるため、さらにう蝕の進行を促進する。すなわち、細菌の適応と細菌叢の変遷はプラークのう蝕病原性を高める悪循環を形成することとなる（図3）。

2）プラークエコシステムの中でのミュータンスレンサ球菌

　すでに述べたように、ミュータンスレンサ球菌は他の口腔細菌よりも強いう蝕病原性を持つ。実際、健全部プラークにはミュータンスレンサ球菌はほとんどいないのに対し、う蝕病巣部では全細菌叢の10％前後と増加する。さらに、う蝕罹患状態と唾液からのミュータンスレンサ球菌の検出率に相関が見られることから、ミュータンスレンサ球菌はヒトう蝕と最も関連が強い細菌であり、う

蝕病巣のう蝕活性を高める最大の因子であると考えられている。特に就学前の子どもにおいては、ミュータンスレンサ球菌の存在がう蝕の増加と相関することが、これまでの研究論文のシステマティックレビュー[3]によって示されている。しかし、これまでの研究では交絡因子の検討が不十分なため、ミュータンスレンサ球菌とう蝕との因果関係は明確ではない[3]。さらに、初期う蝕部（エナメル質う蝕やホワイトスポット等）では、ミュータンスレンサ球菌の割合は数％以下と低く[4-6]、むしろミュータンスレンサ球菌以外のレンサ球菌やアクチノマイセスなど他の酸産生菌が多い。このため、ミュータンスレンサ球菌がう蝕の初発段階においてどれだけ関与しているかは不明である。

初期う蝕部のミュータンスレンサ球菌の割合が低いのは、初期う蝕病巣環境がまだ十分に嫌気的で酸性の状態になっていないため、ミュータンスレンサ球菌が優位になれないことが一因と考えられる。しかし、いったん、う蝕病巣が生じ酸性環境が成立すると、ミュータンスレンサ球菌の持つ高い耐酸性能は他の細菌を凌駕し、プラーク細菌叢の中で徐々に勢力を増していくと考えられる。これが、確立したう蝕病巣（象牙質う蝕）にミュータンスレンサ球菌の占める割合が多い[7]原因の一つと推察される。

実際、複数のプラーク細菌を混合培養すると、pHを中性にコントロールした場合にはミュータンスレンサ球菌の占める割合は極めて低い（1.0％）が、pHをコントロールせずに培養し最終的にpH 3.8となった場合にはミュータンスレンサ菌の占める割合は高くなる（18.9％）[8]（表3）。この事実は、糖アルコールなどの代用糖のう蝕予防効果を考える上で重要となる。すなわち、ソルビトールやキシリトールはミュータンスレンサ球菌の糖代謝阻害効果を持つが、それ以上に、プラーク細菌によって酸の原料となりにくく、その結果プラークpHが低下しないことが、代用糖の持つ重要なう蝕予防機能と考えられる。

プラーク生態系での酸ストレス生存競争を最終的に征する代表的プラーク細菌はミュータンスレンサ球菌であると考えられる。しかし、その実体をより正確に表現すれば「う蝕原因菌」よりも「う蝕増強菌」となるであろう。今後、歯科臨床において大きな位置を占めるう蝕の初期過程では、ミュータンスレンサ球菌以外の口腔レンサ球菌やアクチノマイセスなどが重要な役割を果たしていると考えられ[4-6]、今後の研究が期待される。

表3 複数のプラーク細菌を混合連続培養し、そこにグルコースを10回添加したときの各細菌の占める割合（％）と培養液の最終pH[8]

菌種名	pH 7.0に保持	pHコントロールなし
Streptococcus mutans	1.0	18.9
Streptococcus oralis	16.9	1.3
Streptococcus gordonii	25.0	<0.2
Lactobacillus rhamnosus	0.2	36.1
Actinomyces naeslundii	13.1	2.3
Neisseria subflava	0.01	検出されず
Veillonella dispar	28.7	41.4
Prevotella nigrescens	5.6	0.0006
Fusobacterium nucleatum	9.5	0.00002
最終pH	7.0	3.8

（髙橋信博）

第6章 う蝕と食品

1. う蝕と食べ物

う蝕は脱灰と再石灰化が循環する動的な可逆的プロセスで、食品に関連しては、脱灰には主として糖質の摂取頻度と量および種類が、また、再石灰化には咀嚼回数に依存する唾液分泌量と唾液中カルシウムおよびフッ化物イオンの補給程度などが関与する。

1）う蝕になりやすい食べ物

（1）砂糖とう蝕

う蝕の発症における糖質の影響は、ステファンカーブ（1943）[1]に始まり、食品の潜在脱灰能（1951）[2]、さらに Vipeholm Dental Caries Study（1954）[3]などで証明されてきた。砂糖の摂取量とう蝕発病の関連性を総合的にみると、多くの研究で砂糖摂取が一人当たり年間 15 kg（40 g/day）を超えると、砂糖摂取量の増加にともないう蝕が増加する点がほぼ一致している[4]。また、砂糖摂取が一人当たり年間 10 kg 未満（27 g/day）では、う蝕がきわめて少ないとされる。ただし、飲料水中フッ化物濃度が 0.7～1.0 ppm、あるいは歯磨剤の 90％以上がフッ化物配合である場合、安全な砂糖摂取量は増加する。

2）う蝕になりにくい食べ物

（1）フッ化物配合食品

フッ化物は、添加物または薬剤としてう蝕予防に応用され始めた経緯があり、また、有効濃度がごく微量であることから、当初は食品素材としては扱われていなかった。ただし、海外では、フッ化物が食品への添加物として活用され、フッ化物を配合した各種食品（食塩、ミルク、ガム）などが利用可能となっている。また、茶葉抽出物がプラーク中のフッ化物濃度を上昇させて、砂糖が豊富な食品のう蝕誘発性を低下させることもわかっている[5,6]。なお、現在、WHOをはじめ、いくつかの専門機関・団体により、フッ化物は必須栄養素として位置づけられている[7]。

（2）チーズ

う蝕予防効果を有する食品がいくつか知られており、その代表例がチーズである。そのう蝕予防効果は国内では話題にならないが、欧米では多くの実験的研究、ヒト

口腔内試験、ならびに臨床疫学研究で幅広く確認されている[8-11]。メカニズムとしては、原料である牛乳に含まれるカルシウム、リン、カゼインがう蝕を抑制し、再石灰化を促進すると考えられている。また、ハードチーズでは、咀嚼を促すことによる唾液分泌の促進も効果機序とされる。なお、牛乳のう蝕予防効果も、動物実験では確認されている[12, 13]。関連して、Rugg-Gunnらは、英国の青少年で牛乳の消費とう蝕の発病が逆比例の関係にあることを報告している[10]。

その他の食品では、加工精製していない全粒食品もう蝕に対する予防効果が期待できる。これらは咀嚼回数を増加させるため、唾液分泌を促すからである。ピーナツ、ハードチーズおよびガムが唾液分泌を促進する典型的な食品である。

なお、母乳については、疫学調査でう蝕の減少に関与するとの結果が認められている。ただし、過剰に長い期間にわたる夜間の哺乳は、幼児期の早期のう蝕発症に関連する。なお、人工乳には歯科保健上のメリットが認められていない。

（3）シュガーレス・ガム　食品由来成分の再石灰化促進効果

近年、食品由来成分を添加したシュガーレスガムの再石灰化促進効果が報告されている[14-16]。ガム咀嚼は基本的に唾液分泌を促すことに有効性があり、しかも食品のなかでは、比較的長く口腔に維持されるので、口腔保健機能を持つ有効成分のデリバリーシステムとしても最適である。

➡ 第Ⅲ部第3章126ページ参照

ガムに添加されている再石灰化関連の食品由来成分は、牛乳由来CPP-ACPと馬鈴薯デンプン由来リン酸化オリゴ糖のカルシウム塩（POs-Ca）、茶葉由来フッ化物などがある。例えば、著者らが実施したクロスオーバーデザイン、二重盲検によるPOs-Ca配合キシリトールガムのヒト口腔内試験の例では、毎食後と就寝前の1日4回、1回につき2タブレットを10分間噛む日課を2週間続けることで、脱灰したエナメル質の脱灰深度とミネラル喪失量が有意に減少しており、明らかな再石灰化促進効果が確認された[16]。また、POs-Caはミュータンスレンサ球菌に代謝されず酸産生の基質にならないことも確認されている。今後に向けて、このような歯質とプラークの双方に効果をもつ口腔環境改善物質としての多機能食品素材の開発がさらに望まれる。

なお、キシリトール単体の再石灰化促進効果については、これまでも相反する結果が報告されており、後述するようにう蝕リスク軽減に関するエビデンスのレベルは高くない。

3）う蝕に関する食品の効果に関するエビデンス

WHOテクニカルレポート[4]によると、う蝕リスクと食品の関連性の根拠レベルは、表1のようにランキングされている。リスク軽減効果が「確実（convincing）」とされる物質はフッ化物である。ついで、効果が「有望（probable）」とされるのがハードチーズで、これはシュガーレスガムよりも上に位置づけられている。キシリトール自体のう蝕リスク軽減効果は、国際的には「可能性あり」（possible）という低い評価である。デンプンの摂取や新鮮な果物はう蝕リスクへの効果が不十分（insufficient）との評価である。

同レポートは、歯の酸蝕症（dental erosion）にも言及している。歯の酸蝕症とは、細菌の関与なしに、体外または体内（胃液）からの酸で歯の表面が化学的にエッチングされて起きる、進行性の不可逆的な歯質欠損である。原因は、果物やジュース、ソフトドリンク、酢などに含まれる食品由来の酸（酢酸、リン酸、アスコルビン酸、リンゴ酸、酒石酸）で、量反応関係がヒト対象の研究で確認されている。臨床実験によると、エナメル質はコーラに接して1時間以内で軟化するが、この変化は牛乳

表1　う蝕リスクに関連した根拠レベルの比較

根拠のレベル	リスク軽減	無関係	リスク増加
有望（convincing）	フッ化物	デンプン*の摂取	砂糖の量と頻度
可能性あり（probable）	ハードチーズ シュガーレスガム		
もしかして（possible）	キシリトール ミルク 食物繊維	新鮮な果物	低栄養
不十分（insufficient）	新鮮な果物		ドライフルーツ

* 米飯、ジャガイモ、パン等の調理済みおよび生のデンプン食をさす；但し、ケーキ、ビスケット、砂糖入りスナックを除く。

（文献4より引用改変）

表2　酸蝕症（dental erosion）の歯質溶解リスクに関連した根拠レベルの比較

根拠のレベル	リスク軽減	無関係	リスク増加
有望（convincing）			
可能性あり（probable）			ソフトドリンクとフルーツジュース
もしかして（possible）	ハードチーズ フッ化物		
不十分（insufficient）			新鮮な果物

（文献4より引用改変）

かチーズにより逆転可能である。歯の酸蝕症のリスクを軽減する食品はハードチーズで、フッ化物の上にランクされている。

4）う蝕予防に有効な食品

　以上の知見から、う蝕予防、とくに再石灰化の促進には、咀嚼刺激と唾液環境の改善につながるよう、自然食品であるチーズを基本に、シュガーレス・デンタルガムの利用が有効と考えられる。文献的には、プロセスチーズやチーズ加工製品でも脱灰抑制または再石灰化に有効とされるので、継続できることを目標に、入手しやすい製品の利用が推奨される。

（稲葉大輔）

2．う蝕と飲み物

　う蝕リスクには、う蝕細菌のほか、歯列状態、加齢など様々な要因が関与し、食生活習慣もその一因として挙げられている。リスク因子としての食生活習慣は、酸性の食べ物ならびに飲み物がその危険性の解釈も不在なままに普通に消費されるため、全人類が関与する最大のう蝕リスクとなる。近年では、乳幼児ならびに若年層を中心とした炭酸飲料やスポーツドリンクによる酸蝕症（う蝕細菌の関与なしに酸またはキレート化により歯の表面が化学的に溶ける現象）が、また成人ならびに高齢者層では、アルコール飲料や健康飲料による酸蝕症やこれに伴う歯牙破折および咬耗症が注目を集めている。

　これまで、飲み物とう蝕との関連性は、主に砂糖含有量を中心に取り上げられて

きたが、飲み物のpHに注目してみると、市販化されている多くの飲み物のpH値がエナメル質の臨界pH値5.5より低い値を示すことがわかる（図1）。ペットボトル飲料の多くは、500mLサイズのため、一度に飲み切るのは困難であり、その保管状況によっては雑菌が繁殖しやすい環境になる。このため、水やお茶を除く多くの飲み物が、pH3.0〜4.0に調整されている。これに対して、125mLと飲み切りサイズの乳幼児用イオン水では、pH5.5に調整されている。また、多くのアルコール飲料が比較的低いpH値を示す背景には、原料由来のほかに、その製造過程で産出される乳酸、クエン酸、酢酸ならびにコハク酸などの各種有機酸が影響している。ビールなど醸造酒は、原料から発酵後、蒸留を行わないため有機酸が残りやすく、この結果pHが比較的低くなる。これに対して、ウイスキーなど蒸留酒では、アルコール度数を上げるために蒸留を行うため、液体内に残る有機酸の量が少ないものの、その後の熟成過程を経て酸性を示す。

　通常、唾液には、歯の表面の汚れを洗い流す洗浄効果と、酸を中和する酸緩衝効果があり、この2つの働きがエナメル質を保護している。しかしながら、pH値の低い飲み物を頻繁かつ過剰に摂取している間はこの効果が十分に発揮されず、さらに寝ている間は唾液分泌量が減少する。従って、乳幼児がpH値の低い飲料をダラダラと飲み続けそのまま寝てしまう場合や、成人がアルコール飲料や健康飲料を摂取し、その後の歯磨きをおろそかにしてしまう場合には、口腔内が酸性環境にさらされる時間が長くなり、酸蝕症が起きやすくなる。

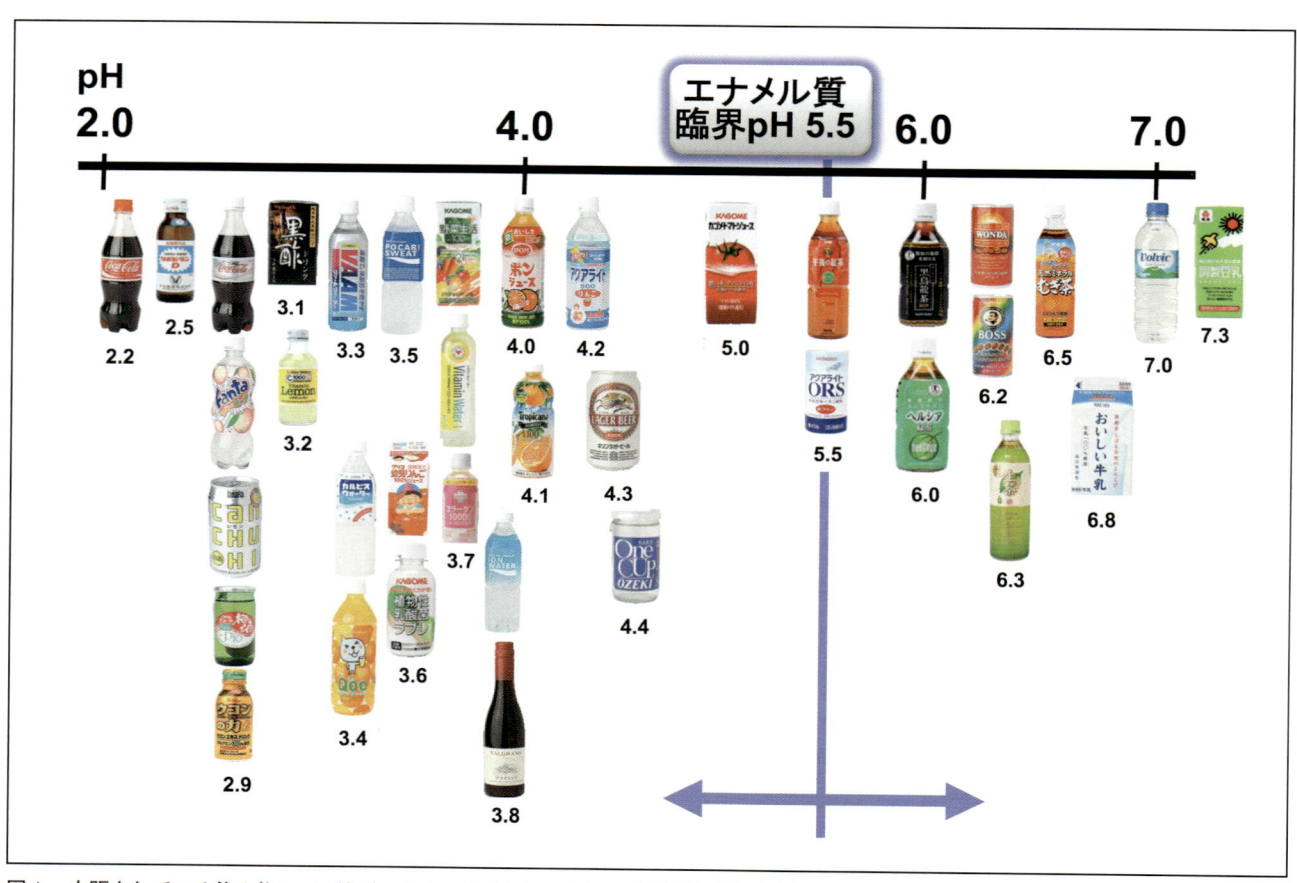

図1　市販されている飲み物のpH値（文献1、クインテッセンス出版より引用改変）

（北迫勇一）

第7章 う蝕と代用甘味料

1. スクロースはなぜう蝕をつくるのか

図1はう蝕細菌であるミュータンスレンサ球菌（mutans streptococci：MS菌）を主体としたう蝕の発生メカニズムを模式化したものである。スクロース（ショ糖）はミュータンスレンサ球菌のグルコシルトランスフェラーゼ（GTF）の基質となって粘着性の強い不溶性グルカンへと合成され、歯面上でのプラーク形成を促進する。スクロースはまた、ミュータンスレンサ球菌の菌体表層に存在する糖輸送系によってリン酸化されながら菌体内に取り込まれ、エムデン・マイヤホフ（EM）経路を経由して最終的にはエナメル質脱灰性の乳酸、ギ酸、酢酸などの有機酸に代謝される。

プラーク中にはミュータンスレンサ球菌のみならず種々の口腔内常在菌が存在するが、最も多いのはレンサ球菌の仲間であり、これらはスクロースから粘着性の強いグルカンを合成することはできないが、スクロースを菌体内に取り込んで有機酸を産生することはできる。レンサ球菌以外のプラーク常在菌もスクロースから有機酸を産生してう蝕誘発に関与する。

このようにスクロースはミュータンスレンサ球菌のGTFの基質になること、ミュータンスレンサ球菌や他の口腔内常在菌の有機酸産生の基質になることの2点においてう蝕誘発性を発揮する。

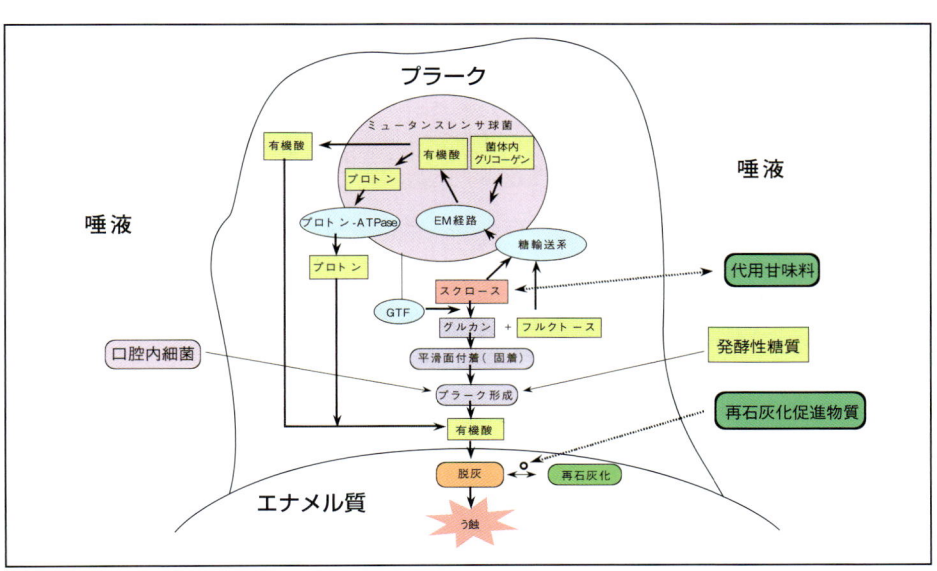

図1 プラーク中のミュータンスレンサ球菌を主体としたう蝕発生のメカニズム

2. 代用甘味料とは

代用甘味料とは、スクロースの替わりに用いる甘味料で、肥満対策に用いる低カロリーのダイエット用甘味料や、糖尿病でも安心して食べられる甘味料、あるいはう蝕の原因にならない（なりにくい）甘味料などを指す。代用甘味料には糖質の仲間とそうでない仲間とがあり、糖質の仲間を代用糖と呼んでいる。代用糖には単糖、オリゴ糖、糖アルコールが属している。表1は代用甘味料についてまとめたもので、スクロースの甘味度に対する相対甘味度も併せて示した。

合成品は一般に甘味度が高いが安全性の観点から現在ではスクロースの200倍の甘味度を持つアセサルフェームのみが使われている。代用糖の甘味度は一般に低くスクロースの0.4〜1.5倍の範囲にある。最も利用されているキシリトールの甘味度はスクロースのそれとほぼ同等である。その他の中ではアスパルテームとステビオシドが甘味増強のために頻繁に使われている。

表1 代用甘味料と相対甘味度

種類	甘味料	相対甘味度**
合成品	サッカリン	400-500
	チクロ	30-40
	ズルチン	70-350
	アセサルフェーム*	200
単糖	グルコース	0.7
	フルクトース	1.2-1.5
	転化糖	1.1-1.2
オリゴ糖	カップリングシュガー	0.5
	パラチノース*	0.42
	トレハルロース	0.42
	パノースオリゴ糖	0.5
	イソマルトオリゴ糖	0.4
糖アルコール	エリスリトール*	0.8
	キシリトール*	1
	ソルビトール*	0.54
	マンニトール*	0.57
	パラチニット*	0.45
	マルチトール*	0.7-0.9
その他	アスパルテーム*	100-200
	ステビオシド	300
	モネリン	2,500
	ネオヘスペリジン	1,000

* 特定保健用食品に使われている甘味料
** スクロースの甘味度を1.0とする

3. 代用甘味料の性質

単糖であるグルコース（ブドウ糖）、フルクトース（果糖）およびこれらの等量混合物である転化糖（果糖ブドウ糖液糖、異性化糖ということもある）はプラーク内細菌によって資化（利用）されて有機酸（乳酸、ギ酸、酢酸）に変換される。また、単糖はスクロースに比べて弱いがラットを用いた動物実験で明らかなう蝕を誘発する[1]ので、う蝕誘発性甘味料と考えるべきである。

1）オリゴ糖の性質

　表2はオリゴ糖の性質をまとめたものである。オリゴ糖であるスクロースを陽性対照として示した。パラチノース、トレハルロースはグルコースとフルクトースからなる二糖類でスクロースの構造異性体である。酸産生、グルカン合成の基質にならず、GTF阻害活性を持ち、ラットにう蝕を誘発しないことが報告されている[2]。パラチノースは特定保健用食品に使用されている。強いGTF阻害活性を持つキシロシルフルクトシドは開発途上である。カップリングシュガー、イソマルトオリゴ糖、パノースオリゴ糖は動物試験の結果などから低う蝕誘発性と考えられている[3]。これらのオリゴ糖はいずれも腸内で分解されるため一過性の下痢を起こす心配はない。この点は糖アルコールと性質を異にする。

表2　各種オリゴ糖の性質

	酸産生基質	糖代謝阻害	グルカン生成基質	GTF阻害	う蝕誘発性	う蝕抑制	一過性下痢	エネルギー値 (kcal/g)
スクロース	++	−	++	−	++	−	−	4
パラチノース	−	−	−	+	−	±	−	4
トレハルロース	−	−	−	+	−	±	−	
トレハロース	(±)	−	−	±	(−)		−	4
キシロシルフルクトシド	(±)	−	−	++	(−)	(+)	−	
カップリングシュガー	+	−	±	+	±	±		4
イソマルトオリゴ糖	+	−	−	+	±	±		3
パノースオリゴ糖	+	−	−	+	±	±	−	3

（　）は検討中を、空欄は不明を意味する

2）各種糖アルコールの性質

　表3は各種糖アルコールの性質を示している。エリスリトールを除き、摂取量によっては一過性の下痢を起こす。多くの場合体重1kg当たり0.3gほどが最大無作用量となっている。エリスリトールは摂取後腸管に達して吸収されるが、その約90％は代謝されることなく尿中に捨てられるので一過性の下痢の心配はほとんどない。いずれの糖アルコールもGTF阻害活性は持たないがGTFの基質になることはない。また、ソルビトール、マンニトールを除きプラーク細菌によって資化されず酸産生を惹起しない。ソルビトール、マンニトールはミュータンスレンサ球菌によってごく緩やかに代謝される。ヒト・プラークpHを顕著に下げることがないので、ソルビトールはプラークpH測定法の陰性対照に使われている。いずれの糖アルコールもう蝕誘発性をもたないとされている。また、この一群は複数のOH基を持っているためか再石灰化作用のあることがわかっている。特に野菜や果物中に少量存在する五炭糖の糖アルコールであるキシリトールはカルシウムと複合体を形成してカルシウムを可溶化し、再石灰化を促すとされている[4]。

表3　各種糖アルコールの性質

糖アルコール	酸産生基質	糖代謝阻害	グルカン生成基質	GTF阻害	う蝕誘発性	抗う蝕誘発性	再石灰化作用	一過性下痢	最大無作用量 g/kg体重	エネルギー値 (kcal/g)
エリスリトール	−	−	−	−	−	−	−	−	0.66-0.80	0.3（0）
キシリトール	−	±	−	−	−	−	＋	＋	＊	2.8-3.6（3）
ソルビトール	±	±	−	−	−	−	＋	＋	0.15-0.3	2.8-3.0（3）
マンニトール	±	−	−	−	−	−	−	−		2.0-2.1（2）
マルチトール	−	−	−	−	−	−	＋	＋	0.3	1.8-2.9（2）
パラチニット	−	−	−	−	−	−	−	＋	0.3	1.2-1.6（2）

＊　適応が起こると1日あたり90g（約1.6g/kg体重）まで安全であるとされる。

3）キシリトールの性質

キシリトールは糖アルコールの中で最もよく研究され、歯科領域の機能性食品に最も多く使われている。カンバの木やトウモロコシの穂軸などに多量に含まれる多糖類キシランを材料に加水分解、還元により工業生産される。フィンランドのトゥルク市でキシリトールのう蝕誘発性に関する大規模な疫学調査が始まったのが1972年のことである（数々の疫学調査については次項参照）。日本でキシリトールが厚生省（当時）に食品添加物として認可されたのが1997年のことであり、実に四半世紀も後のことであった。キシリトールについては、このほかにも多くの性質が調べられている。プラーク細菌による代謝に関しては、ミュータンスレンサ球菌のみならず他のレンサ球菌や乳酸菌によっても利用されないことが観察されている[5]。また、ヒト口腔内での電極内臓法でプラークpHを低下させないことが報告されている[6]。Hinoideら[7]は人工口腔装置を用いた検討で、キシリトールが*Streptococcus sobrinus*による人工プラークを形成させないこと、プラーク直下のpHを低下させないこと、およびエナメル歯片の脱灰を引き起こさないことを観察している。

ミュータンスレンサ球菌自体に対する影響としてキシリトールが増殖を遅らせたり、菌数を減らす効果を持つことが観察されている[8,9]。このような効果はキシリトールの持つ特別な性質によると考えられている。それはキシリトール無益回路と呼ばれるものである。ミュータンスレンサ球菌はフルクトースPTSという糖輸送系を用いてキシリトールをリン酸化しながら菌体内に取り込みキシリトール-5-リン酸とする。このときリン酸化のエネルギー源となるのはホスホエノールピルビン酸の持つ、高い結合エネルギーである。菌体内に取り込まれたキシリトール-5-リン酸は一段階代謝されてキシルロース-5-リン酸となるが、ミュータンスレンサ球菌はこの先の代謝経路をもたないためキシルロース-5-リン酸が蓄積して本菌の糖代謝や増殖に影響を及ぼすと考えられている。さらにキシリトール-5-リン酸の一部はリン酸基がはずされてキシリトールとなり、細胞膜に存在する排出系を通じて菌体外に捨てられる。

しかし、このキシリトールは再びフルクトースPTSによってリン酸化されながら菌体内に取り込まれキシリトール-5-リン酸となる。この繰り返しによってホスホエノールピルビン酸の持つ高エネルギーが無駄に消費される。これがキシリトール無益回路である。ホスホエノールピルビン酸は糖代謝の中間代謝物であるからこの物質の減少は糖代謝を停滞させると共にエネルギーの無駄使いが起こりミュータンスレンサ球菌の増殖を抑え、ひいては菌数の減少を引き起こすと解釈されている。ただし、この作用はさほど強い作用ではないので限定的な作用と認識すべきである。

4. 代用甘味料によるう蝕予防は可能か

スクロースの摂取を控えたり、摂取の仕方を規則正しくすることでう蝕はある程度減らせることがオーストラリアの Hopewood House[10] やスウェーデンの Vipeholm 病院[11] での長期疫学調査で明らかにされた。さらに食事のスクロースを代用甘味料のキシリトールに全面的に置き換えるとう蝕がほとんど発生しないことがフィンランドのトゥルク市の住民を被験者とした2年間の疫学調査で明らかにされた[12]。これを契機にキシリトール菓子、キシリトールガムなどを用いた長期の疫学調査が世界各地で行われた。

表4は1972年から1993年頃までに行われたキシリトールとう蝕誘発に関する疫学調査の結果をまとめたものである。キシリトールを含む食品としては食事、ガム、キャンデー、菓子などが使われ、調査期間は1～3.3年であった。1日のキシリトール摂取量は3.4 gから67 gと条件はかなり異なっているがすべての調査において対照群に比べて試験群のう蝕の発症が減少したことが示されている。う蝕発症の減少率は、非摂取を対照とした場合におおむね60%前後、スクロース含有食品を対照とした時には80%前後であった。これらの結果はキシリトールによるう蝕予防の可能性を示唆するものである。

キシリトールをラットに摂取させた研究でも対照群に対するう蝕減少率は25～100%であった[13]。

糖アルコールのう蝕予防効果を検証した総説では、キシリトールに限らず糖アルコールを含有するチューインガム（シュガーフリー）を1日3回以上長期間噛むことによってう蝕発症率を減少させる効果のあることが示されている[14]。この効果には非う蝕誘発性の代用甘味料を用いることの意義と同時にガムを噛むことによる唾液分泌促進効果も大きく関与している。

表4　キシリトールについての長期の疫学的臨床研究

試験地域	試験時期	期間（年）	キシリトール摂取量 (g/day)	う蝕発症の減少率（対照群との比較）
フィンランド　トゥルク	1972－1974	2	67	キシリトール入り食事：85% フルクトース入り食事：30% （スクロース入り食事）
フィンランド　トゥルク	1973－1974	1	6.7	キシリトールガム：85% （スクロースガム）
旧ソ連 カザフ共和国	1975－1977	2	30	キシリトール菓子：73% （スクロース菓子）
タイ（WHO）	1970年代後半	3	5-7	フッ素含有キシリトールガム： 0.2% NaF洗口とほぼ同等の効果
フランス領ポリネシア（WHO）	1980年代初期	2.7	14-20	キシリトールガム：37% （非摂取）
ハンガリー（WHO）	1980年代前半	2－3	14-20	キシリトールガム：35-45% （フッ化物含有牛乳）
カナダ モントリオール	1980年代前半	1	3.4	キシリトールガム：54-59% （非摂取）
フィンランド ユリビエスカ	1982－1985	2－3	10	キシリトールガム：30-80% （非摂取）
ベリーズ共和国	1989－1993	2－3.3	4.3-9	100%キシリトール粒状ガム：71% （非摂取）

第Ⅳ部　基礎編

5．代用甘味料を含む機能性食品と表示

1）シュガーレス食品

「ノンシュガー」「シュガーレス」などの表示は1996年改正の栄養表示基準で、糖類として0.5％未満であれば許されることになった。ここでいう糖類とは単糖、二糖類であって糖アルコールは含まれない。すなわち発酵性のグルコース、フルクトースやスクロースなどの含量が0.5％未満の食品に「無」「ゼロ」「ノン」などと表示できる。発酵性糖質が0.5％未満だと、例えばヒト口腔内のプラークpHを測る電極内臓法ではプラークpHは脱灰の危険pHである5.5を数分のうちに下回るが、唾液の緩衝作用によって短時間で中性pHまで回復することがわかっている。ただし、歯科保健との関係で注意しなければならないのは、有機酸が相当量入っていても糖類が0.5％未満だとシュガーレスと表示できることである。実際の食品の中にもビタミンCやクエン酸が入っていて、唾液に溶かしてもpHが5.5以下のものが存在する。このような食品はエナメル質の脱灰を引き起こすことが人工口腔装置による検討などで観察されている。確かにスクロース含有食品よりもシュガーレス食品の方が歯に安全と一般に考えられるが、共存する素材によっては必ずしも歯に安全とは限らないので注意も必要である。やはり科学的根拠をもって認可されている特定保健用食品あるいはトゥースフレンドリー協会認定食品を選択することが重要でシュガーレス食品の選択は次善の策である。

2）特定保健用食品（トクホ）

1991年に厚生省（当時）は栄養改善法施行規則の一部を改正して「特別用途食品」の中に特定保健用食品を位置づけ、トクホの制度がスタートした。

現在ではトクホは図2に示すように特別用途食品であると同時に食品衛生法で定める栄養機能食品と合わせて保健機能食品にも位置づけられている。保健機能が科学的に証明されて申請が許可されるとトクホのマーク（図3）の表示とヘルスクレームの表示が許可される。表5は2007年6月現在の歯科関連のトクホを示している。歯科関連トクホは毎年順調にその数を増やし48品目に達している。これはトクホ全

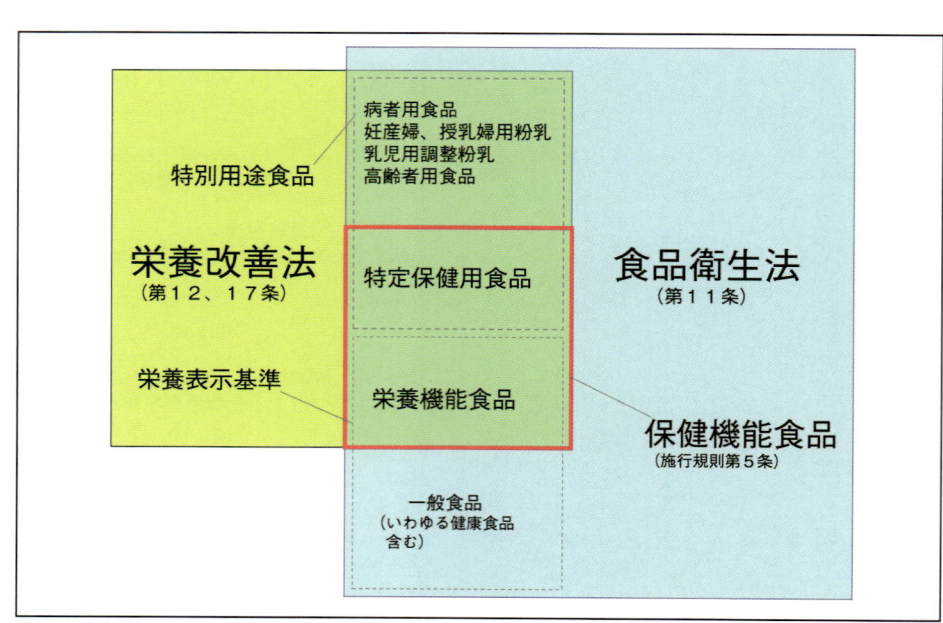

図2　特定保健用食品の位置づけ

図3　特定保健用食品の許可マーク

表5　歯科関連で許可されている特定保健用食品（2007年6月現在48品目、全体で687品目の7.0％を占める）

	食品の種類	食品数	商品名
虫歯の原因になりにくい食品	チョコレート	2	ワンツーベロティ、ナチュラブ
	ガム	1	キスミントガムホワイト
	飴	2	クロスタニンキャンデー、テイカロハーブキャンデー
虫歯の原因になりにくく、再石灰化作用を持つ食品	ガム	39	リカルデント（16）、リカルデント・キッズ（2）キシリトール・ガム（17）、ポスカム（4）
	錠菓	2	キシリトール　タブレット、リカルデント　タブレット
虫歯の原因になりにくく、歯表面強化作用を持つ食品	ガム	2	キシリッシュプラスエフ

表6　再石灰化作用を持つ特定保健用食品（3種のチューインガム）

商品名	許可年	許可表示
リカルデント（キャドバリー・ジャパン）	2000年	歯の脱灰を抑制するだけでなく再石灰化を増強するCPP-ACPを配合しているので、歯を丈夫で健康にします。
キシリトールガム（ロッテ）	2001年	このガムは、虫歯の原因にならない甘味料（キシリトールおよび還元パラチノース）を使用しています。また、歯の再石灰化を増強するキシリトール、フクロノリ抽出物（フノラン）、リン酸一水素カルシウムを配合しているので、歯を丈夫で健康に保ちます。
ポスカム（グリコ）	2003年	本品は、リン酸化オリゴ糖カルシウム（POs-Ca）を配合しているので、口内を再石灰化しやすい環境に整え、歯を丈夫で健康にします。

体（687品目）の7.0％に相当する。発足当時はう蝕になりにくいガム、チョコレート、キャンデーが許可されていたが、現在ではう蝕になりにくい上に再石灰化促進機能を持つチューインガムが主流になってきており、機能素材の異なる3種の再石灰化作用を持つチューインガムが市販されている[15]。

オーストラリアで開発され、牛乳から調製される食品素材のカゼインホスフォペプチド（CPP）を含むガム、日本で開発された機能性食品素材であり、紅藻類フクロノリから抽出されたフノランを含むガム、および馬鈴薯デンプンから調製されたリン酸化オリゴ糖カルシウムを含むガムである（表6）。CPPは非結晶性リン酸カルシウムの共存下で複合体（CPP-ACP）を形成するが、この複合体を含むガムが脱灰エナメル歯片の再石灰化を促進することが観察されている。フノランとリン酸一水素カルシウムを含むチューインガムの抽出液は、あらかじめ表層下脱灰させたエナメル質歯片の再石灰化を促進することが示されている。また、リン酸化オリゴ糖カルシウム塩を含むチューインガムもヒト口腔内に装着した脱灰エナメル歯片の再石灰化を促進すること、さらに表層下脱灰させたエナメル質歯片をガム摂取時に得られる唾液に浸漬するとエナメル質の再石灰化が促進されることが示されている。いずれもキシリトールをベースとしている。

➡ 第Ⅲ部第3章128ページ

これら3種のガムの再石灰化作用のメカニズムはまだ十分に解明されていないが、いずれもカルシウムを可溶化する作用を持つので、それぞれの機能性素材はカルシウムイオンと結合することにより、カルシウムがリン酸と沈殿物を形成してしまうのを防ぎ、脱灰部位へカルシウムを運ぶ役割を持つと推定されている。

3）トゥースフレンドリー協会認定食品

　スイスにトゥースフレンドリー協会が設立されたのは1982年のことである。この協会では食品摂取30分以内にヒトのプラークpHを5.7以下に下げなければ歯にやさしい（Nice for teeth）として「Happy tooth logo」を食品のパッケージにつけることを認めた。日本にも1993年に日本トゥースフレンドリー協会が設立され、「Happy tooth logo」を「歯に信頼マーク」（図4）と呼んでいる。現在16品目の食品が認定されている。マークの表示のみの認可で、文言によるヘルスクレームの表示は厚生労働省から許可されていない。トゥースフレンドリー協会は国際的な組織で、1991年に発足した国際トゥースフレンドリー協会の傘下に10か国のトゥースフレンドリー協会が属している。

　トゥースフレンドリー協会認定食品もトクホに申請することが可能で、現に両マークのついた食品も市販されている。

（今井　奨）

図4　日本トゥースフレンドリー協会の"歯に信頼"マーク

第8章　う蝕の疫学データ

1. 発症要因

う蝕は、疫学的に、宿主要因、微生物要因、および環境・基質要因の相互作用によって生じる。さらにそこに時間要因を加え4要因によって説明される場合も多い。

宿主要因には、唾液、歯種・歯面、歯列や咬合状態、歯の質、年齢、性別が含まれる。微生物要因には、う蝕の原因菌として、ミュータンスレンサ球菌（mutans streptococci：MS菌）が強く関与している。環境・基質要因には、砂糖摂取量、飲料水中フッ化物濃度、社会環境、地域・家庭環境、生活習慣が関連している。

2. う蝕の状況

1) 日本人の状況について

う蝕は表層脱灰を含む初期う蝕を除くと不可逆性の疾患であることから、蓄積性であり、DMF歯数は年齢と伴に増加傾向を示す。う蝕感受性は、萌出後急激に上昇し2～3年後低下することが明らかになっている。歯のう蝕に対する抵抗性は年齢と伴に増大することと関係している。

図1は2005年の厚生労働省歯科疾実態調査に基づき[1]、乳歯の平均現在歯数およびdf歯数を年齢別に示している。平均df歯数は2歳の0.4本から増齢的に増加し、7歳で最高値4.2本を認めた。8歳以降は、永久歯との萌え替わりによる乳歯数の減少に伴って、平均df歯数も減少している。なお、df歯数に占める処置歯数（ft）の割合は2歳の11.8％から10歳の83.5％まで増齢的に高くなっている。部位特異性についてみると、5歳児乳歯のdf歯率は、下顎第二乳臼歯および下顎第一乳臼歯で高くなっている。

図2は、2005年の厚生労働省歯科疾患実態調査に基づく[1]、日本人の永久歯DMF歯数を年齢別に示している。萌出直後の6歳児時点でう蝕が発生しており、その後増齢的に増え、20～24歳では8.0本に達している。部位特異性についてみると、15～19歳、20～24歳、25～29歳のいずれの群においてもDMF歯率は下顎第一大臼歯が最大であった（図3）。

う蝕有病率の経年推移をみると、近年、乳歯う蝕および永久歯う蝕のいずれも減少傾向を示している（図4）。

第Ⅳ部　基礎編

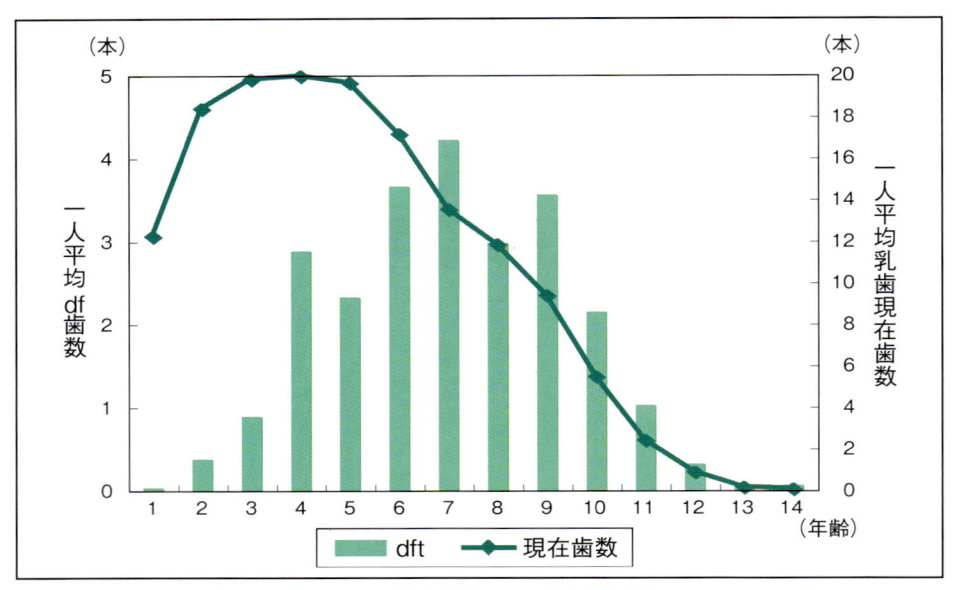

図1　一人平均df歯数および現在歯数（厚生労働省医政局歯科保健課：2007）

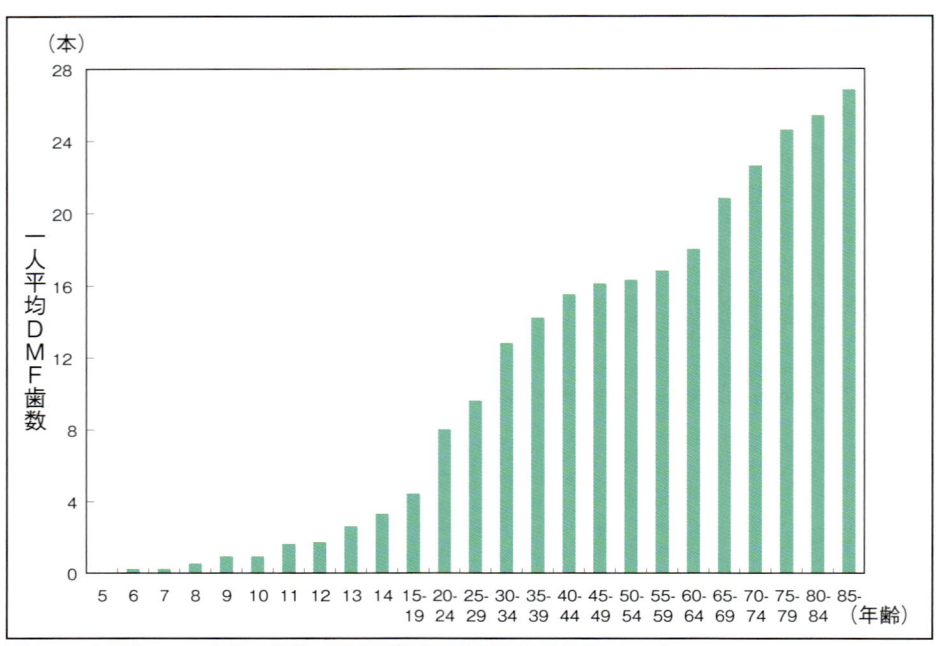

図2　一人平均DMF歯数の推移（厚生労働省医政局歯科保健課、2007）

　図5は、第2次世界大戦後の、12歳児の平均DMF歯数と砂糖消費量の経年推移を比較したものである。国民の平均年間砂糖消費量は1973年の29.3 kgをピークにやや減少に転じ、1980年代で23 kg前後であった[2]。さらに1999年には18.7 kgまで減少している[3]。砂糖消費量の減少と共に平均DMF歯数も減少傾向を示していることが確認できる[4]。

　また、先進国のう蝕減少に貢献した要因としてフッ化物利用をあげる世界の専門家は多い[5]。わが国では、上水道フロリデーション地区はなく、フッ素錠剤処方も行われていない。フッ化物洗口を実施している児童は、3.1％程度にすぎないが[6]、フッ化物配合歯磨剤の市場占有率は、1985年には12％程度であったものが10年後には48％になり2002年には86％まで達した[7]。現在、学童期でフッ化物配合歯磨剤を使用している割合は8割を超えている[8]。この普及率の上昇がう蝕有病率の減少に寄与していることが考えられる。

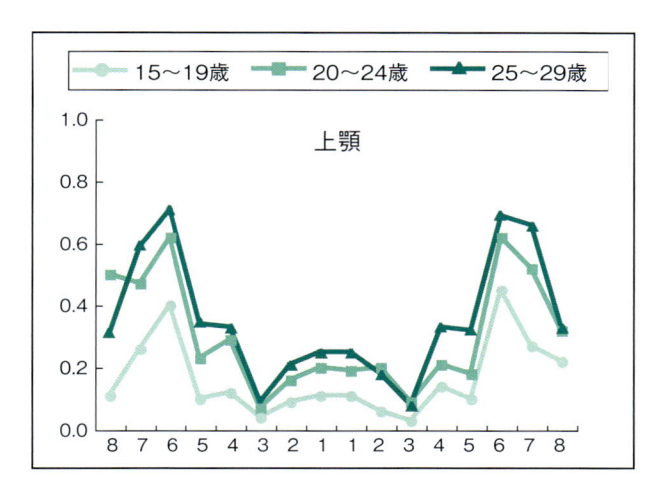

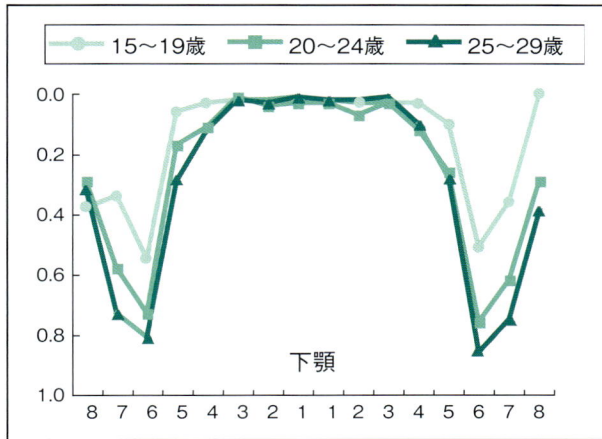

図3 15～19、20～24、25～9歳における歯種別DMF歯率の比較（厚生労働省医政局歯科保健課、2007）

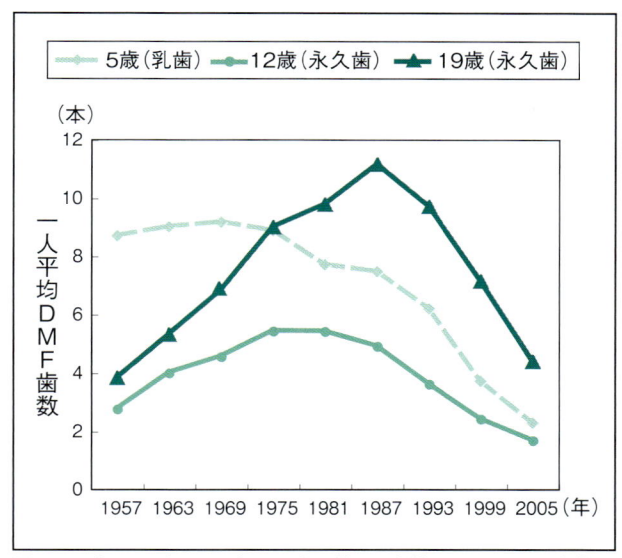

図4 5歳、12歳、19歳の一人平均df歯数またはDMF歯数の推移（厚生労働省医政局歯科保健課、2007）

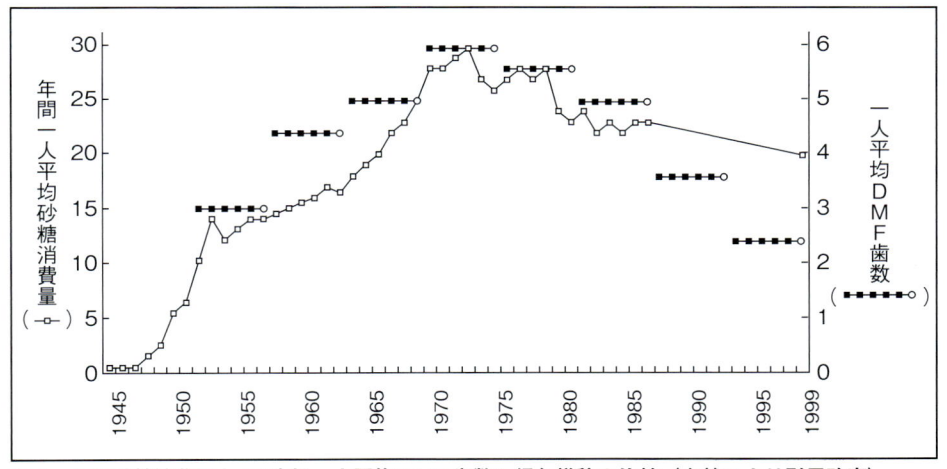

図5 年間砂糖消費量と12歳児一人平均DMF歯数の経年推移の比較（文献5より引用改変）

2) 諸外国での状況について

　WHO口腔保健局はデータバンク（Global Oral Data Bank）を整備し、世界各国や地域における歯科疾患疫学データを蓄積する一方で、口腔保健計画の立案、施策およびその評価を行ってきた[9]。1969年における12歳児の一人平均DMF歯数を5段階に分類し、国別に示した統計によると、DMFT=6.6以上を示すVery highに属する国には、ニュージーランド、オーストラリア、カナダ、北欧諸国などが含まれていた[10]。この時期日本はModerateレベルの国に属していた。一方、図6は、

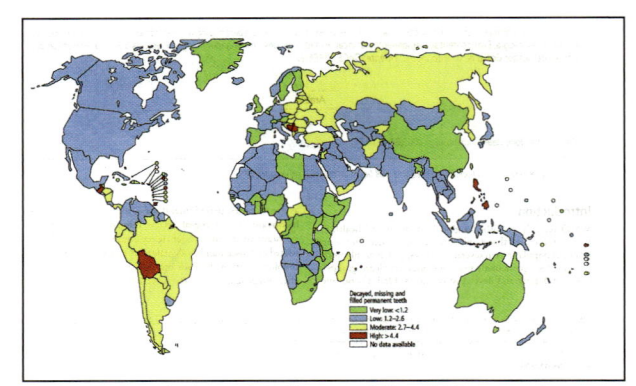

図6　国別12歳児の一人平均DMF歯数の比較：2004年
　　（文献9より引用）

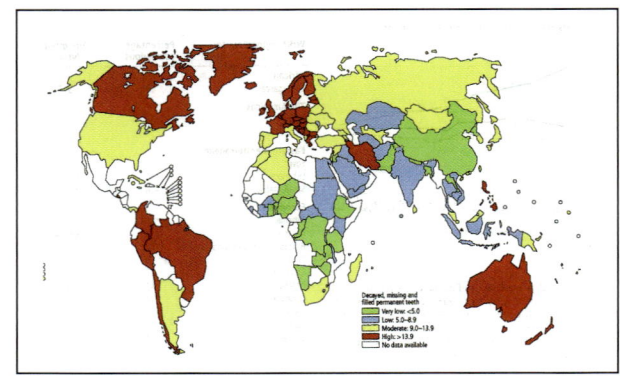

図7　国別35〜44歳の一人平均DMF歯数の比較：2004年
　　（文献9より引用）

2004年におけるう蝕の状況を示している。1969年の時点でVery highレベルに属していた、ニュージーランド、オーストラリア、カナダ、北欧諸国のいずれもがVery lowまたはLowレベルに属するようになった。ただ成人においては世界的に依然う蝕経験者は多く、35〜44歳では、ほとんどの先進諸国において平均DMF歯数は14歯以上であった（図7）。

各国を先進国および発展途上国に分類し、12歳の平均DMF歯数を経年的に比較すると、発展途上国では、増加傾向が認められる。これに対しては、砂糖消費量の増加と不十分なフッ化物利用が関連していると考えられている。逆に、先進諸国では減少傾向が顕著であり、効果的なフッ化物利用、生活様式の変化、セルフケアの改善等が影響していると考えられている[9]。

う蝕に関連するWHOデータは逐次、蓄積・更新され、マルメ大学のWHO協力センターのインターネットウェブサイトに掲載されている。

●WHO協力センター
http://www.whocollab.od.mah.se/index.html
（2007年12月10日取得）

3．根面う蝕の状況

根面う蝕は、歯周病などにより歯肉退縮した露出セメント質に発生するう蝕をいう。近年の保有歯数の増加は高齢者の健康維持の観点から望ましいことである。しかし、一方で高齢者では残存歯における歯根露出が多く認められ、根面でのう蝕発生率の上昇が危惧される。根面う蝕は歯の形態上治療が困難な場合も多く、その後の歯の喪失と強く関連しているといわれている[11]。

➡第Ⅱ部第5章69ページ
　第Ⅳ部第2章188ページ

根面う蝕の有病者率は高齢になるほど高くなることが報告されている[12,13]。残存歯数の増加と歯肉退縮に伴う根面う蝕の危険性が予測されるにもかかわらず、わが国における根面う蝕の疫学研究はあまり多くない。特に、高齢者を対象とした調査はほとんどなく、詳細な情報は不足している。その中で、わが国の70歳高齢者を対象とした調査[14]によれば、有病者率は、未処置歯を持っている者が19.0％、処置歯を持っている者が62.7％であった。また、対象者の35.9％に2年間で1歯面以上の根面う蝕の発生があり、一人当たり平均の発生量は0.9歯面であった。一方、海外における調査では、有病者率でみると、アメリカで行われた65歳以上の黒人を対象とした調査[15]の36％から、スウェーデンで行われた55〜75歳の住民を対象とした調査[16]の85〜93％まで大きな差が認められた。ただ、これらの差については、診査基準の違いや、レントゲン写真による診査を加えるかどうかなどの診査方法の違いによる影響も考えられている。

高齢者を対象とした根面う蝕のリスク要因についての報告はあまりない。小児期に多発する歯冠部う蝕と根面う蝕は、その発症メカニズムが異なり、年齢、歯肉退縮、口腔乾燥症など、高齢者に特有の発症リスクが指摘されている[17]。それ以外にも、DMFS、根面の充填、未処置う蝕、破折した根（残根）といった過去のう蝕経験、歯肉退縮や歯周ポケットなどの歯周状態、および唾液中のう蝕細菌レベルなどが関連要因として報告されている[17]。加えて、フッ化物の使用状況[18]や失業や配偶者の死など大きな社会環境の変化も根面う蝕の発生に関わっている[19]。

4. う蝕と全身との関連

1) う蝕と遺伝について

う蝕経験における家族特性はよく知られている。すなわち、あまりう蝕を持っていない両親の子どもはう蝕経験が少なく、逆にう蝕を多く持っている両親の子どもはう蝕経験が多い傾向がある[20]。さらには、一卵性双生児と二卵生双生児を比較した調査において、一卵生双生児の方が類似性が高かったと報告されている[21]。遺伝的にう蝕との関連性を示すものとしては、遺伝性果糖不耐症、慢性腎不全、成長ホルモン欠損症、ダウン症、ターナー症候群等の遺伝性疾患患者や解剖学的、生理学的、免疫学的要因等がある[20]。

2) その他う蝕と全身との関係について

全身状態とう蝕との関連については、最近いくつかの調査が報告されている。わが国の70歳を対象とした調査では[22]、根面う蝕と血清アルブミン濃度との関連を明らかにしている。調査では、血清アルブミン濃度を従属変数に、四つの変数（未処置根面う蝕数、年齢、Body Mass Index＜BMI＞、IgG濃度）を独立変数として選択し、重回帰分析を行っている。その結果、未処置根面う蝕数と血清アルブミン濃度との間には負の統計学的に有意な相関関係が認められた（表1、$p < 0.05$）。さらに、血清アルブミン濃度とBMIとは正の、血清IgG濃度とは負の有意な相関関係が認められた。血清アルブミン濃度は全身の栄養状態や慢性感染症の状態を表す指標である。根面う蝕と血清アルブミン濃度との因果関係についてはまだ明確ではないが、血清IgG濃度はう蝕と共に増加するという報告がある[23]。う蝕に対するヒトの

表1　重回帰分析による血清アルブミン値と根面未処置う蝕歯数との関連
　　　（文献23より引用改変）

独立変数	従属変数 血清アルブミン濃度（mg/dL）				
	Coef.	Std. Err.	p値	[95% CFI]	
未処置根面う蝕歯数	−20.97	10.09	<0.05	−40.77	−1.17
年齢	−8.95	2.43	<0.001	−13.71	−4.18
Body Mass Index	11.50	3.40	<0.001	4.82	18.18
IgG濃度（mg/dL）	−0.08	0.03	<0.01	−0.14	−0.02
定数	4814.79	196.17	<0.001	4429.68	5199.90

$p < 0.001$, $R^2 = 0.04$

第Ⅳ部 基礎編

免疫応答は、病理的に、*Streptococcus mutans*に対する血清抗体が主要な役割を担うとされている。そのうえ、血清アルブミン濃度とIgG濃度の間には強い関連があるという報告もある[24]。う蝕などの感染症により、血清IgG濃度が増加し、血清アルブミン濃度が減少することが可能性として考えられる。

さらに、わが国の70歳高齢者を対象とした調査では、BMI 20未満が根面う蝕のリスク要因になっているとの結果が示されている[14]。根面う蝕の発生が死亡率上昇のリスクプレディクターであるとする報告もある[25]。これは全身的な健康と根面う蝕の発生との関連を示唆していると考えられる。根面う蝕が高齢者の口腔の健康、さらには全身の健康状態に与える影響は大きいといえる。

➡ 第Ⅱ部第5章69ページ、第6章80ページ

（葭原明弘、宮﨑秀夫）

第9章 う蝕の歴史

　筆者に与えられたテーマはう蝕の歴史であるが、紙数に制限があり、その全体像をここに示すことは難しい。う蝕の歴史の概観は筆者らのグループの著書、『むし歯の歴史』[1]を参照して戴きたい。本稿は現代日本人の直接の祖先であり、本格的に水稲作（すいとうさく）を行った、弥生人の骨に見られるう蝕の特徴を示すと共に、現代人のう蝕との違いを中心に述べることにする。

1．農耕がう蝕をもたらした

1）デンプンはう蝕細菌の主要な基質

　う蝕は、人類が火を用いて食料を加熱調理するようになってから、少しずつ見られるようになった。だが、それはまれなケースでしかなかった。しかし3万年の助走期間を経て、1万年前に本格的な農耕が始まると、人類史上はじめてう蝕は急激に増加する。この時代は土器の使用が始まった時期でもあった。農作物はそれが米や麦、あるいはいもやトウモロコシであれ、主成分はデンプンである。デンプンは、水で加熱調理することによって糊化デンプンとなる。それは人にとって消化しやすい、効率のよい熱エネルギー源であったが、う蝕細菌の主要な基質ともなった。

2）農耕の始まりはう蝕の始まり

　わが国における本格的な農耕の始まりは遅く、紀元前500年頃からようやく水稲作農耕が急速に拡がった。この水稲作を荷ったのは西日本を中心とした弥生人と呼ばれる人々であった。弥生時代とはクニが形作られ、古墳が作られるようになった紀元300年頃までをいう。弥生人以前に日本列島に生活していた先住の縄文人にも、農耕民なみの多数のう蝕歯が観察されている[2]。このことから、狩猟採集民とされる縄文人も実は原始的な農耕を営んでいたのではないかといわれている。縄文人はさておき、弥生人を取りまく環境はどうだったのだろうか。弥生時代は未曾有の人口爆発期であった。縄文晩期には10万人以下であった日本列島の人口は、卑弥呼の時代には60万人、古墳時代を経て奈良時代に到ると、450万人に達したと推定されている[3]。これだけの人口増加は、当然豊富な食料生産に支えられたが、豊かな食料は同時に飽食の結果であるう蝕をもたらした。一方不安定な天候のために、飽食期と飽食期との間には深刻な飢餓の時期が挟まっていたことも忘れてはならない。

2. 弥生人骨に見るう蝕および歯槽骨吸収の状態

1）弥生人骨のう蝕調査の概要

　弥生人発掘頭骨のう蝕に関するケースレポートは数多いが、弥生人全体のう蝕有病状況を捉えようとした研究は少ない。そのなかで Oyamada ら[4]、Todaka ら[5] の報告が知られている。一方筆者らの研究グループも九州大学医学部に収蔵されている弥生人骨のう蝕と歯槽骨吸収の調査を行い、その結果をすでに報告した[6,7]。本稿ではその研究に基づいて、弥生人のう蝕の様子を述べることにする。

　発掘頭骨の状況は、埋葬方法、埋葬地の地質、埋葬年代、発掘時の状態などによって大きく変わる。また、同じ弥生人といっても、その食性・生活環境は地域・遺跡によって異なる。そのため、弥生人のう蝕を全体的に把握するには、できるだけ多くの個体を調査し、多くの遺跡からサンプリングすることが望ましい。しかしなかなかそうはいかない現実がある。本研究にも以上のようなバイアスがかかっていることはあらかじめ理解しておく必要がある。

　我々が調査できた弥生人骨は全部で 295 体分あり、5544 本の歯と周辺歯槽骨について観察することができた。このうち、う蝕歯は 966 本、生前脱落歯（いわゆる M 歯、習俗的抜去歯、歯周病による脱落歯などを含む）1054 本、死後脱落歯（古人骨が土中に埋もれている間に消失したり、発掘の途中で脱落したものを含む）1193 本、脱落時期不明歯 1233 本である。一人平均現在歯数は 18.8 本、う蝕率＜（う歯／現在歯）× 100 ＞ 17.4％、生前脱落歯率＜生前脱落歯／（現在歯 + 生前脱落歯 + 死後脱落歯）× 100 ＞ 13.5％である。う蝕の有病率は 78.6％、根面う蝕の有病率は 66.1％であった。発掘古人骨は若年層（12 〜 39 歳）から老年層（40 〜 70 歳）までを含んでいる。なお年齢は、九州大学の故永井昌文博士の区分によった[8]。調査の結果、弥生人のう蝕は現代人のう蝕とは大きくその傾向を異にしていることがわかった。以下その特徴を述べる。

2）弥生人のう蝕と現代人のう蝕の違い

　図 1 に弥生人の部位別う蝕歯面数の分布を示す。その特徴は第一に咬合面う蝕の割合（全う蝕歯面を 100％とする）が 10.4％と低いことである。次に歯根部のう蝕が多く、52.2％と全う蝕歯面の半分以上を占めている。咬合面以外の歯冠部う蝕は 37.4％であった。現代人と単純に比較はできないが、歯根面う蝕の割合は相当高いといえるだろう。また歯冠、歯根を問わず隣接面のう蝕が多く、全う蝕歯面の 61.2％を占めていた。そのうち遠心面が 35.2％、近心面が 26.1％である。また頬側面は 20.3％、舌側面は 8.1％であった。以上のことから、弥生人のう蝕は現代人と異なり、咬合面より歯根面に多く、頬舌面より隣接面に多いといえる。

3）弥生人のう蝕歯面数

　図 2 に弥生人の歯種別に見た、咬合面、歯冠部、歯根部別のう蝕歯面数を示す。臼歯部で歯根部う蝕歯面の数が多く、特に上・下顎とも第一、第二大臼歯で歯根部う蝕の割合が大きいのがわかる。これに対し、前歯部および第三大臼歯ではう蝕歯面数は少ないものの、咬合面や、歯冠部う蝕の割合が相対的に大きくなっていた。

　以上の結果は、あくまでもう蝕歯面の拡がり具合を示すものであって、う蝕の初発部位を示すものではない。そこでう蝕の初発部位を推定するために、う蝕が単発、あるいは独立して発生した歯面に注目することにした。

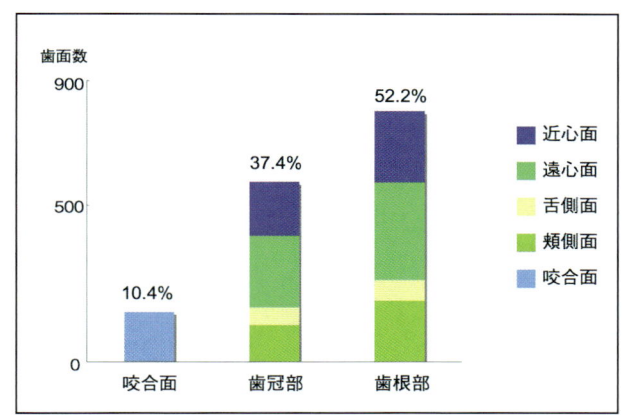

図1　弥生人の部位別う蝕歯面の分布
　　　％は全う蝕歯面に占める割合

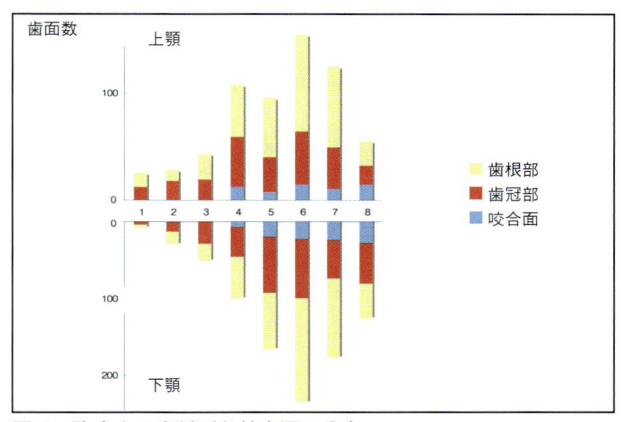

図2　弥生人の歯種別う蝕歯面の分布

4）弥生人骨に見られるう蝕の初発部位

　図3に弥生人の歯種別に初（単）発う蝕のある歯面数を示す。その結果歯根面初（単）発う蝕が多い（66.3％、全初発う蝕歯面を100％とする）ことがわかった。特に小臼歯、第一大臼歯および第二大臼歯に初発したう蝕が多かった。次いで歯冠部に初発したう蝕が多かった（26.9％）。咬合面う蝕はほとんど第二・第三大臼歯に限定されており、第一大臼歯咬合面単発のう蝕は全く観察されなかった。咬合面初発のう蝕は全う蝕歯面の6.9％であった。以上の結果は、弥生人のう蝕がセメント－エナメル境を中心に発生していることを示しており、特に分けてカウントしてはいないが、歯冠部平滑面の最大豊隆部からポケット底（古人骨では計測できない）までの間がう蝕の好発部位であることを示す。

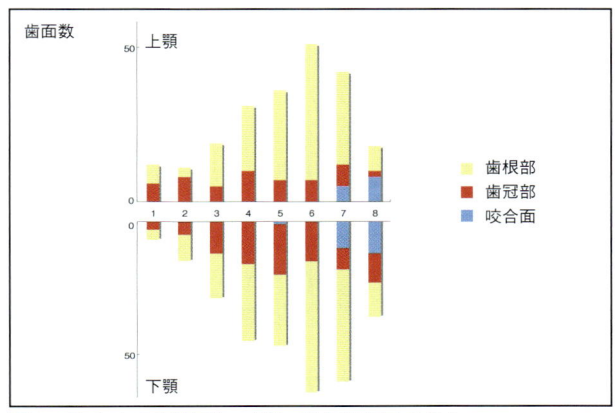

図3　弥生人の歯種別初（単）発う蝕歯面の分布

5）弥生人骨における歯槽骨の吸収状態

　次に弥生人の歯槽骨の吸収状態を調べるため、セメント－エナメル境と歯槽骨頂との間の距離を測定した。歯槽骨は菲薄なため破折し易く、保存状態の悪い骨からの資料は得られない。この調査では、破折した歯槽骨、歯槽骨の生理的開窓、根尖病巣による上部歯槽骨の消失などはあらかじめ計測から除外した。

　図4に弥生人の歯種・歯面別平均CEJ-AC（cemento-enamel junction-alveolar crest）距離を若年層と老年層に分けて群化した結果を示す。若年層と老年層とを比較すると、全64歯面（100％）のうち35歯面（55％）で増齢によってグレードをあげて、歯面別平均CEJ-AC距離が大きくなり、歯槽骨の吸収が進行していた。しかし若年層の歯槽骨吸収は老年層に比べて軽度ではあるものの、広範囲に及んでいた。すなわち歯槽骨吸収は現代人のように老年期になって始まるのではなく、若年のうちから始まり、増齢と共に悪化したといえる。

　また、歯面別平均CEJ-AC距離を説明変数とした歯面別根面う蝕歯面率の重回帰分析を行ったところ、遠心、頬側、近心の各歯面において、平均CEJ-AC距離が大きいと根面う蝕歯面率も高いという結果が得られた。しかし舌側（口蓋側）面ではCEJ-AC距離が大きくとも、根面う蝕歯面率は必ずしも高くならなかった。

　次に根面う蝕の有無別に臼歯部歯面別の平均CEJ-AC距離を比較したところ、根面う蝕がある遠心、頬側、近心の各歯面の平均CEJ-AC距離は、根面う蝕がない歯

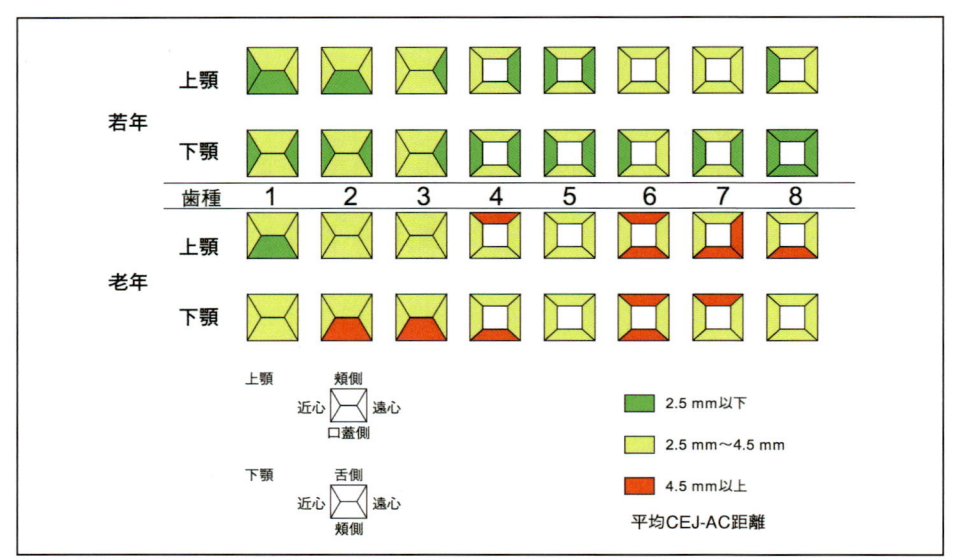

図4 弥生人の年齢群別・歯面別平均CEJ-AC距離

面の平均CEJ-AC距離より大きかった。しかし舌側（口蓋側）面ではこの関係は得られなかった。以上の結果から弥生人の根面う蝕はCEJ-AC距離、すなわち歯槽骨の吸収度に依存していることが明らかとなった。

3．弥生人と現代人のう蝕の違い

1）弥生人のう蝕とデンプン

　これまでに述べた弥生人のう蝕と、我々現代人のう蝕のどこに違いがあるか、その特徴を比べてみよう。根面う蝕と歯槽骨吸収を考えると、先行するのは歯槽骨吸収であって逆はあり得ない。とすると、根面う蝕が半数以上を占める弥生人のう蝕は、歯周病の先行が前提条件と考えられる。20世紀のう蝕が小窩・裂溝部を好発部位としているのとは対照的に、弥生人のう蝕は歯周病の継発症である部分が大きいといえる。

　なにが弥生人の歯周病を発症させ、進行させたかは慎重に検討する必要があろうが、少なくともいわゆるプラークの存在が発症因子の一つであったことは間違いない。ただし、弥生時代のプラークが今日と同じ組成と働きをしていたとは思えない。恐らく今日とは全く異なる生成機序と組成・機能を持っていただろう。その最も大きな違いは人が摂取する食物、なかでも糖質の違いである。弥生時代の糖質はデンプンとして摂取された。

　これに対して現代人はデンプンと共にスクロース（ショ糖）を大量に摂取している。今日う蝕の発症機序として説明されているmutans storyはスクロース（ショ糖）の存在なしには考えられない。ところが弥生時代には植物には少量含まれていたものの、少なくとも食品としてのスクロースは存在していなかった。となると、弥生人にう蝕や歯周病を発症させた口腔細菌叢は、今日プラークと呼ばれているものとは異質のものであったといわざるを得ない。あるいはデンプン塊そのものが、歯間部や、歯の表面に付着したタイプのものだったろうか。そのデンプン塊は、唾液の灌流を妨げ、酸の拡散を防ぐのに十分な物理的性状を持つものだったろう。かくして歯冠の最大豊隆部の下から歯根面までの間に張り付いたデンプン塊はゆっくりではあっ

表1 弥生人と20世紀現代人のう蝕発症機序の比較

	弥生人	現代人
初発部位	歯根面、隣接面	小窩・裂溝部
初発年齢	若年者・老年者	小児
歯周病との関係	歯周病の継発症	歯周病とは無関係に発症
う蝕細菌	糖醱酵能を持つすべての口腔細菌	ミュータンスレンサ球菌
酸産生の基質	糊化デンプン	スクロース
プラークの付着	デンプンによる食塊の形成と物理的付着	不溶性グルカンを接着剤とした複合菌種によるプラークの形成
流行期	食物の調理が可能になって以後、特に農耕の始まり以後増加	20世紀中頃をピークに先進国でパンデミック、21世紀には沈静化
進行の早さ	ゆっくり	早い
ブラッシング	ブラッシング習慣は確認できない	毎日習慣的にブラッシング

たが、根面う蝕を発生させたのであろう。

現代人と弥生人のう蝕の違いをまとめると表1のようになる。う蝕の初発部位は弥生人が歯根面、特に隣接面であるのに対し、20世紀現代人は咬合面の小窩・裂溝部である。初発年齢は20世紀現代人が小児期であるのに対し、弥生人では、う蝕が歯周病の継発症であるため成年期以降である。

ただし弥生人の小児う蝕が皆無かというと必ずしもそうではない。山口県土井ヶ浜遺跡などでは、現代人小児のう蝕と見まごう、歯冠部平滑面の乳歯う蝕を持った遺骨が出土している。弥生時代に食品としての精製砂糖はなかったから、この小児の平滑面う蝕は mutans story では説明がつかない。やはり糊化デンプンによる食塊が歯の表面に張り付いていたと考えるしかない。

2）現代人のう蝕と砂糖

一方現代人に起こったミュータンスレンサ球菌を原因菌とするう蝕は、スクロースの存在なしには考えられないが、このスクロースの食品としての歴史は、せいぜいここ数百年にしかならない。歴史時代に入ってから数千年の間に砂糖は薬品として用いられるようになったが、それは貴重品であり、生産量は僅かであった。砂糖が大量に生産されるようになるのは、17世紀以降のことである。世界的規模で見ると新大陸における砂糖生産は、大西洋を挟んで西ヨーロッパ（消費地）とアフリカ（サトウキビ栽培のための奴隷の供給地）、南北アメリカ（砂糖の生産地）、とを結びつけるいわゆる三角貿易を発展させた。この環大西洋世界経済システムは、資本主義の発達を促し、科学技術の飛躍を促したとされる[9]。

「う蝕は文明病」と呼ばれた時代もあったが、確かに砂糖によって引き起こされるう蝕は、農耕の開始以後に増加したデンプンによるう蝕とは量的にも質的にも異なって、う蝕パンデミックを引き起こし、資本主義発展のあだばなともいえるものであった。このミュータンスレンサ球菌を原因菌とするう蝕は、欧米先進国において20世紀の中頃にピークを迎え、21世紀の今日では急激な減少傾向を見せている。21世紀のう蝕は、20世紀のものとはすでに質的に異なるものへと変身を遂げているのかもしれない。

4. 弥生人の歯周病の原因はなにか

　最後に、弥生人の根面う蝕発生の原因となった歯周病について見てみよう。う蝕の病因論より難しいのは、この弥生人の歯周病が、いかなる機序によって発症したかということである。弥生人は現代人よりずっと固い物を噛み、歯を酷使していたから、歯周組織が激しいダメージを受けたことは間違いない。そこに形成されたデンプン食塊あるいはプラークの病原性は、歯を磨かないことによって飛躍的に高まったと想像される。だが、デンプンによる食塊がいかなる機序で歯周病を発症させるかは全く不明といわざるを得ない。どのような細菌がいたか、プラークの組成など、なに一つわかっていないといっても過言ではない。

　ついでにいうと、現代人のプラークによるう蝕の誘発能にも、解明されていない不思議な点がある。それは典型的なプラークの付着が、必ずしもう蝕を発生させる訳ではない点である。現代人のう蝕の好発部位は咬合面裂溝の深部、あるいは歯肉弁に覆われた、萌出途上の咬合面である。プラークが最も典型的に付着する舌側平滑面は、弥生人でも同様だが、う蝕好発部位ではない。しかも現代人にとっては、単にプラークが付着することだけが問題なのではない。付着したプラークは、ブラッシングによって常に取り除かれ得る。フッ化物や抗菌薬にもさらされている。口腔細菌にとって現代人の口腔は決して住みやすい場所とはいえないのである。

　それにしてもプラークが最も蓄積した部位にう蝕は発生せず、小窩・裂溝部のようなプラークの付着とは直接関係なさそうな物理的窪みが、なぜう蝕の好発部位なのか。小窩・裂溝部の石灰化度が低いにせよ、ブラッシングによってプラークが取り除けない場所であるにせよ、それではなぜ同じ部位が、弥生人にとって、また21世紀の現代人において、う蝕が発症しなくなっているのだろうか。

　わが国で歯科医師が誕生して2006年でちょうど100年がたった。糖質なくしてう蝕はなく、う蝕なくして歯科医師はない。う蝕が人類のうえから粛粛と立ち去ろうとしている今日、う蝕大流行の歴史は、我々歯科医師になにを語ってくれるのであろうか。最後まで見届けねばなるまい。

　以上、古代日本の水稲作農耕民である弥生人のう蝕の状況について報告すると共に、その病因論について以下の通りまとめた。

1. 弥生人のう蝕は隣接面のものが多く、そのなかでも根面う蝕が多かった。咬合面、舌側面のう蝕は少なかった。
2. 弥生人のう蝕の初発部位はセメント-エナメル境の付近に多く、なかでも根面部に多かった。咬合面初発のう蝕は第二、第三大臼歯に集中しており、第一大臼歯咬合面初発のう蝕は見られなかった。
3. 弥生人の根面う蝕は、歯槽骨の吸収度に依存しており、歯面別の平均CEJ-AC距離が大きいと根面う蝕歯面率が高いという結果が得られた。
4. デンプン食の弥生人と、デンプンのほかに、食品として砂糖を取っている現代人とのう蝕発症機序について考察した。う蝕の発症はともかく、弥生人の歯周病の発症機序については、ブラッシングをしていないという点以外は不明であり、今後の検討課題である。

（竹原直道）

第 IV 部　文献

第 1 章　健康な歯と唾液

1　永久歯の構造と組成（井上　孝）p.p.166-170

1) Ten Cate T.R.: Oral Histology, Development, Structure and Function. Mosby, Missouri, 1994 (4th ed.).
2) 相山誉夫 他著：口腔の発生と組織．南山堂，東京，2002．
3) 井上　孝 編著：病態からみた発生．南山堂，東京，2005．
4) Inoue T. and Shimono M.: Repair dentinogenesis following transplanation into normal and germ-free animals. Proc Finn Dent Soc. 88:183-194, 1992.
5) Inoue T., Miyakoshi S. and Shimono M.: The in vitro and in vivo influence of 4-META/MMA-TBB resin compnents on dental pulp tissues. Adv Dent Res 15:101-104, 2001.

2　う蝕と唾液（中川洋一）p.p.171-173

1) Ishii H. and Nakagawa Y.: Alterations in secretion of salivary proteins due to surgical stress. J Jpn Stomatol Soc 49: 328-339, 2000.
2) Twetman S. and Lindqvist L.: Effect of salivary lysozyme on glucose incorporation and acid production in *Streptococcus mutans*. Caries Res 19(5): 414-421, 1985.
3) Tenovuo J. and Knuuttila M.L.: Antibacterial effect of salivary peroxidases on a cariogenic strain of *Streptococcus mutans*. J Dent Res 56(12): 1608-1613, 1977.
4) Jespersgaard C., Hajishengallis G., Russell M.W. and Michalek S.M.: Identification and characterization of a nonimmunoglobulin factor in human saliva that inhibits *Streptococcus mutans* glucosyltransferase. Infect Immun 70(3): 1136-1142, 2002
5) Tao R., Jurevic R.J., Coulton K.K., Tsutsui M.T., Roberts M.C., Kimball J.R., Wells N., Berndt J. and Dale B.A.: Salivary antimicrobial peptide expression and dental caries experience in children. Antimicrob Agents Chemother 49(9): 3883-3888, 2005.
6) Ligtenberg A.J., Bikker F.J., De Blieck-Hogervorst J.M., Veerman E.C., and Nieuw Amerongen AV.: Binding of salivary agglutinin to IgA. Biochem J 383 (Pt 1): 159-64, 2004.
7) 古屋一明，見明康雄，柳澤孝彰：脱灰エナメル質の再石灰化に及ぼす唾液の影響．歯科学報 102(1)：29-41，2002．
8) Vitorino R., Lobo M.J., Duarte J.R., Ferrer-Correia A.J., Domingues P.M. and Amado F.M.: The role of salivary peptides in dental caries. Biomed Chromatogr 19(3): 214-22, 2005.
9) Lamkin M.S. and Oppenheim F.G.: Structural features of salivary function. Crit Rev Oral Biol Med 4(3-4):251-259, 1993.

3　ドライマウスの疫学と原因（斎藤一郎）p.p.173-177

1) 山本　健，山近重生，今村武浩，木森久人，塩原康弘，千代情路，森戸光彦，山口健一，長島弘征，山田浩之，斎藤一郎，中川洋一：ドライマウスにおける加齢の関与．老年歯科医学 22(2)：106-112，2007．
2) James G., Moore P. and Xerostomia A.: Etiology, recognition and treatment. JADA　1234:61-69, 2003.
3) 斎藤一郎：ドライマウスの診断と治療．Dental Diamond 27(16):138-147，2002．
4) Vitali C., Bombardieri S., Jonsson R., Moutsopoulos H.M., Alexander E.L., Carsons S.E., Daniels T.E., Fox P.C., Fox R.I., Kassan S.S., Pillemer S.R., Talal N. and Weisman M.H.: Classification criteria for Sjogren's syndrome: a revised version of the European criteria proposed by the American-European Consensus Group. Ann Rheum Dis 61(6):554-8, 2002.
5) Moore P.A., Guggenheimer J., Etzel K.R., Weyant R.J. and Orchard T.: Type 1 diabetes mellitus, xerostomia, and salivary flow rates. Oral Surg 92(3): 281-91, 2001.
6) Lin C.C., Sun S.S., Kao A. and Lee C.C.: Impaired salivary function in patients with noninsulin-dependent diabetes mellitus with xerostomia. J Diabetes Complications 16(2):176-9, 2002.
7) Sandberg G.E., Sundberg H.E. and Wikblad K.F.: A controlled study of oral self-care and self-perceived oral health in type 2 diabetic patients. Acta Odontol Scand 59(1):28-33, 2001.
8) 斎藤一郎：ドライマウス．日本評論社，東京，2003．
9) 中川洋一，斎藤一郎：ドライマウス診療マニュアル．永末書店，京都，2005．

4　ドライマウスの診断と治療（中川洋一）p.p.178-184

1) 藤林孝司，菅井　進，宮坂信之，東條　毅，宮脇昌二，市川幸延，坪田一男：シェーグレン症候群改訂診断基準．厚生省特定疾患免疫疾患調査研究班，平成 10 年度研究報告書：135-138，1999．
2) Vitali C., Bombardieri S., Jonsson R. et al.: Classification criteria for Sjögren's syndrome: a revised version of the European criteria proposed by the American-European Consensus Group. Ann Rheum Dis 61(6): 554-558, 2002.
3) 中川洋一，斎藤一郎：ドライマウス診療マニュアル．永末書店，京都，2005．
4) 市川陽一，柏崎禎夫，原　まさ子，近藤啓文，鳥飼勝隆，菅井　進：シェーグレン症候群の口腔乾燥症状に対する SNI-2011 の長期投与試験．診療と新薬 38:369-391，2001．
5) Nakagawa Y., Ishii H. and Ishibashi K.: Effect of chronic administration of Cevimeline hydrochloride on saliva secretion. Dentistry in Japan 39:141-144, 2003.
6) 牧　かおり，各務秀明，大野雄弘：口腔乾燥症患者に関する臨床的研究　麦門冬湯の効果の特徴と適応症例について．老年歯科医学 11(2)：111-117，1996．
7) Fujibayashi K.: Diagnosis and management of dry mouth associated with Sjögren's syndrom. Sögren's syndrome, proceeding of the fourth international symposium. Tokyo, Japan. Kugler publications, 53-59, 1993.
8) 辰野　剛：精神科領域における口渇に対するツムラ白虎加人参湯の効果．新薬と臨床 44(10)：1773-1779，1995．
9) 井上裕之，村岡英雄，松下幸生：向精神薬で生じる口渇に対する白虎加人参湯の臨床的検討．新薬と臨床 42(7)：1511-1518，1993．

第 2 章　永久歯う蝕の病態と診断（林　善彦）p.p.185-191

1) Slots J. and Taubman M.A. (ed.): Comtemporary Oral Microbiology and Immunology. 377-424, Mosby year Book, St Louis, 1992.
2) 武笠英彦 監修：う蝕細菌の分子生物学．36，クインテッセンス出版，東京，1997．
3) Kolenbrander P.E., Egland P.G. Diaz P.I. and Palmer R.J.Jr.: Genome-genome interactions: bacterial communities in initial dental plaque. Trends

Microbiol (13): 11-15, 2005.
4) Characklis W.G. and Marshall K.C. (ed.): Biofilms. 3-15, John Wiley & Sons, Inc., New York, 1990.
5) Lee S.F.: Identification and characterization of a surface protein-releasing activity in Streptococcus mutans and other pathogenic syteptococci. Infec Immunol (60): 4032-4039, 1992.
6) 林 義彦，飯島洋一：第2章 齲蝕 1 齲蝕．田上順次 他監修：保存修復学21（第三版）．31-43，永末書店，京都，2006.
7) Gutierrez P., Piña C., Lara V.H. and Bosch P.: Characterization of enamel with variable caries risk. Arch Oral Biol (50): 843-848, 2005.
8) Berry T.G., Summitt J.B. and Sift E.J.Jr.: Academy of Operative dentistry Special Project Committee. Root caries. Oper Dent (29): 601-607, 2004.
9) Largerlöf F.: Effects of flow rate and pH on calcium phosphate saturation in human parotid saliva. Caries Res (17): 403-411, 1983.
10) Hoppenbrouwers PM, Driessens FC, Borggreven JM. : The mineral solubility of human tooth roots. Arch Oral Biol. 1987;32(5): 319-322.
11) Tjaderhane L., Larjava H., Sorsa T., Uitto V.-J. and Salo T.: The activation of function of host matrix metalloproteinases in dentin matrix breakdown in caries lesions. J Dent Res (77): 1622-1629, 1998.
12) 武田裕子：医療面接セミナー（琉球大学地域医療部），2004.（http://w1.nirai.ne.jp/s814masah/study/omake/interview/interview-index.htm 2007年12月15日取得）

第3章　う蝕とフッ化物（飯島洋一） p.p.192-202
1) Sebrell W.H., Dean H.T. et al.: Changes in the teeth of White Rats given water from a mottled enamel area, compared with those produced by water containing sodium fluoride. Pub Health Rep 48:437-445, 1933.
2) Dean H.T. et al.: Domestic water and dental caries. V. Additional studies of the relation of fluoride domestic waters to dental caries experience in 4,425 white children, aged 12 to 14 years, of 13 cities in 4 States. Pub Health Rep 57:1155-1179, 1942.
3) Dean H.T.: Chronic endemic dental fluorosis (Mottled Enamel). J Am Med Assoc 107:1269-1272, 1936.
4) 高久史麿，矢崎義雄 監修：治療薬マニュアル2002．843，医学書院，東京，2002.
5) Baldwin H.B.: The toxic action of sodium fluoride, J Am Chem 21:517-521, 1899.
6) 福井次矢 監訳：臨床疫学　EBM実践のための必須知識．255，メディカル・サイエンス・インターナショナル，東京，1999.
7) Bayless J.M. and Tinanoff N.: Diagnosis and treatment of acute fluoride toxicity. J Am Dent Assoc 110: 209-211, 1985.
8) WHO: Fluoride and human health. WHO monograph series No.59, 227, WHO, Geneva, 1970.
9) フッ素研究部会：歯牙フッ素症ならびにエナメル斑に関する申し合わせについて．口腔衛生会誌 41,760, 1991.
10) WHO: Fluoride and human health. WHO monograph series No.59, 239, WHO, Geneva, 1970.
11) 飯島洋一：フッ化物応用と歯質・再石灰化の科学．高江洲義矩 監修：21世紀の歯科医師と歯科衛生士のためのフッ化物臨床応用のためのサイエンス．13-28，永末書店，京都，2002.
12) Ögaard B., Rölla G., Ruben J. and Arends J.: Microradiographic study of demineralization of shark enamel in a human caries model. Scand J Dent Res 96: 209-211, 1988.
13) Featherstone J.D.B: Prevention and reversal of dental caries: role of low level fluoride. Community Dent Oral Epidemio 27: 31-40, 1999.
14) Rölla G. and Ögaard B.: Studies on the solubility of calcium fluoride in human saliva. Leach S.(ed.): A Factors relating to demineralization and remineralization of the teeth. 45-50, IRL press, Oxford, 1986.
15) Ripa L.W.: An evaluation of the use of professional (Operator-applied) topical fluorides. J dent Res 69 (Spec Iss): 786-796, 1990.
16) Ashley P.F., Attrill D.C., Ellwood R.P., Worthington H.V. and Davies R.M.: Tooth brushing habits and caries experience. Caries Res 33: 401-402, 1999.
17) Zero D.T., Fu J., Espeland M.A. and Featherstone J.D.B.: Comparison of fluoride concentrations in unstimulated whole saliva following the use of a fluoride dentifrice and a fluoride rinse. J Dent Res 67:1257-1262, 1988.
18) DePaola P.F., Soparkar P.M. and Triol C. et al.: The relative anticaries effectiveness of sodium monofluorophosphate and sodium fluoride as contained in currently available dentifrice formulations. Am J Dent Sep ;6 Spec No. S7-12, 1993.
19) Volpe A.R., Petrone M.E., Davies R.M.: A critical review of the 10 pivotal caries clinical studies used in a recent meta-analysis comparing the anticaries effect of sodium fluoride and sodium monofluorophosphate dentifrices Am J Dent Sep; 6 Spec No. S13-42, 1993 .
20) フッ化物応用研究会編：う蝕予防のためのフッ化物洗口実施マニュアル．社会保険研究所，東京，2003.

第4章　乳歯う蝕の特徴と病態（大森郁朗） p.p.203-206
1) 宮入秀夫 他：同一個体における乳歯と永久歯の齲蝕罹患性の関連について．口衛学会誌 18：1-7, 1968.
2) 中山健太郎 他：1歳6カ月児健康診査の手引き．小児保健研究 1：1-15, 1977.
3) Keyes P.H.: Present and future measures for dental caries control. JADA 79: 1395-1404, 1969.
4) 大森郁朗：簡明小児歯科学（第4版）．124-145, 医歯薬出版，東京，2005.
5) 国本洋志，大森郁朗：二種のシーラントの保持率と齲蝕予防効果．小児歯誌 16(1)：209-215, 1978.
6) Mizuno Y. and Ohmori I.: An in vitro study on the fluoride releasing resin sealant. Ped Dent J 1(1): 83-93, 1991.
7) Takamizawa Y. and Ohmori I.: High resolution electron microscopic observation of newly formed crystals on the acid-etched enamel. Ped Dent J 5(1): 43-48, 1995.
8) Idaira Y. and Ohmori I.: EPMA evaluation on the proximal surface of the primary molars covered by the fluoride releasing resin coating material. Ped Dent J 10(1): 161-166, 2000.
9) Ohmori I. and Kmiyama K.: Biochemical studies on human deciduous tooth substance Par II and III. Bull Tokyo Med Dent Univ. 175-189, 191-195, 1962.

第5章　う蝕とミュータンスレンサ球菌（髙橋信博） p.p.207-212
1) Takahashi N. and Yamada T.: Acid-induced acidogenicity and acid tolerance of non-mutans streptococci. Oral Microbiol. Immunol (14): 43-48, 1999.
2) 髙橋信博，早川太郎：10章プラーク　11章齲蝕の生化学．早川太郎 他著：口腔生化学．医歯薬出版，東京，2005（第4版）．
3) Thenisch N.L., Bachmann L.M., Imfeld T., Leisebach Minder T. and Steurer J.: Are mutans streptococci detected in preschool children a reliable predictive factor for dental caries risk? A systematic review. Caries Res (40): 366-374, 2006.

4) Sansone C., van Houte J., Joshipura K., Kent R. and Margolis H.C.: The association of mutans streptococci and non-mutans streptococci capable of acidogenesis at a low pH with dental caries on enamel and root surfaces. J Dent Res (72): 508-516, 1993.
5) van Houte J., Lopman J., and Kent R..: The final pH of bacteria comprising the predominant flora on sound and carious human root and enamel surfaces. J Dent Res (75): 1008-1014, 1996.
6) van Ruyven F.O.J., Lingström P., van Houte J. and Kent R.: Relationship among mutans streptococci, "low-pH" bacteria, and iodophilic polysaccharide-producing bacteria in dental plaque and early enamel caries in humans. J Dent Res (79): 778-784, 2000.
7) Marchant S., Brailsford S.R., Twomey A.C., Roberts G.J., Beighton D.: The predominant microflora of nursing caries lesions. Caries Res (35): 397-406, 2001.
8) Bradshaw D.J., Marsh P.D.: Analysis of pH-driven disruption of oral microbial communities in vitro. Caries Res 32: 456-462, 1998.
9) 髙橋信博：歯垢生態系への生化学的アプローチ．東北大学歯学雑誌 (21)：18-32, 2002.

第6章　う蝕と食品
1．う蝕と食べ物（稲葉大輔）p.p.213-215
1) Stephan R.M. and Miller B.F.A.: Quantitative method for evaluating physical and chemical agents which modify production of acids in bacterial plaques on human teeth. J Dent Res 22: 45-51, 1943.
2) Bibby B.G., Goldberg H.J.V and Chen E.: Evaluation of caries-producing potentialities of various food stuffs. J Am Dent Assoc 42: 491-509, 1951.
3) Gustafsson B.E., Quensel C.E., Lanke L.S., Lundqvist C., Grahnen H., Bonow B.E. and Krasse B.：The Vipeholm dental caries study. The effect of different levels of carbohydrate intake on caries activity in 436 individuals observed for five years. Acta Odontologica Scandinavica 11:232-365, 1954.
4) WHO/FAO：Diet, nutrition and the prevention of chronic diseases: report of a joint WHO/FAO expert. WHO technical report series 916, Geneva, 2003.（http://www.who.int/mediacentre/releases/2003/pr20/en/，http://www.who.int/hpr/NPH/docs/who_fao_expert_report.pdf　2008年1月18日取得）
5) Lingstrom P., Wu C.D. and Wefel J.S.: In vivo effects of black tea infusion on dental plaque. Journal of Dental Research, 79:594, 2000.
6) Linke H.A.B. et al.: Effect of black tea on caries formation in hamsters. Journal of Dental Research, 79:594, 2000.
7) 独立行政法人国際協力機構　国際協力総合研修所　調査研究グループ編：調査研究「母子保健改善のための微量栄養素欠乏に関する援助研究」報告書，母と子の微量栄養素欠乏をなくすために　−小さじ一杯で育まれる母子の健康−．82-83, 2003.（http://www.jica.go.jp/branch/ific/jigyo/report/field/2003_05.html　2008年1月18日取得）
8) Moynihan P.J., Ferrier S. and Jenkins G.N.：The cariostatic potential of cheese: cooked cheese-containing meals increase plaque calcium concentration. British Dental Journal 187:664-667, 1999.
9) Rugg-Gunn A.J. et al. The effect of different meal patterns upon plaque pH in human subjects. British Dental Journal 139:351-356, 1975.
10) Rugg-Gunn A.J. et al.: Relationship between dietary habits and caries increment assessed over two years in 405 English adolescent schoolchildren. Archives of Oral Biology 29:983-992, 1984.
11) Gedalia I. et al.: Dental caries protection with hard cheese consumption. American Journal of Dentistry 7:331-332, 1994.
12) Rugg-Gunn A.J., Roberts G.J. and Wright W.G.: Effect of human milk on plaque pH in situ and enamel dissolution in vitro compared with bovine milk, lactose and sucrose. Caries Research 19:327-334, 1985.
13) Reynolds E.C. and Johnson I.H.: Effect of milk on caries incidence and bacterial composition of dental plaque in the rat. Archives of Oral Biology. 26:445-451, 1981.
14) Shen P., Cai F., Nowicki A., Vincent J. and Reynolds EC.: Remineralization of enamel subsurface lesions by sugar-free chewing gum containing casein phosphopeptide-amorphous calcium phosphate. J Dent Res 80:2066-70, 2000.
15) Kamasaka H., Inaba D., Minami K., Nishimura T., Kuriki T., Imai S. and Yonemitsu M.: Remineralization of Enamel by Phosphoryl-Oligosaccharides (POs) Supplied by Chewing Gum: Part I. Salivary Assessment in vitro.J Dent Hlth 52:105-111, 2002.
16) Inaba D., kamasaka H., Minami K., Nishimura T., Kuriki T., Imai S. and Yonemitsu M.: Remineralizasion of Enamel by Phosphoryl-Oligosaccharides (POs) Supplied by Chewing Gum, Part II. Intraoral Evaluation. J Dent Hlth 52:112-118, 2002.

2　う蝕と飲み物（北迫勇一）p.p.215-216
1) 北迫勇一：この飲み物はむし歯になりやすいかな？ vol.1-4. nico，7：42-45，8：46-49，9：36-39，10：36-39，2007.

第7章　う蝕と代用甘味料（今井 奨）p.p.217-224
1) 大嶋　隆：カップリングシュガーとう蝕．大嶋　隆，浜田茂幸 編：う蝕予防のための食品科学−甘味糖質から酵素阻害剤まで．110-111，医歯薬出版，東京，1996.
2) 大嶋　隆：スクロース構造異性体とう蝕．大嶋　隆，浜田茂幸 編：う蝕予防のための食品科学−甘味糖質から酵素阻害剤まで．154-165，医歯薬出版，東京，1996.
3) 大嶋　隆，竹内　叶：オリゴ糖類．大嶋　隆，浜田茂幸 編：う蝕予防のための食品科学−甘味糖質から酵素阻害剤まで．98-138，医歯薬出版，東京，1996.
4) Mäkinen K.K. and Soderling E.: Solubility of calcium salts, and hydroxyapatite in aqueous solutions of simple carbohydrates. Calcif Tissue Int 36: 64-71, 1984.
5) Edwardsson S., Birked D. and Majore B.: Acid production from Lycasin, maltitol, sorbitol and xylitol by oral streptococci and lactobacilli. Acta Odont Scand 35:257-263, 1977.
6) Park K.K., Schemehorn B.R., Stooky G.K., Butchko H.H. and Sanders P.G.: Acidogenicity of high-intensity sweeteners and polyols. Am J Dent 8: 23-26, 1995.
7) Hinoide M., Imai S. and Nisizawa T.: New artificial mouth for evaluation of plaque accumulation, pH changes underneath the plaque, and enamel demineralization. Jpn J Oral Biol 26: 288-291, 1984.
8) Assev S., Vegarud G. and Rölla G.: Inhibition of Streptococcus mutans OMZ176 by xylitol. Acta Path Microbiol Scand Sect B 88:61-63, 1980.
9) Mäkinen K.K., Söderling E., Isokangas P., Tenovuo J. and Tiekso J.: Oral biochemical status and depression of Streptococcus mutans in children during 24- to 36-month use of xylitol chewing gum. Caries Res 23: 261-267, 1989.

10) Harrus R.: Biology of the children of Hopewood. Bowral, Australia. 4. Observation of dental caries experience extending over five years (1957-1961). J Dent Res 42: 1378-1399, 1963.
11) Gustafsson B.: The Vipeholm dental caries study: The effect of different levels of carbohydrate intake on caries activity in 436 individuals observed for five years. Acta Odontol Scand 11: 232-362, 1954.
12) Scheinin A. and Mäkinen K.K.(ed.): Turku sugar studies I-XXI, Acta Odontol Scand 33: suppl 70, 1-351, 1975.
13) Bär A. A.: Wld Rev. Nutr. Diet 55: 183-209, 1988.
14) van Loveren C.: Sugar alcohols: What is the evidence for caries-preventive and caries-therapeutic effects? Caries Res 38: 286-293, 2004.
15) 今井 奨：内科的う蝕治療への転換にむけて 再石灰化のメカニズム（2）キシリトールの効果と限界．日本歯科評論 65：67-72，2005.

第8章 う蝕の疫学データ（葭原明弘、宮﨑秀夫）p.p.225-230

1) 歯科疾患実態調査報告解析検討委員会 編：解説 平成17年歯科疾患実態調査．口腔保健協会，東京，2007.
2) 精糖工業会：砂糖統計年鑑 1994年，森陽堂印刷，東京，1995.
3) LMC International Ltd：各国別の砂糖生産量．独立行政法人農畜産業振興機構，東京，2005.（http://sugar.lin.go.jp/world/data/wd1_03f.htm 2008年1月18日取得）
4) Miyazaki H. and Morimoto M.: Changes in caries prevalence in Japan. Eur J Oral Sci 104: 452-458, 1996.
5) Bratthall D. Hansel-Petersson G. and Sundberg H: Reasons for the caries decline: what do the experts believe? Eur J Oral Sci 104: 416-422, 1996.
6) 木本一成，晴佐久悟，田浦勝彦，志村匡代，藤野悦男，山本武夫，葭原明弘，磯崎篤則，荒川浩久，小林清吾，境 脩：日本における集団応用でのフッ化物洗口に関する実態調査—「健康日本21」における2005年中間評価に向けて—．口腔衛生会誌 55：199-203，2005.
7) （財）ライオン歯科衛生研究所編：一目でわかる口腔保健統計グラフ．54，（財）富徳会，東京，2001．（https://www.lion.co.jp/oral/info/graph02.pdf 2008年1月18日取得）
8) 平田幸夫：歯磨き習慣に関するアンケート調査報告書—学齢期におけるフッ化物配合歯磨剤の使用状況—．17，（財）8020推進財団，東京，2005.
9) Petersen P.E., Bourgeois D., Ogawa H., Estupinan-Day S. and Ndiaye C: The global burden of oral diseases and risks to oral health. Bulletin of the World Health Organization 83: 661-669, 2005.
10) World Health Organization: Dental caries levels at 12 years. World Health Organization, Geneva, 1995.
11) Slade G.D., Gansky S.A. and Spencer A.J.: Two-year incidence of tooth loss among South Australians aged 60+ years. Community Dent Oral Epidemiol 25: 429-437, 1997.
12) Fure S.: Five-year incidence of coronal and root caries in 60-, 70- and 80-year-old Swedish individuals. Caries Res 31: 249-258, 1997.
13) Locker D. and Leake J.L.: Coronal and root decay experience in older adults in Ontario, Canada. J Public Health Dent 53: 158-164, 1993.
14) Takano N., Ando Y., Yoshihara A. and Miyazaki, H.: Factors associated with root caries incidence in an elderly population. Community Dent Health 20: 217-222, 2003.
15) Graves R.C., Beck J.D., Disney J.A. and Drake C.W.: Root caries prevalence in black and white north carolina adults over age 65. J Public Health Dent 52: 94-101, 1992.
16) Fure S., Zickert I.: Prevalence of root surface caries in 55, 65, and 75-year-old Swedish individuals. Community Dent Oral Epidemiol 18: 100-105, 1990.
17) Locker D.: Incidence of root caries in an older Canadian population. Community Dent Oral Epidemiol 24: 403-407, 1996.
18) Wallace M.C., Retief D.H. and Bradley E.L.: The 48-month increment of root caries in an urban population of older adults participating in a preventive dental program. J Public Health Dent 53: 133-137, 1993.
19) Lawrence H.P., Hunt R.J. and Beck J.D.: Three-year root caries incidence and risk modeling in older adults in North Carolina. J Public Health Dent 55: 69-78, 1995.
20) 千葉潤子，小澤雄樹，坂本征三郎：多因子病の遺伝子解析と歯科疾患の分子疫学．口腔衛生会誌 49：130-144，1999.
21) Boraas J.C., Messer L.B. and Till M.J.: A genetic contribution to dental caries, occlusion, and morphology as demonstrated by twins reared apart. J Dent Res 67: 1150-1155, 1988.
22) Yoshihara A., Hanada N. and Miyazaki H.: Association between serum albumin and root caries in community-dwelling older adults. J Dent Res 82: 218-222, 2003.
23) Parkash H., Sharma A., Banerjee U., Sidhu S.S. and Sundaram K.R.: Humoral immune response to mutans streptococci associated with dental caries. Natl Med J India 7: 263-266, 1994.
24) Goubran B.H., Gregoire C., Rabillon J., David B. and Dandeu J.P.: Cross-antigenicity of horse serum albumin with dog and cat albumins: study of three short peptides with significant inhibitory activity towards specific human IgE and IgG antibodies. Immunology 88: 340-347, 1996.
25) Mauriello S.M., Beck J.D. and Elter J.R.: Root Caries Incidence as a Risk Predictor for Mortality. J Dent Res 78: 553, 1999

第9章 う蝕の歴史（竹原直道）p.p.231-236

1) 竹原直道 編：むし歯の歴史．砂書房，東京，2001.
2) Fujita H., Suzuki T., Ishiyama N. et al.: Distribution of dental caries cavities in the neolithic Jomon population of Japan. Jpn J Oral Biol 36: 558-561, 1994.
3) 鬼頭 宏：人口から読む日本の歴史．講談社，東京，2000.
4) Oyamada J., Manabe Y., Kitagawa Y. et al.: Dental morbid condition of hunter-gatherers on Okinawa island during the middle period of the prehistoric shell midden culture and of agriculturalists in northern Kyushu during the Yayoi period. Anthropological Sci 104: 261-280, 1996.
5) Todaka Y., Oyamada J., Manabe Y. et al.: The relationship between immigration and the prevalence of dental caries in the Yayoi people. Anthropological Sci 111: 265-292, 2003.
6) Haraga S., Hamasaki T., et al.: Distribution and site characteristics of dental caries in paddy rice-cultivating Yayoi people of ancient Japan. J Dent Hlth 56: 71-78, 2006.
7) Uekubo T., Hamasaki T. et al.: Alveolar boneloss in rice-cultivating Yayoi people of ancient Japan. J Dent Hlth 56: 171-177, 2006.
8) 九州大学医学部解剖学第二講座 編：日本民族・文化の生成．六興出版，東京，1988.
9) ウォーラーステイン，I.（川北 稔 訳）：近代世界システム，1730〜1840S—大西洋革命の時代—．名古屋大学出版会，名古屋，1997.

附録 唾液検査キット一覧

唾液検査キットを使用するにあたって

- 唾液検査の結果は、う蝕リスク因子の一つととらえ、患者のう蝕リスクを予測するには他の因子（口腔内診査の結果、プラークコントロールのレベル、う蝕経験（DMFT）、関連全身疾患の有無、食事の回数など）を総合して判定する必要がある。
- 唾液検査は、患者の口腔ケアに対するモチベーションの向上およびう蝕細菌数のスクリーニングに有効である。

注1）「患者さん説明用パンフレット」および説明書は、すべての製品に添付されているため、「内容」の欄から省略した。
注2）各製品の価格を含む諸情報は、2007年12月現在のものである。

1 ミュータンスレンサ球菌数を評価する

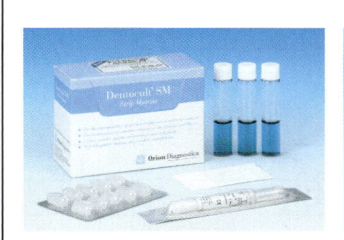

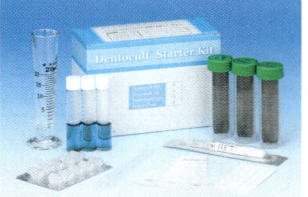

製品名	デントカルト SM
製造元	Orion
販売元	オーラルケア
連絡先	0120-500-418 http://www.oralcare.co.jp/
価格	¥5,225（税別）
検体	刺激混合唾液
判定時間	48時間後
方法	培養法

内容
ストリップ・ミュータンス、サイト・ミュータンス、培養試験管、パラフィンワックス、ネームラベル、バシトラシンディスク、各10回分

スターターキット
デントカルト SM、デントカルト LB、デントバフストリップ 各3回分、メートルグラス ¥6,350（税別）

保管期間と保管条件
条件：冷暗所で保管（20℃前後）。バシトラシン錠のみ冷蔵庫で保管
期間：製造日より1年

特徴
唾液検査のゴールドスタンダード
使用する15分以上前にバシトラシンを培養試験管に投入することにより、ミュータンスレンサ球菌を選択的に培養

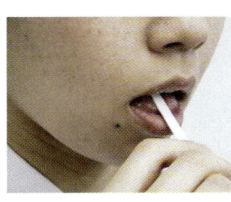

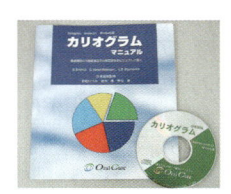

（写真提供：オーラルケア）

附録

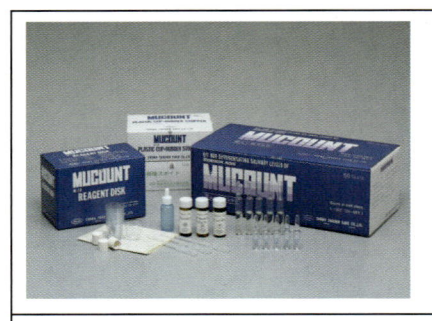

製品名	ミューカウント
製造元	昭和薬品化工
販売元	昭和薬品化工
連絡先	03-3567-9571 http://www.showayakuhinkako.co.jp/
価格	¥10,000（税別）
検体	混合唾液
判定時間	18～48時間後
方法	培養法

内容
バシトラシン、亜テルル酸カリウム、トリパンブルー、溶解液 各5、滴下瓶 1本、唾液スポイト、唾液採取カップ、培地、ラベル 各50回分

スターターキット
なし

保管期間と保管条件
条件：冷所保存
期間：製造日より3年

特徴
1回に15～20本分の試薬作製が可能なため、集団検診に有効

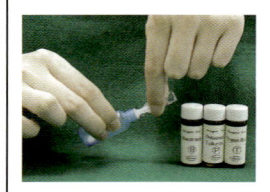

（写真提供：昭和薬品化工）

2　ミュータンスレンサ球菌と乳酸桿菌を同時に評価する

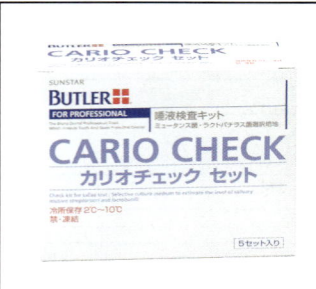

製品名	カリオチェックセット
製造元	Butler Sunster
販売元	サンスター
連絡先	0120-64-1300 http://www.sunster-dental.com/
価格	¥5,200円（税別）
検体	刺激混合唾液
判定時間	48時間後
方法	培養法

内容
SM/LB培地、ガム、計量カップ、重曹錠、スポイト、ラベル 各5回分

スターターキット
なし

保管期間と保管条件
条件：2～10℃
期間：製造日より6か月

特徴
ミュータンスレンサ球菌／乳酸桿菌を同時に判定
判定後の培地は、培地処理液（別売500円／本）で処理可能（オートクレーブ不要）

適量の培養処理液中に培地を浸漬

（写真提供：サンスター）

附録　唾液検査キット一覧

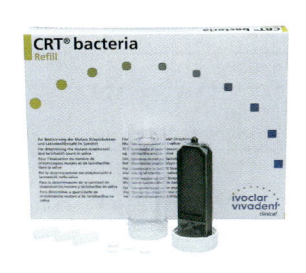

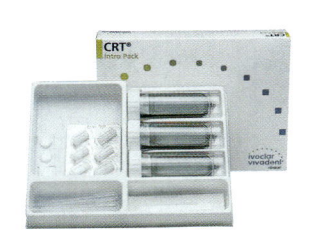

製品名	CRT バクテリアスタンダードパック
製造元	Ivoclar Vivadent
販売元	白水貿易
連絡先	06-6396-4400 http://hakusui-trading.co.jp/
価格	標準価格　¥7,800（税別）
検体	刺激混合唾液
判定時間	48時間後
方法	培養法

内容
培地、炭酸水素ナトリウム錠、パラフィンペレット、スポイト、ラベル　各6症例分

スターターキット
CRT イントロパック（CRT バクテリア、CRT バッファ、付属品各3回分）
価格：¥5,600（税別）

保管期間と保管条件
条件：寒天培地は、冷蔵保存（2～8℃）
期間：6か月（有効期間は、包装箱に明記）

特徴
ミュータンスレンサ球菌/乳酸桿菌を同時に判定

使用直前にスライド面のシートを除去

（写真提供：白水貿易）

3　Streptococcus mutans を判定する

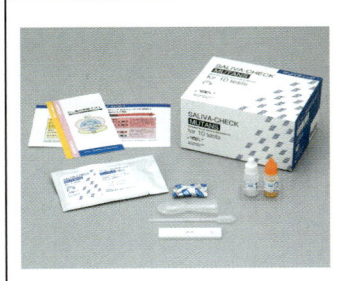

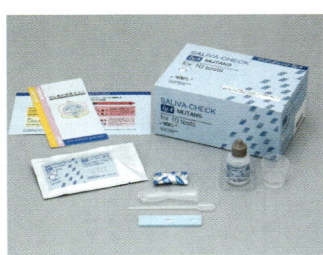

製品名	サリバチェック ミュータンス
製造元	ジーシー
販売元	ジーシー
連絡先	0120-416-480 http://www.gcdental.co.jp/
価格	¥6,000（税別）
検体	刺激混合唾液
判定時間	15分後
方法	特異抗体を利用

内容
(SM) テストデバイス、ガム、スポイト、混和容器 各10回分、処理液1、処理液2
(IgA) テストデバイス、ガム、スポイト、唾液採取カップ、混和容器 各10回分、希釈液1本

スターターキット
なし

保管期間と保管条件
条件：室温（湿気の少ない冷暗所）、長期間使用しない場合は冷蔵庫保管（2～8℃）
期間：2.5年

特徴
培養器を使用せずに、短時間で検査結果が判定可能
2つの製品を合わせて使用することで、S.mutans 菌数と S.mutans に対する身体の抵抗力の両面でう蝕リスクを判定
(SM) モノクローナル抗体を利用し、S.mutans 菌数を判定
(IgA) モノクローナル抗体を利用し、抗ミュータンスレンサ球菌免疫グロブリンA（IgA）を測定

分析ソフト　むし歯のチェックシート

（写真提供：ジーシー）

附録

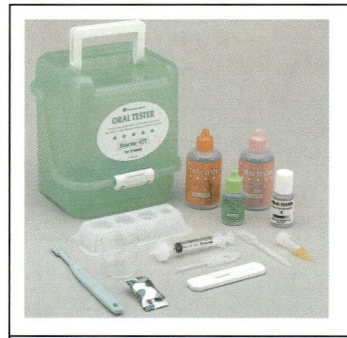

製品名	オーラルテスター　ミュータンス
製造元	トクヤマデンタル
販売元	トクヤマデンタル
連絡先	03-3835-7207 http://www.tokuyama-dental.co.jp/
価格	リフィルセット¥13,000（税別）
検体	刺激唾液または、ブラッシングにより採取したプラーク
判定時間	約20分後
方法	特異抗体を利用

内容
ミュータントスクロマトデバイス、シリンジフィルター、シリンジ、スポイト、処理液トレー　各10回分

スターターキット
ストレプトコッカス・ミュータンス測定キット（内容上記記載）　各3個、処理液1　50mL、処理液2A 7.5mL、処理液2B 45mL、処理液3 10mL、歯ブラシ　3本、オーラルバッファ3回分、オーラルテスタープラケース　1個　¥7,500

保管期間と保管条件
条件：冷蔵（2〜10℃）　※クロマトデバイスは0℃以下にならないように
期間：包装に記載

特徴
S.mutansのアフィニティー精製ポリクロナール抗体を利用して菌数のレベルを判定

分析ソフト

（写真提供：トクヤマデンタル）

4　乳酸桿菌数を判定する

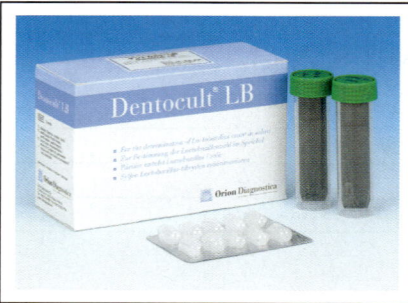

製品名	デントカルトLB
製造元	Orion
販売元	オーラルケア
連絡先	0120-500-418 http://www.oralcare.co.jp/
価格	¥4,750（税別）
検体	刺激混合唾液
判定時間	96時間後
方法	培養法

内容
培養試験管、パラフィンワックス、ネームラベル、各10回分

スターターキット
デントカルトSMの項を参照

保管期間と保管条件
条件：冷暗所で保管（20℃前後）
期間：製造日より9か月

特徴
乳酸桿菌のみを判定

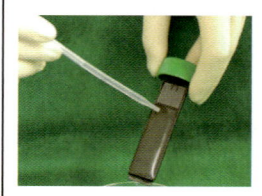

唾液は両面に均一に塗布　　分析ソフト「カリオグラム」

（写真提供：オーラルケア）

附録　唾液検査キット一覧

5　口腔内細菌数を判定する

製品名	RDテスト「昭和」
製造元	昭和薬品化工
販売元	昭和薬品化工
連絡先	03-3567-9585 http://www.showayakuhinkako.co.jp/
価格	¥5,500/50テスト　¥19,000/200テスト（税別）
検体	混合唾液
判定時間	15分後
方法	培養法

内容
シート、採唾スポイト、指導票　各50または20回分

スターターキット
なし

保管期間と保管条件
条件：室温保存
期間：5年

特徴
培養器または上腕部内側に貼付し、体温で培養
短時間で判定可能で価格も安価であるため、集団健診に有効。菌種の判別ではなく口腔内菌数のレベルを判定する製品

（写真提供：昭和薬品化工）

6　唾液緩衝能を判定する

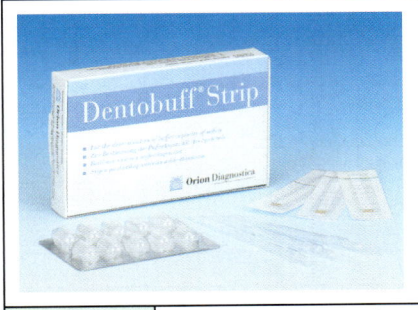

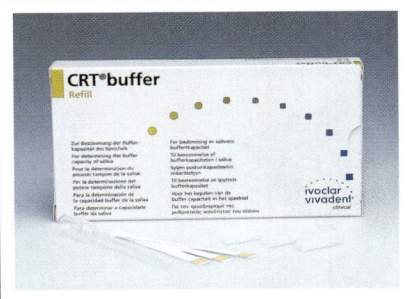

製品名	デントバフストリップ	製品名	CRTバッファスタンダード
製造元	Orion	製造元	Ivoclar Vivadent
販売元	オーラルケア	販売元	白水貿易
連絡先	0120-500-418 http://www.oralcare.co.jp/	連絡先	06-6396-4400 http://hakusui-trading.co.jp/
価格	¥4,750（税別）	価格	¥3,500（税別）
内容	デントバフ・ストリップス、パラフィンワックス、スポイト　各10回分	内容	CRTバッファ、ワックス、スポイト　各6回分
検体	刺激混合唾液	検体	刺激混合唾液
判定時間	5分後	判定時間	5分後
保管条件・期間	条件：冷暗所（20℃前後） 期間：製造日より2年	保管条件・期間	条件：室温（12～28℃） 期間：2年（包装箱に明記）
スターターキット	デントカルトSMの項を参照	スターターキット	イントロパックはCRTバクテリアの項参照
特徴	3段階で判定	特徴	3段階で判定

（写真提供：オーラルケア）　　　（写真提供：白水貿易）

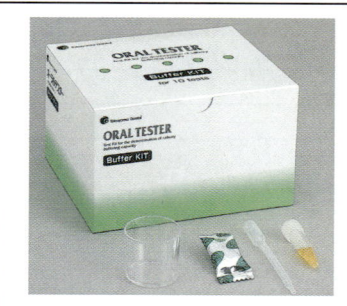

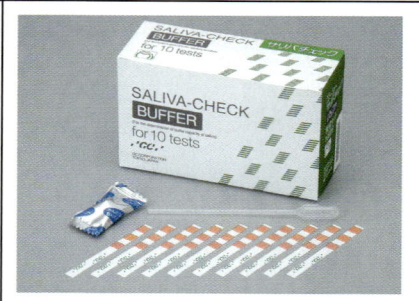

附録

製品名	オーラルバッファ
製造元	トクヤマデンタル
販売元	トクヤマデンタル
連絡先	03-3835-7207 http://www.tokuyama-dental.co.jp/
価格	リフィルセット／¥6,000（税別）
内容	ガム、唾液計量カップ、バッファ用スポイト、判定チューブ 各10個
検体	刺激唾液 または、ブラッシングにより採取したプラーク
判定時間	瞬時
保管条件・期間	条件：冷蔵（2～10℃） 期間：包装に記載
スターターキット	オーラルテスターミュータンスの項を参照
特徴	液体試薬のため粘性が高い唾液でも判定が容易 瞬時に色が変化し判定可能

（写真提供：トクヤマデンタル）

製品名	サリバチェックバッファ
製造元	ジーシー
販売元	ジーシー
連絡先	0120-416-480 http://www.gcdental.co.jp/
価格	¥6,000（税別）
内容	バッファテストストリップ、ガム、スポイト10症例分、カラーチャート1枚
検体	刺激唾液
判定時間	2分後
保管条件・期間	条件：室温（湿気の少ない冷暗所） 期間：3年
スターターキット	なし
特徴	三種の標準紙を使用した唾液緩衝能の測定

（写真提供：ジーシー）

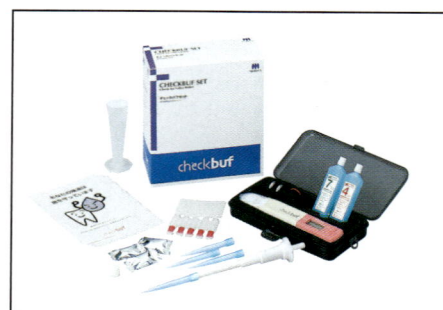

製品名	チェックバフ
製造元	堀場製作所
販売元	モリタ
連絡先	06-6338-7241 http://www.dental-plaza.com/
価格	¥33,300（税別）
検体	刺激混合唾液
判定時間	5分後
方法	pHメーターにて測定

内容
チェックバフ カリエスリスクチェッカー（本体）、標準液pH7、標準液pH4、サリバリーピペット、シリンダー 各1、テストキット（ガム、ピペットチップ、酸負荷液、検査結果シート）各10回分、リチウム電池 2個

スターターキット
なし

保管期間と保管条件
条件：酸負荷液のみ、冷暗所（15℃以下）
期間：標準液pH7、pH4は開封後6か月。酸負荷液は1年3か月

特徴
唾液と酸負荷液を滴下してから約30秒で測定値をデジタル表示
1回当たりの検査費が安価

（写真提供：モリタ）

附録　唾液検査キット一覧

7 デリバリーサービスを利用する
―郵便・インターネットを利用した歯科領域での細菌検査の外注システム―

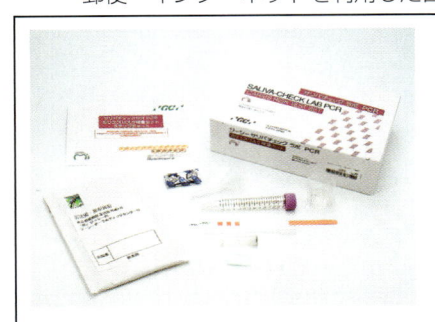

製品名	サリバチェック ラボPCR カリエスリスク検査
製造元	ジーシー
販売元	ジーシー
連絡先	0120-416-480 http://www.gcoc.jp/
価格	カリエスリスク検査キット／¥1,400（税別） 検査申込書（検査料）／¥2,700（税別） ※セットでの購入が必要
検体	刺激唾液
判定時間	検体受取から6営業日後に郵送
方法	リアルタイムPCRを利用

内容
カリエスリスク検査キット：サリバチェック バッファ テストストリップ、pH試験紙、ガム、唾液採取カップ、唾液採取容器、ロート、スポイト、検体輸送容器、ネームラベル、検体輸送容器用ビニール袋、検体送付用封筒、ステップチャート／カラーチャート 各1回分
サリバチェック ラボPCR検査申込書：カリエスリスク検査口腔内検査申込用紙1部

スターターキット
なし

保管期間と保管条件
条件：室温（湿気の少ない冷暗所）
期間：3年

特徴
S.mutans および S.sobrinus 菌数（含総レンサ球菌中の比率）、乳酸桿菌数の3種を同時に測定
問診、視診、唾液量、唾液緩衝能の回答と併せてリスクを判定し報告

（写真提供：ジーシー）

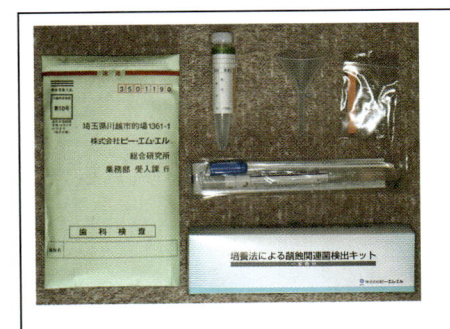

製品名	う蝕関連菌検査
製造元	BML
販売元	BML
連絡先	03-5305-1399 http://www.bml.co.jp/dentallabo/
価格	¥30,000（税別、10回分測定費用等すべて含む）
検体	刺激唾液をスワブにて提出
判定時間	6〜10日間で郵送もしくはインターネットで報告
方法	培養法・定量

内容
採取手順書、専用依頼書、輸送用専用封筒、採唾液用スピッツ（目盛り付）、検体提出用カルチャースワブ、採唾液用ロート、刺激唾液採取用補助剤　各10回分

スターターキット
う蝕お試しセット：¥5,000/3回分（初回のみ、税別）

保管期間と保管条件
条件：室内・室温
期間：約1年。期限切れの際はスワブのみ無料で送付

特徴
総レンサ球菌数、ミュータンスレンサ菌数（含 S. sobrinus 菌数）、う蝕菌比率、乳酸桿菌数の測定結果と、問診・視診結果と併せてリスク判定し専用チャート報告書で報告

附録

8 検体のプラークの細菌数を培地の色調で判定する

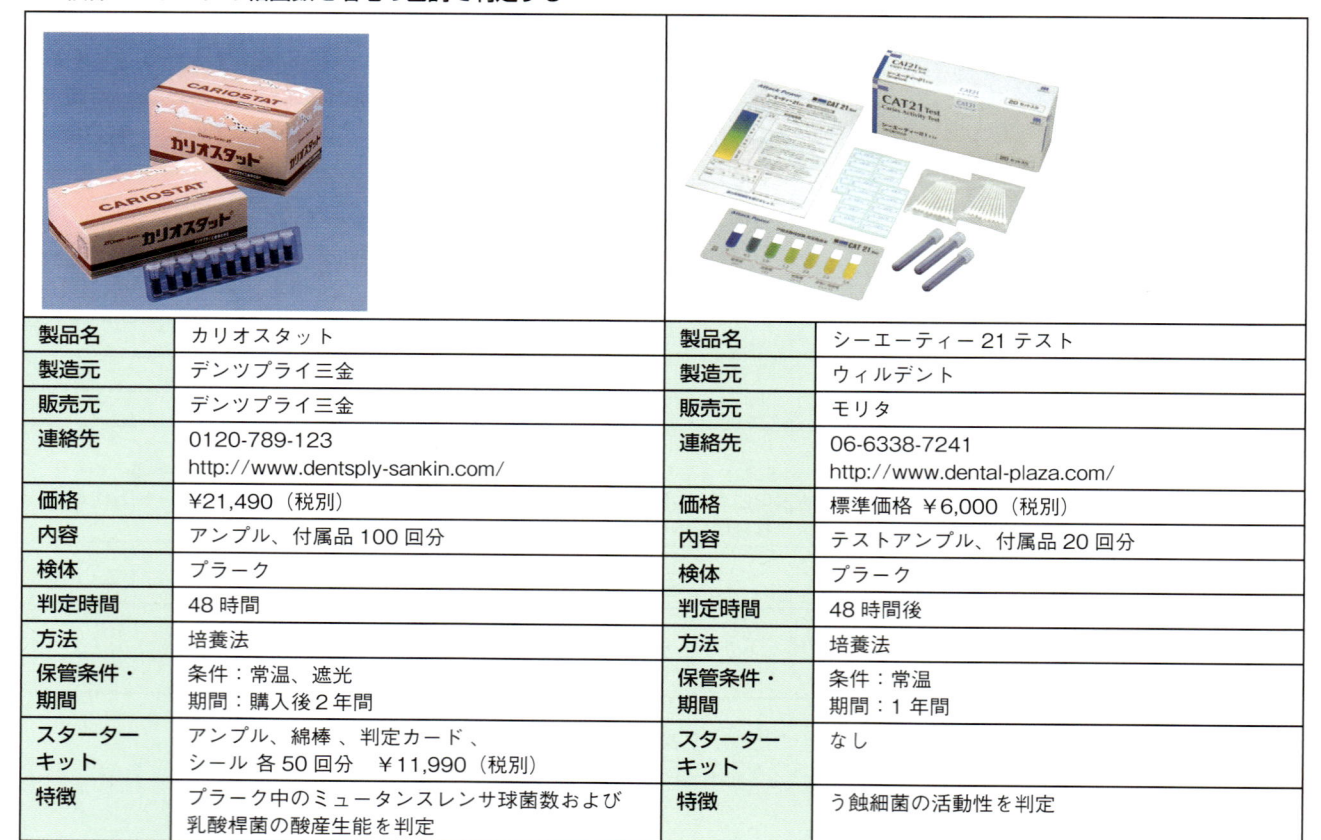

製品名	カリオスタット	製品名	シーエーティー 21 テスト
製造元	デンツプライ三金	製造元	ウィルデント
販売元	デンツプライ三金	販売元	モリタ
連絡先	0120-789-123 http://www.dentsply-sankin.com/	連絡先	06-6338-7241 http://www.dental-plaza.com/
価格	¥21,490（税別）	価格	標準価格 ¥6,000（税別）
内容	アンプル、付属品100回分	内容	テストアンプル、付属品20回分
検体	プラーク	検体	プラーク
判定時間	48時間	判定時間	48時間後
方法	培養法	方法	培養法
保管条件・期間	条件：常温、遮光 期間：購入後2年間	保管条件・期間	条件：常温 期間：1年間
スターターキット	アンプル、綿棒、判定カード、シール 各50回分　¥11,990（税別）	スターターキット	なし
特徴	プラーク中のミュータンスレンサ球菌数および乳酸桿菌の酸産生能を判定	特徴	う蝕細菌の活動性を判定

（写真提供：デンツプライ三金）　　　　　　　　　　　　　　　　　　　　　　　　　**（写真提供：モリタ）**

謝辞

　附録 唾液検査キット一覧を作成するに当たり、製品写真および詳細な情報の提供をいただきました各社ご担当者各位に心より厚く御礼申し上げます。

（大森かをる、桃井保子）

索引

欧文

◆A
AD ゲル　146
ADA　103
ADA の判定法　59
ADH　177
AMA　12
ART　65
atraumatic restorative treatment　65
Axelsson　105

◆B
Bis-GMA　145, 148
BMI　229
BML　106, 138
Buonocore　145
calcification　151
case finding　14
chronological age　8

◆C
CO　17, 37, 55, 187
CPP　223
CPP-ACP　128, 214, 223

◆D
Dean の分類　194
dental age　9
Dental Drug Delivery System　133
dental fluorosis　194
df 歯数　225
DIAGNOdent　63, 119, 191
DMFS　114
DMFT　114
DMF 歯数　225, 226, 227

◆G
glucosyl transferase　137, 208
GTF　137, 208

◆H
hard lesion　74
HealOzone　43
high risk approach　15

◆I
ICDAS　114
ICDAS II　114
IgG　229
indirect pulp capping　65
Inspektor Pro　117
International Caries Detection and Assessment System　114
IPC 法　18
IVM 法　123

◆K
KAP モデル　112
Keyes　15, 102

◆L
lactobacilli　22, 207
Larmas　102
leathery lesion　74
Lehner　15
Loesche　8

◆M
MFP　199
MI　17
Minimal Intervention　17, 27, 151
MRI　179
MSB 培地　207
MS 菌　22
mutans streptococci　22

◆N
National Guideline Clearinghouse　12
Newbrun　15
NGC　12
NICE　12

◆O
OPQRST　190

◆P
PAc　137
PCR　106, 208
PDCA サイクル　61
PFRI　105
physiological age　8
Plaque Formation Rate Index　105
PMTC　34, 133, 156
PMTC　11
population approach　15
POs-Ca　128, 214, 223
precede　112
Prevotella intermedia　25
proceed　112
Professional Mechanical Tooth Cleaning　133
protein antigen c　137
PubMed　12
pyruvate formate-lyase　209

◆Q
QLF 法　116
quantitative light-induced fluorescence　116
questionable caries under observation　17, 187

◆R
reactive oxygen species　175
remineralization　151
reproductive health　12
risk finding　14
Roitt　15
ROS　175

◆S
sIgA　143, 172
SIGN　12

索引

Sjögren 症候群　174
soft lesion　74
streptococci　22
Streptococcus mitis　137
Streptococcus mutans　207
Streptococcus oralis　137
Streptococcus salivarius　137

◆ T

Tanzer　15
The National Institute of health and Clinical Excellence　12
The Scottish Intercollegiate Guidelines Network　12
TMR　116

◆ W

WHO 協力センター　228
WHO の口腔検査法の指針　42
WHO ペリオドンタルプローブ　42

和文

◆ あ

アクチノマイセス　208
アスコルビン酸　127
アスパルテーム　218
アセサルフェーム　218
アセスメント　96
アタッチメント義歯　85
亜テルル酸カリウム　207
アドヘシン　208
アミラーゼ　172
アルコール飲料　215
アングルワイダー　142
安静時唾液　171
安静時唾液量　178

◆ い

胃液　25
イオン結晶化　151
移行義歯　82
一口腔単位　82
一次性 Sjögren 症候群　177
一次予防　13
1 歳 6 か月児健康診査　203
遺伝性果糖不耐症　229
イニシエーター　23
いびき　175
医薬部外品　198
医薬部外品歯磨剤　130
医療面接　189
院内培養　106
インフォームドコンセント　118
インプラント義歯　86

◆ う

う蝕検知液　119
う蝕細菌　106, 207
う蝕象牙質外層　19
う蝕のリスク　102
う蝕病原性　209
う蝕誘発性甘味料　218
う蝕有病率　225
う蝕リスク評価　103

う蝕リスク分類ガイドライン　103
うつ病　8, 179

◆ え

エア・ポリッシャー　76
エアブレイシブ　76
永久歯の萌出時期　9
永久修復　19
栄養表示基準　126, 222
液体エナメル質　155
エッチング　18, 214
エナメル結節　166
エナメル質の萌出後の成熟　8
エナメル質の臨界 pH　8, 152, 216
エナメル叢　167
エナメル白斑　154
エナメル紡錘　167
エナメル葉　167
エビデンス　13
エムデン・マイヤホフ　217
エリスリトール　128, 219
嚥下　90

◆ お

往診　89
横紋　167
オーダーメイドメソッド　123
オゾン　43
オゾンガス　17
オゾン発生装置　17
おやつ　37
オリゴ糖　218

◆ か

介護給付費実態調査　88
介護保険サービス　88
介護予防サービス　88
介助用ブラシ　97
外套象牙質　168
ガイドライン　12
介入　89
外表歯冠象牙質　168
開放型質問　190
化学的除菌　138
かかりつけ歯科医院　10, 11, 26
可逆的う蝕　151
顎運動　179
学習指導要領　55
学齢期　8
カスタムトレー　72
カゼイン　128
カゼインホスホペプチド　128, 223
学校歯科医　55
褐色斑　187
活性酸素　175
活性酸素種　175
活動性　72
活動性病変　75
可撤性ブリッジ　85
果糖　218
過敏症　142
過飽和のカルシウム　8
ガムテスト　178

カリエスメーター 190
カルシウム 8
カルシウム拮抗薬 176
カルシウム摂取量 26
管間象牙質 168
環境 105, 109
環境ホルモン 148
観血的処置 27
眼検査 178
還元パラチノース 128
カンジダ 174
管周象牙質 168
緩衝作用 171
感染 10
感染時期 10
感染の窓 22, 28
含嗽剤 66
管内象牙質 168
漢方薬 158, 182

◆き
危険因子 102
義歯 80
義歯洗浄剤 85
義歯用ブラシ 85, 121
キシリトール 24, 129, 214, 218, 219, 220
キシリトールガム 128, 221
キシリトール無益回路 220
拮抗作用 185
機能性ガム 62, 126
機能性食品 220
球間象牙質 169
急進性 45
吸啜反射 27
協力歯科 93
局所集中輸送 138
菌体内多糖 209

◆く
クエン酸 127
クォーラムセンシング 133
口呼吸 175
グラスアイオノマーセメント 77, 150
グルカン 208
グルコース 207
グルコシルトランスフェラーゼ 208, 217
クロルヘキシジン 43
クロルヘキシジン製剤 142

◆け
ケアプラン 96
蛍光 116
形成異常 166
劇薬 198
化粧品歯磨剤 130
血液検査 178
血漿浸透圧 176
血清アルブミン濃度 229
血清型分類 29
欠損歯列用歯ブラシ 85
ゲル 72
原因療法 181
健康飲料 215

健康観 10
健康増進 13
健康日本21 8, 9
健康保護 13
検査キット 105
検出限界 109

◆こ
後遺障害 89
硬化象牙質 168
口渇中枢 176
交感神経 171
抗菌性 172
抗菌性レジン系接着システム 79
口腔異常感 179
口腔衛生 96
口腔環境 96
口腔カンジダ症 180
口腔乾燥症 173
口腔機能 96
口腔内酸産生菌 22
口腔内CCDカメラ 62
口腔保健行動 74
口腔レンサ球菌 22, 208
高血圧症 8
咬合崩壊 80
咬合保持 81
抗コリン作用 176
口臭 10
厚生労働省歯科疾患実態調査 225
行動の変容 13
高年期 8
抗微生物物質 171
咬耗 69
咬耗症 215
咬翼撮影法 40, 190
高リスクアプローチ 15
抗利尿ホルモン 177
固着 185
骨硬化症 194
骨年齢 8
骨フッ素症 194
骨様象牙芽細胞 168
固定性ブリッジ 85
コホート研究 113
暦年齢 8
コロニーカウンター 106
混合歯列 46
コンポジットレジン 19, 77
根面う蝕 8, 71, 94, 157, 232
根面露出 8

◆さ
細菌感染症 22
細菌叢 136, 137
再石灰化 42, 151
再石灰化作用 223
再石灰化層 75
再石灰化促進機能 128
再石灰化促進効果 155, 214
再石灰化促進治療 75
再石灰化能 156
再石灰化ミネラル 152

索引

再石灰化溶液　172
最適濃度薬剤　138
再発う蝕　189
再発性二次う蝕　70
裁量権　142
サクソンテスト　178
撮影インディケーター　63
砂糖消費量　226
砂糖の摂取制限　10
サポーティブ・ケア　94
サリグレイン　111
酸　127
酸化アルミナ　76
酸化ストレス　175
暫間義歯　81
暫間充填　94
暫間的間接覆髄法　18
暫間的歯髄覆罩法　65
酸産生能　106, 208, 210
酸蝕　69
酸蝕症　25, 214, 215
三次予防　14
三大不潔域　31
サンフェノン　128

◆し

仕上げ磨き　30, 32, 34
シーオー　17, 55
シーラント　44, 145, 204
シーラント処置　10
シールドレストレーション　18
自家蛍光　117
歯科疾患実態調査　69
自家重合型　19
歯科受診率　69
耳下腺管　59
耳下腺唾液　25
歯科訪問診療　88
歯間ブラシ　11, 121, 124
磁気共鳴画像診断　179
歯頸部摩耗　71
刺激唾液　106, 171
刺激唾液分泌量　178
歯原性間葉　166
自己管理能力　60, 66
自己健康観の形成　10
示指固定　205
歯小嚢　166
視診　62
シスタチン　172, 173
歯石除去　11
持続感染　10
疾病　13
疾病発見　136
疾病予防　13
歯肉退縮　71
歯乳頭　166
歯年齢　9
歯胚　9
歯胚形成　26
シプロフロキサシン　18
歯磨剤　121, 129
島田の分類　114

歯面塗布用のフッ化物　32
歯面付着能　208
週1回法　125
集団アプローチ　15
周波条　167
シュガーレス　222
シュガーレスガム　126, 214
宿主　105, 109, 225
10％過酸化尿素　66
受動免疫療法　136
受療行動　61
消化作用　173
浄化作用　171
小窩裂溝　42
小窩裂溝填塞法　204
小窩裂溝のう蝕予防　10
常在細菌　185
少子高齢化　173
醸造酒　216
小柱鞘　167
蒸留酒　216
初期う蝕病変　168
初期付着　185
酸蝕症　215
食事指導　37
嘱託歯科　93
女性の健康　12
女性ホルモン　25
自律神経　171
歯齢　9
神経性唾液分泌低下　178
人工唾液　156, 215
新産線　167
真正象牙質　168
人生の6段階　9
身体機能の低下　84
身体表現性障害　176
シンチグラフィ　178
腎不全　177

◆す

髄周象牙質　168
水道水フッ化物濃度調整法　200
睡眠時無呼吸症候群　175
水溶性グルカン　208
スーパーフロス　85
スクラッチポイント　146
スクラッビング法　123
スクリーニング検査　106
スクロース　217, 234
スクロースガム　126
スケーリング　71
スタセリン　173
スタンダードプレコーション　92
ステビオシド　218
ステファンカーブ　8, 33
ストレス　59
スプーンエキスカベーター　76
スポーツドリンク　215
3DS　110, 133, 136
3Mix法　18
すれ違い咬合　80

◆せ

生活習慣　10, 61
生活習慣病　11, 22, 186, 215
生存率　19
成長ホルモン欠損症　229
青年期　8
生理的年齢　8
石灰化　152
石灰化物　75
摂食嚥下機能　92
舌苔　121
接着性レジン修復　18
舌痛症状　81
舌ブラシ　121
セファクロル　18
セメントーエナメル境　71
セメント質　8
セルフケア　11
染色体DNAフィンガープリント法　29
全身疾患に起因する唾液分泌低下　178
線維性セメント質　72
選択的検出　106
腺房細胞　176

◆そ

早期治療　13
臓器特異的自己免疫疾患　177
早期発見　13
早期リスク発見　61
象牙芽細胞　168
象牙質橋　168
象牙質の臨界pH　8
象牙質瘤　168
相対甘味度　218
相対危険度　113
壮年期　8
ソーシャルマーケティング　13
咀嚼回数　37, 176
咀嚼機能障害　80
咀嚼訓練　158
卒乳時期　34
損傷による唾液分泌低下　178

◆た

ターナー症　229
第一象牙質　168
第一大臼歯　10
体液性感染の防衛策　10
第三次国民健康づくり運動　13
耐酸性能　208, 210
耐酸性付与効果　155
第三象牙質　168
対処療法　181
胎生期　26
大唾液腺　111
態度の変容　13
第二象牙質　168
代用甘味料　218, 220
代用糖　110, 218
多因子性　105, 109
ダウン症　229
唾液緩衝能検査　106
唾液凝集素　172

唾液検査　106
唾液酵素　171
唾液採取　105
唾液サンプル　105
唾液腺検査　178
唾液腺腫瘍　176
唾液タンパク質　172
唾液分泌　214
唾液分泌機能障害　175
唾液分泌促進効果　220
唾液分泌促進薬　111
脱灰　8
多発性　45
ダブルブラッシング法　50, 73, 215
炭酸飲料　215
炭酸ー重炭酸塩系　171
単糖　218
断面調査　113

◆ち

地域歯科保健活動　13
チェアサイド　105
智歯　60
知識の変容　13
茶葉由来フッ化物　214
茶ポリフェノール　128
チューインガム　24, 126
中性域　126
中年期　8
超音波洗浄器　85
超高齢社会　173

◆つ

追跡管理システム　14

◆て

低減治療　136
停止性　72
定着　10, 22
低濃度フッ化物イオン　196
ディフェンシン　172
定量的光誘起蛍光法　215
テーラーメイド医療　106
デジタル画像　116, 120
デュアルキュア型　19
転化糖　220
電極内蔵法　126
点検磨き　30, 32, 34
デンタルテープ　124
デンタルフロス　36, 49, 121, 124, 215
デンチャープラークコントロール　83, 85
電動ブラシ　121
伝播　10, 22
デンプン　234

◆と

糖アルコール　126, 218, 219
トゥースピック　124
トゥースフレンドリー協会　224
トゥースフレンドリー協会認定食品　222
透照診　62, 191
糖尿病　177
糖尿病に伴う根面う蝕　8

索引

トームス顆粒　168
特定保健用食品　126, 222
特別養護老人ホーム　93
トクホ　126, 222
ドライアイ　177
ドライマウス　104, 157, 173
ドラッグリテーナー　133
トレー法　198
トンネル窩洞　65

◆な

軟化底　42
軟化壁　42
軟食化　37

◆に

二元論　102, 215
2歳2か月前後　10
二次う蝕　8, 19
二次性Sjögren症候群　177
20％過酸化尿素　66
二色性プラーク染色液　123
二次予防　13
日本学校歯科医会　42
日本トゥースフレンドリー協会認定食品　126
乳酸桿菌　22, 103, 207
乳酸脱水素酵素　209
乳歯　9
乳歯の萌出脱落時期　9
乳糖　207
乳幼児期　22
妊娠性歯肉炎　23
認知機能　88
認知症　91

◆ね

寝かせ磨き　27
捻転エナメル質　167

◆の

ノンシュガー　222

◆は

バイオフィルム　185, 208
バイオフィルム感染症　137
ハイドロキシアパタイト　152
バクテリオシン　29, 185
白斑　168, 187
バシトラシン　207
8020運動　11
発酵性炭水化物　23
発酵性糖類　127
発生確率　102
歯の延命　75
歯の仕上げ磨き　10
歯ブラシ　121
ハンターシュレーゲル条　167
パンデミック　235

◆ひ

非活動性　75
非侵襲的修復技法　65
非水溶性グルカン→不溶性グルカン

ヒスタチン　172, 173
ヒスチジンリッチプロテイン　173
ビスフェノールA　148, 215
必須栄養素　213
否定型指導　34
ビデオ画像　120
非破壊　116
非免疫グロブリン　171
評価判定　105
病原性バイオフィルム　143
標準予防策　92
表層下脱灰　42, 152, 187
病巣の無菌化　17
標榜医制度　204
病理組織検査　178
日和見感染　181
日和見菌　11
ピルビン酸　209
ピルビン酸ギ酸リアーゼ　209
ピロカルピン　181

◆ふ

フォーハンドシステム　92
フォーンズ法　123
副交感神経　171
普通薬　198
フッ化カルシウム　197
フッ化ジアンミン銀　42, 197
フッ化第一スズ　72
フッ化ナトリウム　129
フッ化物含有バーニッシュ　72
フッ化物歯面塗布法　197
フッ化物徐放性レジンコート材　205
フッ化物徐放性シーラント　145, 205
フッ化物洗口　125, 196
フッ化物洗口ガイドライン　200
フッ化物洗口剤　36
フッ化物の応用　10
フッ化物ゲル　34, 49
フッ化物配合歯磨剤　24, 36, 49, 130, 196, 199, 200
フッ素症　192, 194
フッ素の中毒発現量　34
ブドウ糖　207
フノラン　128
フノラン　223
不溶性グルカン　23, 185, 208, 217
プラーク　8
プラークコントロール　71, 136
プラークスコア　113
プラーク染色液　113, 123
プラークの形成速度指数　105
プラーク付着因子　16
ブラッシング　10, 121
プリシード・プロシードモデル　112
フルオロアパタイト　196
フルクトース　218
フローアブルレジン　19
フロス　11
プロフェッショナルケア　11
プロリンリッチプロテイン　173

◆へ

平滑面　10

平衡関係論　152
閉鎖型質問　189
ペリクル　137, 157, 185, 208
ペルオキシダーゼ　172
ヘルスクレーム　127, 222
ヘルスプロモーション　112
ヘルマンの咬合発育段階　9
辺縁性二次う蝕　70, 189

◆ほ

放射線性唾液分泌低下　178
萌出順序　9
訪問診療　89
ホームホワイトニング　66
保健行動要因　111, 112
保健体育審議会　55
保湿外用剤　111
補修修復　151
補綴象牙質　168
哺乳反射　27
哺乳瓶う蝕　33
ポルフィリン　120
ホワイトニング　66

◆ま

マイクロコロニー　143
マイクロラジオグラフィ法　116
毎日法　125
マッサージ　111
マトリックス　208
マトリックスメタロプロテアーゼ　188
摩耗　69
マルチトール　128
慢性腎不全　229
慢性持続性感染症　15
マンニトール　207

◆み

味覚作用　173
三つの輪　15, 102
ミニマルインターベンション　17
ミネラル喪失量　116
ミュータンスレンサ球菌　103, 185, 207, 211, 217, 220, 235
ミュータンスレンサ球菌の伝播　29

◆む

無歯顎　80
ムスカリン受容体　176, 181

◆め

メインテナンス　78
メトロニダゾール　18
免疫学的特異性　207
免疫グロブリン　171
免疫力　10
綿球塗布法　198

◆も

モイスチャープレート　183
モニタリング　116
モノクローナル抗体　136
モノフルオロリン酸ナトリウム　129, 199
問題志向型の指導　34

◆や

夜間授乳　32, 34
薬物性唾液分泌低下　176

◆ゆ

有機酸　8, 217
有機酸産生　137
ユニバーサルデザイン　89

◆よ

養育者　10, 23
要観察歯　37, 55, 187
幼若エナメル質　42
幼年期　10
予想確率　113
予防填塞　103

◆ら

ライフサイクル　8
ラクトフェリン　172
ランダム化比較試験　13, 136

◆り

リコール　78
リスク　13, 102
リスク指標　113
リスク診断によるう蝕予防方法　103
リスク低減　78
リスクの判断基準　107
リスク発見　136
リスクプレディクター　230
リスクレベル　78
リゾチーム　172
リテーナー義歯　81
リハビリテーション　14
リプロダクティブヘルス　12
「量－反応」関係　102
臨界pH　8, 71, 152
リン酸　8
リン酸塩　171
リン酸化オリゴ糖カルシウム　223
臨床試験　13
隣接面う蝕　62
隣接面のう蝕予防　10

◆る

ルートプレーニング　71

◆れ

レーザー光　119
レジンコーティング法　19
レジンセメント　19
レッチウスの線条　167
レディメイドメソッド　123
レンサ球菌　22

◆ろ

老化　84

◆わ

ワンタフトブラシ　49, 85

う蝕学 —チェアサイドの予防と回復のプログラム—			定価（本体 8,500 円＋税）
©2008.3.5　第1版　第1刷	編　　集	田上　順次	
		花田　信弘	
		桃井　保子	
（検印廃止）	発　行　者	永末　摩美	
	印　刷　所	小宮山印刷工業株式会社	
	発　行　所　株式会社　永末書店		

（本社・商品センター）　〒602-8446　京都市上京区五辻通大宮西入五辻町69-2　　電話 075-415-7280　　FAX 075-415-7290
（編集部）　　　　　　　〒110-0005　東京都台東区上野1-18-11　西楽堂ビル4階　電話 03-3831-5211　　FAX 03-5818-1375

ISBN978-4-8160-1192-4 C3047

＊本書の無断複写（コピー）・複製・転載は著作権法上での例外を除き、禁じられています。